initial

Dictionnaire d'Histoire du XXe siècle

Anne Carol
Professeur agrégé d'Histoire

Jean Garrigues
Professeur agrégé d'Histoire
Maître de conférence à l'université
Paris-I de Nanterre

Char

HATIER

Illustration de couverture :
Pierre-Olivier Leclercq.

ISSN 1159 2249   ISBN 2-218-**07192**-4

AFRIQUE NOIRE

(DEPUIS 1960)

L'Afrique noire est l'Afrique située au sud du Sahara. Dès les indépendances, pour la plupart des États vers 1960, elle est confrontée à de multiples difficultés. C'est dans l'Est et le Sud du sous-continent que les tensions sont les plus vives.

UN SOUS-CONTINENT EN DIFFICULTÉ

Des États fragiles et instables

Dans les États d'Afrique noire, les conflits entre les ethnies sont fréquents. En effet, les frontières issues de la colonisation et déclarées intangibles en 1964 par l'Organisation de l'unité africaine (OUA) ont été tracées sans tenir compte des réalités africaines. Les États ainsi délimités regroupent des peuples sans tradition commune et parfois hostiles (au Soudan ou au Tchad, les nomades blancs et islamisés du Nord ont été réunis aux Noirs, sédentaires, animistes ou chrétiens du Sud) alors que certaines ethnies sont écartelées entre plusieurs États (les Somalis entre la Somalie, le Kenya et l'Éthiopie...).

Les régimes politiques sont par ailleurs instables. Peu après les indépendances, la plupart des dirigeants africains ont renoncé au pluralisme politique pour instaurer des régimes présidentiels autoritaires (régimes personnalisés, exécutif puissant, parti unique, suppression d'une partie des libertés fondamentales). Certains de ces hommes forts se sont maintenus longtemps au pouvoir (Houphouët-Boigny depuis 1960 en Côte-d'Ivoire, Sekou Touré en Guinée de 1958 à 1984, Nyerere en Tanzanie de 1961 à 1985...), mais la plupart d'entre eux ont été rapidement renversés par des militaires qui ont mis en place des régimes plus tyranniques

Les conflits ethniques et l'instabilité politique, le chômage et la misère, ainsi que les interventions étrangères sont les plaies du sous-continent.

et corrompus que les précédents et qui n'ont pas échappé à leur tour aux coups d'État : de 1960 à 1980, l'Afrique noire a ainsi connu 60 tentatives de coups d'État dont 40 ont abouti.

Depuis le milieu des années 70, et plus encore depuis le début des années 90, nombre d'États se démocratisent (le Sénégal de L.S. Senghor dès 1976...). Mais tout comme les quelques démocraties plus anciennes (Botswana, Gambie), les régimes présidentiels les plus stables ou les dictatures militaires encore en place, ces nouvelles démocraties doivent faire face au mécontentement d'une population en voie de paupérisation.

Une population très pauvre

Dans les années 60 et 70, les conditions de vie des populations se sont à peine améliorées : la croissance économique a été forte mais l'essor démographique a annulé en grande partie ses bienfaits et l'Afrique est restée la proie des fléaux naturels (les invasions de criquets, la sécheresse au Sahel à partir de 1968...).

À partir des années 80, la situation tend à se dégrader. En effet, alors que l'accroissement naturel, de plus en plus considérable, atteint 3 % par an et que la population en âge de travailler est tous les ans beaucoup plus nombreuse, les investisseurs étrangers fuient le continent et l'État n'a plus les moyens de créer des emplois. Les matières premières exportées vers les pays riches, qui lui apportent l'essentiel de ses ressources, ne sont plus d'un aussi bon rapport que dans le passé du fait de la détérioration des termes de l'échange ; il doit rembourser une lourde dette extérieure et suivre les conseils du Fonds monétaire international (FMI) qui l'incite généralement à mener une politique d'austérité donc à limiter ses dépenses.

Dans les campagnes et surtout dans les grandes villes qui, comme Dakar, Lagos ou Abidjan, connaissent un essor vertigineux, les populations qui essaient de survivre tant bien que mal sont facilement touchées par la maladie : à côté du paludisme et des différentes parasitoses, le sida fait des ravages, surtout en Afrique centrale. Les difficultés sociales exacerbent les vieilles rivalités, comme le montrent les violences au Sénégal entre les Noirs et les Maures en 1989.

Une région du monde dominée

Depuis 1960, l'indépendance de l'Afrique noire reste en fait très formelle. La République Sud-africaine domine politiquement ou économiquement l'Afrique méridionale. Elle fournit de nombreux emplois à des travailleurs immigrés, couvre une partie des besoins énergétiques des pays proches. La France maintient sa suprématie politique, culturelle et économique dans ses anciennes colonies : elle intervient militairement au Zaïre en 1978, en Centrafrique en 1979, au Tchad enfin en 1983 et 1987, pour repousser hors du territoire tchadien l'armée libyenne du colonel Kadhafi.

Dans les années 70, Soviétiques et Cubains cherchent à s'implanter en apportant leur aide aux régimes en place à Addis Abeba, Luanda et Maputo ; mais ils retirent leurs troupes à la fin des années 80.

L'INTÉRÊT DE L'AFRIQUE POUR LES GRANDES PUISSANCES

Les ressources du sous-sol africain provoquent l'intérêt des grands États industriels. L'Afrique présente aussi un intérêt stratégique. Elle est située sur les routes du pétrole qui joignent le golfe Persique aux pays occidentaux. Celles-ci passent par le cap de Bonne espérance ou empruntent la mer Rouge et le canal de Suez, faisant du Sud de l'Afrique et de la Corne de l'Afrique des zones dont le contrôle est vital.

LES PÉRIPHÉRIES SENSIBLES

La Corne de l'Afrique

Dans les années 60, l'État éthiopien doit faire face aux guérillas menées par le Front populaire de libération de l'Érythrée (FPLE) et le Front populaire de libération du Tigré (FPLT) qui réclament l'autonomie ou l'indépendance du Tigré et de l'Érythrée, deux régions situées au nord du territoire, en bordure de la mer Rouge. Par ailleurs, l'Éthiopie est en conflit larvé avec la Somalie qui revendique entre autre une province de l'Est de l'Éthiopie, l'Ogaden.

Dans deux régions d'Afrique, des conflits d'origine ethnique ou politique ont depuis trente ans un retentissement international.

5

En 1974, l'empereur Haïlé Sélassié est déposé par les militaires qui engagent le pays dans la voie du socialisme révolutionnaire. En 1977, le colonel H.M. Mengistu s'installe à la tête de l'État éthiopien. Il radicalise l'orientation marxiste-léniniste du pouvoir et obtient le soutien de l'URSS, de la RDA et du Yémen du Sud dans sa lutte contre les séparatistes d'Érythrée et du Tigré mais surtout dans la guerre qui l'oppose à la Somalie à partir de 1977. L'URSS en profite pour installer en Éthiopie des bases militaires sur les bords de la mer Rouge. La Somalie, ancienne alliée de l'URSS, se tourne vers les États-Unis.

Dans les années 80, les populations d'Érythrée et du Tigré souffrent particulièrement de la guerre qui oppose la guérilla à Mengistu et nombreux sont ceux qui fuient pour trouver refuge dans des camps situés au Soudan. Elles souffrent aussi de la faim due aux destructions et à la grande sécheresse de 1984. L'aide alimentaire internationale est mal distribuée par l'État éthiopien et celui-ci, sous prétexte de sauver les populations affamées, opère le transfert de milliers de paysans de ces deux provinces vers le Sud du pays en 1984-1985.

À partir de la fin des années 80, les tensions régionales semblent s'apaiser : le 4 avril 1988 un accord de paix est conclu entre l'Éthiopie et la Somalie ; entre 1988 et 1990, l'URSS, Cuba et la RDA se désengagent de la région ; en 1991, Érythréens et Tigréens chassent le gouvernement de Mengistu et parviennent à obtenir une large autonomie pour leurs régions ; en Somalie, le dictateur Siad Barré quitte le pouvoir. Mais dans les faits, l'anarchie s'installe en Éthiopie dont l'Érythrée se sépare en 1993. En Somalie, la guerre civile et la famine font des ravages en 1992, ce qui amène l'ONU à décider une intervention pacificatrice et humanitaire dans le pays à la fin de l'année.

● **Le Sud de l'Afrique**

La situation est difficile en Afrique subtropicale. L'Angola et le Mozambique, colonies portugaises, n'obtiennent leur indépendance qu'en 1975. Au Mozambique, le Front de libération du Mozambique (FRELIMO) se réclamant du socialisme, s'installe alors au pouvoir, mais subit la guérilla de la Résistance nationale du Mozambique (RENAMO). En Angola, le Mouvement pour la libération de l'Angola (MPLA), qui prend les rênes du pays, soutenu par Cuba et l'URSS, est combattu aussitôt par l'Union nationale pour l'indépendance totale de l'Angola (UNITA) de J. Savimbi, appuyée par la République Sud-africaine et soutenue par les États-Unis et la Grande-Bretagne.

La tension est grande aussi en Afrique australe. Dans la République Sud-africaine, le pouvoir politique est aux mains des Blancs ; le Parti national, qui remporte les élections en 1948, engage nettement le pays dans la voie de l'Apartheid au cours des années 50 : les Noirs, qui n'ont déjà aucun droit politique, se voient refuser une partie des droits civils ; de nombreuses lois racistes sont votées ; des réserves pour Noirs, les Bantoustans, sont instituées. En Rhodésie, une politique d'Apartheid est aussi menée à partir de l'indépendance de 1965. Quant à la Namibie, elle est sous le joug de l'Afrique du Sud depuis 1920.

Conséquences : les États sud-africain et rhodésien doivent affronter l'opposition armée de divers mouvements noirs – le Congrès national africain (ANC) en Afrique du Sud, l'Union du peuple africain du Zimbabwe (ZAPU) et l'Union nationale des Africains de Zimbabwe (ZANU) en Rhodésie, l'Organisation du peuple du Sud-Ouest africain (SWAPO) en Namibie – soutenus par les pays de « la ligne de front » notamment par l'Angola et le Mozambique après 1975 ; ils doivent aussi faire face à une contestation intérieure, de plus en plus vive dans la République Sud-africaine depuis l'impitoyable répression des émeutes de Soweto en 1976.

– Finalement, en 1980, la Rhodésie abandonne l'Apartheid et prend le nom de Zimbabwe. La crise économique, amplifiée par les sanctions économiques des grandes puissances, pousse de son côté le gouvernement de la République Sud-africaine à adopter une politique plus conciliante. D'une part le régime se libéralise : mise en place de deux Chambres, l'une pour les métis, l'autres pour les Indiens en 1984, disparition progressive de l'« Apartheid mesquin » (qui, par exemple, interdisait aux Noirs de boire dans les mêmes cafés que les Blancs), libération du leader noir de l'ANC, Nelson Mandela, en février 1990, élaboration, à la suite du référendum de mars 1992, d'une nouvelle Constitution devant mettre fin à l'Apartheid. D'autre part, le gouvernement signe, en décembre 1988, un traité avec l'Angola et Cuba sur l'indépendance de la Namibie, incluant le départ des Cubains d'Angola.

Mais les changements semblent ouvrir l'ère des conflits ethniques.

La décolonisation de l'Afrique noire a été suivie de conflits interethniques et de coups d'État militaires alors que le sous-continent restait enfoncé dans la misère et le sous-développement. À partir du milieu des années 70, et surtout de la fin des années 80, interviennent d'importants changements politiques, plus spécialement dans la Corne et le Sud de l'Afrique. Mais ces changements ne mettent pas fin à une crise économique et sociale qui ne fait que s'amplifier, et qui alimente les vieilles rivalités ethniques.

CHRONOLOGIE

1960-62 : indépendance de la plupart des pays d'Afrique noire.

1963 : création de l'OUA regroupant la plupart des États africains ; fin de la tentative de sécession au Katanga (Zaïre).

1967-70 : guerre du Biafra au Nigeria.

1975 : indépendance des colonies portugaises : Mozambique, Angola.

1976 : établissement du pluripartisme au Sénégal ; émeutes de Soweto en Afrique du Sud.

1977 : Mengistu au pouvoir à la suite du coup d'État et début de la guerre entre la Somalie et l'Éthiopie.

1979 : en Centrafrique, renversement de Bokassa 1ᵉʳ, au pouvoir depuis 1966 ; réforme constitutionnelle en Afrique du Sud (Chambre indienne, Chambre métisse) ; « opération Manta » de l'armée française au Tchad contre l'intervention libyenne.

1988 : accord de paix Somalie-Éthiopie ; signature de deux traités par l'Afrique du Sud, l'Angola et Cuba sous l'égide de l'ONU.

LIRE AUSSI EMPIRES COLONIAUX ; DÉCOLONISATION ; TIERS MONDE ; ORGANISATIONS INTERNATIONALES (DEPUIS 1945).

ALLEMAGNE DE WEIMAR

*Le 9 novembre 1918, une révolution pousse l'empereur
d'Allemagne Guillaume II à abdiquer. Le 11 novembre,
l'armistice est signé : l'Allemagne est vaincue. Un
gouvernement provisoire socialiste se met en place.
L'avenir est incertain : le nouveau pouvoir va-t-il suivre le
chemin emprunté par la Russie ou opter pour un régime
démocratique de type occidental ?*

LA NAISSANCE D' UNE RÉPUBLIQUE

*À la fin de la
guerre, le
Reich de
Guillaume II
s'effondre et
laisse place à
une République
démocratique
et fédérale.*

D'un gouvernement à l'autre

Le gouvernement provisoire est dominé par les socialistes modérés. Ces derniers se refusent à une transformation radicale de la société : ils veulent mettre en place un système démocratique et pluraliste. Les élections d'une Assemblée constituante au suffrage universel (les femmes voteront pour la première fois) sont annoncées pour janvier 1919.

À la veille du scrutin, des socialistes extrémistes – les spartakistes – cherchent à s'emparer du pouvoir en déclenchant un soulèvement à Berlin : mais le mouvement est écrasé par l'armée, qui donne son concours au gouvernement provisoire, et les deux chefs spartakistes, Karl Liebknecht et Rosa Luxembourg, sont assassinés (première « semaine sanglante » du 5 au 12 janvier 1919). Une seconde insurrection sera matée à Berlin en mars 1919.

L'Assemblée constituante, élue le 18 janvier 1919, se réunit en février dans la petite ville de Weimar, loin des tumultes berlinois. Le SPD (parti des socialistes modérés), le Zentrum (parti du centre, catholique) et le DDP (parti des démocrates, proches des radicaux français) forment une coalition – la « coalition de Weimar » – qui désigne Ebert comme premier Président du Reich, puis s'attelle à la rédaction de la nouvelle Constitution.

LES SPARTAKISTES ET LA RÉVOLUTION

Dès 1914, l'extrême gauche du parti socialiste SPD, autour de Karl Liebknecht et Rosa Luxembourg, s'oppose à la guerre et entame la lutte contre la politique d'union sacrée de la majorité du parti. L'engagement de ce petit groupe s'exprime à partir de janvier 1916 dans des tracts clandestins signés Spartacus (d'où le nom de spartakistes qui leur est donné). En janvier 1917, ils sont exclus du parti ainsi que d'autres opposants et ils rejoignent l'USPD (Parti social-démocrate indépendant d'Allemagne).

À la suite de la seconde révolution russe, les spartakistes se rallient aux idées bolcheviques Les opinions qu'ils expriment dans leur journal « Rote Fahne » (Drapeau rouge), les opposent radicalement au SPD. Ils veulent aboutir à la dictature du prolétariat dont l'instrument sera les soviets (Conseils d'ouvriers et de soldats) élus par « le peuple travailleur ». Le nouveau pouvoir populaire établira la paix immédiate et étendra la révolution en Europe avec l'aide russe.

En novembre 1918, ils participent activement à la Révolution en Allemagne mais refusent de siéger au gouvernement provisoire avec les autres socialistes. Ils rejettent l'idée d'une Constituante élue au suffrage universel, se détachent de l'USPD, trop modéré à leur goût, et constituent en décembre le parti communiste KPD, qui s'apprête à transformer l'Allemagne en une République de soviets.

L'insurrection est déclenchée en janvier 1919. Rosa Luxembourg et Karl Liebknecht sont arrêtés et exécutés lors de la « première semaine sanglante ». Pendant trois mois la répression va bon train dans toute l'Allemagne. Elle provoque en mars 1919 une grève générale à Berlin. Du 9 au 13, l'armée investit alors la capitale et fait 1 200 morts. Le mouvement révolutionnaire est écrasé.

La Constitution de Weimar

La Constitution, qui entre en vigueur en septembre 1919, donne naissance à une République fédérale et démocratique.

L'Allemagne est divisée en 17 *Länder*, qui ont chacun leur Assemblée élue et leur Gouvernement. Les *Länder* détiennent quelques prérogatives dans les domaines de la

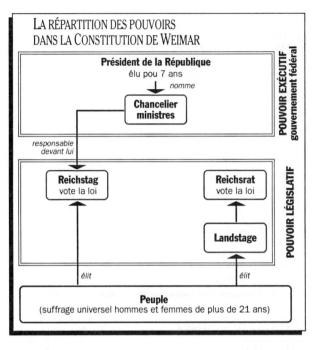

LA RÉPARTITION DES POUVOIRS
DANS LA CONSTITUTION DE WEIMAR

POUVOIR EXÉCUTIF
gouvernement fédéral

Président de la République
élu pou 7 ans
↓ *nomme*
Chancelier ministres

responsable devant lui

POUVOIR LÉGISLATIF

Reichstag
vote la loi

Reichsrat
vote la loi

Landstage

élit   *élit*

Peuple
(suffrage universel hommes et femmes de plus de 21 ans)

police, des cultes, de la culture et de l'éducation. Mais l'État fédéral détient l'essentiel du pouvoir, partagé entre le Parlement et le Président de la République :

– Le Parlement est composé de deux Chambres. Le Reichsrat réunit les représentants des *Länder*, en nombre proportionnel à la population de chaque *Land* ; il a pour seul pouvoir celui de différer pendant quatre ans l'application d'une loi votée par le Reichstag. Le Reichstag est élu pour quatre ans au suffrage universel direct et à la représentation proportionnelle ; il détient le pouvoir législatif, et il peut par ailleurs renverser le Gouvernement, dirigé par le Chancelier, qui est responsable devant lui.

– Le Président de la République est élu au suffrage universel pour sept ans. Il est le chef suprême des armées, il nomme le Chancelier, peut dissoudre le Reichstag, décider un référendum sur une loi votée et surtout suspendre les libertés fondamentales et gouverner par décrets-lois en cas de difficultés, grâce à l'article 48.

ÉLECTIONS LÉGISLATIVES SOUS
LA RÉPUBLIQUE DE WEIMAR (nombre de sièges)

	KPD	USPD	SPD	DDP	Zentrum	BVP	DVP	DNVP	NSDAP
19 janvier 1919	–	22	166	75	91	–	19	44	–
6 juin 1920	4	84	102	39	64	21	65	71	–
4 mai 1924	62	–	100	28	65	16	45	95	32
7 décembre 1924	45	–	131	32	69	19	51	103	14
20 mai 1928	54	–	153	20	62	16	45	73	12
14 septembre 1930	77	–	144	20	68	19	30	41	107
31 juillet 1932	89	–	133	4	75	22	7	37	230
6 novembre 1932	100	–	121	2	70	20	11	52	196

Coalition de Weimar ▭

KPD : Parti communiste ; USPD : socialistes indépendants ; SPD : sociaux-démocrates majoritaires ; DDP : Parti démocrate ; Zentrum : centre catholique ; BVP : Parti populiste bavarois ; DVP : Parti populiste ; DNVP : nationaux-allemands ; NSDAP : parti nazi.

LE TEMPS DES CRISES
(1919-1923)

Des difficultés
liées au règlement de la guerre

De 1919 à 1922, les difficultés s'accumulent.

– Le traité de Versailles signé avec l'Allemagne le 28 juin 1919 est humiliant et dramatique pour celle-ci : elle est condamnée à verser des réparations financières aux Alliés ; elle perd ses colonies et une partie de son territoire ; la rive gauche du Rhin – qui doit être au préalable occupée par les Alliés – et une bande de 50 kilomètres sur la rive droite sont définitivement démilitarisées.

– Le déficit budgétaire est énorme à cause du remboursement des dettes de guerre, du poids des réparations et des lourdes dépenses de l'après-guerre (pensions aux victimes, aides aux démobilisés, subventions aux entreprises pour leur reconversion à l'économie de paix...).

Le traité de Versailles, les difficultés financières, économiques et sociales, renforcées par l'occupation de la Ruhr en 1923, déstabilisent la République.

– L'inflation est très forte. Si elle est bénéfique aux industriels qui se débarrassent à bon compte de leurs dettes, elle appauvrit les détenteurs de revenus fixes (épargnants, pensionnés) et les salariés, dont les salaires ne suivent pas la hausse des prix.

– Le mark se déprécie. Le dollar, qui valait 4 marks en 1914, en vaut 15 en mai 1921 et 63 en novembre.

En 1923, la situation devient catastrophique. Prétextant du retard dans le paiement des réparations, les Français et les Belges décident, en janvier, d'occuper le bassin houiller de la Ruhr et d'en exploiter les richesses. À l'appel du gouvernement allemand, les ouvriers de la région se mettent en grève, mais des travailleurs français les remplacent. L'Allemagne est privée d'une région économique vitale pour son économie. La production nationale chute, le chômage s'étend. L'inflation devient galopante, aggravée par le soutien financier du gouvernement aux grévistes. Le mark s'effondre : le dollar vaut 4,6 millions de marks en août 1923, 4 200 milliards en novembre.

● **_La République en danger_**

La situation difficile que traverse l'Allemagne a une double conséquence politique :

– Elle provoque de graves troubles. Des organisations secrètes d'extrême-droite pratiquent l'attentat contre les membres de la coalition de Weimar : Erzberger, un des leaders du Zentrum qui a signé le traité de Versailles, est assassiné en 1921 ; Rathenau, ministre des Affaires étrangères, favorable à la réconciliation avec les Alliés, est tué en 1922. À plusieurs reprises, des extrémistes de droite cherchent à renverser le régime : en mars 1920, Kapp tente un putsch avec l'appui de « Corps francs » (troupes de soldats démobilisés, nationalistes, tolérées par l'armée), que seul le déclenchement d'une grève générale fait échouer ; en 1923, la « Reichswehr noire », armée clandestine de 20 000 hommes, cherche à s'emparer du pouvoir ; de même Hitler, à Munich, avec ses Sections d'assaut (SA), la même année. Enfin, l'agitation révolutionnaire secoue le pays en 1923, et, la même année, le mouvement séparatiste gagne du terrain en Bavière et en Rhénanie.

– Elle aboutit à un relatif affaiblissement des partis républicains. En 1920, les populistes allemands (membres

13

du DVP) et les nationaux-allemands (membres du DNVP),
qui sont conservateurs et monarchistes et donc opposés à
la République, font de bons scores électoraux. Aux élections
de mai 1924, les nationaux-allemands continuent leur progression alors que les nationaux-socialistes, partisans d'une
dictature de droite, et les communistes (KPD), favorables à
un système politique de type soviétique, font une percée. À
partir de novembre 1923, les populistes allemands, à peine
ralliés au régime, entrent au gouvernement aux côtés
des modérés (Zentrum, démocrates). Le SPD qui était le
principal soutien de la République est désormais dans
l'opposition.

LE TEMPS DE LA STABILITÉ
(1924-1929)

> *De 1924 à 1929, le redressement du pays sur les plans financier, économique et extérieur permet la consolidation de la République.*

Le redressement du pays

En 1923-24, l'Allemagne opère un spectaculaire redressement financier. Le mark est d'abord
remplacé par une nouvelle monnaie, le renten-
mark, gagé sur l'ensemble de la production nationale. L'État applique ensuite une politique de strict
équilibre budgétaire (il liquide sa dette intérieure
en décidant que les emprunts émis avant la dépréciation de la monnaie ne seront remboursés que dans une
proportion de 2,5 à 10 %). Enfin, en 1924, Schacht, directeur
de la Reichsbank, crée le reichsmark, défini par rapport
à l'étalon-or. La nouvelle monnaie est solide, les prix
stabilisés.

À partir de 1924, le pays entre dans une période de très
forte croissance, que permet l'afflux des capitaux américains (placés dans les banques allemandes qui les investissent dans l'industrie), la rareté des conflits du travail, la
concentration toujours plus poussée des entreprises,
l'adoption des méthodes américaines (travail à la chaîne).
La production industrielle passe de l'indice 69 en 1924 à
l'indice 100 en 1928. À cette date, l'Allemagne vient en tête
de la production mondiale pour la chimie, les industries
électriques, l'optique. La prospérité, réelle, n'est cependant

pas générale. Le taux de chômage reste élevé et les revenus des agriculteurs baissent, malgré l'aide de l'État (protectionnisme, subventions...).

Enfin, l'Allemagne retrouve sa place dans le concert des nations. Dès 1922, elle signe le traité de Rapallo avec la Russie et, en 1925, les accords de Locarno ; en 1926, elle entre à la SDN et, en 1928, elle adhère au pacte Briand-Kellogg. Parallèlement, elle obtient des Alliés plusieurs concessions : l'évacuation de la Ruhr en 1924 et de la Rhénanie en 1930 (quatre ans plus tôt que prévu) ; l'allégement des réparations en 1924 (plan Dawes) puis en 1929 (plan Young). Ces résultats sont en grande partie l'œuvre de Stresemann, leader populiste, ministre des Affaires étrangères à partir de 1924.

La République stabilisée ?

Le redressement national permet une stabilisation de la République. Il n'y a plus ni attentat politique notoire, ni coup d'État. Les extrémistes (communistes du KPD, nazis du NSDAP) subissent des revers aux élections de décembre 1924. La coalition au pouvoir unit modérés et populistes du DVP auxquels se joignent épisodiquement les nationaux-allemands du DNVP ; le maréchal Hindenburg, candidat des droites, est élu président de la République à la mort d'Ebert en 1925 ; mais bien que les populistes ne soient pas les meilleurs soutiens de la République, que les nationaux-allemands et Hindenburg, partisans de la monarchie d'ancien régime, lui soient hostiles, la coalition et le nouveau président respectent les institutions. Aux élections de 1928, les extrémistes continuent leur déclin et le succès du SPD permet la formation d'une coalition (SPD, démocrates, Zentrum et populistes) nettement plus républicaine que la précédente.

En 1929, la situation politique de l'Allemagne reste pourtant inquiétante. Le parti national-allemand, sous la houlette de Hugenberg dispose d'un empire de presse et d'une puissante organisation paramilitaire (le Stahlhelm ou casque d'acier). Le parti nazi garde de nombreux adhérents et s'appuie lui aussi sur des formations de combat (les SA et les SS). Enfin, Hindenburg est peu fiable et l'armée, qui échappe à l'autorité des Chanceliers, est dans son ensemble restée très attachée à l'ancien régime.

La République est donc fragile quand, en 1929, l'Allemagne est touchée de plein fouet par la crise économique : le rapatriement des capitaux américains provoque la faillite des banques ; les difficultés aux États-Unis puis dans le monde entraînent une chute des exportations. Pour l'Allemagne, dont l'économie est très dépendante de l'extérieur, c'est la catastrophe. Le chômage prend des proportions inquiétantes. La crise est une aubaine pour les extrémistes de tous bords. Les communistes et les nationaux-socialistes obtiennent de grands succès électoraux. Le pays devient rapidement ingouvernable. En 1933, Hindenburg se résigne à appeler Hitler au gouvernement. C'est la mort annoncée de la République de Weimar.

CHRONOLOGIE

1919 : insurrection menée par les spartakistes à Berlin impitoyablement réprimée ; formation de la « coalition de Weimar » et signature par le nouveau gouvernement du traité de Versailles.

1922 : traité de Rapallo avec la Russie.

1923 : occupation de la Ruhr par les Français ; Hitler tente de s'emparer du pouvoir à Munich; forte dépréciation du mark.

1924 : forte progression des partis hostiles à la République de Weimar aux législatives ; l'inflation est jugulée ; évacuation de la Ruhr ; le plan Dawes allège le poids des réparations.

1924-29 : période de forte croissance économique.

1925 : le monarchiste Hindenburg élu président de la République.

1928 : victoire d'une coalition républicaine (SPD, démocrates, Zentrum et populistes) aux législatives.

1926 : l'Allemagne entre à la SDN.

1928 : l'Allemagne adhère au pacte Briand-Kellogg.

1929 : plan Young réduisant le montant global des réparations.

1930 : évacuation de la Rhénanie par les Alliés (4 ans plus tôt que prévu).

LIRE AUSSI   ALLEMAGNE NAZIE ; RELATIONS INTERNATIONALES (ANNÉES 20) ; ÉCONOMIE (ANNÉES 20).

ALLEMAGNE NAZIE
(JUSQU'EN 1939)

Le parti nazi naît peu après la guerre, en Bavière. Petit parti au début des années 20, affaibli pendant la période de prospérité, il connaît un formidable essor au moment de la crise de 1929. Son chef, Hitler, en profite pour arriver légalement au pouvoir en 1933 et mettre en place une des dictatures les plus terribles qui aient jamais existé.

HITLER ACCÈDE AU POUVOIR

La crise économique favorise la poussée électorale du parti nazi. Hitler devient Chancelier le 30 janvier 1933.

Hitler et sa doctrine

Hitler naît en 1889, à Braunau, sur l'Inn, en Autriche. Il mène une vie de bohème à Vienne, de 1907 à 1913, puis à Munich. Il accueille la guerre avec enthousiasme et, combattant courageux, il est promu au grade de caporal. Après la guerre, il prend en main le petit Parti national-socialiste des travailleurs allemands (NSDAP), fondé en 1919 par Anton Drexler, et, le 8 novembre 1923, il essaie avec ses SA (groupe paramilitaire du parti nazi) de s'emparer du pouvoir à Munich avant de marcher sur Berlin. Mais le putsch est réprimé et Hitler arrêté. Libéré en décembre 1924, il se donne comme objectif la conquête légale du pouvoir, crée la SS, sa garde personnelle, à côté des SA, développe ses talents d'orateur et renforce sa mainmise sur le parti.

Hitler expose sa doctrine et son programme dans *Mein Kampf* dont le premier volume est écrit durant sa captivité, et le second en 1926. Selon lui, les Allemands sont les plus purs représentants de la race supérieure des « Aryens » et sont appelés à dominer le monde. Mais pour obtenir ce résultat, il leur faut éliminer d'abord les juifs, « race inférieure » au contact de laquelle ils risquent de se corrompre ;

- détruire tout ce qui peut affaiblir et diviser la nation (l'inter-
- nationalisme, l'égalitarisme, et, donc le marxisme et la
- démocratie) et se regrouper derrière un Führer (un guide) ;
- récupérer les territoires de « culture allemande » (les
- Sudètes, l'Autriche...) puis engager une politique de
- conquête vers l'Est aux dépens des Slaves, de manière à
- élargir « l'espace vital » nécessaire à leur épanouissement.

Hitler devient Chancelier

L'Allemagne, économiquement très dépendante de l'extérieur, est touchée de plein fouet par la crise de 1929. La politique de déflation menée par les Chanceliers Brüning puis von Papen ne fait qu'aggraver la situation. Le chômage touche 6 millions de personnes en décembre 1931 (il y a aussi 8 millions de chômeurs partiels) et les revenus des agriculteurs s'effondrent.

Les partis extrémistes profitent de la conjoncture. Alors que les ouvriers glissent vers le Parti communiste (KPD), une partie de la paysannerie et surtout la petite et moyenne bourgeoisie se rallient au parti nazi. Ce dernier leur propose en effet des solutions simples et expéditives à la crise : annuler les dettes des agriculteurs, lutter contre les juifs, le « capitalisme de proie », revenir sur les clauses humiliantes du traité de Versailles (ce qui flatte un sentiment national très développé) ; il leur apparaît aussi comme le meilleur rempart contre le « danger rouge ». Les campagnes électorales, menées par Hitler grâce aux subsides de certains industriels, font mouche. En septembre 1930, les nazis emportent 107 sièges au Reichstag (contre 12 en 1928) ; aux présidentielles de 1932, Hitler échoue contre Hindenburg, mais il obtient 13,5 millions de voix ; en juillet 1932, le NSDAP obtient 230 sièges sur 607 et devient le premier parti du Reichstag. Les élections de novembre enregistrent tout juste un léger reflux des nazis.

Le pays devient ingouvernable : alors que les SA sèment la terreur dans les rues où elles affrontent quotidiennement les milices communistes, le NSDAP et le KPD, qui détiennent ensemble la majorité des sièges au Reichstag, refusent de participer aux coalitions gouvernementales et les Chanceliers (Brüning de mars 1930 à mai 1932, von Papen de mai à novembre 1932, puis von Schleicher), sans majorité parlementaire, dépendent entièrement du Président

SA ET SS

Les Sections d'assaut (SA), dont l'uniforme comportait essentiellement une chemise et une casquette brunes, font leur apparition à Münich en 1921. À l'origine, leur principale fonction est d'assurer le service d'ordre durant les réunions du mouvement. Vers 1930, elles deviennent une véritable armée et vont jouer un rôle de premier plan dans la conquête du pouvoir par les nazis. À partir de janvier 1931, elles ont pour chef le capitaine Röhm et font face à toutes les tâches de la propagande. Par elles, le NSDAP fait régner sur l'Allemagne un pesant climat d'intimidation. Au début de 1934, les SA comptent plus de 400 000 combattants. Peu après l'arrivée au pouvoir d'Hitler et l'absorption des hommes du Stahlhelm, ils sont 3 millions.

Cette puissance excessive de Röhm, sa prétention de substituer les SA à la Reichswehr, l'annonce d'une « seconde révolution », sociale cette fois, inquiètent les grands capitalistes, l'état-major de la Reichswehr, et Hitler, qui décide d'éliminer Röhm et les principaux dirigeants des SA lors de la « Nuit des longs couteaux », le 30 juin 1934. Les SA ne jouent plus dès lors qu'un rôle de second plan. Les SS (Schutzstaffel ou échelon de protection) deviennent le principal instrument de la dictature hitlérienne.

En 1924, à sa sortie de prison, Hitler avait décidé de former une petite troupe d'hommes fanatiquement dévoués à sa personne. C'est dans ces circonstances que sont nés officiellement les SS. En janvier 1929, ils reçoivent pour chef Himmler. Le rôle des SS est alors double : participer aux côtés des SA à l'entreprise d'intimidation qui va permettre à Hitler d'arriver au pouvoir, et régler les conflits qui surgissent dans le parti. En juin 1934, les SS sont chargés d'opérer la grande purge des SA.

C'est à partir de cette date que commence la mise en place de « l'État-SS ». Himmler devient chef de la Gestapo et, en 1936, de toute la police allemande. La SS devient donc la police politique de l'État nazi, au côté de la Gestapo qui dépend d'elle, mais elle chapeaute aussi la police, ou se charge de la garde des camps de concentration. À ce groupe relativement restreint (250 000 hommes au maximum), Himmler donne une rigoureuse organisation. Les SS doivent une absolue fidélité au Führer. L'endoctrinement auquel ils sont soumis développe l'idéologie raciste, inculque l'idéal du surhomme et un mépris absolu pour l'existence des êtres humains.

de la République, qui leur permet d'utiliser l'article 48 de la Constitution. Une telle situation est intenable. Von Papen et de grands patrons comme Krupp ou Thyssen, convainquent Hitler de prendre la tête d'un gouvernement de coalition (NSDAP et partis de droite) et poussent Hindenburg à nommer Hitler Chancelier, le 30 janvier 1933.

LA DICTATURE NAZIE EST INSTAURÉE

L'établissement de la dictature (février 1933-août 1934)

Légalement arrivé au pouvoir, Hitler va progressivement mettre en place sa dictature.

Il constitue un cabinet de coalition, qui réunit les partis de droite et le NSDAP, puis décide de faire dissoudre le Reichstag pour procéder à de nouvelles élections. L'incendie du Reichstag, une semaine avant le scrutin, le 27 février 1933, à la suite d'un attentat que la propagande nazie attribue aux communistes, lui offre un prétexte pour demander à Hindenburg la suppression des libertés fondamentales (de presse, d'association...). En même temps, les « chemises brunes » (les SA) font régner l'ordre nazi dans la rue. Malgré tout, les élections ne donnent pas la majorité absolue au NSDAP.

Hitler, qui a besoin d'une majorité des deux tiers à l'Assemblée pour obtenir les pleins pouvoirs, décrète alors la déchéance des élus communistes, obtient l'appui de la droite, puis des modérés du Zentrum (centre catholique) en leur promettant de maintenir les libertés religieuses. Le 23 mars 1933, les députés lui votent donc les pleins pouvoirs par 441 voix contre 94 (qui viennent du SPD). Hitler détient désormais le pouvoir législatif, pour quatre ans, sans contrôle du Reichstag.

Il se charge alors de « mettre au pas » la société. Les dirigeants syndicalistes sont arrêtés le 2 mai 1933, et tous les syndicats sont fondus dans le Front du travail. Les partis autres que le NSDAP sont interdits ou se sabordent, en juin et juillet 1933. Les organisations paramilitaires sont dissoutes ou, tel le Stahlhelm, incorporées à la SA. En janvier 1934, les pouvoirs des *Länder* sont transférés au Reich et en février le Reichsrat disparaît.

> *Arrivé légalement au pouvoir, Hitler met rapidement en place sa dictature et organise la mise au pas de la société.*

L'Église, l'armée et le Président peuvent encore gêner Hitler. L'Église est neutralisée par un Concordat négocié avec le Pape. Les responsables de la Reichswehr s'inquiètent des discours du chef des SA, Röhm, qui veut une « seconde révolution », sociale cette fois, et souhaite créer une nouvelle armée dont les SA formeraient le noyau : Hitler le fait alors assassiner avec les leaders SA (ainsi que d'autres adversaires) par la SS lors de la « Nuit des longs couteaux », le 30 juin 1934 , ce qui lui gagne l'armée. Personne ne s'oppose plus alors à ce que Hitler concentre entre ses mains les pouvoirs de Chancelier et de Président après la mort d'Hindenburg, survenue le 2 août 1934.

La fusion des fonctions de Président du Reich et de Chancelier au profit de Hitler est approuvée lors du plébiscite du 19 août 1934 par 90 % des électeurs.

● *Un régime totalitaire et raciste*

Le régime qui se met en place est totalitaire :

– Hitler possède la totalité du pouvoir. Il règne en maître sur le parti nazi, ainsi que sur l'État et l'armée (appelée Wehrmacht à partir de 1935), tous deux contrôlés par le parti.

– La population est étroitement encadrée. À l'école et à l'université, le corps enseignant est épuré, les manuels et les cours revus en fonction de la doctrine nazie. En dehors du système scolaire, les jeunes sont intégrés (obligatoirement à partir de fin 1936) dans les Jeunesses hitlériennes. Les travailleurs sont regroupés dans le Front du travail.

– Goebbels s'occupe de la propagande. La presse, la radio, le cinéma sont aux mains des nazis. La « Chambre de la culture nationale » veille à l'interdiction de tout ce qui n'est pas dans la ligne du régime et des milliers de livres sont brûlés en place publique. Des démonstrations à grand spectacle, en particulier lors des congrès du parti à Nuremberg, mobilisent et fanatisent les foules.

– Les opposants sont traqués par la police secrète, la Gestapo (confiée en 1934 à Himmler, chef des SS) et incarcérés dans les camps de concentration ouverts à partir de 1933 (Dachau, Buchenwald…).

Mais le régime n'est pas seulement totalitaire. Ses fondements sont profondément racistes :

– En 1935, les lois de Nuremberg privent les juifs de la citoyenneté allemande, prohibent mariages et relations extraconjugales entre juifs et « aryens »… Dans la nuit du 9 au 10 novembre 1938 (la « Nuit de cristal »), des militants hitlériens, avec la complicité des autorités du Reich, se livrent à un vaste pogrom, en riposte à l'assassinat par le jeune juif polonais Grynszpan d'un conseiller de l'ambassade d'Allemagne à Paris, von Rath. Peu après, l'État inflige aux juifs une lourde amende collective, leur interdit un grand nombre de professions, leur impose le port de l'étoile jaune. Et en janvier 1939, Hitler annonce qu'en cas de guerre, il y aura « extermination de la race juive en Europe ».

– Inversement, des mesures sont prises pour « fortifier » les Allemands de « race aryenne » (qui sont juridiquement considérés comme des Allemands n'ayant pas de « sang juif ») : leur natalité est encouragée par des avantages financiers, le mariage est interdit aux Allemands jugés débiles, les jeunes sont poussés à faire du sport…

LA GUERRE COMME HORIZON

Une économie tournée vers la guerre

De 1933 à 1936, le gouvernement allemand, sous l'impulsion de Schacht, directeur de la Reichsbank puis ministre de l'Économie, tente de relancer l'économie : aide aux exportations, faveurs accordées aux grandes entreprises, grands chantiers publics et commandes d'armement dont profite l'industrie. À partir de 1936, Goering lance le « plan de quatre ans » tourné vers le réarmement à outrance et le développement des produits de substitution *(ersatz)* aux matières premières jusqu'alors importées, de manière à rendre le pays autarcique. Pour financer toutes ces dépenses, l'État paie ses fournisseurs avec des traites spéciales censées être honorées après la reprise des affaires, lance des emprunts et augmente les impôts, évitant ainsi dans l'immédiat une émission de nouveaux billets qui aurait provoqué la hausse des prix.

Cette politique est apparemment un succès. La production passe de l'indice 57 en 1932 à l'indice 125 en 1938 et le chômage disparaît. Mais, entre ces deux dates, les exportations

> *L'économie allemande est résolument tournée vers la guerre et, dès son avènement, Hitler mène une politique extérieure agressive.*

QUELQUES RÉSULTATS

	1933	1936	1939
Chômage (en millions)	5	1,5	0
Montée des profits (Krupp) (en millions de reichsmarks)	– 6,5	+ 90,5	+ 112,2
Production industrielle (indice 100 en 1929)	70	105	135
Salaire horaire réel (indice 100 en 1929)	103	99	90

se développent à peine, le pouvoir d'achat stagne. La puissance économique de l'Allemagne ne repose donc que sur les dépenses d'un État endetté qui ne pourra éternellement soutenir la production par ses commandes. Seule la conquête, que justifie déjà toute la doctrine nazie, peut apporter une solution au problème financier et au manque de débouchés pour les entreprises, et permettre l'utilisation des armements produits en masse depuis six ans.

Une politique extérieure agressive

Cette politique économique s'accompagne d'une politique extérieure de plus en plus agressive :

– En octobre 1933, l'Allemagne quitte la conférence mondiale sur le désarmement et se retire de la SDN.

– En mars 1935, Hitler rétablit le service militaire obligatoire et crée une aviation militaire, la Luftwaffe ; en mars 1936, il remilitarise la Rhénanie en y faisant pénétrer 30 000 soldats. Ceci, en violation complète des clauses du traité de Versailles.

– L'Allemagne intervient aux côtés des franquistes, à partir de 1936, alors qu'elle avait signé avec les autres puissances européennes un pacte de non-intervention dans la guerre civile espagnole, puis elle se rapproche de l'Italie (axe Rome-Berlin d'octobre 1936) et du Japon (pacte anti-Komintern de novembre 1936).

– Enfin, en mars 1938, elle annexe l'Autriche (Anschluss) et, en septembre, la région des Sudètes de Tchécoslovaquie, habitée par des populations de langue germanique. Les troupes allemandes pénètrent en Tchécoslovaquie en mars 1939 ; puis en Pologne, le 1er septembre.

Les démocraties occidentales restent tout d'abord passives face aux agressions hitlériennes. Lors de la conférence de Munich, en septembre 1938, elles accordent à Hitler les Sudètes, en espérant qu'il s'agit là de sa dernière prétention. Mais l'invasion de la Pologne met fin à ces espoirs. Elles déclarent alors la guerre au Reich.

Lorsque la Seconde Guerre mondiale éclate, l'Allemagne bénéficie d'une armée puissante et suréquipée. Les protestations d'une partie de l'Église protestante, la condamnation ferme du régime par le Pape Pie XI, en mars 1937, n'ont pas suffi à modifier l'atmosphère générale de consensus autour du Führer. Le pays semble mieux préparé au conflit que ses adversaires.

CHRONOLOGIE

1923 : putsh manqué de Hitler à Münich.

1924-1926 : rédaction de *Mein Kampf,* où Hitler expose sa doctrine.

1932 : le parti nazi (NSDAP) premier parti du Reichstag.

1933 : Hitler nommé Chancelier par Hindenburg ; les députés votent les pleins pouvoirs à Hitler.

1934 : « Nuit des longs couteaux » au cours de laquelle Hitler fait tuer les dirigeants SA : 90 % des électeurs votent « oui » à la concentration entre les mains de Hitler des pouvoirs de Chancelier et de Président.

1935 : lois de Nüremberg privant les juifs de la citoyenneté allemande.

1936 : lancement du « plan de quatre ans » par Goering, tourné vers le réarmement à outrance ; remilitarisation de la Rhénanie en violation du traité de Versailles.

1938 : annexion de l'Autriche ; les accords de Munich accordent les Sudètes à l'Allemagne ; dépècement de la Tchécoslovaquie ; « Nuit de cristal » au cours de laquelle des militants hitlériens se livrent à un vaste pogrom contre les juifs en Allemagne.

1939 : invasion de la Pologne ; les démocraties occidentales déclarent la guerre au Reich.

LIRE AUSSI ALLEMAGNE DE WEIMAR ; ÉCONOMIE (ANNÉES 30) ; RELATIONS INTERNATIONALES (ANNÉES 30) ; DEUXIÈME GUERRE MONDIALE (DE 1939 À 1942 ; DE 1943 À 1945 ; BILAN).

ALLEMAGNE

(DEPUIS 1945)

Vaincue, humiliée et occupée en mai 1945, l'Allemagne devient le théâtre privilégié de la guerre froide. Par la volonté des grandes puissances victorieuses, le peuple allemand va se retrouver coupé en deux.

LA SÉPARATION (1945-1949)

> **Enjeu principal de la guerre froide en Europe, l'Allemagne occupée est partagée par les deux Grands.**

L'Allemagne occupée et divisée

En 1945, les quatre puissances victorieuses se partagent l'Allemagne occupée, un Conseil de contrôle quadripartite est mis en place, et Berlin, ex-capitale du Reich, est divisée en quatre zones.

Mais ce système ne tarde pas à se dérégler :

– Les Français formulent des exigences (notamment le contrôle de la Ruhr) inacceptables pour les trois autres Grands. Mais, en échange de sa mainmise sur le charbon de la Sarre, la France accepte de renoncer à ses prétentions.

– Les désaccords entre l'URSS et ses partenaires ne cessent de s'aggraver. C'est pourquoi les États-Unis et le Royaume-Uni décident, en septembre 1946, de fusionner leurs zones en une « bizone » économique, qui devient « trizone » par l'adjonction de la zone française en juin 1948. Puis ils mettent en place un Conseil parlementaire allemand, présidé par Adenauer, chargé de rédiger une Constitution ; enfin, ils créent une nouvelle monnaie, le deutschemark.

L'URSS riposte en organisant le blocus terrestre de Berlin-Ouest, occupée par les trois puissances occidentales, mais isolée dans la zone soviétique (24 juin 1948). Mais les Américains mettent en place un pont aérien pour ravitailler les Berlinois. Au printemps 1949, plus de 13 000 tonnes de vivres et de matériel sont ainsi parachutées chaque jour et l'URSS finit par lever le blocus, le 12 mai 1949. Cet épisode marquant de la guerre froide précipite la séparation des deux Allemagnes.

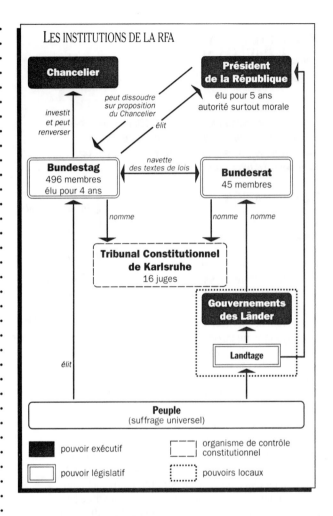

LES INSTITUTIONS DE LA RFA

Chancelier

Président de la République
élu pour 5 ans
autorité surtout morale

peut dissoudre sur proposition du Chancelier

investit et peut renverser

élit

Bundestag
496 membres
élu pour 4 ans

navette des textes de lois

Bundesrat
45 membres

nomme

nomme *nomme*

Tribunal Constitutionnel de Karlsruhe
16 juges

Gouvernements des Länder

Landtage

élit

Peuple
(suffrage universel)

■ pouvoir exécutif

□ pouvoir législatif

▯ organisme de contrôle constitutionnel

▯ pouvoirs locaux

● ### Naissance de la RFA

Dans la trizone occidentale, la « Loi fondamentale » est promulguée le 23 mai 1949 : c'est la naissance de la République fédérale d'Allemagne (RFA), État fédéral de onze *Länder* (dont Berlin-Ouest), avec Bonn comme capitale :

– Le pouvoir législatif est exercé par deux Chambres : le Bundestag (Assemblée fédérale, dont les députés sont élus au suffrage universel), et le Bundesrat (Conseil fédéral,

- composé des 45 délégués des *Länder*, eux-mêmes élus au
- suffrage universel indirect).

- – Le pouvoir exécutif revient au gouvernement, dirigé
- par le Chancelier, investi par le Bundestag et responsable
- devant cette Assemblée. Le Président fédéral, élu pour cinq
- ans par le Bundestag et par les délégués des *Länder*, a très
- peu de pouvoirs.
-     – Les seize juges du Tribunal constitutionnel (installé à
- Karlsruhe), désigné pour moitié par le Bundestag et pour
- moitié par le Bundesrat, contrôlent notamment la constitu-
- tionnalité des lois et des partis.
-     – Chaque *Land* est dirigé par un Gouvernement et une
- Assemblée législative. Sa souveraineté s'exerce dans de
- nombreux domaines, notamment la culture, la santé et
- l'enseignement.
-     L'élection du Bundestag, en août 1949, donne la vic-
- toire à la CDU (Union démocrate chrétienne), juste devant le
- SPD (Parti social démocrate allemand) : après l'élection du
- libéral Theodor Heuss à la présidence de la République,
- c'est donc Konrad Adenauer, chef de la CDU, qui devient le
- premier Chancelier de la RFA.
-

● **Création de la RDA**

- Dans la zone soviétique, on se résigne à la séparation.
- Le 7 octobre 1949, la Chambre du peuple (Volksrat) pro-
- clame la naissance de la République démocratique alle-
- mande (RDA), avec Berlin-Est comme capitale. L'URSS
- reconnaît le nouvel État mais les Occidentaux s'y refusent.
- Le communiste Wilhem Pieck devient Président de la
- République, et Otto Grottewohl chef du Gouvernement.
-     La Constitution de la RDA est fédérale comme en RFA :
- cinq *Länder* sont représentés par une Chambre des *Länder*,
- tandis que la Chambre du peuple, élue au suffrage universel
- pour quatre ans, élit un Praesidium (Gouvernement) de 40
- membres responsables devant elle. Mais cette Constitution
- de 1949 sera vidée de sa substance dès 1952 : les cinq
- *Länder* seront remplacés par quatorze districts administra-
- tifs, la Chambre des *Länder* s'effacera, et la Chambre du
- peuple ne contrôlera plus les ministres. Comme dans les
- autres démocraties populaires, le pouvoir reviendra au
- parti communiste (SED), dans un régime où la censure et la
- police politique (STASI) seront tout-puissants.

DEUX ALLEMAGNES FACE À FACE (1949-1969)

> La logique de la guerre froide conduit à deux Allemagnes antagonistes.

Le « miracle » ouest-allemand

Sous l'impulsion d'Adenauer (Chancelier jusqu'en 1963), la RFA s'intègre peu à peu dans l'Europe Atlantique. Elle entre au Conseil de l'Europe en 1950, participe à la création de la CECA (Communauté européenne du charbon et de l'acier) en avril 1951, puis obtient la reconnaissance d'une armée ouest-allemande intégrée à l'OTAN en octobre 1954. En mai 1955, elle devient membre de l'OTAN, puis, en mars 1957, elle signe le traité de Rome qui donne naissance au Marché commun.

Malgré de lourds handicaps (destructions de guerre, intégration de 11 millions de réfugiés de l'Est), l'économie ouest-allemande se redresse de façon spectaculaire : entre 1950 et 1960, la production industrielle fait plus que doubler. Ce « miracle » économique, elle le doit à plusieurs facteurs : l'aide du plan Marshall, la solidité du deutschmark, la forte concentration de l'industrie allemande, la qualité de ses produits, le dynamisme de ses exportations, la concertation entre patronat et syndicats. En 1960, la RFA s'affirme comme la deuxième puissance du monde capitaliste et la première de l'Europe des Six.

Les difficultés de la RDA

Contrairement à sa rivale ouest-allemande, la RDA refuse le plan Marshall, à l'instar des Soviétiques. Ceux-ci lui réclament le paiement des réparations de guerre jusqu'en 1953. Handicapée par cette lourde charge, mais aussi par les excès de la centralisation et de la bureaucratie, l'économie est-allemande connaît un démarrage difficile. De 1952 à 1960, la collectivisation des terres provoque une émigration massive des paysans vers la RFA. Le relèvement brutal des normes de travail exigées par l'État dans l'industrie provoque l'insurrection ouvrière du 17 juin 1953, qui secoue Berlin-Est et toutes les grandes villes, avant d'être réprimée par les chars soviétiques.

Bastion avancé du bloc communiste, membre du Comecon depuis 1950 et du Pacte de Varsovie depuis 1955,

la RDA connaît toutefois une certaine libéralisation économique après le soulèvement de 1953 : c'est le « nouveau
cours » *(der neue Kurs)*, lancé par Walter Ulbricht. Mais cela
n'endigue pas le flot continu d'émigration vers la RFA : on
compte 3 millions de départs entre 1949 et 1961, notamment
par Berlin-Ouest.

Le « mur de la honte »

L'hémorragie de bras et de cerveaux passés à l'Ouest
est désastreuse pour l'économie comme pour l'image de
marque de la RDA. L'URSS exige alors que Berlin-Ouest,
Land de RFA depuis 1949, soit intégrée à la RDA. Après
l'échec de la conférence de Moscou entre les quatre Grands
(mai 1960), les autorités est-allemandes font construire un
mur isolant Berlin-Ouest, dans la nuit du 12 au 13 août 1961 :
les Occidentaux le surnomment le « mur de la honte ».

L'arrêt de l'émigration massive permet à l'économie
est-allemande de prendre un nouveau départ, appuyé en
1963 par une relative décentralisation : c'est le « nouveau
système économique ». La RDA se hisse au cinquième rang
européen pour la production industrielle à la fin des années
60. Mais cet effort repose essentiellement sur l'industrie
lourde, au détriment des biens de consommation internes.
Le régime politique est-allemand est le plus rigide de toute
l'Europe de l'Est.

LA MARCHE VERS
LA RÉUNIFICATION

Succès et limites de l'Ostpolitik

Après vingt années de gouvernement chrétien-
démocrate (Adenauer de 1949 à 1963, Erhard de
1963 à 1966, Kiesinger de 1966 à 1969), Willy Brandt
devient le premier Chancelier social-démocrate de
RFA en octobre 1969. Il doit sa victoire à son
alliance avec les libéraux du FDP, mais aussi à la
crise économique de 1966-1967, ainsi qu'à la vague de contestation étudiante qui a affaibli le régime en 1967-1968.

*Amorcé par
l'Ostpolitik de
Willy Brandt, le
rapprochement
des deux
Allemagnes
s'est
concrétisé en
1990 par la
réunification.*

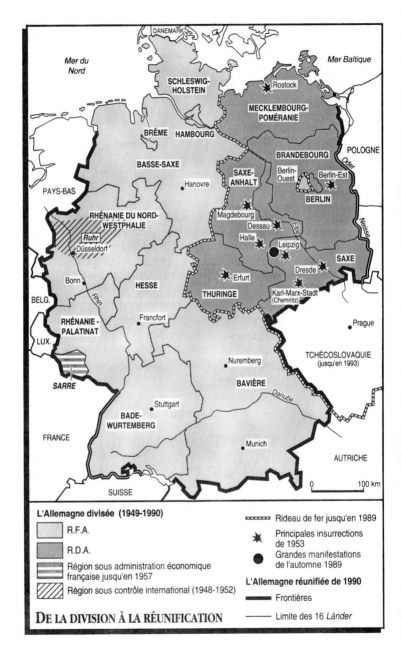

DANEMARK

Mer du Nord

Mer Baltique

SCHLESWIG-
HOLSTEIN

Rostock

MECKLEMBOURG-
POMÉRANIE

BRÊME   HAMBOURG

POLOGNE

BASSE-SAXE

SAXE-
ANHALT

Berlin-
Ouest   Berlin-Est

BERLIN

Hanovre

PAYS-BAS

RHÉNANIE DU NORD-
WESTPHALIE

Ruhr

Magdebourg

Dessau

Düsseldorf

Halle   Leipzig

SAXE

Dresde

Bonn

HESSE

Erfurt

BELG.

THURINGE

Karl-Marx-Stadt
(Chemnitz)

RHÉNANIE -
PALATINAT

Francfort

Prague

LUX.

TCHÉCOSLOVAQUIE
(jusqu'en 1993)

Nuremberg

SARRE

BAVIÈRE

Danube

BADE-
WURTEMBERG

Stuttgart

FRANCE

Munich

AUTRICHE

SUISSE

0   100 km

L'Allemagne divisée (1949-1990)

R.F.A.

R.D.A.

Région sous administration économique
française jusqu'en 1957

Région sous contrôle international (1948-1952)

Rideau de fer jusqu'en 1989

Principales insurrections
de 1953

Grandes manifestations
de l'automne 1989

L'Allemagne réunifiée de 1990

Frontières

Limite des 16 *Länder*

DE LA DIVISION À LA RÉUNIFICATION

Willy Brandt donne une nouvelle orientation à la politique étrangère : c'est la « politique orientale » *(Ostpolitik)*, qui tend à normaliser les rapports avec la RDA et l'ensemble du bloc communiste. La RFA signe une série de traités avec l'URSS (août 1970), la Pologne (décembre 1970) et surtout le « traité fondamental » avec la RDA (décembre 1972), qui établit des relations diplomatiques entre les deux Allemagnes. Elles sont toutes deux admises à l'ONU en 1973, et leurs échanges commerciaux progressent rapidement. Mais la RDA, dirigée depuis 1971 par Erich Honecker, reste l'alliée fidèle de Moscou.

Les problèmes internes de la RFA

En RFA, Willy Brandt laisse sa place en 1974 à un autre social-démocrate, Helmut Schmidt. Plus « atlantiste » que Brandt, le nouveau Chancelier est confronté à une série de problèmes intérieurs, qui l'éloignent de l'*Ostpolitik* :

– les difficultés économiques (inflation, chômage) consécutives à la crise mondiale ;

– la vague terroriste d'extrême-gauche, menée par la Fraction armée rouge (« bande à Baader ») ;

– la montée du courant écologiste et pacifiste (les « Verts »), qui mène une campagne vigoureuse contre l'implantation de centrales nucléaires et contre la mise en place des missiles nucléaires américains Pershing.

En 1982, Helmut Schmidt doit laisser sa place à Helmut Kohl, chef de la CDU, qui bénéficie du renversement d'alliance du FDP. Devenus une véritable force politique avec 8,3 % des voix aux élections législatives de 1987, les Verts deviennent l'allié potentiel du SPD.

La chute du mur de Berlin

La libéralisation du bloc communiste, lancée en 1985 par Moscou, n'est pas acceptée par les dirigeants est-allemands. Mais tout s'accélère à l'automne 1989, lorsque la Hongrie ouvre ses frontières avec l'Autriche : 720 000 Allemands de l'Est rejoignent alors la RDA ; l'opposition, jusqu'alors clandestine et fragmentée, se regroupe dans le mouvement Neues Forum, qui organise des manifestations de masse à Leipzig. Invité à Berlin-Est au mois d'octobre, c'est Gorbatchev lui-même qui débloque la situation, en exigeant une nécessaire « modernisation ». Quelques jours plus tard,

- Erich Honecker doit abandonner la direction du Parti et de
- l'État (18 octobre). Son successeur Egon Krentz accepte
- d'ouvrir la frontière avec la RFA, notamment à Berlin : c'est la
- chute du « mur de la honte » (9 novembre 1989).
- Dès lors, tout s'accélère. Sans même consulter ses par-
- tenaires occidentaux, le Chancelier Helmut Kohl annonce un
- plan de réunification de la RFA et de la RDA, le 28 novembre
- 1989. Cette initiative est jugée prématurée par les grandes
- puissances, mais le peuple est-allemand manifeste son
- approbation en donnant la majorité à la CDU lors des élec-
- tions de mars 1990.
- L'accord Kohl-Gorbatchev du 16 juillet 1990 est décisif,
- car il admet l'intégration du futur État réunifié dans
- l'Alliance Atlantique. Le 3 octobre, l'Allemagne est officielle-
- ment réunifiée : le nouvel État compte seize *Länder* (onze à
- l'Ouest, cinq à l'Est), et Berlin va redevenir la capitale.
- Helmut Kohl est le premier Chancelier de cette nouvelle
- Allemagne, après la victoire de la CDU aux élections du
- 8 décembre 1990.

Les problèmes de la réunification

- L'assimilation d'une économie est-allemande attardée,
- bureaucratisée, et jusqu'alors imbriquée dans le Comecon,
- provoque d'énormes difficultés. La parité entre deutsche-
- mark et ostmark, généreusement accordée par Helmut Kohl,
- entraîne l'affaiblissement de la monnaie allemande. La
- reconversion et l'adaptation de l'appareil productif de l'Est
- se traduisent par des licenciements massifs. D'où un fort
- mécontentement social, qui trouve parfois son expression
- politique dans la propagande nationaliste, voire néo-nazie.
- Les vieux démons du pangermanisme resurgissent et la
- crainte de la grande Allemagne apparaît à l'étranger. Mais
- Helmut Kohl multiplie les signes de fidélité à l'Europe com-
- munautaire, notamment lors de la ratification du traité de
- Maastricht. Et les manifestations de masse organisées en
- 1993 contre la renaissance du nazisme prouvent que la jeu-
- nesse allemande ne veut pas retomber dans les erreurs du
- passé.

- Depuis 1949, la RFA et la RDA, créations de la guerre
- froide, ont cultivé leurs antagonismes, symbolisés par le
- mur de Berlin, en 1961. L'*Ostpolitik* des années 70 a permis

leur rapprochement mais n'a pas changé l'opposition de fond entre les deux modèles de société. Il a fallu attendre le tournant de 1989 pour voir s'écrouler le « mur de la honte » et assister à la réunification. Après quarante ans de guerre froide et de séparation, le peuple allemand affronte les problèmes économiques et humains engendrés par la réunification.

CHRONOLOGIE

1945 : capitulation allemande.

1948-1949 : blocus de Berlin.

1949 : Loi fondamentale, Constitution de la RFA ; Adenauer (CDU) Chancelier de RFA ; naissance de la RDA.

1953 : révolte ouvrière en RDA.

1955 : entrée de la RFA dans l'OTAN et de la RDA dans le Pacte de Varsovie.

1961 : construction du mur de Berlin.

1963 : Erhard (CDU) Chancelier de RFA.

1966 : gouvernement CDU-SPD dirigé par Kiesinger (CDU).

1969 : le Chancelier Brandt (SPD) lance l'*Ostpolitik.*

1971 : Honecker au pouvoir en RDA.

1972 : traité fondamental entre RFA et RDA.

1974 : Schmidt (SPD) Chancelier de RFA.

1982 : Kohl (CDU) Chancelier de RFA.

1989 : Gorbatchev à Berlin-Est ; démission de Honecker ; chute du mur de Berlin.

1990 : victoire électorale de la CDU en RDA ; réunification de l'Allemagne ; victoire électorale de la CDU ; Helmut Kohl, Chancelier de l'Allemagne réunifiée.

LIRE AUSSI ALLEMAGNE DE WEIMAR ; ALLEMAGNE NAZIE (JUSQU'EN 1939) ; CONSTRUCTION EUROPÉENNE (DEPUIS 1945) ; RELATIONS INTERNATIONALES (1945-1962 ; 1962-1985 ; DEPUIS 1985).

AMÉRIQUE LATINE

Au XVIe siècle, les Espagnols et les Portugais
ont colonisé la plus grande partie de l'Amérique latine,
alors occupée par des populations indiennes. Au début
du XIXe siècle, les colonies obtiennent leur indépendance,
mais elles tombent rapidement sous l'influence
des États-Unis, qui, depuis la « doctrine Monroe » énoncée
en 1823, estiment avoir un droit de regard sur les affaires
du continent ; au XXe siècle, la position des États-Unis
devient peu à peu hégémonique. La domination nord-
américaine ajoutée au sous-développement économique
contribuent à créer une grande instabilité politique dans
la région.

L'AMÉRIQUE LATINE
DE 1914 À 1945

> L'Amérique latine, essentiellement agricole, est aux mains des grands propriétaires fonciers.

L'évolution économique et sociale

Vers 1914, le PNB des pays d'Amérique latine est faible, ce qui est dû à l'importance d'un secteur économique peu productif (artisanat, agriculture traditionnelle). L'économie latino-américaine dépend en partie de l'exportation de matières premières agricoles et minières (plus de 90 % des produits exportés), dont l'exploitation est le fait de firmes étrangères.

La société du sous-continent est avant tout rurale et profondément inégalitaire. De riches propriétaires accaparent la plupart des terres. Les grandes propriétés – formées au XVIe siècle et étendues au XIXe siècle – ne sont pas uniformes : elles sont soit sous-exploitées et consacrées à des cultures vivrières (on parle alors de latifundias), soit cultivées avec des moyens de production modernes et dévolues à des cultures d'exportation. De leur côté, les paysans, très pauvres et très nombreux, vivent sur de micro-exploitations (les minifundias), ou ne possèdent rien ; généralement, ils travaillent comme ouvriers agricoles sur les grandes exploitations contre des salaires le plus souvent en nature et misérables.

Pendant la Première Guerre mondiale, le prix des matières premières exportées est stimulé par la forte demande mondiale, alors que l'industrie, favorisée par la rupture des sources traditionnelles d'approvisionnement, commence à se développer. Après une période de forte croissance économique, qui se continue dans les années 20, l'Amérique latine souffre, entre 1929 et 1935, de la chute des cours des produits agricoles et miniers exportés. Mais la reprise est amorcée à partir de 1934 : elle est liée au réarmement mondial, qui entraîne l'achat de matières premières, et à de nouveaux investissements étrangers. La croissance se confirme pendant la Seconde Guerre mondiale.

Dans l'entre-deux-guerres, la mécanisation dans les grandes exploitations et le chômage rural qui en résulte, la naissance d'une industrie et le renforcement du pouvoir des États et une immigration importante en provenance de l'Europe latine (Espagne et Italie) entraînent le gonflement des villes et la formation d'une classe ouvrière et d'une classe moyenne.

L'instabilité politique

L'aristocratie foncière forme une classe économiquement dominante et possède une emprise réelle sur la masse des *peones* (journaliers). C'est donc elle qui détient la réalité du pouvoir politique, que le régime soit représentatif ou qu'il tombe entre les mains d'un grand propriétaire qui, par la force, impose sa dictature personnelle (un caudillo).

En 1910, au Mexique, la domination de l'aristocratie foncière est remise en cause par une révolution : Zapata entraîne nombre de paysans dans la guerre civile avec un programme hostile aux firmes étrangères et favorable à une réforme agraire radicale. Mais son mouvement est écrasé en 1917 par Carranza, grand propriétaire terrien qui a le soutien des ouvriers des villes auxquels il a promis une législation sociale. Il faut attendre le milieu des années 30 pour qu'ait lieu la réforme agraire : Cardenas, président de la République de 1934 à 1940, qui engage par ailleurs la lutte contre le capital étranger en nationalisant les chemins de fer ou les industries pétrolières (1937-1938), commence à transformer les *haciendas* sucrières et cotonnières en exploitations collectives paysannes, les *eijidos*.

L'histoire de la révolution mexicaine éclaire le rôle nouveau joué par les classes urbaines dans la vie politique. Celles-ci sont prêtes à apporter leur appui aux dictateurs qui, comme Carranza, prennent en compte leurs aspirations. Ainsi, au Brésil, elles soutiennent, dans les années 30, le dictateur Vargas qui engage des réformes sociales au profit des ouvriers des villes (limitation de la durée de travail, congés payés, assurances sociales...), favorise l'industrialisation et mène une politique extérieure nationaliste. Mais Vargas, tout comme les autres « dictateurs populistes », ne cherche pas à engager une réforme agraire, à laquelle les citadins sont indifférents et qui lui aliénerait les grands propriétaires.

L'armée joue un rôle particulier en Amérique latine, car elle se sent investie d'une mission politique. C'est ainsi qu'elle peut renverser un régime dont l'orientation lui paraît opposée aux intérêts nationaux ou favoriser l'instauration d'un régime, comme celui de Vargas, qui lui semble favorable à ces derniers.

La présence des États-Unis

En 1939, les États-Unis absorbent plus du tiers des ventes de l'Amérique latine et fournissent 35 % de ses achats. Par ailleurs, les firmes nord-américaines renforcent depuis plusieures décennies leurs investissements, notamment dans le secteur du pétrole et dans celui des services. En 1939, le capital nord-américain présent en Amérique latine est nettement supérieur à celui des Britanniques.

Pour protéger leurs routes commerciales et contrôler le canal de Panama ou pour défendre leurs intérêts économiques et financiers, les États-Unis n'hésitent pas à multiplier leurs interventions militaires dans la mer des Caraïbes. Ils occupent militairement Cuba de 1906 à 1909 puis en 1912, Haïti de 1915 à 1934, le Nicaragua de 1912 à 1933... C'est la politique du *Big Stick* (gros bâton). Mais Roosevelt, président des États-Unis à partir de 1933, décide le désengagement de son pays, et les troupes américaines se retirent.

L'AMÉRIQUE LATINE
DE 1945 À 1980

Une forte croissance démographique et économique

La poussée démographique, forte depuis 1914, devient spectaculaire à partir de 1945. La population du sous-continent augmente de 2 à 3 % par an et passe de 142 millions d'habitants en 1945 à 360 millions d'habitants en 1980. Plus que l'immigration, il faut y voir la conséquence d'une baisse de la mortalité et du maintien d'une forte natalité.

> **Les militaires instaurent des dictatures soutenues par les États-Unis.**

La Seconde Guerre mondiale a par ailleurs fortement stimulé une croissance économique qui dure après 1945 : elle est de 6 % par an en moyenne de 1945 à 1980. Mais elle est mal répartie : les pays du cône Sud (Argentine et Chili), et surtout le Brésil avec ses immenses ressources ou les pays producteurs de pétrole (Venezuela, Mexique), ont une croissance beaucoup plus forte que celle des autres États latino-américains.

L'augmentation de la population et, dans une moindre mesure, l'essor de l'industrie et des services poussent les habitants des campagnes surpeuplées vers les villes, où les problèmes d'emploi, de scolarisation et de logement deviennent dramatiques. Les frustrations sont particulièrement vives parmi les jeunes de moins de 20 ans, qui constituent en 1980 plus de la moitié de la population de certains États.

La révolution cubaine

À la fin des années 50, la situation à Cuba est explosive. En janvier 1959, après trois années de luttes, les guérilleros de Fidel Castro et de Che Guevara – qui se sont appuyés sur les paysans pauvres de la Sierra Maestra – parviennent à chasser le dictateur Batista qui gouvernait le pays depuis 1933. Fidel Castro s'installe au pouvoir et entreprend une réforme agraire. Mais il doit rapidement affronter l'hostilité des États-Unis.

Il se tourne alors vers l'URSS, avec laquelle il établit des liens diplomatiques et commerciaux étroits. Il opte parallèlement pour le modèle socialiste : il nationalise les entre-

- prises privées, surtout américaines, instaure un régime de
- parti unique et soutient dans les autres pays d'Amérique
- latine les mouvements de guérillas contre l'impérialisme
- américain : l'Armée de libération nationale (ELN) au Pérou,
- les Tupamaros en Uruguay... Che Guevara meurt en octobre
- 1967 au côté des guérilleros boliviens.
-   Malgré l'aide de Castro, les guérilleros du sous-continent
- n'accèdent pas au pouvoir. En effet, ils ne parviennent pas à
- rallier la paysannerie et ne forment que de petits groupes
- menant des actions ponctuelles et sans grande envergure.

La multiplication des dictatures militaires

-   Après la Seconde Guerre mondiale, les dictatures n'ont
- pas disparu du sous-continent. On y distingue des dicta-
- tures familiales, héritières du caudillisme du début du siècle
- (les Duvalier à Haïti de 1957 à 1983, les Somoza au
- Nicaragua...) des dictatures populistes comme celle de Juan
- Peron en Argentine, de 1946 à 1955, enfin, et surtout, des
- dictatures militaires.
-   Celles-ci se multiplient dans les années 60 et 70, en
- réponse au développement de la guérilla de type castriste
- ou à l'installation de gouvernements socialistes. C'est ainsi
- qu'au Chili, le président Salvador Allende qui avait mis en œuvre
- à partir de 1970 un programme d'inspiration socialiste (il avait
- entrepris d'accélérer la réforme agraire, et de nationaliser les
- mines de cuivre des compagnies nord-américaines) est renversé
- et assassiné en septembre 1973 par le général Pinochet, qui
- veut rétablir l'ordre national menacé selon lui par le marxisme.
-   Ces nouvelles dictatures militaires sont généralement
- exercées par des juntes (conseils d'officiers) qui mènent une
- répression féroce contre toute opposition en s'appuyant si
- besoin sur des organisations paramilitaires, les « Escadrons
- de la mort ». Ces régimes forts optent le plus souvent pour
- une politique économique libérale, favorable aux classes
- dominantes et aux multinationales. Leur longévité – de 1964
- à 1985 au Brésil, de 1973 à 1989 au Chili – s'explique entre
- autres par le soutien des États-Unis, qui craignent eux aussi
- l'expansion à leur porte du communisme.

Les interventions des États-Unis

-   Après 1945, les États-Unis cherchent à renforcer leur
- contrôle sur le sous-continent en créant autour d'eux un

système d'alliances militaires (Pacte de Rio de Janeiro de 1947) et en utilisant pour tribune l'Organisation des États américains (OEA), créée en 1948 en remplacement de l'ancienne Union panaméricaine.

Dans les années 60 et 70, le triomphe de Fidel Castro les amène à intervenir plus directement. Pour éviter la propagation du castrisme qui se nourrit de la pauvreté et des inégalités, le président Kennedy a l'idée d'apporter une aide matérielle à l'Amérique latine : c'est le sens de « l'Alliance pour le progrès » qui regroupe à partir de 1961 les États-Unis et les États latino-américains (excepté Cuba) et qui est chargé de promouvoir le développement rapide du sous-continent. Mais parallèlement, le chef de la Maison Blanche appuie le débarquement des exilés anticastristes dans « la baie des Cochons » à Cuba en 1961.

Après la mort de Kennedy, Washington en revient à la « politique du gros bâton », qui fut la sienne dans les trente premières années du XXe siècle : les troupes américaines débarquent en 1965 dans la République dominicaine et, en 1973, la CIA (services secrets des États-Unis) aide le général Pinochet à instaurer sa dictature au Chili.

L'AMÉRIQUE LATINE DEPUIS 1980

◄

La crise économique des années 80

La croissance économique que connaît l'Amérique latine dans les années 60 et 70 et qui a surtout profité aux classes dominantes, précède une période de forte récession. En effet, dans les

> Si le retour à la démocratie est général, la crise économique sévit encore. ►

années 80, le poids de la dette extérieure devient considérable et l'inflation est galopante. Des politiques d'austérité sont alors mises en œuvre sous l'égide du Fonds monétaire international aussi bien pour lutter contre l'inflation que pour desserrer le carcan de la dette.

L'État supprime ou réduit les subventions qui permettaient d'abaisser les prix des produits de première nécessité et des moyens de transport. Il restructure les entreprises publiques et ferme les plus déficitaires d'entre elles, il réduit parfois les salaires des fonctionnaires.

Les classes urbaines pauvres et moyennes sont les premières touchées par de telles politiques qui, sur le court terme, entraînent une baisse de leur niveau de vie, une réduction de la croissance et une aggravation du chômage. La délinquance, l'usage de la drogue sont de plus en plus répandus et la tension sociale peut aboutir à des explosions de violence (ainsi au Venezuela en février et en mars 1989).

● **Une démocratisation fragile**

La crise économique, le virage politique de Washington qui, depuis la présidence de Jimmy Carter (1976-1980) ne soutient plus qu'avec réticence les dictatures, l'échec des militaires argentins dans la guerre engagée en 1982 contre le Royaume-Uni pour récupérer les îles Falklands-Malouines, affaiblissent considérablement les dictatures militaires.

Le retour de la démocratie, amorcé à la fin des années 70, s'impose alors sur l'ensemble du sous-continent entre 1983 et 1986, et se confirme en 1989 avec la démocratisation du Paraguay et du Chili. Les régimes militaires laissent place à des régimes démocratiques généralement de type présidentiel, partageant le pouvoir entre un Congrès et un Président élu. Mais les démocraties restent fragiles : la crise économique, les inégalités sociales, les guérillas, la violence liée au trafic de drogue (en Colombie notamment) et surtout la puissance et la politisation des armées font planer partout le danger d'un retour des dictatures militaires. En 1988, les régimes militaires ou apparentés sont rétablis à Haïti et au Panama.

● **Dix ans de tensions en Amérique centrale**

En 1979, au Nicaragua, les guérilleros du Front sandiniste parviennent, avec le soutien de l'Église (qui agit selon les principes de la « théologie de la libération ») à renverser le dictateur Somoza, lâché par le président Carter. Mais au pouvoir, ils doivent faire face à la contre-guérilla de la Contra, favorable à Somoza, qui s'appuie en partie sur les Indiens Miskitos et qui bénéficie de l'aide des États-Unis et du Honduras. Le régime sandiniste se radicalise, se rapproche de Cuba et de l'URSS, et apporte une aide aux guérilleros du Salvador et du Guatemala.

Dans la première moitié des années 80, l'Amérique centrale est donc en proie aux guerres civiles. Les privations et

la désorganistaion des économies suscitent un mécontentement grandissant des populations. Les « accords
d'Esquipulas II » signés par les chefs d'État du Nicaragua, du
Salvador, du Guatemala, du Honduras et du Costa Rica, le
7 août 1987, n'établissent qu'une paix éphémère dans la
région. En 1988 et en 1989, la guerre au Nicaragua reprend
de plus belle.

Cependant, à la fin des années 80, le désengagement de
l'URSS prive les sandinistes d'un soutien déterminant.
Acculé puis battu aux élections libres de février 1990 par
une coalition de onze partis d'opposition, le dirigeant sandiniste Daniel Ortega doit céder la présidence à Vittoria
Chamorro.

Une hégémonie nord-américaine très contestée

Dans les années 80, les États-Unis continuent à intervenir en Amérique latine contre les régimes marxistes et apparentés : ils entreprennent le minage des ports et le blocus
économique du Nicaragua tout en fournissant une aide financière à la Contra ; le 25 octobre 1983, ils débarquent à la
Grenade pour éviter la création d'un « relais de la subversion
soviéto-cubaine » (R. Reagan). Fait nouveau, les États-Unis
interviennent aussi contre certaines dictatures familiales ou
militaires : ils jouent un rôle dans la chute de Duvalier à Haïti
en 1986, et débarquent au Panama en décembre 1989 pour y
capturer le général au pouvoir, Noriega, impliqué dans le trafic de drogue. Mais ces interventions sont de plus en plus cri-
tiquées par les populations et les gouvernements
d'Amérique latine.

Dans les années 60 et 70, les États latino-américains
cherchent à limiter leur dépendance à l'égard des États-
Unis en créant des organismes de coopération économique qui leur sont propres : le Mercomun en 1960, le
Pacte andin en 1969, le Pacte amazonien en 1978. Dans les
années 80, ils remettent en question la suprématie politique de Washington : « le groupe de Contadora »
(Colombie, Mexique, Panama, Venezuela), formé en 1983,
condamne les ingérences extérieures et veut se substituer
aux États-Unis pour le règlement des conflits en Amérique
latine. Par ailleurs, les tentatives de règlement de paix en
Amérique centrale dans les années 80 se font sans les
États-Unis.

Au début des années 90, les plans d'austérité engagés à partir de 1980 semblent porter leurs fruits. La croissance redémarre. Malgré les tensions sociales, le régime démocratique résiste et reste le système politique de loin le plus fréquent. Enfin, le continent semble trouver une certaine indépendance économique et politique à l'égard des États-Unis.

CHRONOLOGIE

1930-45 : au Brésil, Vargas impose une dictature populiste.

1934-40 : au Mexique, Cardenas engage une profonde réforme agraire.

1946-55 : dictature populiste de Juan Peron en Argentine.

1948 : création de l'OEA à la conférence de Bogota.

1959 : entrée de Fidel Castro à La Havane

1961 : invasion de Cuba par des troupes anticastristes venues des États-Unis.

1962 : affaire des fusées soviétiques à Cuba.

1970 : élection au Chili de Salvador Allende à la présidence de la République.

1973 : Pinochet prend le pouvoir au Chili ; Allende assassiné.

1976 : l'armée prend le pouvoir en Argentine.

1979 : effondrement du régime du dictateur Somoza devant l'offensive révolutionnaire des Sandinistes au Nicaragua.

1982 : conflit pour le contrôle des îles Malouines entre l'Argentine et le Royaume-Uni.

1983 : création du « groupe de Contadora » ; retour à un régime civil en Argentine avec l'élection de Raoul Alfonsin à la présidence de la République ; intervention militaire des États-Unis à la Grenade après un coup d'État pro-marxiste.

1985 : restauration du pouvoir civil au Brésil.

1989 : retour à un régime civil au Chili, avec l'élection de Aylwin à la présidence ; intervention militaire des États-Unis contre le général Noriega à Panama.

1990 : les sandinistes quittent le pouvoir au Nicaragua et Violetta Chamorro devient président de la république.

CHINE
(AVANT 1945)

*Depuis le milieu du XIXᵉ siècle, la dynastie impériale
mandchoue ne peut résister à la pénétration en Chine des
puissances occidentales : les « traités inégaux »
permettent aux grands États du monde d'obtenir des
privilèges économiques. À la fin du XIXᵉ et au début du
XXᵉ siècle, l'empire ne parvient pas à s'opposer à
l'annexion par le Japon de Formose puis de la Corée.
Cette situation humiliante entraîne des réactions de
xénophobie. L'opposition au régime, porté responsable
de la faiblesse du pays, se renforce. À la suite de la
révolution de 1911, le vieil « Empire du Milieu » laisse
place à une République. En fait, l'anarchie s'installe.*

LA FORMATION D'UNE CHINE NOUVELLE (VERS 1920-1928)

Vers 1920, la République chinoise est divisée et affaiblie, mais elle refait peu à peu son unité et Tchang Kaï-chek, chef du Kuomintang, devient le dirigeant du nouvel État.

La Chine vers 1920

Le traité de Versailles confirme la dépendance économique de la Chine et donne les droits que possédait l'Allemagne dans le Shandong au Japon (et non à la Chine). Cette décision fait éclater dans le pays, en mai et juin 1919, un immense mouvement de protestation, connu sous le nom de « Mouvement du 4 mai ». Pendant deux mois, manifestations de rues, grèves et boycott des produits japonais perturbent les villes. Ce mouvement remet aussi en cause la morale confucéenne et le poids des traditions, il accroît l'audience du Kuomintang, parti nationaliste et réformiste, fondé par Sun Yat-sen en 1905.

En 1919, deux gouvernements prétendent représenter la Chine. Sun Yat-sen, chef du Kuomintang, gouverne le Sud du pays, alors qu'au Nord siège le gouvernement de Pékin, seul reconnu par les grandes puissances. En fait, la majeure partie du pays est entre les mains de gouverneurs militaires quasi indépendants, les *dujun* (Seigneurs de la guerre), véritables tyrans dans leurs provinces, qui s'enrichissent par des taxes arbitraires.

L'unification de la Chine

Sun Yat-sen se rend vite compte qu'il ne peut seul réaliser l'unité de la Chine, ni la débarrasser de la tutelle économique des Japonais et des Occidentaux. Il s'allie alors avec le jeune parti communiste, fondé en 1921 à Shanghai, et se tourne vers l'URSS, qui envoie à Canton des instructeurs militaires. Cette tactique est payante. À sa mort, en 1925, la Chine du Sud est devenue un État solide. Son successeur, le général Tchang Kaï-chek, se lance en 1926 à l'assaut du Nord encore aux mains des Seigneurs de la guerre. Mais il craint les progrès des communistes, qui ont profité des grandes grèves ouvrières de 1925-26 pour accroître leurs effectifs. En 1927, il rompt brutalement avec eux (massacres de Shanghai et de Canton) et avec l'URSS.

Alors que les communistes se replient dans des bases rurales, Tchang Kaï-chek parvient à contrôler le Nord du pays à la fin des années 20 et devient président de la République. Les puissances occidentales reconnaissent son gouvernement comme seul légal et lui apportent un soutien financier.

LA CHINE
DE TCHANG KAÏ-CHEK (1928-1936)

Tchang Kaï-chek essaie de moderniser la Chine en luttant contre les communistes.

Le gouvernement de Tchang Kaï-chek

Établi à Nankin, Tchang Kaï-chek est à la tête d'un régime autoritaire reposant sur un parti unique, le Kuomintang, et l'armée. Il prône le respect de l'ordre établi, le sens civique, le travail, la discipline et l'esprit militaire. Parallèlement, il entreprend de moderniser le pays : développement du réseau ferroviaire et routier, effort dans le domaine de l'enseignement, réorganisation du système judiciaire (Code civil de 1931, Code pénal de 1935). Enfin, il obtient une révision des « traités inégaux ».

- Tchang Kaï-chek est soutenu par les intellectuels occidenta-
- lisés, les propriétaires fonciers et la bourgeoisie d'affaires.
- Mais, impuissant à résoudre la question sociale (chômage,
- faiblesse des salaires), aggravée par la crise mondiale
- (chute des exportations), il perd l'appui du monde ouvrier ;
- par ailleurs, il s'aliène les masses paysannes en s'opposant à
- toute réforme agraire et heurte les nationalistes en ne
- réagissant que très mollement à l'agression des Japonais en
- Mandchourie, en 1931.

● Les communistes chinois

- Chassés des centres urbains en 1927, les communistes
- chinois se sont réfugiés dans les montagnes de la Chine cen-
- trale et méridionale. Dans le Kiangsi, Mao Zedong applique
- une réforme agraire, organise une « armée rouge » et fonde,
- en décembre 1931, une République soviétique. Il pense que
- la révolution doit s'appuyer avant tout sur les masses pay-
- sannes, alors que la majorité du Parti défend encore l'idée
- d'une révolution ouvrière sur le modèle russe. Encerclés à
- partir de 1932 par les troupes de Tchang Kaï-chek, enca-
- drées par des officiers allemands, les communistes finissent
- par quitter leurs bases montagnardes. La Longue marche
- (octobre 1934-octobre 1935) de plus de 12 000 kilomètres,
- qui fera parmi eux plus de 90 000 morts sur les 100 000 du
- départ, les mène dans le bassin du Shenzi, au nord-ouest.
- Les thèses de Mao Zedong l'emportent alors et il devient
- « président du comité central du parti », en janvier 1935.

LA CHINE FACE AU JAPON (1936-1945)

Pour résister à l'agression japonaise, Tchang Kaï-chek se rapproche des communistes.

● Le Front uni contre le Japon

- Depuis le début des années 30, la Mand-
- chourie, transformée en protectorat par le Japon
- (Mandchoukouo), en mars 1932, sert de base pour
- l'élargissement de l'influence japonaise en
- Mongolie et en Chine du Nord : dès 1933, le Japon annexe le
- Jehol à « l'empire du Mandchoukouo » et pousse de 1933 à

1935 jusqu'aux abords de Pékin, créant des gouvernements autonomes, véritables États fantoches.

Ce grignotage, favorisé par la passivité du gouvernement chinois occupé à combattre les communistes, suscite une réaction nationaliste à la fin de 1936. Sous la pression de ses généraux, Tchang Kaï-chek doit accepter de se rapprocher des communistes, puis de former avec eux un Front uni, après que le Japon a décidé d'envahir toute la Chine.

● ### *La guerre sino-japonaise*

Les Japonais se lancent à l'assaut de la Chine en 1937. Le 28 juillet, ils s'emparent de Pékin. En octobre 1938, ils prennent Canton. Les régions essentielles de l'Est du pays sont alors dans leurs mains : les ports, les grands centres industriels. Tchang Kaï-chek se réfugie avec son gouvernement aux confins occidentaux de la Chine classique, à TChoung King. Il obtient l'aide des Alliés mais il économise ses forces pour un affrontement futur avec les communistes et son régime apparaît de plus en plus corrompu aux yeux de la population. Au contraire, les communistes, qui vivent de plain-pied avec les paysans et engagent une guérilla courageuse contre les troupes japonaises, s'assurent l'appui de larges couches populaires.

La lutte entre Chinois et Japonais, commencée en 1937, ne s'achève qu'en 1945, avec la Seconde Guerre mondiale. En 1946, la guerre civile reprend, à l'avantage des communistes qui ont gagné en popularité.

CHRONOLOGIE

1919 : Mouvement du 4 mai.

1925 : Sun Yat-sen, chef du Kuomintang, a refait l'unité de la Chine du Sud.

1927 : Tchang Kaï-chek, successeur de Sun Yat-sen à la tête du Kuomintang, rompt brutalement avec les communistes.

1928 : Tchang Kaï-chek contrôle la presque totalité de la Chine.

1934 : (octobre) début de la « Longue marche » des communistes.

1937 : le Japon envahit la Chine et la guerre sino-japonaise commence ; Tchang Kaï-chek et les communistes forment un front uni contre les Japonais.

LIRE AUSSI JAPON (AVANT 1945) ; DEUXIÈME GUERRE MONDIALE ; RELATIONS INTERNATIONALES (ANNÉES 30).

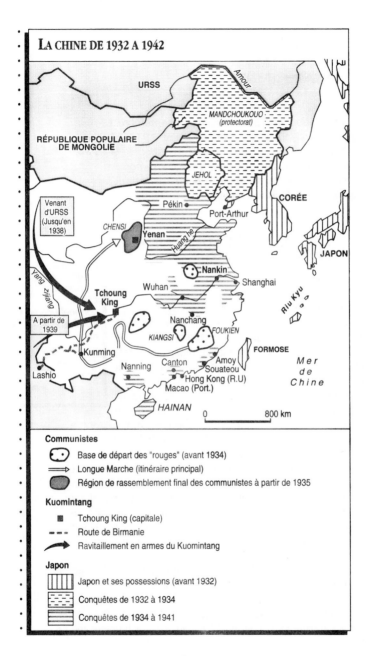

LA CHINE DE 1932 A 1942

URSS

Amour

MANDCHOUKOUO
(protectorat)

RÉPUBLIQUE POPULAIRE
DE MONGOLIE

JEHOL

CORÉE

Venant
d'URSS
(Jusqu'en
1938)

CHENSI

Pékin

Port-Arthur

Yenan

Huang Ho

JAPON

Nankin

Yang zijiang

Tchoung
King

Wuhan

Shanghai

Riu Kyu

A partir de
1939

Kunming

Nanchang

FOUKIEN

FORMOSE

KIANGSI

Mer
de
Chine

Nanning

Canton

Amoy

Lashio

Souateou

Hong Kong (R.U)

Macao (Port.)

HAINAN

0   800 km

Communistes

Base de départ des "rouges" (avant 1934)

Longue Marche (itinéraire principal)

Région de rassemblement final des communistes à partir de 1935

Kuomintang

Tchoung King (capitale)

Route de Birmanie

Ravitaillement en armes du Kuomintang

Japon

Japon et ses possessions (avant 1932)

Conquêtes de 1932 à 1934

Conquêtes de 1934 à 1941

CHINE

(DEPUIS 1945)

*La capitulation du Japon a mis fin, en septembre 1945, à
la guerre sino-japonaise, commencée en 1937. Mais, en
dépit des pressions américaines et soviétiques, la guerre
civile reprend en mars 1946 entre le gouvernement
nationaliste (Kuomintang) de Tchang Kaï-chek et les
communistes de Mao Zedong.*

L'AVÈNEMENT DU COMMUNISME CHINOIS (1949-1956)

Les communistes prennent le pouvoir en Chine continentale en 1949, tandis que les nationalistes se réfugient à Taïwan.

La victoire de 1949

Bien implantés dans les campagnes du Nord-Ouest, les communistes constituent une Armée populaire de libération, qui lance plusieurs opérations en direction de la Chine centrale. Bénéficiant de l'appui des masses paysannes, grâce aux réformes agraires effectuées dans les zones qu'ils contrôlent (partage des terres), ils s'emparent peu à peu de toutes les grandes villes chinoises. Après la chute de Canton, en octobre 1949, Tchang Kaï-chek doit se réfugier sur l'île de Taïwan (Formose), sous la protection des Américains. Il y fonde la République de Chine, dont il devient président, avec les pouvoirs d'un quasi-dictateur, appuyé sur le parti unique, le Kuomintang. Environ deux millions de chinois « nationalistes » suivent Tchang Kaï-chek à Taïwan. Beaucoup d'autres (1,2 million entre 1945 et 1949) se réfugient à Hong-Kong, possession britannique depuis 1842.

Le 1er octobre 1949, Mao Zedong proclame à Beijing (Pékin) la naissance de la République populaire de Chine, dont il devient président, et qui est aussitôt reconnue par l'URSS et ses alliés. Mais le gouvernement nationaliste de Taïwan affirme sa souveraineté sur les deux Chines et les

48

pays occidentaux le reconnaissent comme seul représentant chinois au Conseil de sécurité de l'ONU.

● *La voie soviétique*

Le traité d'assistance et d'amitié mutuelle signé avec l'URSS, en février 1950, concrétise l'alignement de la République populaire de Chine sur le modèle soviétique : c'est, selon l'expression officielle, « la mise dans le moule » marxiste. On le constate dans le domaine politique :

– Le Parti communiste chinois (PCC), dirigé par un Bureau politique (élu par le Comité central) domine les institutions de l'État : la Conférence consultative du peuple, qui fait figure d'Assemblée législative, accorde une large place aux petits partis libéraux, mais son pouvoir est faible ; le véritable pouvoir est partagé entre un Conseil du Gouvernement central présidé par Mao Zedong, et responsable des grandes orientations, et un Conseil des affaires de l'État présidé par Zhou Enlai, qui regroupe les principaux ministères et assure la gestion concrète. Président du PCC depuis 1945 et Président de la République en 1949, Mao Zedong incarne le contrôle du Parti sur l'État.

– Fort de six à sept millions de membres, le PCC contrôle toute la vie sociale grâce à ses organisations militaires, syndicales, ses mouvements de jeunesse, de femmes. L'enseignement du marxisme est obligatoire à l'école. En revanche, la culture traditionnelle est répudiée, notamment dans le domaine religieux : si le bouddhisme résiste bien, le confucianisme est quasiment aboli.

– La censure politique, la répression policière sont omniprésents. Des millions de « contre-révolutionnaires » sont arrêtés, exécutés après des jugements sommaires des « tribunaux du peuple », ou envoyés dans des camps de rééducation politique. Mao Zedong reconnaîtra la liquidation de 840 000 personnes entre 1949 et 1954.

On applique le même modèle stalinien dans le secteur économique :

– Après la grande réforme agraire de 1950, qui avait entraîné la redistribution de la moitié des terres cultivées, celles-ci sont collectivisées de 1953 à 1956 : ainsi, l'État peut-il prélever les bénéfices des surplus agricoles pour financer l'industrialisation.

- – Dans le cadre d'une planification rigide, lancée par le premier plan quinquennal de 1953, la priorité est donnée à l'industrie lourde.

Mais ce modèle est critiqué à partir de 1956 par Mao Zedong lui-même, qui se détache de l'URSS. Du côté soviétique, on se méfie de l'expansionnisme chinois, qui se manifeste en 1950 par l'invasion du Tibet, transformé en région autonome chinoise en 1959. Cette annexion provoque des incidents de frontière avec l'Inde en 1962. D'autres incidents se produiront en 1969 aux confins de la Mongolie, entre les armées chinoise et soviétique.

LA RECHERCHE D'UN MODÈLE MAOÏSTE (1956-1981)

> *Mao Zedong tente d'imposer à la société chinoise un modèle communiste original.*

Le « Grand bond en avant »

Mao cherche une voie nouvelle de communisme, distincte du modèle soviétique. Le maoïsme se veut une doctrine de la révolution totale, où l'idéologie prime sur les contraintes matérielles, et qui s'appuie sur une mobilisation permanente de la population. Le passage au socialisme ne doit pas venir d'en haut mais s'effectuer à travers des mouvements de masse, des « campagnes », censées exprimer les aspirations du peuple. En réalité, ces campagnes sont étroitement encadrées par le pouvoir, qui s'en sert pour éliminer les opposants : c'est le cas en 1951, avec la campagne « pour l'élimination des contre-révolutionnaires », ou en 1952, avec la campagne dite « des cinq anti » contre les capitalistes.

– En 1956, est lancée la campagne des « Cent fleurs », qui appelle les intellectuels chinois à formuler leurs critiques sur le régime. Mais cette tentative de libre expression est vite réprimée : des milliers d'intellectuels sont envoyés en prison ou « rééduqués » à la campagne.

– En 1957, est lancé le « Grand bond en avant », fondé sur l'égalitarisme et sur le rôle des masses au détriment de l'État. En rupture avec la planification de type stalinien, il s'agit d'organiser la production autour de 26 000 « communes populaires », groupant chacune plus de 20 000 personnes, et intégrant les activités agricoles et industrielles. Parallèlement, d'immenses travaux collectifs sont lancés, afin de relancer la production. Mais les communes populaires tournent vite à la catastrophe économique, à cause des erreurs de gestion et surtout du manque de motivation des paysans. Très critiqué au sein même du Parti communiste, Mao Zedong reste à sa tête mais doit abandonner, en 1959, la présidence de la République à son principal adversaire Liu Shaoqi. Ce dernier favorise la restitution d'une partie des terres aux paysans, et une certaine libéralisation de l'économie.

● *La « Révolution culturelle »*

Dès 1962, Mao Zedong multiplie les initiatives contre la tendance Liu Shaoqi : c'est le « Mouvement d'éducation socialiste », dont le Petit Livre rouge, recueil de ses citations, paru en 1964, est le bréviaire. En 1966, il lance la « Révolution culturelle » : c'est un appel à la révolte de la jeunesse contre l'appareil du Parti communiste, rendu coupable des erreurs du passé et suspecté de vouloir restaurer le capitalisme. Parti de l'université de Pékin, le mouvement gagne tous les grands centres industriels. Étudiants, ouvriers et soldats (gardes rouges) affrontent les cadres du PCC et des comités révolutionnaires se créent dans tout le pays en 1967. Avec le soutien de l'armée, dirigée par le maréchal Lin Biao, Mao reprend en main le PCC et en fait exclure Liu Shaoqi (octobre 1968). Des millions de Chinois sont à nouveau victimes de l'épuration maoïste.

● *La victoire des réformistes sur les radicaux*

Les problèmes posés par l'échec du « Grand bond en avant » n'ont pas été résolus par la « Révolution culturelle ». Pour les « pragmatiques » (ou « productivistes ») du PCC, tels le Premier ministre Zhou Enlai et son conseiller Deng Xiaoping, influents dans le Parti, il faut privilégier avant tout la croissance au détriment de l'idéologie. Ils veulent restaurer l'hégémonie du PCC afin de retrouver la stabilité politique nécessaire pour une relance économique. Face à eux, Lin Biao et les maoïstes radicaux (« idéalistes ») veulent au contraire prolonger l'hégémonie de l'armée, promue comme remplaçante du parti et gardienne de la pureté révolutionnaire. Cet affrontement entre les deux clans se double d'une opposition sur la politique étrangère : alors que les « idéalistes » conti-

- nuent à prôner la révolution mondiale, les « pragmatiques »
- sont partisans d'un rapprochement avec les États-Unis.
- Pendant ce temps, les voisins de la Chine populaire,
- Taïwan et Hong-Kong, connaissent un développement spec-
- taculaire dans le cadre d'une économie de marché. Grâce au
- faible coût de la main-d'œuvre, à l'afflux des capitaux occi-
- dentaux et à une politique dynamique d'exportation, leurs
- rythmes de croissance sont les plus forts du monde asia-
- tique dans les années 70-80. À Taïwan, la croissance est de
- 9,5 % par an entre 1973 à 1982, et le revenu par habitant est
- multiplié par 100 entre 1952 et 1987. Avec la Corée du Sud et
- Singapour, Taïwan et Hong-Kong constituent les « quatre dra-
- gons » de l'économie asiatique, rivalisant avec le Japon sur le
- marché de l'électronique et de l'informatique. Leur exemple
- conforte la position des « pragmatiques » comme Zhou Enlai,
- qui souhaitent une libéralisation de l'économie chinoise.
- Ce dernier triomphe aussi sur le terrain de la politique
- étrangère. En octobre 1971, il obtient que la République popu-
- laire de Chine remplace Taïwan au siège du Conseil de sécu-
- rité attribué à la Chine en 1945. La visite du président Nixon à
- Pékin, en février 1972, confirme le rapprochement sino-améri-
- cain. Fort de ces succès extérieurs, Zhou Enlai peut lancer en
- 1975 une grande réforme économique, connue sous le nom
- des « Quatre modernisations ». Mais il meurt en janvier 1976,
- quelques mois avant Mao Zedong, décédé le 9 septembre. Le
- sursis du maoïsme, avec le pâle Hua Guofeng, président du
- Parti de 1976 à 1978, sera sans lendemain.

MÉTAMORPHOSE ET CONTRADICTIONS DES ANNÉES 80

Sous l'impulsion de Deng Xiaoping, la Chine populaire opte pour le libéralisme économique, mais le régime reste autoritaire.

Les réformes de Deng Xiaoping

Vice-Premier ministre à partir de 1978, Deng Xiaoping poursuit et accentue la réforme écono-mique lancée par Zhou Enlai :

– En trois ans, de 1979 à 1982, l'agriculture chi-noise est pratiquement décollectivisée. L'État loue les terres à des « brigades de production »

LA MÉTAMORPHOSE CHINOISE

	1970	1980	1991
Population (en millions)	831	996	1 155
Indice de fécondité (nombre d'enfants par femme)	5,4	2,6	2,3
Croissance démographique annuelle (en %)	2,4	1,3	1,4
PNB (en milliards de dollars)	97,8	294,3	422,4
Croissance annuelle du PNB (en %)	5,8	7,8	7,3
PNB par habitant (en dollars)	120	300	366
Taux d'inflation (en %)		7,4	3,4
Dette extérieure (en milliards de dollars)		4,5	55,1

d'une trentaine de familles, pour des durées si longues qu'elles équivalent à une privatisation. Au-delà du quota de livraison à l'État, chaque paysan vend ses surplus sur le marché libre.

– L'industrie lourde reste aux mains de l'État, mais l'autonomie des entreprises est renforcée et l'entreprise privée est autorisée dans les industries de consommation.

– L'économie chinoise se tourne vers l'extérieur. En 1980, la Chine entre au Fonds monétaire international et à la Banque mondiale. En 1984, des « zones économiques spéciales » sont ouvertes pour recevoir les investissements occidentaux (au contact de Hong-Kong, de Macao, en face de Taïwan) et 14 ports chinois sont ouverts au commerce extérieur.

– Enfin, la Chine populaire est devenue le premier investisseur étranger à Hong-Kong, qui doit lui revenir en 1997 : cette perspective suscite d'ailleurs les inquiétudes des habitants de Hong-Kong ainsi que du gouvernement britannique, qui réclame des garanties pour son ancienne colonie.

L'ouverture économique de la Chine populaire se traduit dans sa politique extérieure, comme en témoignent le traité de paix avec le Japon (août 1978), et le rétablissement des relations diplomatiques avec les États-Unis (janvier 1979). Un léger rapprochement se produit même en 1986 avec le régime de Taïwan, qui continue néanmoins d'affirmer sa souveraineté sur les deux Chines.

À l'intérieur, les réformes politiques sont aussi importantes :

– La nouvelle Constitution de 1978 met l'accent sur les libertés individuelles.

- – Les dirigeants maoïstes de « la Bande des quatre »
- (dont la veuve de Mao) sont condamnés en 1980.
- – Plus d'un million de procès politiques remontant aux
- années maoïstes sont révisés, et des millions de Chinois
- (dont Liu Shaoqi) sont réhabilités.
- Le réchauffement des relations avec la Chine populaire
- ainsi que les pressions exercées par les États-Unis condui-
- sent aussi le régime autoritaire de Taïwan à libéraliser la vie
- politique, en autorisant le multipartisme (1986) puis en abo-
- lissant la loi martiale (1987).
-

● ### Une Chine nouvelle

- Les réformes de l'ère Deng Xiaoping ont transformé le
- visage de la Chine :
- – Depuis 1981, s'est produit un véritable décollage éco-
- nomique, particulièrement spectaculaire dans le secteur
- agricole et dans les industries de consommation. La sous-
- productivité et la pénurie, traditionnelles en Chine, sont en
- recul. Pour l'année 1991, le taux de croissance économique
- est de 7,3 %, dépassant ceux du Japon et des « nouveaux
- pays industriels » asiatiques. Mais l'endettement extérieur a
- été multiplié par 12 depuis 1980.
- – La société chinoise est déstabilisée. L'emprise du Parti
- communiste recule, laissant réapparaître les mœurs tradition-
- nelles : cultes anciens, luttes de clans, marginalisation de la
- femme... Entre la Chine commerçante et industrielle des litto-
- raux urbanisés et la Chine paysanne et attardée de l'intérieur,
- les différences sont spectaculaires. Les Han, qui représentent
- 92 % de la population chinoise, n'occupent qu'un tiers du ter-
- ritoire, mais c'est la partie la plus riche, notamment la Chine
- littorale. Les 55 autres peuples, appelés « minorités nationales »,
- ne représentent que 8 % de la population mais occupent les
- deux tiers du territoire, c'est-à-dire certains districts de l'Est
- ou des provinces centrales (Quinghai) et surtout les pro-
- vinces périphériques (Tibet, Mongolie, Xinjiangi), sous-déve-
- loppées par rapport à la Chine littorale.
- Dans les campagnes, les inégalités sociales s'accrois-
- sent au profit d'une petite classe de paysans riches, et
- l'exode rural est massif. Dans les villes, l'ouverture sur
- l'étranger favorise la contrebande et la corruption. Un petit
- « capitalisme sauvage » se développe, souvent créé par
- d'anciens cadres du Parti communiste, qui forment une nou-

velle classe moyenne à l'occidentale, dynamique et prospère. Au contraire, la masse de main-d'œuvre issue des campagnes ne trouve pas suffisamment d'emplois en ville, où elle est donc confrontée au chômage et à la misère. L'idéologie maoïste a perdu son pouvoir unificateur de la société. Les risques d'explosion sociale sont nombreux.

La modernisation sans les libertés

La libéralisation de l'économie et l'ouverture économique sur l'Occident n'ont quasiment pas modifié la nature autoritaire du régime, qui reste aux mains du Parti communiste. La Constitution de 1982, la quatrième depuis 1949, réaffirme quatre principes : le rôle dirigeant du PCC, la pensée de Mao Zedong, la dictature démocratique populaire et la voie socialiste.

Les organes législatifs, c'est-à-dire l'Assemblée populaire nationale et la Conférence consultative du peuple, sont désignés et contrôlés par le PCC ; la Présidence de la République, détenue depuis 1988 par Yang Shangkun, est purement honorifique ; l'exécutif gouvernemental revient au Conseil des affaires de l'État, présidé par le Premier ministre Li Peng ; mais la réalité du pouvoir est exercée par la Commission militaire du Comité central du PCC, présidée par le réformateur Deng Xiaoping.

Dans les régions périphériques de Mongolie et du Tibet, les résistances nationalistes sont de plus en plus actives. À partir de 1986, l'autoritarisme du pouvoir est contesté par la jeunesse étudiante de Pékin, centre politique et culturel du pays, imprégné par les idées libérales et démocratiques des sociétés occidentales. Hu Yaobang, secrétaire général du Parti, limogé en 1987 pour ses tendances réformistes, devient un héros de la démocratie pour les étudiants. À l'occasion de ses obsèques, en avril 1989, ceux-ci organisent une vague de manifestations, que l'on appelle le « printemps de Pékin ». Mais le pouvoir réprime dans le sang cette révolte étudiante, dans la nuit du 4 au 5 juin 1989 : le massacre de la place Tian Anmen fait des milliers de morts.

Le contraste entre l'immobilisme politique du Parti communiste, dirigé par des vieillards, et l'ouverture spectaculaire de la Chine vers l'économie de marché et la culture occidentale, conduit le régime à une impasse.

Depuis l'avènement du communisme en 1949, la Chine a traversé une succession de crises, à la recherche d'un modèle original de société. L'échec économique de l'époque maoïste a conduit à ouvrir le pays au capitalisme. Depuis 1980, la société chinoise s'est profondément transformée, et l'économie a connu une remarquable croissance. Le XIVe Congrès du PCC, organisé fin 1992, a réaffirmé la nécessité de la libre entreprise. Mais il y a une contradiction entre ces bouleversements socio-économiques et le maintien d'un régime communiste autoritaire et centralisé. Le « géant » chinois (1,5 milliard d'habitants en 2005) sera confronté aux nécessités de transformations politiques profondes.

CHRONOLOGIE

1945 : Mao Zedong élu président du Parti communiste chinois ; capitulation du Japon.

1946 : la guerre civile reprend entre communistes et nationalistes.

1949 : proclamation de de la République populaire de Chine par Mao Zedong, dont il devient président.

1950 : traité d'assistance et d'amitié mutuelle entre la Chine populaire et l'URSS.

1952 : campagne des « cinq anti » contre les capitalistes.

1953 : collectivisation des terres ; premier plan quinquennal.

1956 : début de la campagne des « Cent fleurs ».

1957 : début du « Grand bond en avant ».

1961 : rupture avec l'URSS.

1962 : incidents frontaliers avec l'Inde.

1966 : début de la « Révolution culturelle ».

1971 : la Chine populaire remplace Taïwan au Conseil de sécurité de l'ONU.

1975 : Zhou Enlai lance les « Quatre modernisations ».

1976 : mort de Zhou Enlai et de Mao Zedong ; Hua Guofeng président du PCC.

1978 : vice-Premier ministre, Deng Xiaoping relance les réformes ; traité de paix avec le Japon.

1979 : début de la décollectivisation des terres ; rétablissement des relations diplomatiques avec les États-Unis.

1989 : début du « printemps de Pékin » et massacre de la place Tien Anmen.

1992 : le XIVe Congrès du PCC se prononce en faveur de la libre entreprise.

LIRE AUSSI CHINE (AVANT 1945) ; ÉCONOMIE (DEPUIS 1973) ; RELATIONS INTERNATIONALES (APRÈS 1945).

CONSTRUCTION EUROPÉENNE

◀■ (DEPUIS 1945)

Les épreuves communes des invasions et le souci d'éviter
toute nouvelle guerre à l'avenir, les destructions
occasionnées par les combats et la nécessité de relever
de ses ruines le Vieux continent, l'occupation de l'Europe
de l'Est par l'Armée rouge et la crainte de
l'expansionnisme soviétique : tout pousse les pays
d'Europe de l'Ouest, au lendemain de 1945, à se
rapprocher des États-Unis et à rechercher les moyens
d'une coopération organique.

NAISSANCE D'UNE COMMUNAUTÉ ÉCONOMIQUE EUROPÉENNE (1945-1962)

◀■

> *Après la guerre, les États d'Europe de l'Ouest cherchent à coopérer.* ◀■

La coopération en Europe après la guerre

Plusieurs organisations de coopération entre les États d'Europe de l'Ouest apparaissent dans l'immédiat après-guerre. La coopération militaire s'avère dès les origines peu praticable du fait des susceptibilités nationales en matière de souveraineté : la Communauté européenne de défense (CED), dont les bases sont posées en 1952 et qui crée une armée européenne intégrée sous commandement supranational, ne verra finalement jamais le jour (l'Assemblée nationale française rejette le projet en août 1954). Par ailleurs, la coopération politique reste limitée : seul se forme, en mai 1949, le Conseil de l'Europe, qui tente de sauvegarder la démocratie et les droits de l'homme.

La coopération économique est en revanche plus fructueuse. L'Organisation européenne de coopération économique (OECE), qui a pour tâche principale de gérer l'aide

- américaine du plan Marshall, est créée en 1948. Par ailleurs,
- sous l'impulsion des Français Robert Schuman et Jean
- Monnet, un traité instituant la Communauté européenne du
- charbon et de l'acier (CECA) est signé en 1951 par les repré-
- sentants de six pays européens (France, RFA, Italie,
- Belgique, Pays-Bas, Luxembourg). C'est un marché commun
- du charbon et de l'acier (dans lequel on supprime les droits
- de douane concernant ces deux produits), géré par une
- Haute autorité, composée de personnalités indépendantes.
-

● ***Les traités de Rome (1957)***

- En 1955, les six de la CECA décident de former un mar-
- ché commun étendu à toutes les catégories de produits. Le
- 25 mars 1957, à Rome, ils signent deux traités, l'un créant
- l'Euratom, qui concerne la politique nucléaire ; l'autre
- constituant la Communauté économique européenne (CEE).
- À l'intérieur de la CEE, les marchandises mais aussi les
- personnes et les capitaux pourront, dans un temps plus ou
- moins proche, circuler sans la moindre entrave. Le traité pré-
- voit la suppression progressive des droits de douane entre
- les États membres et l'adoption d'un tarif extérieur commun
- pour les produits en provenance des pays tiers (l'ensemble
- du Marché commun étant ainsi protégé par des droits
- pesant sur les importations en provenance des pays qui n'en
- sont pas membres). Afin d'éliminer tout obstacle
- à la libre circulation et d'égaliser les conditions de la concur-
- rence à l'intérieur de la Communauté, une harmonisation des
- réglementations économiques et fiscales doit être engagée.
- Plusieurs organismes sont chargés de gérer la CEE.
- Le Conseil des ministres est l'institution décisionnelle.
- Il réunit les ministres des douze pays concernés par la
- matière inscrite à l'ordre du jour (agriculture, transports,
- économie...). En théorie, la plupart de ses décisions doivent
- être prises à la majorité simple ou qualifiée (correspondant
- sensiblement aux deux tiers des voix, les pays les plus peu-
- plés disposant de davantage de voix).
- La Commission européenne est à la fois un organe de
- proposition et d'exécution des décisions prises par le
- Conseil des ministres. Elle représente la Communauté sur la
- scène internationale (notamment au GATT). Ses membres
- sont choisis d'un commun accord entre les États et son
- Président est nommé pour deux ans.

L'Assemblée européenne n'a qu'un rôle consultatif ; ses membres sont nommés par les parlements nationaux.

La Cour de justice est, quant à elle, chargée de sanctionner les violations du droit communautaire.

La CEE, la CECA et l'Euratom disposent d'institutions communes à partir de 1965.

La mise en place de la PAC (1962)

Il faut attendre 1962 pour que la CEE mette en place la politique agricole commune (PAC), dont la fonction est d'accroître la production agricole tout en assurant un niveau de vie convenable aux agriculteurs.

L'organisation de la PAC repose sur trois principes : libre circulation des produits au sein de la CEE ; garantie des prix et des revenus pour les agriculteurs des États membres ; alignement des prix intérieurs sur les cours mondiaux. Les produits agricoles de la Communauté sont en effet plus chers que ceux provenant des pays tiers. Pour réaliser l'alignement des prix internes et externes à la Communauté, un double mécanisme est mis en place. Tout d'abord les produits entrant dans la CEE sont frappés d'un prélèvement (qui compense l'écart de prix). Ensuite, second mécanisme, les agriculteurs perçoivent des subventions pour que les revenus ne soient pas affectés par les prix – inférieurs aux prix internes – auxquels sont vendus leurs produits aux pays tiers. C'est la préférence communautaire.

VERS UNE RÉFORME DE LA PAC

La PAC a permis d'intensifier les échanges intra-communautaires, de moderniser l'agriculture et d'augmenter la production. Mais, dans les années 80, elle est victime de son succès et menacée par la surproduction agricole.

Depuis le milieu des années 80, des réformes sont donc entreprises pour réduire les excédents agricoles et le coût prohibitif d'une politique représentant plus de 60 % du budget communautaire (il faut acheter et stocker des masses considérables de produits) : fixation de quotas ou gel de certaines terres, baisse des prix garantis... Les pressions des États-Unis tendent par ailleurs à faire progressivement disparaître le système de préférence communautaire.

LA CONSTRUCTION DE
L'EUROPE COMMUNAUTAIRE
(1962 À 1980)

Premiers blocages (1962-1969)

Le Royaume-Uni, qui ne veut pas du tarif extérieur commun, jugé attentatoire à sa souveraineté
nationale et préjudiciable à ses relations avec le
Commonwealth, refuse d'adhérer à la CEE en 1957
et fonde avec le Danemark, la Norvège, la Suède,
l'Autriche, le Portugal et la Suisse, l'Association
européenne de libre-échange (l'AELE). Mais
lorsque le renforcement de ses relations commerciales avec les pays de la CEE et les bons résultats
économiques dans la Communauté le poussent à
poser sa candidature en 1961, il se heurte au général de Gaulle, qui voit en lui le « cheval de Troie » des États-
Unis et s'oppose à son adhésion en 1963 puis en 1967.

De 1962 à 1969, le général de Gaulle freine la construction européenne, mais la CEE se renforce et s'élargit dans les années 70.

Par ailleurs, sous la pression de la France, alors hostile
à une « Europe supranationale », le vote majoritaire au
Conseil des ministres est remis en question. Le « compromis
de Luxembourg », du 28 janvier 1966, répand l'usage du vote
à l'unanimité. La construction européenne en est freinée.

Élargissement et renforcement (1969-1980)

Les négociations sur l'élargissement de la CEE reprennent après le départ de de Gaulle (avril 1969). Le nouveau
président de la République française, Georges Pompidou,
craignant la prépondérance d'une Allemagne de plus en
plus orientée vers l'*Ostpolitik*, y est favorable. Le 22 janvier
1972, le Royaume-Uni, mais aussi l'Irlande, le Danemark et la
Norvège signent le traité d'adhésion à la CEE, qu'ils intè-
grent le 1er janvier 1973, exceptée la Norvège (sa population
ayant refusé l'adhésion par référendum en septembre 1972).

Le renforcement institutionnel progresse parallèlement :
– En 1970, la Communauté se dote de ressources
propres, composées des droits de douane, des prélèvements agricoles et d'une fraction de la TVA perçue dans
chaque État ; jusque-là, le budget communautaire était ali-
menté par des contributions financières nationales.

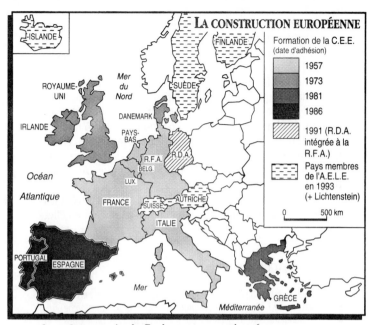

LA CONSTRUCTION EUROPÉENNE

Formation de la C.E.E.
(date d'adhésion)
- 1957
- 1973
- 1981
- 1986
- 1991 (R.D.A. intégrée à la R.F.A.)
- Pays membres de l'A.E.L.E. en 1993 (+ Lichtenstein)

0   500 km

ISLANDE · ROYAUME-UNI · IRLANDE · Mer du Nord · FINLANDE · SUÈDE · DANEMARK · PAYS-BAS · R.F.A. · R.D.A. · BELG. · LUX. · Océan Atlantique · FRANCE · SUISSE · AUTRICHE · ITALIE · PORTUGAL · ESPAGNE · Mer Méditerranée · GRÈCE

– La même année, le Parlement européen (nom que s'est donnée l'Assemblée européenne en 1962), qui n'avait jusqu'alors qu'un rôle consultatif, devient co-détenteur du pouvoir budgétaire avec le Conseil des ministres ; en 1974, le principe de l'élection du Parlement au suffrage universel est adopté et les premières élections ont lieu en juin 1979.

Depuis 1961, les chefs d'État et de gouvernement de la CEE ont pris l'habitude de se rencontrer régulièrement pour discuter des grandes orientations de la Communauté et des questions de politique étrangère ; en décembre 1974, ils décident d'officialiser ces conférences sous l'appellation de Conseil européen, censé se tenir trois fois par an.

● *Les réalisations de la CEE (1962-1980)*

En 1968, soit deux ans plus tôt que prévu, les barrières douanières internes à la CEE sont totalement supprimées. Le principal travail de la CEE consiste alors à harmoniser les réglementations économiques et fiscales pour réduire les derniers obstacles à la libre circulation. Les pays membres vivent à cette époque un âge d'or. La croissance de la production industrielle et agricole est considérable.

À partir de 1973, l'Europe de l'Ouest est touchée par la crise économique (inflation, infléchissement de la croissance, extension du chômage). La CEE réagit. En 1975, elle crée le Fonds européen pour le développement économique régional (FEDER), destiné à aider les régions de la Communauté qui ont le plus de difficultés. En 1979, elle institue le Système monétaire européen (SME), pour stabiliser les taux de change au sein de la Communauté, mis à mal par la fluctuation des monnaies. Et la CEE ne se replie pas sur elle-même, comme le montrent les accords de Lomé qu'elle signe avec les pays Afrique-Caraïbes-Pacifique (ACP) les plus pauvres.

C'est néanmoins sans enthousiasme que s'achèvent les années 70 : les pays de la Communauté s'enfoncent en effet dans la crise.

LES ACCORDS DE LOMÉ

Signés en 1975 (Lomé I), ils ont été renouvelés ensuite tous les 5 ans. Lomé I assure (sans réciprocité) le libre accès au marché communautaire de la quasi-totalité des marchandises originaires des pays ACP (elles entrent sans droit de douane ni restriction quantitative) ; il crée un système de stabilisation de leurs recettes d'exportations agricoles, appelé STABEX (lorsque celles-ci baissent, les pays ACP reçoivent de la CEE des versements compensatoires remboursables sans intérêt). Lomé II (1979) fonde en outre un système d'aide aux produits miniers, appelé SYSMIN (assistance financière de la CEE aux pays ACP connaissant des perturbations graves dans leur secteur minier), Lomé IV (1989) un système de soutien financier pour les pays ACP assainissant leurs économies.

UNE ÉVOLUTION ACCÉLÉRÉE DEPUIS 1980

> À partir de 1980, la Communauté s'élargit encore et accélère son intégration.

La relance de la Communauté

Au début des années 80, la relance de la CEE apparaît comme le meilleur moyen de sortir l'Europe du marasme.

L'Europe des neuf décide de s'ouvrir aux pays méditerranéens. La Grèce, qui pose sa candidature en 1975, adhère en 1979 et son entrée est effective le 1er janvier 1981. Les négociations avec l'Espagne et le Portugal commencent peu après leur retour à la démocratie. Mais le faible niveau de développement de ces deux pays, et leur spécialisation économique (vins, fruits et légumes risquant de concurrencer les produits français et italiens) sont des obstacles à leur adhésion, effective le 1er janvier 1986. Au même moment, les États membres accélèrent le processus de construction européenne en signant l'Acte unique européen.

L'ACTE UNIQUE

L'Acte unique, qui résulte des conclusions du Conseil européen de décembre 1985, signé le 17 février 1986 et ratifié par les parlements nationaux, entre en vigueur le 1er juillet 1987.

Il prévoit la mise en place d'un véritable marché intérieur pour le 31 décembre 1992, par l'uniformisation totale des réglementations et la disparition de tout contrôle aux frontières intérieures. À cette même date, les personnes devront aussi pouvoir circuler, vivre, s'installer n'importe où dans la Communauté.

Il supprime par ailleurs le principe de l'unanimité au Conseil des ministres pour tout ce qui ne constitue pas un élément essentiel de souveraineté. Le vote à « majorité qualifiée » suffit. Il renforce l'influence du Parlement européen ; il faut désormais l'accord de ce dernier pour l'adhésion de nouveaux États à la CEE (droit d'avis conforme). Enfin, il reconnaît le Conseil européen comme partie intégrante du dispositif institutionnel.

L'Acte unique insère un objectif nouveau : la cohésion économique et sociale (il est ainsi prévu de doubler les fonds du FEDER) et il affirme la nécessité de positions communes ou cohérentes dans les relations politiques internationales.

Le défi de la Grande Europe

À la fin des années 80, la Communauté est confrontée au nouveau défi de la construction d'une grande Europe. À la suite des bouleversements politiques de 1989, et dans le nouveau contexte de fin de guerre froide, les pays de l'Est et les membres de l'AELE multiplient en effet les candidatures d'adhésion.

Dans un premier temps, la CEE apporte un soutien matériel aux États de l'ancien bloc communiste. Le programme PHARE, décidé par 24 pays de l'OCDE pour aider les pays de l'Est à restructurer leurs économies, est coordonné et largement financé par la Communauté. Les pays de la CEE contrôlent par ailleurs 51 % du capital de la Banque européenne pour la reconstruction et le développement (BERD), née le 9 avril 1990, et destinée à « promouvoir l'entreprise privée et individuelle dans les pays d'Europe centrale et orientale ».

Avec l'AELE, la CEE signe, le 22 octobre 1991, un accord créant un Espace économique européen (extension aux pays de l'AELE du grand marché intérieur, ébauche de politiques communes...). L'EEE, qui doit entrer en vigueur en 1993, devrait préparer à un élargissement futur.

Dans tous les cas, la CEE refuse l'élargissement immédiat (seule l'Allemagne de l'Est, qui a fusionné en octobre 1990 avec l'ancienne RFA a intégré de fait la Communauté). Les économies délabrées des pays de l'ancien bloc communiste ne supporteraient pas l'ouverture des frontières ; plus généralement, l'adhésion de nouveaux États nuirait à « l'approfondissement de la CEE », qui apparaît comme la première des priorités.

● ***Le choix de l'approfondissement :***
le traité de Maastricht

Pour les pays membres, il s'agit avant tout de réaliser l'intégration européenne. Le traité de Maastricht, signé en février 1992, va dans ce sens.

Il donne davantage d'importance au Parlement européen (droit de veto pour certaines décisions : procédure de co-décision). Surtout, il accélère le processus d'unification. Il prévoit une Union économique et monétaire (UEM) ; à partir de 1994, un Institut monétaire européen devra veiller à la convergence des politiques économiques et monétaires des pays de l'union ; puis, en 1999 au plus tard, une Banque centrale européenne devra être instituée et une monnaie unique, l'écu, remplacer les monnaies nationales. Il instaure par ailleurs un fonds de cohésion qui doit profiter aux transports et à l'environnement des pays les plus pauvres : Espagne, Portugal, Grèce et Irlande. Il crée aussi une citoyenneté européenne : les Européens de la CEE pourront voter dans le pays de la Communauté où ils résident, aux élections locales et européennes (à partir de 1994). Il affirme enfin la nécessité d'une coopération accrue dans le domaine de la justice et de la police et institue une politique étrangère et de sécurité commune (PESC) ; si les décisions concernant la politique étrangère continueront d'être prises à l'unanimité, les modalités d'application de certaines d'entre elles pourront être prises à la majorité qualifiée. Signe du changement des temps, la CEE prendra le nom d'Union européenne.

Avec l'Acte unique et le traité de Maastricht, les pays membres de la Communauté ont fait le choix de l'« approfondissement » ou de « l'intégration européenne ». Pari difficile – les populations ou les parlements nationaux ont ratifié le traité de Maastricht avec réticence au cours des années 1992 et 1993 – et exaltant à la fois : c'est l'ébauche d'une Europe unie, solidaire et fédérale.

Mais « l'approfondissement » se fait aux dépens de « l'élargissement ». Et les dispositions du traité de Maastricht, plus contraignantes pour les États membres, rendent plus difficile toute nouvelle adhésion. La coupure en deux de l'Europe risque de perdurer.

CHRONOLOGIE

1948 : formation de l'OECE.

1949 : création du Conseil de l'Europe.

1951 : signature du traité créant la CECA.

1957 : signature des traités de Rome, donnant naissance à la CEE et à l'Euratom.

1962 : mise en place de la PAC.

1973 : adhésion du Royaume-Uni, du Danemark et de l'Irlande à la CEE.

1975 : signature de Lomé I.

1979 : création du Système monétaire européen.

1981 : entrée de la Grèce dans la Communauté.

1986 : adhésion de l'Espagne et du Portugal ; signature de l'Acte unique européen.

1990 : signature d'un accord CEE-AELE sur la formation d'un Espace économique européen.

1992 : signature du traité de Maastricht ratifié en 1992 et 1993.

LIRE AUSSI FRANCE (IVᵉ RÉPUBLIQUE ; Vᵉ RÉPUBLIQUE) ; ORGANISATIONS INTERNATIONALES (DEPUIS 1945) ; RELATIONS INTERNATIONALES (1945-1962 ; 1962-1985 ; DEPUIS 1985).

CULTURE
◄━━━ (AVANT 1945)

Au début du XXᵉ siècle, l'art et la vie culturelle sont à un
tournant majeur que la Grande guerre ne fait
qu'accentuer. Les années 20 développent des formes de
création souvent dirigées contre les normes admises.
Dans les années 30, alors que les artistes et les
intellectuels s'engagent de plus en plus radicalement,
les dictatures renforcent l'encadrement culturel des
populations. L'entre-deux-guerres consacre dans les pays
riches l'affirmation d'une culture de masse distractive.

LA CRÉATION ARTISTIQUE DES ANNÉES 20

◄━━━

> *D'une extraordinaire créativité, les mouvements artistiques se renouvellent profondément au cours des années 20.* ◄━

Des conditions nouvelles

La Grande guerre laisse de profondes séquelles. Si la population se lance de manière effrénée dans la recherche du plaisir pour oublier les années de souffrances, les artistes plongent souvent dans le pessimisme, comme Oswald Spengler qui écrit *Le Déclin de l'Occident*. La Révolution de 1917 est, pour certains, un exemple : ne faut-il pas transformer encore les formes artistiques traditionnelles et remettre en cause les valeurs bourgeoises qui ont conduit à la guerre ?

Dans les années 20, les artistes bénéficient par ailleurs de la prospérité. L'urbanisation et l'industrialisation donnent un coup de fouet à l'architecture. De riches collectionneurs montrent un goût de plus en plus marqué pour la peinture contemporaine. Les musées américains deviennent de gros acheteurs.

Dada et le surréalisme

Le mouvement Dada, volontiers provocateur vis-à-vis des valeurs établies et de l'art lui-même, fait voler en éclat les conventions. Le dadaïste Marcel Duchamp (1887-1968) crée des œuvres d'art à partir d'éléments résolument anti-artistiques : porte-bouteilles, plaques métalliques, clous rouillés... auxquels l'artiste, en leur enlevant tout contexte utilitaire, confère une valeur d'étrangeté fascinante.

Un peu plus tard, les surréalistes, fortement marqués par les œuvres de Sigmund Freud, donnent à l'inconscient une place fondamentale dans l'art. Avec à leur tête André Breton, qui écrit en 1924 un *Manifeste du surréalisme*, les écrivains surréalistes se laissent aller à « l'écriture automatique », pour traduire le contenu de l'inconscient sans la moindre censure. De leur côté, les peintres surréalistes, comme Salvador Dali, cherchent à représenter l'univers de l'inconscient tout en optant parfois pour un académisme formel.

Peinture et sculpture

Les peintres figuratifs expressionnistes entendent transmettre une vision personnelle, intérieure, des objets et des événements extérieurs. C'est dans l'Allemagne vaincue que l'expressionisme s'exprime le plus fortement après la guerre. Otto Dix et George Grosz sont les peintres féroces de la société bourgeoise allemande qu'ils haïssent. Plus encore que dans la forme, c'est dans les mêmes sujets que s'exprime, en effet, la révolte de ces peintres.

En revanche, chez d'autres peintres, la remise en cause de la tradition passe uniquement par un rejet des formes traditionnelles. Le cubisme de l'avant-guerre laisse place à un art abstrait, non figuratif, dans lequel le sujet de l'œuvre et l'imitation de la nature sont totalement évacués. Aux origines de l'abstraction se trouve le peintre russe Kandinsky qui a publié en 1911 son ouvrage théorique capital *Du spirituel dans l'art et dans la peinture en particulier.* La revue d'art *De Stijl*, qui paraît de 1917 à 1932 aux Pays-Bas, entend promouvoir la réalisation de ce « style universel ». Piet Mondrian, un des peintres de l'abstraction les plus importants, inscrit sur des fonds très clairs des rectangles vivement colorés cernés d'un trait noir.

La sculpture connaît les mêmes écoles que la peinture. Certains sculpteurs, comme Hans Arp et Alberto Giacometti, traversent l'ensemble de ces courants. De son côté, l'Américain Alexandre Calder crée, en 1932, les premiers « mobiles ».

67

- **Architecture et musique**

L'influence des mouvements d'avant-garde, l'utilisation de nouveaux matériaux (ciment armé) mais surtout l'urbanisation et l'industrialisation modifient considérablement les données de l'architecture. Les gratte-ciel, apparus à Chicago vers 1890, se multiplient à New York dans les années 20. En 1932 on achève dans cette ville l'*Empire State Building* qui devient avec ses 381 mètres le plus haut bâtiment du monde. En Allemagne, en 1911, l'architecte Walter Gropius construit une usine où les murs ne sont plus porteurs, ce qui fait du bâtiment une cathédrale de lumière et de transparence ; en 1919, Gropius devient directeur à Weimar du Bauhaus ; selon lui, l'artiste doit se mettre au service du peuple, dessinant aussi bien les lieux de travail que les objets d'usage courants. En France les conceptions nouvelles de Le Corbusier, qui utilise les ressources du béton du verre et de l'acier, se heurtent à l'hostilité des milieux de l'architecture traditionnelle.

Dans la musique classique, les changements sont aussi importants. La place de Stravinsky n'est guère contestée. Maurice Ravel connaît un réel succès avec son *Boléro* (1928) tout comme le Russe Prokofiev. Mais des musiciens plus novateurs apparaissent, comme le Hongrois Bela Bartok avec ses rythmes heurtés ou l'Autrichien Schönberg qui invente la musique sérielle.

ART ET POLITIQUE
DANS LES ANNÉES 30

◀━━

- **La Grande crise et les dictatures**

La montée des dictatures dans les années 30 réprime la liberté artistique. ━▶

À partir de 1929, le monde est plongé dans la Grande crise. Politiquement celle-ci se traduit par la montée de l'extrême-droite et des partis communistes. Un peu partout en Europe se forment des régimes autoritaires qui brisent toute contestation intérieure alors qu'en URSS, sous l'autorité de Staline, le régime se durcit. La diversité artistique des années 20 laisse place dans les dictatures à un art officiel et sévèrement contrôlé alors que dans les démocraties, intellectuels et artistes n'hésitent souvent pas à s'engager vers le communisme ou le fascisme.

● **Le réalisme socialiste en URSS**

En URSS, en 1917, nombreux sont les artistes qui, comme le futuriste Maïakovski ou l'imagiste Essenine, ont pris fait et cause pour l'expérience socialiste en participant notamment à la propagande bolchevique. Mais ces non-conformistes se heurtent rapidement à Lénine puis à Staline, partisans d'un art réaliste, accessible à tous, au service du régime communiste. C'est la naissance de l'art « réaliste socialiste », qui devient le seul permis. Essenine se suicide en 1925, Maïakovski en 1930. De grands artistes sont réduits au silence. Moscou qui était un des plus vivants foyers d'art, s'étiole et perd tout rayonnement après 1930.

Sous l'étroit contrôle de l'Union des artistes, et avant que Jdanov n'impose à partir de 1938 sa dictature idéologique, l'art soviétique devient totalement académique. Les artistes célèbrent les travailleurs d'élite, la construction des barrages, la lutte pour la réalisation du plan et surtout la personne de Staline. L'architecture, qui doit montrer la puissance du régime, devient pesante. Seul le cinéma soviétique, dominé par Eisenstein, reste créatif (*Le cuirassé Potemkine*, 1925) malgré les contraintes éducatives qui sont les siennes .

● **Art et culture dans l'Allemagne nazie**

La mise en place de la dictature nazie coïncide avec le départ des principaux artistes et intellectuels allemands, chassés pour leur origine juive, comme Stefan Zweig, ou pour leurs convictions antinazies, comme Bertold Brecht, quand ils ne choisissent pas eux-mêmes l'exil. Le Bauhaus est fermé en 1933 sur l'ordre de Gœring, hostile à l'esprit d'indépendance et à la volonté d'engagement social qui y règne. En 1937, une exposition organisée par les nazis *Entartete Kunst* (art dégénéré) tente de démontrer à la population allemande la décadence de l'art de l'époque, notamment de la peinture expressionniste.

Presse, cinéma, radio, manuels d'enseignement sont étroitement contrôlés par l'État nazi. Au ministère de la Propagande et de l'information, Joseph Gœbbels se sert désormais de l'art pour conditionner les masses. L'artiste nouveau ne doit plus exprimer son individualité mais défendre « l'art allemand » : l'État le contraint à célébrer la communauté nationale dont les valeurs (le sang, le sol) et les vertus (patriotisme, héroïsme et obéissance) sont définies par Hitler et Rosenberg, « théoricien » du régime. Un accent particulier est mis sur l'architecture que les dignitaires nazis veulent colossale pour exalter la force et l'ordre.

L'engagement des artistes dans les démocraties

Aux États-Unis, l'ampleur de la dépression ne laisse pas indifférents les écrivains. Dès 1925, Dos Passos renouvelle le roman social américain dans *Manhattan Transfer*. Dans *Les Raisins de la colère*, en 1939, Steinbeck raconte l'histore d'une famille de paysans obligée de quitter sa terre.

De leur côté, artistes et intellectuels européens se tournent vers l'engagement politique. L'enthousiasme pour le modèle soviétique a conduit, dès le milieu des années 20, nombre de surréalistes français à adhérer au PCF et à mettre le mouvement surréaliste au service de la révolution dite prolétarienne. Tous cependant ne montrent pas les mêmes dispositions à l'égard de la révolution bolchevique. Breton quitte le PCF en 1935. Gide s'en détache après avoir visité l'URSS.

La guerre d'Espagne, à partir de 1936, renforce l'opposition de certains intellectuels au fascisme. Picasso immortalise les atrocités commises à Guernica. André Malraux s'engage dans les Brigades internationales qui combattent aux côtés des troupes républicaines espagnoles et écrit *L'Espoir* en 1937. D'un autre côté, le fascisme séduit certains hommes de lettres français, situés dans la mouvance de l'extrême-droite antirépublicaine et antisémite, comme Drieu la Rochelle, Céline ou Brasillach.

VERS UNE CULTURE DE MASSE

D'une culture éclatée
à une culture de masse

Peu à peu, la culture se diffuse à grande échelle.

À partir des années 20, la culture populaire traditionnelle, rurale et orale, liée au terroir et qui présentait une grande diversité, laisse peu à peu la place dans les pays les plus avancés économiquement à une culture urbaine uniforme. Plusieurs phénomènes en favorisent l'éclosion : l'urbanisation, l'élévation des niveaux de vie, la standardisation des produits, la conquête progressive d'un temps de loisir et l'irruption de nouveaux mass-médias modelant l'opinion.

La radio devient au cours des années 30 un grand moyen de diffusion. Ses émissions débutent aux États-Unis à partir de 1920 où l'on compte 10 millions de postes en 1929. L'Europe n'est pas en reste puisqu'en Angleterre la BBC *(British Broadcasting Corporation)* voit le jour en 1922 et qu'en France, on dénombre 5 millions de récepteurs en 1939. Le disque et le phonographe se diffusent parallèlement ; l'entre-deux-guerres est l'ère des « 78 tours », dont l'inconvénient majeur est d'exiger un grand nombre de faces pour enregistrer une symphonie ou un opéra.

● **Des genres qui se renouvellent**

Soumis aux impératifs de la distraction, certains genres connaissent une évolution significative.

La presse à sensation ou la « presse de cœur » se developpe. De nouveaux magazines illustrés en couleur, comme *L'Illustration* en France, se destinent peu à peu à un large public à mesure que s'accroît leur tirage et s'abaisse leur coût. Le roman policier se renouvelle : en France, les héros Fantomas, Arsène Lupin, Maigret et Hercule Poirot rencontrent un succès considérable. La bande dessinée devient un support majeur de l'évasion pour les jeunes surtout aux États-Unis avec la naissance de Mickey (1928) et l'apparition de *comics* tournés vers le fantastique (Mandrake et Flash Gordon) ; les Européens, malgré Tintin (1929) puis Spirou (1938), ne peuvent faire pièce à ces « vedettes américaines ».

Le sport-spectacle passionne désormais les foules : en France, c'est le cas de la boxe (le résultat du match de boxe Dempsey-Carpentier met le pays en deuil), du football, du rugby, et du cyclisme, avec le célèbre Tour de France.

● **Le cinéma, art de grande diffusion**

Le cinéma ne connaît une très large diffusion qu'après 1918. Devenu parlant en 1927, il élargit régulièrement son audience. Dans l'entre-deux-guerres, Hollywood, faubourg de Los Angeles, concentre les plus grandes firmes (les *Majors*) et fournit 80 % des films vus dans le monde entier. Cette suprématie repose sur la réunion de capitaux considérables et sur un effort publicitaire très poussé autour de quelques vedettes qui fascinent un public international *(star-system)*. Le cinéma américain se tourne vers la distraction : films comiques de Chaplin, ou des Marx Brothers *(La soupe au canard* en 1935), comédies musicales et westerns *(La chevauchée fantastique* de John Ford en 1939).

Au début des années 20, l'expressionnisme donne au cinéma allemand ses lettres de noblesse. Dès 1920, *Le cabinet du Docteur Caligari* de Robert Wiene, marque le triomphe du film expressionniste : les acteurs font passer par une mimique accentuée des sentiments exceptionnellement forts et chaque image a valeur d'une œuvre plastique achevée. Puis, c'est la série de chefs d'œuvre de Fritz Lang *(Le Docteur Mabuse,* 1922 ; *Metropolis,* 1926) où passent les angoisses de la société allemande. Après 1925, le déclin du cinéma allemand commence.

En France, où la production est abondante, les créateurs les plus originaux sont Abel Gance *(Napoléon,* 1927), René Clair, Jean Vigo et Jean Renoir.

● *Le jazz, la danse et le Music Hall*

Chassés de la Nouvelle Orléans par la fermeture des lieux de plaisir où ils jouaient, nombre de jazzmen s'installent à Chicago, qui reste la capitale du jazz de 1918 à la crise. C'est alors que sont enregistrées les interprétations de Bessie Smith ou de Louis Armstrong.

Après la crise, New York, où Armstrong s'installe dès 1929, devient le centre principal du jazz. La mode est aux orchestres de variété et les interprètes doivent recourir à des formations beaucoup plus importantes qui rendent impossible la technique de l'improvisation collective et indispensable les « arrangeurs » dont le plus talentueux est à cette époque Duke Ellington. De 1935 à 1943 prédomine le swing.

En France, à la radio, au phonographe, on écoute du jazz ; on danse le fox-trot et, après 1925, le charleston. Parallèlement, le Music Hall devient très populaire : ses « stars » Mistinguet, Joséphine Baker et Maurice Chevalier, sont elles aussi popularisées par la radio et le disque.

LIRE AUSSI CULTURE (DEPUIS 1945).

72

CULTURE
(DEPUIS 1945)

Depuis 1945, les supports de l'information et de la culture ont changé de nature et de dimension : au règne de l'écrit s'est substitué celui de l'audiovisuel et de la télévision. Cette transformation s'est traduite par une poussée de l'information et une homogénéisation des pratiques culturelles.

UN ACCÈS PLUS FACILE À L'INFORMATION ET À LA CULTURE

> *La culture écrite laisse de plus en plus la place à la culture audiovisuelle, d'accès plus facile.*

La diversification des supports existants

Depuis 1945, l'alphabétisation progresse dans les pays du tiers monde, la durée de la scolarité s'accroît dans les pays développés. L'accès à l'imprimé s'en trouve facilité. Les livres de poche, déjà présents avant la guerre, se multiplient et touchent désormais tous les domaines de l'écrit : littérature, histoire, philosophie, etc. Parallèlement, la qualité des illustrations ne cesse de progresser, mettant les reproductions d'art à la portée de tous les lecteurs. La presse s'est aussi modernisée : l'introduction de la couleur et de la photographie a amélioré la présentation des quotidiens, et a surtout permis l'essor des magazines, qu'ils soient consacrés aux loisirs ou à l'information.

L'accès au son s'est aussi démocratisé : si le phonographe et le magnétophone existaient avant la guerre, les progrès ont porté dans deux directions : qualité du son, maniabilité du produit. Le disque microsillon a été amélioré par la stéréophonie, le son numérique, et enfin remplacé par le disque laser. Radios et magnétophones ont vu leur taille se réduire : postes à transistors portables, puis baladeurs.

● **L'explosion de l'audiovisuel**

Le fait déterminant demeure toutefois la diffusion foudroyante de la télévision, au début des années 50 aux États-Unis et au Royaume-Uni, un peu plus tardivement en France. Depuis sa création, la télévision n'a cessé d'améliorer ses performances : passage du noir et blanc à la couleur, retransmission d'images de plus en plus nombreuses, lointaines, et variées par les satellites de télédiffusion et le câble. Autour de la télévision est venue se greffer une machinerie de plus en plus sophistiquée : magnétoscopes à partir du milieu des années 70, et surtout caméras vidéo, légères et maniables permettant des reportages au cœur des événements.

L'essor de la télévision a relégué au second plan le cinéma, et la plupart des grands studios, notamment américains, travaillent pour elle. La fréquentation des salles a tendance à baisser aux États-Unis et en Europe, parallèlement à la diffusion des magnétoscopes ; mais le cinéma reste un divertissement encore très apprécié dans certains pays du tiers monde, comme l'Inde.

LA TÉLÉVISION EN FRANCE :
ENJEU POLITIQUE ET COMMERCIAL

La télévision ne commence à pénétrer réellement dans les foyers des Français qu'à partir des années 60, où elle devance, en audience, la radio. La deuxième chaîne est créée en 1964, la troisième en 1972. Les programmes sont confiés à l'Office de radiodiffusion-télévision française (ORTF), établissement public. La télé poursuit alors une politique culturelle ambitieuse (« Les Perses », d'Eschyle, y sont présentés en 1961) tout en relayant, notamment par le journal télévisé, la voix du pouvoir en place (de Gaulle). En 1974, l'ORTF éclate et est remplacé par sept sociétés de production et de programmation, plus autonomes, financées par la redevance et les recettes publicitaires. En 1984, une quatrième chaîne privée, codée et payante fait son apparition : Canal +. Ce n'est qu'en 1986 qu'est créée la première chaîne privée véritablement accessible à tous : la Cinq, suivie par M6. En 1987, la première chaîne, TF1, est privatisée. La place prise par le secteur privé, uniquement financé par les recettes publicitaires, suscite une véritable course à l'audience qui se ressent sur la programmation de l'ensemble des chaînes, de plus en plus « facile », voire racoleuse. En 1992, le pouvoir remplace la Cinq, en faillite, par la chaîne culturelle européenne Arte, seule chaîne sans publicité.

● Information, surinformation ou désinformation ?

La télévision tend à prendre aussi une position de monopole dans le domaine de l'information, au détriment de la radio et de la presse : 97 % des Français possèdent une télévision, mais 30 % seulement achètent un quotidien national d'information. Grâce à elle, le téléspectateur peut recevoir à tout moment des images de ce qui se passe partout ailleurs. Mais la priorité accordée à l'image choc, au « scoop », à la transmission immédiate par le « direct » nuit à la qualité des informations. Mal hiérarchisées, celles-ci finissent par se télescoper et susciter l'indifférence ; le « journal télévisé », avec ses vedettes et son rituel, constitue souvent la seule source d'information : l'information reste superficielle (une demi-heure de journal télévisé représente moins d'une page de quotidien). Les limites de l'information télévisuelle sont clairement apparues pendant la guerre du Golfe, en 1991 : la rareté des images, soigneusement sélectionnées par l'armée, a transformé les journaux télévisés en simples comptes-rendus de l'état-major. Le contrôle de l'information télévisée constitue un enjeu politique évident : instrument de propagande des régimes totalitaire dans les pays de l'Est, la télévision a été aussi l'arme la plus efficace pour les faire tomber, comme en Roumanie en 1989, parfois au prix de manipulations (pseudo-charnier de Timisoara).

Face à cette concurrence, la presse évolue de façon complexe : la presse quotidienne, en France, subit une forte concentration et perd des lecteurs, à l'exception des titres offrant un supplément d'investigation ou d'analyse (*Le Monde* ou *Libération*) ; mais elle reste puissante dans des pays comme l'Angleterre, l'Allemagne, le Japon, ou les États-Unis où ses révélations ont amené la chute du président Nixon en 1974 (affaire du Watergate).

CULTURE ET SOCIÉTÉ

● Mondialisation, uniformisation ou américanisation ?

L'information est une production de pays riches, à peu près monopolisée par les quatre

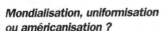

La culture tend à se mondialiser et à se transformer en produit économique.

agences de presse américaines et européennes (Agence France Presse, Reuter, Associated Press et United Press). La domination américaine dans ce domaine est très nette, comme l'a montré le rôle prépondérant joué par la chaîne CNN *(Cable News Network)* dans la couverture télévisuelle de la guerre du Golfe.

Mais cette domination s'exprime aussi et surtout dans le domaine culturel, où l'Europe a perdu progressivement – depuis la Première Guerre mondiale – son rôle central dans l'élaboration et la diffusion des pratiques. Dans les arts plastiques par exemple, New York a détrôné Paris comme lieu de création et comme marché international. Dans cette domination, la télévision joue un rôle très important : les productions américaines, à faible coût, envahissent progressivement les écrans mondiaux (séries comme Dallas, Dynasty...) ou suscitent des imitations, comme dans le cas des jeux télévisés ou des *reality shows*. Le cinéma américain est, lui aussi, omniprésent : un film comme ET, du réalisateur américain Spielberg, a été vu par 220 millions de spectateurs dans le monde ; les créations des studios Walt Disney sont universellement connues. La plupart des modes de l'après-guerre viennent de l'autre côté de l'Atlantique : blue jeans, coca-cola, fast food, rock'n roll...

Cette uniformisation des cultures, fortement déséquilibrée, fait craindre un appauvrissement du patrimoine culturel mondial ; l'UNESCO, mise en place en 1946, tente de protéger les cultures locales. Par ailleurs, cette uniformisation suscite parfois des réactions de rejet : dans les pays islamistes, l'affirmation de l'intégrisme et du nationalisme passe par le refus de tout ce qui touche de près ou de loin à la culture américaine.

● ***Une culture de consommation ?***

Les années de croissance économique ont favorisé la pénétration de la publicité et du sponsoring dans les manifestations artistiques ou sportives. L'importance prise par la publicité dans la presse écrite et à la télévision (émissions discrètement sponsorisées ou coupées de messages publicitaires, hebdomadaires comme *L'Express* financés à 75 % par elle), la sophistication de ses techniques (la publicité fait appel à des artistes : réalisateurs, chanteurs, etc.) contribuent à entretenir une confusion entre art, information et

- publicité, et à en faire une véritable composante de la cul-
- ture, notamment chez les jeunes où elle dicte les modes.
- Cette logique économique conduit à faire de toute manifes-
- tation culturelle un spectacle, parfois retransmis en mondo-
- vision (Jeux olympiques), et à en modifier insidieusement la
- signification. Le sport a été particulièrement touché par ce
- phénomène ; la recherche du sport-spectacle qu'imposent
- les enjeux économiques encourage la multiplication de pra-
- tiques illicites (dopage), et peut provoquer une explosion de
- violence (200 morts au stade du Heysel lors d'une finale
- européenne de football en 1985). La mise en concurrence
- des chaînes télévisuelles, progressivement privatisées
- depuis 1945, entraîne une course à l'audience chez les pro-
- grammateurs, un nivellement et une uniformisation des pro-
- grammes du *prime time* (heures de grande écoute) vers la
- facilité ou le sensationnel, souvent au détriment de la qualité.

CULTURES ET CONTRE-CULTURES

◀

Le dynamisme créateur est souvent le fait de minorités qui s'opposent à la culture de masse.

Culture populaire ou culture de masse ?

- L'idéal d'une culture populaire de qualité
- caractérise les années d'après-guerre, comme en
- témoigne en France la création en 1959 des
- Maisons de la culture par l'écrivain Malraux, alors
- ministre de la Culture, ou plus tardivement, la
- construction du centre d'art et de culture de Beaubourg. La
- production artistique tient le pari dans la chanson (Brel,
- Brassens), le cinéma (l'âge d'or du cinéma italien de Risi,
- Scola, Fellini), le théâtre (festival d'Avignon, Théâtre
- National Populaire de Vilar). Mais cette évolution semble
- avoir montré ses limites, et une culture à deux vitesses
- paraît peu à peu s'établir.
- La culture de masses repose principalement sur
- l'audiovisuel : la télévision en constitue la source principale
- (elle est regardée 4 heures par jour et par individu aux États-
- Unis). Le cinéma populaire est dominé par la production
- hollywoodienne à gros budget de « machines à rêver »
- exploitant des sujets rentables (séries des Rambo, Rocky,
- Guerre des étoiles...). La musique populaire et de variétés y
- tient aussi une place importante (500 millions de disques

vendus pour Elvis Presley, vogue du disco, phénomène Madonna...). La part de l'écrit, et surtout de la littérature, régresse, à l'exception d'une littérature de grande distribution : collection Harlequin, ou best sellers soigneusement lancés comme, en France, les livres de Sulitzer.

Le sport tend à prendre une place croissante dans cette culture de masse : sport-spectacle ou sport-pratique, comme le football, véritable trait d'union culturel dans le monde, ou comme les modes successivement importées des États-Unis de l'aérobic et du jogging, et plus récemment du basket.

Culture des élites

À cette culture populaire s'oppose de plus en plus une culture des élites, aux supports et aux contenus différents.

L'écrit continue à d'y tenir une place importante : à l'information télévisuelle, il apporte une alternative et un complément, par la presse ou les essais ; ces élites constituent aussi les principaux lecteurs de la littérature engagée (Sartre, Miller, Grass) ou expérimentale (Queneau, le « nouveau roman », Pérec) ou internationale (Soljenitsyne, Borges, Marquez). Au cinéma de grande distribution s'oppose le cinéma d'auteur, plus diversifié dans sa provenance (Godard, Saura, Bergman, Wenders, Allen). Les expériences menées dans les arts plastiques contemporains ne touchent qu'une minorité, à l'exception de celles de Picasso. Après les années de recherche créatrice (Pollock, Dubuffet, Calder, Vasarely), l'explosion du marché de l'art a conduit peintres et sculpteurs à des créations éphémères ou parodiques (pop art, minimal art), dont la valeur est parfois remise en cause avec la dépression actuelle du marché. La culture musicale s'appuie plutôt sur la musique classique et l'opéra, le jazz (Parker, Coltrane, Davis), voire la musique contemporaine (Messiaen, Boulez, Stockhausen). Le théâtre, autrefois divertissement populaire, tend de plus en plus à devenir un spectacle élitiste (Beckett, Ionesco, Pinter), comme la danse.

Mouvements de contestation et « culture jeune »

Les années 60 voient l'émergence d'une culture de contestation, portée par les premières générations du baby boom, et étrangère à la problématique culture populaire/

culture des élites. Une « culture jeune », par opposition à la culture officielle, universitaire ou dominante, s'exprime, notamment aux États-Unis et en Europe. Cette culture s'appuie sur deux thèmes : la libération et la contestation du conformisme de la société de consommation.

La musique en est le langage de base : renouvelée par l'usage des instruments électriques (guitare), elle s'appuie sur le rock, parfois violent (Beatles, Rolling Stones) auquel viennent s'ajouter le mouvement pop, les chanteurs engagés (Dylan, Hendrix). Les concerts prennent la forme de gigantesques rassemblements : celui de Woodstock en 1969 réunit 400 000 jeunes « dans la paix et la musique ». Beatniks et hippies marquent leur refus de l'ordre établi par la liberté de l'apparence (cheveux longs), le choix d'un mode de vie anticonformiste (vie en communauté, errance sur la route à la Kérouac), de modèles philosophiques lointains (Inde, Orient), l'usage de stupéfiants. La libération sexuelle gagne l'ensemble de la société, se marquant aussi bien par la libéralisation de l'avortement en Angleterre en 1968 que par la mode de la mini-jupe, ou le succès des magazines de type *Play Boy*. L'art underground connaît la notoriété : le peintre Andy Warhol, les hyperréalistes tournent en dérision la vie quotidienne de leurs contemporains. Des formes de cultures propres aux jeunes s'imposent : bande dessinée, science fiction.

Peu à peu, dans les années 80, on assiste toutefois à une récupération par la publicité et la société de consommation de ce mouvement de contestation : rock transformé en produit de marketing (M. Jackson), esthétique « rétro » des seventies chez les jeunes. L'idéal suggéré n'est plus de se singulariser ou de s'opposer, mais d'être « branché », en prise sur la mode.

La culture, comme l'information, désormais mondialisées, sont, comme des produits, soumises à des impératifs économiques. Au mouvement d'uniformisation qui caractérise la seconde moitié du XXe siècle, s'opposent des formes de cultures contestatrices ou élitistes plus ou moins condamnées à la marginalisation ou à la récupération.

LIRE AUSSI CULTURE (AVANT 1945).

Décolonisation

En 1939, l'Europe possède plus du quart des terres émergées. Quinze ans plus tard, il lui en reste peu de choses. Un phénomène géopolitique majeur s'est produit : la décolonisation. Il concerne au départ le continent asiatique, puis l'Afrique s'émancipe à son tour. L'indépendance est tantôt le fait de négociations avec la métropole, tantôt la conséquence d'une lutte armée des nationalistes contre la puissance occupante.

POURQUOI LA DÉCOLONISATION ?

> *Le système colonial, que le mécontentement des populations colonisées commence à remettre en cause dès les années 30, est ébranlé par la guerre.*

Les sources de mécontentements

Nombreux sont les problèmes nés de la colonisation. La concurrence de l'industrie métropolitaine ruine l'artisanat local, l'essor démographique entraîne une réduction du niveau de vie des agriculteurs, aggravée quand les colons européens ont accaparé les meilleures terres. L'occupation se traduit par des brimades, un statut humiliant et les fils des riches familles, instruits dans les universités occidentales, ne peuvent occuper dans leur pays des emplois correspondant à leur formation intellectuelle. En outre, les musulmans supportent mal des structures marquées par une religion, une morale et une culture chrétiennes. Dès les années 20 des mouvements nationalistes naissent, et un début de décolonisation se fait au Moyen-Orient dans les années 30.

Les conséquences de la Deuxième Guerre mondiale

Mécontentes, les populations de la plupart des colonies ne sont pas encore prêtes à exiger l'indépendance en

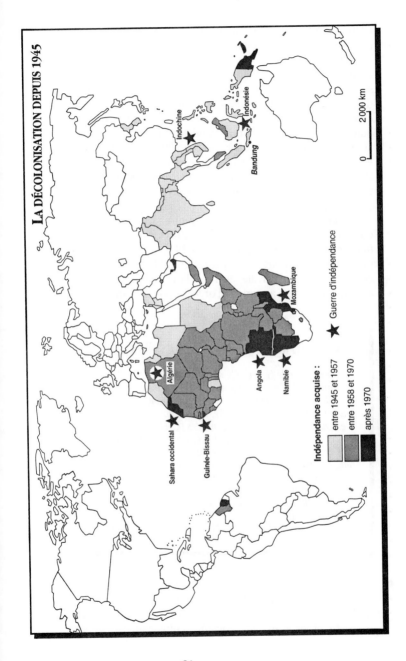

LA DÉCOLONISATION DEPUIS 1945

Indochine

Indonésie

Bandung

Mozambique

Angola

Namibie

Algérie

Sahara occidental

Guinée-Bissau

Indépendance acquise :

entre 1945 et 1957
entre 1958 et 1970
après 1970

★ Guerre d'indépendance

0   2 000 km

1939. C'est la Deuxième Guerre mondiale qui déstabilise réellement le système colonial.

Dès 1941, la charte de l'Atlantique – signée par Churchill et Roosevelt – affirme le droit des peuples à disposer d'eux-mêmes ; si elle est avant tout destinée aux peuples d'Europe, ses principes sont aussi valables pour ceux des colonies, et elle éveille l'espoir de beaucoup. Les métropoles perdent par ailleurs une grande partie de leur prestige auprès des peuples colonisés parce qu'elles sont vaincues et occupées par l'Allemagne ou lui résistent avec difficulté. Enfin, les Allemands au Maghreb et au Proche-Orient et surtout les Japonais en Asie orientale se livrent à une intense propagande anticolonialiste.

Pour garder la maîtrise des empires ou se gagner le concours de leurs populations, les puissances coloniales font des promesses de réforme. En 1942, les Britanniques promettent une nouvelle Constitution à l'Inde ; lors de la conférence de Brazzaville, en 1944, la France libre discute des changements à apporter à l'organisation des colonies.

LA CONFÉRENCE DE BRAZZAVILLE (1944)

Ouverte par de Gaulle, elle réunit les représentants de tous les territoires de l'empire français. La conférence recommande :

1. le développement du potentiel de production par des investissements dans l'agriculture, les travaux publics, l'industrie, qui élèveraient le niveau de vie des populations ;

2. la suppression du travail forcé, une législation protectrice du travail, le respect des coutumes et du droit civil ou religieux indigène, l'amélioration de l'instruction ;

3. une large représentation des colonies dans la future Assemblée constituante de la France, la création d'organismes représentatifs locaux ou régionaux élus, l'accès des indigènes à tous les emplois.

Mais elle rejette formellement l'indépendance des colonies.

Un environnement international favorable

Après la guerre, le mouvement d'émancipation coloniale est inéluctable. L'URSS, au nom de la doctrine marxiste, et les États-Unis, ancienne colonie anglaise, sont favorables à la décolonisation : or, après 1945, ils dominent le monde. De son côté, l'ONU, dont la charte proclame le droit des peuples à l'autodétermination, fait de l'émancipation coloniale une de ses priorités. Enfin, en Europe, la « bonne conscience coloniale » de l'entre-deux-guerres est ébranlée. Et puis, comment organiser l'indépendance des colonies des pays vaincus (Corée, Libye) et ne pas l'accorder à celles des puissances victorieuses ?

La décolonisation concerne tout d'abord les Philippines (1946), américaines depuis 1898, la Syrie et le Liban (1946), qui étaient sous la tutelle de la France depuis les années 20, et la Palestine britannique (1948).

LA DÉCOLONISATION DE L'ASIE

À la fin des années 40 et au début des années 30, l'Asie s'émancipe. La décolonisation est soit pacifique, soit violente.

Les métropoles face à la décolonisation

Dans les années 30, les mouvements d'émancipation étaient déjà très forts en Asie. Entre 1938 et 1945, l'action du Japon n'a fait que déstabiliser davantage l'autorité des métropoles, pour qui se pose après la guerre le problème de la décolonisation.

Le Royaume-Uni, qui a déjà entamé la décolonisation de son empire et qui cherche à établir de bons rapports avec les États-Unis, tout en choisissant de donner la priorité à ses problèmes intérieurs, est prêt à renoncer à son empire asiatique, avec lequel il espère garder des liens privilégiés dans le cadre du *Commonwealth*. Mais la France et les Pays-Bas n'ont pas la même attitude conciliante : ces pays essayent de maintenir une autorité sans partage sur leurs colonies, ce qui entraîne des guerres.

La décolonisation négociée

Dans l'empire britannique des Indes, les nationalistes sont divisés en deux grandes tendances qui s'opposent à travers deux partis. Le Parti du Congrès de Gandhi et de Nehru veut maintenir l'unité indienne alors que la Ligue musulmane de Ali Jinnah exige la création de deux États séparés, dont l'un serait musulman. Le Royaume-Uni, qui s'apprête à octroyer l'indépendance à l'empire des Indes, opte finalement pour la seconde solution. En 1947, deux États sont créés : le Pakistan musulman composé de deux territoires éloignés l'un de l'autre et l'Union indienne. Il s'ensuit de violents affrontements intercommunautaires et des déplacements massifs de population.

Les autres colonies britanniques obtiennent aussi leur indépendance : Ceylan en 1947 et la Birmanie en 1948, alors que la Malaisie et Singapour accèdent à l'émancipation totale en 1957.

La décolonisation violente

Les Indes néerlandaises sont occupées par les Japonais à partir de janvier 1942. Le 17 août 1945, deux jours après la capitulation du Japon, les leaders indépendantistes Soekarno et Hatta proclament l'indépendance de l'Indonésie. Mais un mois plus tard, les troupes néerlandaises restaurent l'administration des Pays-Bas sur une grande partie du territoire (sauf Java et Sumatra) et tentent de reprendre en 1947 tout le pays par la force. Sous la pression de l'ONU et des États-Unis, les Pays-Bas finissent par reconnaître l'indépendance de la République d'Indonésie, qui reste toutefois liée à l'ancienne métropole par une union nominale (le 27 décembre 1949), dissoute en 1954.

En Indochine française, un mouvement nationaliste – le Viêtminh – mené par le communiste Hô Chi Minh engage la lutte armée contre l'occupant. La chute du camp retranché de Diên Biên Phû en 1954 sonne le glas de la présence française. À la fin de l'année, le Viêtnam (scindé momentanément en deux), le Laos et le Cambodge obtiennent leur indépendance par les accords de Genève.

LA DÉCOLONISATION DE L'AFRIQUE
←

> À partir de la fin des années 50 l'Afrique devient à son tour indépendante.
> →

L'Afrique du Nord

L'Égypte est souveraine depuis 1936 et la Libye, ancienne colonie italienne, depuis 1951.

En Algérie française, la défaite de la France en 1940 et l'occupation du pays par les Américains exacerbent le nationalisme des Algériens musulmans. Des émeutes éclatent à Sétif en 1945. La IVᵉ République s'engage certes dans la voie des réformes, mais celles-ci restent timides à cause de l'opposition du million de colons français. Les nationalistes comprennent alors qu'ils n'ont plus de recours que dans l'insurrection armée. Ils constituent un Front de libération nationale (FLN), favorable à une indépendance totale de l'Algérie, qui engage la lutte en 1954. Au bout de 7 ans de guerre, en 1962, la France accorde finalement son indépendance à l'Algérie par les accords d'Évian.

Les deux protectorats français d'Afrique du Nord, la Tunisie et le Maroc, l'avaient obtenue en 1956.

L'Afrique noire

La conférence de Bandoung, en avril 1955, qui réunit les États nouvellement indépendants d'Asie et d'Afrique en Indonésie, donne le signal de l'émancipation de l'Afrique.

Le chef nationaliste N'Krumah obtient de manière pacifique des Anglais l'indépendance du Ghana dans le cadre du Commonwealth en 1957. Les autres colonies britanniques accèdent à la souveraineté entre 1960 et 1965.

Les autorités coloniales françaises ne sont pas prêtes au changement dans l'immédiat après-guerre : en mars-avril 1947, une révolte à Madagascar est écrasée dans le sang, faisant 90 000 morts. Mais les choses changent dans les années 50 : en juin 1956, la loi-cadre Defferre donne naissance à une véritable vie politique africaine en instituant dans les colonies des Assemblées élues au suffrage universel avec des compétences législatives et des Conseils exécutifs élus par elles. En 1958, la Vᵉ République rassemble dans un organisme appelé Communauté les colonies devenues États souverains, à l'exception de la Guinée de Sékou Touré qui a refusé d'y adhérer. En 1960, la Communauté disparaît et les États africains, désormais indépendants, établissent des liens bilatéraux avec la France.

Des troubles suivent l'indépendance du Congo belge (Zaïre), obtenue en 1960, et l'ONU envoie des troupes pour rétablir l'unité du pays menacé par la sécession de la province minière du Katanga. La situation se stabilise en 1965. Les colonies du Portugal (Angola, Mozambique) n'accéderont à l'indépendance qu'en 1975.

Les nouveaux États, bien que libres, restent très marqués par l'héritage colonial. Ils ont généralement épousé les frontières des anciennes colonies, qui ne tiennent pas toujours compte des réalités du pays, et souvent ils demeurent dans la zone monétaire de l'ancienne métropole et continuent d'y exporter leurs matières premières. Troublés par les guerres où les coups d'État, dépendants, mais aussi pauvres, ils se retrouvent presque tous dans le groupe des pays du tiers monde.

CHRONOLOGIE

1944 : conférence de Brazzaville.

1945 : le Viêtminh proclame l'indépendance du Viêtnam.

1946 : la France occupe la Cochinchine ; début de la guerre d'Indochine ; pleine indépendance du Liban et de la Syrie ; indépendance des Philippines.

1947 : indépendance et partition de l'Inde.

1949 : conférence de la Haye où les Pays-Bas reconnaissent l'indépendance indonésienne proclamée depuis 1945 par Soekarno.

1954 : défaite de Diên Biên Phû et accords de Genève octroyant l'indépendance aux pays de l'Indochine française ; début de l'insurrection algérienne.

1955 : conférence de Bandoung des États indépendants d'Afrique et d'Asie.

1956 : indépendance du Maroc et de la Tunisie ; loi-cadre Defferre donnant davantage d'autonomie aux pays d'Afrique noire appartenant à la France.

1960-1962 : indépendance de la plupart des colonies françaises et anglaises d'Afrique noire.

1962 : accords d'Évian donnant l'indépendance à l'Algérie.

LIRE AUSSI EMPIRES COLONIAUX ; INDE (DEPUIS 1945) ; INDOCHINE (DEPUIS 1945) ; MAGHREB (DEPUIS 1945) ; TIERS MONDE.

DEUXIÈME GUERRE MONDIALE

◀━━━ (DE 1939 À 1942)

L'attaque de la Pologne, dernière étape dans l'escalade des coups de force allemands, provoque finalement la réaction des pays européens alliés. Mais, jusqu'en 1942, les démocraties subissent les attaques victorieuses de l'Allemagne et de ses alliés.

1939-1940 : LES ATTAQUES ALLEMANDES EN EUROPE

◀━━

> *L'Allemagne prend l'initiative des combats en Europe et accumule les victoires.* ◀━

L'écrasement de la Pologne (septembre 1939)

Le 1er septembre 1939, l'Allemagne lance l'offensive contre la Pologne, déclenchant l'entrée en guerre de ses alliés français et anglais. Grâce à la tactique de la guerre-éclair *(Blitzkrieg)*, fondée sur l'utilisation conjointe des blindés et de l'aviation, la Wehrmacht écrase l'armée polonaise en quatre semaines. Le 17 septembre, les troupes soviétiques pénètrent à leur tour en Pologne par l'Est et reprennent l'Ukraine et la Biélorussie, perdues en 1918, avant d'annexer les Pays baltes, puis de conquérir une partie de la Finlande en décembre. Pendant ce temps, les Français et les Anglais, abrités derrière la ligne Maginot sur la frontière lorraine ou massés en Belgique, attendent sans intervenir : c'est la « drôle de guerre ».

L'attaque vers l'Ouest (printemps 1940)

Après avoir conquis la Pologne, Hitler se tourne vers l'Ouest :

– En avril 1940, il attaque le Danemark et la Norvège pour s'assurer le contrôle du fer suédois. À Narvik, les Anglais et les Français, qui ont débarqué au secours des Norvégiens, affrontent pour la première fois les Allemands, et sont contraints de se replier.

– Le 10 mai, il déclenche la *Blitzkrieg* en direction de la France en passant par les Pays-Bas, le Luxembourg et la Belgique, vaincus en quelques jours. Le 13 mai, les Allemands franchissent les Ardennes. L'armée française, commandée par Gamelin puis Weygand, est coupée en deux. Une partie, isolée à l'Est, affronte les Allemands et les Italiens, qui entrent en guerre le 10 juin aux côtés de l'Allemagne. Une autre partie, talonnée par les Allemands, réussit à gagner Dunkerque et à s'embarquer début juin pour l'Angleterre, abandonnant sur place une grande quantité d'armes et de matériel. Après six semaines de combat, Pétain demande l'armistice ; 100 000 soldats français sont morts, 200 000 sont blessés, deux millions sont faits prisonniers dans la débâcle.

La bataille d'Angleterre (été 1940)

Après l'armistice français, l'Angleterre est le seul pays encore en guerre contre l'Allemagne. Mais celle-ci ne peut lui appliquer la tactique de la *Blitzkrieg* : pour conquérir l'espace aérien anglais, Hitler lance pendant l'été 1940 la bataille d'Angleterre, menée par les avions de la *Luftwaffe*. Munie de tout nouveaux radars, la *Royal Air Force* résiste et, en dépit de pertes importantes, repousse les offensives allemandes. À l'automne, devant l'échec de la bataille d'Angleterre, Hitler décide de détruire moralement et matériellement l'Angleterre en bombardant intensivement Londres et la plupart des grandes villes (tactique du *Blitz*). L'Angleterre, unie autour de son nouveau Premier ministre Churchill, devient le symbole de la résistance au nazisme en Europe ; une contre-attaque anglaise est même lancée à Tarente contre l'Italie en novembre.

1941 : LA GUERRE
DEVIENT MONDIALE

La guerre dans les Balkans
et autour de la Méditerranée

En octobre 1940, la Roumanie est occupée par l'Allemagne et partiellement démembrée au profit

L'attaque allemande contre l'URSS et l'expansion japonaise dans le Pacifique mondialisent le conflit.

des alliés du Reich, la Bulgarie et la Hongrie. Au même moment, sans se concerter avec Hitler, Mussolini lance contre la Grèce une attaque qui échoue. Pour lui venir en aide, Hitler envoie des troupes en avril 1941, qui envahissent la Yougoslavie, puis la Grèce et enfin la Crète. Sur le sol africain, les troupes anglaises d'Égypte tentent d'arrêter la progression des Italiens et des Allemands de l'*Afrika Korps* de Rommel, qui occupent la Libye.

L'Allemagne attaque l'URSS

Le pacte germano-soviétique de 1939 n'avait été qu'un pacte de circonstance pour Hitler, désireux d'avoir les mains libres pour conquérir la Pologne et la France : idéologiquement, le communisme reste l'ennemi numéro un du nazisme. Le 22 juin 1941, l'Allemagne attaque par surprise son « allié » soviétique, avec l'aide de la Finlande, de la Roumanie et de la Hongrie (plan Barbarossa). L'Armée rouge, mal préparée, affaiblie par les purges de 1936-38 qui ont décimé son état-major, subit de lourdes pertes et se voit contrainte de reculer : les Allemands prennent l'Ukraine et parviennent en trois mois aux portes de Leningrad et de Moscou. Mais trois facteurs freinent l'avance allemande : l'hiver, qui rend sa progression très difficile ; la contre-offensive soviétique menée en décembre par des militaires de valeur comme Joukov, qui repousse les Allemands loin de Moscou ; la résistance opiniâtre de la population de Leningrad, qui refuse de se rendre malgré le siège.

L'expansion japonaise menace les États-Unis

Depuis le début de la guerre, les Américains soutiennent au moins moralement les Français et les Anglais. Après la défaite française, en mars 1941, le président Roosevelt accorde même aux Britanniques un prêt-bail qui met à leur disposition, à titre de « prêt », le matériel militaire américain. En août 1941, Roosevelt et Churchill signent une « charte de l'Atlantique » souhaitant « la destruction finale de la tyrannie nazie ». Mais les États-Unis ne veulent pas s'engager directement dans le conflit. C'est l'offensive japonaise qui va les y contraindre : décidé à poursuivre sa politique impérialiste dans le Pacifique, le Japon, allié de l'Allemagne depuis 1936, prend l'initiative. Après la conquête de l'Indochine française, le 7 décembre 1941, des avions et des porte-avions japonais attaquent par surprise la base américaine de Pearl Harbor, dans le Pacifique, provoquant l'entrée en guerre des États-Unis.

Dans un premier temps, les soldats du général Yamamoto détiennent l'avantage et grâce à leur puissance aéronavale, prennent possession des Philippines, de Singapour, de l'Indonésie et menacent l'Australie et l'Inde.

1942 : L'APOGÉE DE LA DOMINATION ALLEMANDE ET JAPONAISE

L'Allemagne et ses alliés sont au maximum de leur puissance et organisent « l'ordre nouveau ».

Les formes de la domination allemande et japonaise

La moitié du Pacifique appartient à l'empire nippon au printemps 1942. La plus grande partie de l'Europe, à l'exception des îles britanniques, est sous la domination de l'Allemagne ou de ses alliés. Cette domination prend plusieurs formes :

– Politiquement, les régions occupées sont traitées de différentes façons : annexion pure et simple comme en Alsace-Lorraine ou à Hong-Kong, administration par l'occupant comme dans la France du Nord ou l'Indonésie, mise en place de gouvernements vassaux comme en Croatie ou de collaboration comme dans la France de Vichy.

– Économiquement, les régions conquises sont soumises à un véritable pillage pour alimenter l'effort de guerre. Au projet de « sphère de coprospérité asiatique », censé répartir harmonieusement le développement économique, le Japon substitue dans les territoires qu'il contrôle la collecte à son profit des matières premières. Dans l'Europe nazifiée, alors que les pays de l'Est sont systématiquement pillés, les pays occidentaux sont en majorité soumis à des impôts d'occupation écrasants. La réserve de main-d'œuvre que représentent les régions occupées intéresse tout particulièrement les vainqueurs : les *coolies* chinois sont ainsi utilisés jusqu'à la mort par les Japonais pour mettre en valeur les territoires conquis. L'Allemagne, après avoir utilisé aussi les prisonniers, rafle d'abord les populations

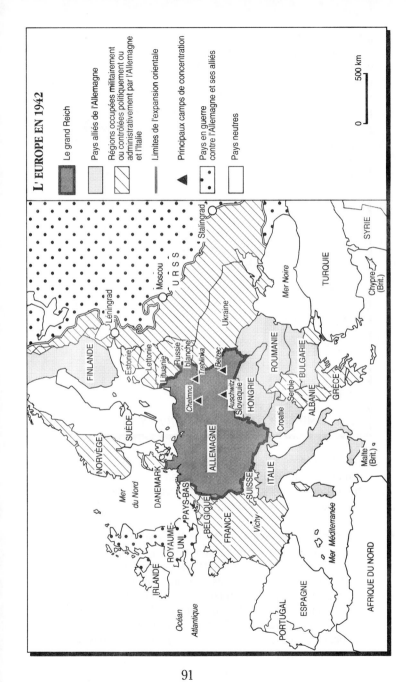

L'EUROPE EN 1942

Le grand Reich

Pays alliés de l'Allemagne

Régions occupées militairement ou contrôlées politiquement ou administrativement par l'Allemagne et l'Italie

Limites de l'expansion orientale

▲ Principaux camps de concentration

Pays en guerre contre l'Allemagne et ses alliés

Pays neutres

0   500 km

Océan Atlantique

IRLANDE

ROYAUME-UNI

Mer du Nord

NORVÈGE

SUÈDE

FINLANDE

Léningrad

Moscou

U R S S

Stalingrad

DANEMARK

PAYS-BAS

BELGIQUE

ALLEMAGNE

Estonie

Lettonie

Lituanie

Russie blanche

Chelmno

Treblinka

Belzec

Auschwitz

Slovaquie

HONGRIE

Ukraine

Mer Noire

FRANCE

Vichy

SUISSE

ITALIE

Croatie

Serbie

ROUMANIE

BULGARIE

ALBANIE

GRÈCE

TURQUIE

Chypre (Brit.)

SYRIE

Malte (Brit.)

Mer Méditerranée

PORTUGAL

ESPAGNE

AFRIQUE DU NORD

91

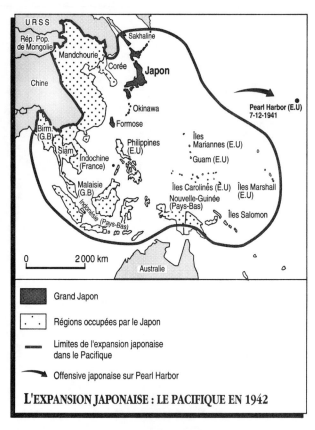

civiles de l'Est, puis de l'Ouest devant l'échec de l'appel au volontariat. Dans l'ensemble, ces mesures de pillages ont entraîné des situations dramatiques de pénurie et de rationnement dans les pays occupés.

● **Extermination et solution finale en Europe**

L'aspect le plus insupportable de la domination allemande et japonaise est l'extermination des peuples conquis. Occasionnelle chez les Japonais, elle prend une dimension systématique chez les Allemands avec l'*Ostpolitik* et la « solution finale ». L'*Ostpolitik*, qui supposait l'extension de l'espace vital *(Lebensraum)* allemand et la colonisation vers l'Est, posait la question de la survie des populations slaves en place, méprisées par l'idéologie raciale nazie. C'est la raison pour laquelle les Allemands massacrent en masse les civils russes au fur et à mesure de leur progression et laissent mourir leurs prisonniers. Mais c'est surtout le problème juif qui préoccupe les Allemands. L'importance des populations juives dans les pays conquis, notamment en Pologne, suscite un plan en deux étapes : la première consiste à regrouper les juifs dans des ghettos aux conditions de vie atroces, comme celui de Varsovie ; la seconde, c'est la « solution finale », décidée au début de 1942 (conférence de Wannsee), et qui consiste en l'extermination totale et planifiée des juifs d'Europe. Aux massacres isolés succède donc l'envoi des juifs, par convois ferroviaires de toute l'Europe, vers les camps d'extermination (Treblinka, Auschwitz...) où les déportés valides sont utilisés comme main-d'œuvre jusqu'à l'épuisement, puis supprimés, alors que femmes, enfants et vieillards sont gazés dès l'arrivée, puis brûlés dans des fours crématoires.

En 1942, la tactique offensive d'Hitler et de ses alliés semble avoir parfaitement fonctionné : le Grand Reich domine l'Europe de la Bretagne à la mer Noire, de la Norvège à la Libye. L'empire du Soleil levant a pris pied sur l'Est de l'Asie et contrôle l'Océanie. Mais l'absence d'entente réelle entre l'Allemagne, l'Italie et le Japon, la résistance de l'Angleterre et la mondialisation du conflit permettent aux démocraties d'espérer.

CHRONOLOGIE

Septembre 1939 : l'Allemagne envahit la Pologne, déclenchant la Deuxième Guerre mondiale.

Juin 1940 : armistice signé par la France.

1941 : l'Allemagne attaque l'URSS ; les Japonais bombardent Pearl Harbor, provoquant l'entrée en guerre des États-Unis.

1942 : la conférence nazie de Wannsee décide la « solution finale », c'est-à-dire l'extermination des juifs d'Europe.

LIRE AUSSI RELATIONS INTERNATIONALES (1920-1939) ; DEUXIÈME GUERRE MONDIALE (DE 1943 À 1945) ; FRANCE (1939-1945).

DEUXIÈME GUERRE MONDIALE

(DE 1943 À 1945)

En 1942, les forces nazies et japonaises ont investi tout le continent européen et le Sud-Est de l'Asie. Mais le succès de la Blitzkrieg repose sur l'hypothèse d'une guerre courte : la résistance de l'Angleterre, l'enlisement sur le front de l'Est, l'entrée en guerre des États-Unis mettent en péril « l'Ordre nouveau ». À partir de 1943, le rapport de forces s'inverse au profit des Alliés.

LES ATOUTS DES ALLIÉS

> *La durée et la mondialisation du conflit jouent en faveur des alliés, plus unis et plus puissants.*

Les Alliés réunissent leurs forces

Contrairement aux Allemands, aux Italiens et aux Japonais, les Alliés anglais, américains et soviétiques combattent en étroite collaboration. Les actions militaires sont coordonnées pour gagner en efficacité ; un commandement commun est même mis en place pour diriger les troupes anglo-américaines. La déclaration des Nations unies (1ᵉʳ janvier 1942), signée par tous les pays en guerre contre l'Allemagne et le Japon, et notamment par l'URSS, place la guerre sous le signe commun de la défense de la liberté et de la démocratie.

Mais les Alliés disposent aussi d'une puissance économique supérieure grâce à l'entrée en guerre de l'URSS et des États-Unis. Dès janvier 1942, Roosevelt lance le *Victory program* qui prévoit la construction rapide et en très grand nombre d'avions, de chars et de bateaux. Grâce aux progrès des techniques de production et à l'emploi massif de la main-d'œuvre féminine, le programme est tenu : à partir de 1943, les Américains fabriquent plus de bateaux *(liberty ships)* que les sous-marins allemands ou japonais ne peuvent en couler. L'URSS, entrée plus tôt dans le conflit, est cependant plus lente à mobiliser ses formidables réserves dont une grande partie, située à l'Ouest, est contrôlée par les Allemands. Staline procède donc à un déplacement vers l'Est (Oural, Sibérie) de son appareil de production : à partir de la fin 1942, les « orgues de Staline » (lance-fusées) et les blindés commencent à sortir en grande quantité de nouvelles usines d'armement.

Les scientifiques, et parmi eux beaucoup d'Européens réfugiés aux États-Unis, comme Einstein, sont mobilisés pour concevoir des armes plus efficaces : radars et sonars, parachutes en nylon, calculateurs pour la balistique. À partir de 1942, le projet Manhattan tente de mettre au point la première bombe atomique.

La résistance s'organise

En Allemagne même, une opposition active très minoritaire composée de chrétiens, de communistes, de jeunes, se manifeste clandestinement dès 1941, en diffusant des tracts et des journaux contre la propagande officielle. Dans l'armée, et notamment chez ceux qui ont connu l'enfer russe, des voix s'élèvent contre le nazisme : en juillet 1944, une tentative d'assassinat contre Hitler échoue.

Dans les régions occupées, la résistance prend de multiples formes : écoute de la BBC, graffitis, distribution de tracts ou de journaux, renseignements aux Alliés, sabotage, attentats ou lutte armée. En 1943, le ghetto de Varsovie se révolte et tient tête pendant un mois aux Allemands. Les maquisards français, les partisans grecs, yougoslaves, polonais ou russes harcèlent les occupants, aident les Alliés en préparant les opérations militaires de débarquement et se joignent à eux au fur et à mesure de leur avance. Les résistants s'affrontent parfois entre eux : c'est le cas en Grèce, en Pologne ou en Yougoslavie où les résistants communistes, soutenus par Moscou, s'opposent aux nationalistes soucieux de ne pas offrir une possibilité d'ingérence au voisin soviétique.

LA VICTOIRE CONTRE L'ALLEMAGNE

◄——

À l'Est, les Soviétiques contre-attaquent

L'armée allemande du général Von Paulus, qui tente de prendre Stalingrad pendant l'hiver

À partir de 1943, les Allemands reculent ; peu à peu encerclés, ils doivent capituler.

——►

1942-1943, se heurte à une résistance acharnée. En novembre, les troupes soviétiques de Joukov lancent une contre-offensive visant à prendre l'armée allemande en tenailles. L'entêtement d'Hitler, qui refuse la retraite, mène l'armée allemande au désastre : le 3 février 1943, Von Paulus est obligé de capituler alors que 500 000 de ses soldats sont tués, blessés ou faits prisonniers. Victoire militaire, Stalingrad est aussi une victoire psychologique : le dispositif hitlérien a montré pour la première fois sa faiblesse.

Repliées en Ukraine, les troupes allemandes tentent une nouvelle offensive pendant l'été 1943, qui échoue face aux chars russes. Désormais, la progression est soviétique : l'Armée rouge délivre la quasi-totalité du territoire de l'URSS jusqu'à l'été 1944 et progresse en Europe centrale.

● **Les Alliés contrôlent la Méditerranée et l'Atlantique**

Pour encercler les Allemands, les Alliés doivent s'assurer le contrôle de la Méditerranée et remporter la bataille navale de l'Atlantique :

– En Afrique, le général anglais Montgomery remporte face à Rommel la victoire d'El Alamein (Égypte), le 23 octobre 1942. Aidé des troupes françaises libres parties du Tchad et dirigées par Leclerc, il repousse les Allemands de Libye et les force à se replier en Tunisie. Mais, en novembre 1942, a commencé simultanément le débarquement anglo-américain, conduit par Eisenhower, en Algérie et au Maroc : encerclées, les troupes de Rommel se rendent en mai 1943. L'Afrique du Nord appartient aux Alliés.

– En juillet 1943, les troupes anglaises et américaines débarquent en Sicile ; Mussolini démissionne et son successeur, le maréchal Badoglio, capitule le 3 septembre. Mais les Allemands, accourus au secours du *Duce*, le rétablissent dans son pouvoir en le nommant à la tête d'une République sociale italienne en Italie du Nord, et freinent la progression des Alliés dans la péninsule : Rome n'est atteinte qu'en juin 1944.

– Au printemps 1943, la bataille de l'Atlantique qui oppose les bateaux alliés aux sous-marins allemands tourne à l'avantage des Alliés, qui se protègent mieux et réussissent à couler environ un tiers de la flotte sous-marine allemande. La route pour un débarquement semble désormais ouverte.

**À l'Ouest, le débarquement
précipite la chute de l'Allemagne**

Alors que les Allemands redoutaient un débarquement dans le Nord-Pas de Calais, les Alliés décident de débarquer sur la côte normande, au sud de l'embouchure de la Seine. Le Jour « J » est fixé au 6 juin 1944 ; les troupes anglaises, américaines et françaises conduites par Eisenhower réussissent à percer le front allemand à la fin juillet ; le 15, un deuxième débarquement a lieu en Provence ; Paris est libéré le 25 août. En septembre, les troupes alliées ont opéré leur jonction et sont devant le Rhin.

Depuis 1943, l'Allemagne est soumise à des bombardements massifs : le but est de démoraliser la population civile et de détruire le potentiel industriel et militaire. Les grandes villes sont particulièrement visées : Hambourg et surtout Dresde en février 1945 (plus de 130 000 morts). Asphyxiée par le blocus (pénurie d'essence), l'Allemagne est encerclée : en dépit de la résistance de ses troupes à Budapest, devant les Soviétiques, et d'une contre-offensive dans les Ardennes, la guerre est désormais portée sur son sol. Au sud, l'Italie est entièrement reprise par les Alliés en avril 1945 et Mussolini est exécuté. À l'Ouest, le Rhin est franchi en mars, l'Elbe atteint en avril. À l'Est, les Soviétiques poursuivent leur progression : alors qu'une partie de leurs troupes fait la jonction avec les troupes anglo-américaines, une autre partie se bat contre les derniers soldats dans Berlin. Hitler s'y suicide dans son bunker le 30 avril. Le 8 mai 1945, son successeur Doenitz capitule.

LA VICTOIRE CONTRE LE JAPON

Peu à peu repoussés du Pacifique, les Japonais sont acculés à la capitulation par la bombe atomique.

Le Pacifique est reconquis

Après la progression foudroyante des Japonais dans le Pacifique, les Américains se ressaisissent et élaborent avec les Australiens un plan de reconquête. En mai 1942, la bataille de la mer de Corail et surtout en juin, celle de Midway repoussent deux offensives japonaises et infligent de lourdes pertes aux porte-avions nippons. À partir d'août

1942, les Alliés reprennent l'offensive : sur le continent, les Anglo-Américains partis de l'Inde reprennent la Birmanie ; sur l'océan, après la victoire de Guadalcanal (février 1943), ils progressent d'île en île vers les Philippines, reprises en janvier 1945, et le Japon. En juin 1945, les Américains installés à Okinawa bombardent intensivement le Japon.

● **Le Japon capitule**

La résistance japonaise est extrêmement acharnée : alors que l'état-major refuse toute idée de reddition, les kamikazes multiplient les missions-suicides pour détruire la flotte américaine. Pour éviter un débarquement et épargner les vies des soldats américains, sans doute aussi pour tester cette nouvelle arme et pour ne pas laisser le champ libre aux Soviétiques en Asie, Truman fait lancer une bombe atomique sur Hiroshima le 6 août (150 000 morts), puis sur Nagasaki le 9 (40 000 morts). Le même jour, les troupes soviétiques pénètrent en Mandchourie. Le 15 août, l'empereur Hiro-Hito annonce la capitulation, signée le 2 septembre.

Dominés en 1942, les Alliés renversent la situation à partir de 1943, et l'emportent grâce à la supériorité technique et économique des États-Unis et de l'URSS. En septembre 1945, la Deuxième Guerre mondiale a pris fin, et les régimes totalitaires qui l'avaient provoquée ont été renversés.

CHRONOLOGIE

1943 : capitulation des troupes allemandes de Von Paulus devant Stalingrad ; capitulation des troupes allemandes d'Afrique du Nord ; débarquement des Alliés en Sicile.
1944 : débarquement des Alliés en Normandie.
1945 : **(février)** Anglais et Américains bombardent Dresde ; **(avril)** jonction des troupes américaines et soviétiques à Torgau, sur l'Elbe ; **(mai)** capitulation de l'Allemagne ; **(août)** bombes atomiques lancées par les Américains sur Hiroshima et Nagasaki ; **(septembre)** capitulation japonaise.

LIRE AUSSI DEUXIÈME GUERRE MONDIALE (DE 1939 À 1942 ; BILAN) ; FRANCE (1939-1945).

DEUXIÈME GUERRE MONDIALE

(BILAN)

À la fin de la Seconde Guerre mondiale, l'Europe est ruinée et dévastée ; parmi les vainqueurs, les États-Unis et l'URSS sont en position de force pour redessiner le visage de l'Europe et préparer la paix.

LE BILAN HUMAIN ET ÉCONOMIQUE

> *L'Europe a payé le plus lourd tribut à la guerre la plus destructrice et la plus meurtrière de son histoire.*

Le bilan démographique

La Deuxième Guerre mondiale a fait environ 50 millions de morts, soit 5 fois plus que la première, jugée déjà très meurtrière. Certains pays comme l'URSS (20 millions), la Chine (6 à 8 millions), l'Allemagne (5 millions), la Pologne (5,8 millions soit 20 % de la population), ont été particulièrement touchés. Fait nouveau, les victimes civiles ont souvent été plus nombreuses que les militaires (96 % en Pologne) : le bombardements des villes, les déportations, les famines sont responsables de ce déséquilibre. La diaspora juive en Europe a été exterminée à 75 % (6 millions de morts au minimum). Parmi les survivants, les blessés, les rescapés des camps de la mort restent à jamais marqués dans leur corps et leur esprit. Enfin, les privations, les déplacements de population, les épidémies entretiennent un mauvais état sanitaire longtemps après la guerre, notamment chez les enfants. En revanche, les recherches scientifiques impulsées par la guerre ont permis la mise au point de nouveaux médicaments, par exemple les antibiotiques (pénicilline).

Les séquelles matérielles et économiques

Là encore, le bilan est plus lourd que pour la Première Guerre mondiale, à cause des bombardements. La

Pologne, l'Allemagne, la France, l'Ouest de l'URSS, l'Angleterre, le Japon, le Nord de la Chine doivent partiellement être reconstruits. Les villes et les centres industriels sont inégalement touchés : relativement épargnés en Allemagne, ils sont réduits à néant en Pologne ou dans la Russie occidentale ; les réseaux de transport ont particulièrement souffert.

Dans tous les pays en guerre, l'économie dirigée vers la production militaire doit se reconvertir. Les biens de consommation, les produits alimentaires manquent ou ne sont pas acheminés faute de moyens de transport. La pénurie et le rationnement rendent la vie quotidienne difficile, à peine meilleure que pendant la guerre. Les emprunts utilisés pour financer les énormes dépenses militaires grèvent les budgets nationaux confrontés aux coûts de la reconstruction et créent une forte inflation. Les États-Unis, qui n'ont pas subi la guerre sur leur sol, et surtout les dominions anglais (Canada, Australie, etc.) ont vu en revanche leur économie stimulée par la demande européenne.

Le choc moral

La guerre a transgressé des règles qu'on pensait infranchissables, et suscité une nouvelle réflexion morale à la hauteur de ces nouveaux enjeux :

– Les méthodes utilisées par les occupants vis-à-vis des occupés (pillages, massacres, tortures, fusillades d'otages, etc.), et surtout la découverte des camps de concentration, de l'ampleur du génocide et de son aspect systématique a créé un choc moral dans le monde. S'affrontent les partisans d'une épuration sévère et ceux qui prêchent la réconciliation pour des raisons pratiques. En 1946, le procès de Nuremberg, organisé par les vainqueurs, permet le jugement, au nom de la notion nouvelle de « crime contre l'humanité », d'une vingtaine de responsables nazis qui n'ont pas réussi à s'enfuir ; douze sont condamnés à mort et exécutés.

– La bombe atomique utilisée pour la première fois contre le Japon à la fin de la guerre met entre les mains de ses détenteurs éventuels un pouvoir de destruction inconnu jusqu'à ce jour. Une troisième guerre mondiale paraît devoir être fatale à l'humanité.

LA RÉSOLUTION DU CONFLIT

De Yalta à Potsdam

La paix a fait l'objet de négociations avant même d'être obtenue par les armes.

À Yalta (Crimée), en février 1945, Churchill, Roosevelt et Staline se sont déjà rencontrés pour évoquer le sort du monde après la guerre. En dépit d'un climat cordial, des divergences sont apparues : Staline veut agrandir son territoire et renforcer sa position dans l'Est de l'Europe ; Churchill, méfiant, cherche à contenir la poussée soviétique et se préoccupe du maintien des colonies dans l'empire britannique ; Roosevelt, qui tente de concilier les points de vue, est favorable à une décolonisation accélérée et préconise la création d'une Organisation des Nations unies pour remplacer la SDN, inefficace.

> **La construction de la paix se fait principalement au bénéfice de l'URSS.**

La deuxième rencontre importante a lieu à Potsdam (Allemagne), en juillet 1945, après la capitulation allemande. Attlee a remplacé Churchill, battu aux élections, et Truman a succédé à Roosevelt, mort en avril. Les divergences se sont accentuées, créant un climat de tension : les traités de paix sont repoussés, faute d'un accord immédiat. Sont toutefois acquis le principe de l'occupation conjointe de l'Allemagne, de sa dénazification et de sa démilitarisation, ainsi que celui de réparations plus élevées accordées à l'URSS.

Le traité de Paris (février 1947)

Le remaniement des frontières européennes et asiatiques fait l'objet de longues négociations pendant l'année 1946, qui aboutissent en février 1947. L'URSS en est la grande bénéficiaire : non seulement elle récupère les régions occidentales cédées à l'issue de la guerre civile en 1921 (Pays baltes, Bessarabie, Bukovine), mais elle annexe une partie de la Prusse orientale, de la Finlande, de la Roumanie. La Pologne, lésée par ces nouvelles frontières, se voit offrir en compensation le reste de la Prusse-orientale et étend sa frontière vers l'Ouest aux dépens de l'Allemagne jusqu'à la ligne Oder-Neisse ; à l'issue de ces partages, de gigantesques transferts de population jettent sur les routes européennes les minorités désireuses de gagner leur pays

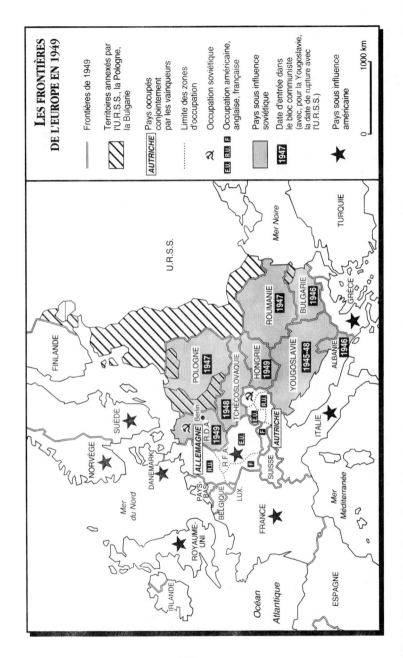

LES FRONTIÈRES DE L'EUROPE EN 1949

Frontières de 1949

Territoires annexés par l'U.R.S.S., la Pologne, la Bulgarie

AUTRICHE Pays occupés conjointement par les vainqueurs

Limite des zones d'occupation

Occupation soviétique

E.U. R.U. F Occupation américaine, anglaise, française

Pays sous influence soviétique

1947 Date d'entrée dans le bloc communiste (avec, pour la Yougoslavie, la date de rupture avec l'U.R.S.S.)

Pays sous influence américaine

0   1000 km

U.R.S.S.

FINLANDE

SUÈDE

NORVÈGE

DANEMARK

PAYS-BAS

BELGIQUE

LUX.

ROYAUME-UNI

IRLANDE

Océan Atlantique

Mer du Nord

FRANCE

ESPAGNE

Mer Méditerranée

SUISSE

AUTRICHE

F

E.U.

R.U.

ITALIE

ALLEMAGNE Berlin

R.D.A. 1949

R.F.A.

R.U.

E.U.

POLOGNE 1947

TCHÉCOSLOVAQUIE 1948

HONGRIE 1949

YOUGOSLAVIE 1945-48

ROUMANIE 1947

BULGARIE 1946

ALBANIE 1946

GRÈCE

TURQUIE

Mer Noire

d'adoption. Le sort de l'Allemagne, divisée en quatre zones d'occupation (anglaise, américaine, française et soviétique) reste en suspens. L'Italie doit céder des territoires à la Grèce et à la Yougoslavie. En Orient, le Japon abandonne une partie de ses possessions territoriales à l'URSS, ses îles du Pacifique aux États-Unis et restitue la Mandchourie à la Chine ; la Corée est occupée au Nord par les Soviétiques, au Sud par les Américains. En Afrique, les colonies italiennes (Éthiopie, Libye, Somalie) accèdent à l'indépendance.

L'Organisation des Nations unies

L'Organisation des Nations unies est un projet cher à Roosevelt, dont le principe a été accepté par les Alliés à Yalta. Elle voit le jour en juin 1945, lors de la conférence de San Francisco. Signée par 50 États, la charte de l'ONU prévoit la tenue annuelle d'une Assemblée générale des pays membres, votant des résolutions générales et indicatives, destinées à assurer la paix dans le monde ; le Conseil de sécurité, formé de onze membres et chargé de l'exécutif, est noyauté par les cinq membres permanents (Chine, États-Unis, France, Royaume-Uni, URSS) qui disposent d'un droit de veto sur les résolutions impératives décidées par le Conseil. Diverses instances de développement et de coopération mondiales complètent le dispositif ; enfin, contrairement à la SDN dont l'impuissance s'était révélée tragique, l'ONU se dote d'une force armée.

DE NOUVEAUX RAPPORTS DE FORCE

◀━━━

L'émergence des deux Grands

Face à une Europe durablement affaiblie et déchirée entre vainqueurs et vaincus, la guerre a permis l'émergence des deux « Grands ».

Les États-Unis confortent leur position de force acquise après la Première Guerre mondiale : leur supériorité économique, leur position de créanciers vis-à-vis du reste du monde, le dollar devenu monnaie étalon par les accords de

> *Le monde est dominé par les principaux vainqueurs, États-Unis et URSS.*
> ◀━━━

Bretton Woods en 1944, le prestige moral que leur a conféré leur intervention décisive pour la victoire et la possession de la bombe atomique leur donnent une voix prépondérante dans le règlement de la paix.

LES ACCORDS DE BRETTON WOODS

La conférence de Bretton Woods fournit l'occasion aux Américains, détenteurs des quatre cinquièmes du stock d'or mondial, de faire triompher leur projet de système monétaire international. Seul le dollar est convertible en or et peut constituer, avec lui, une monnaie de réserve pour les banques centrales. Le dollar devient donc la monnaie de référence dans les changes, détrônant la livre.

L'URSS, tenue à l'écart depuis les révolutions russes, se trouve réhabilitée après la guerre ; la sympathie suscitée par les millions de victimes du nazisme, le rôle de l'Armée rouge qui a infligé aux nazis leur première défaite à Stalingrad, qui a libéré les trois quarts de l'Europe et qui reste encore stationnée dans les pays de l'Europe de l'Est lui donnent de fait une position dominante en Europe.

L'Europe en déclin

L'Europe accentue le déclin amorcé à l'issue de la Grande guerre : le Royaume-Uni, auréolé de sa résistance victorieuse, est ruiné ; à l'ampleur des destructions s'ajoute, dans le cas de la France, le discrédit d'un pays qui a partiellement collaboré. Alors que l'Europe centrale et orientale est dominée, militairement et politiquement par les Soviétiques qui ont contribué à sa libération et à la mise en place de gouvernements communistes, l'Europe occidentale est attirée dans la sphère idéologique et économique des États-Unis : l'Europe apparaît donc virtuellement déchirée entre des forces qui la dépassent.

Les colonies, discrètement soutenues par les États-Unis et l'URSS, et dont la participation à la victoire a été importante, affirment plus fort que jamais leur désir d'indépendance face à l'Europe affaiblie.

En 1945, le monde a retrouvé la paix mais elle dépend désormais de la bonne entente entre les deux Grands : l'URSS a accédé au rang de grande puissance politique et manifesté ses ambitions sur l'Europe. Celle-ci, affaiblie, ne peut plus prétendre à un arbitrage.

CHRONOLOGIE

Février 1945 : Churchill, Roosevelt et Staline évoquent à Yalta les conditions de la paix future.

Mai 1945 : capitulation allemande.

Juin 1945 : création de l'ONU.

Juillet 1945 : deuxième rencontre des Alliés sur le règlement de la paix, à Potsdam.

Septembre 1945 : capitulation japonaise.

Novembre 1945-octobre 1946 : procès de Nuremberg jugeant les criminels nazis.

Février 1947 : traité de Paris dessinant les nouvelles frontières de l'Europe.

LIRE AUSSI **DEUXIÈME GUERRE MONDIALE (DE 1943 À 1945) ; RELATIONS INTERNATIONALES (1945-1962) ; ÉTATS-UNIS (1945-1964) ; URSS (1945-1985) ; ORGANISATIONS INTERNATIONALES (DEPUIS 1945) ; ALLEMAGNE (DEPUIS 1945).**

ÉCONOMIE

(ANNÉES 20)

Alors que la guerre a ruiné l'Europe, elle a permis aux économies des États-Unis, du Japon ou des pays dépendants (colonies, Amérique latine) de se renforcer. Après la guerre, le monde connaît quelques années de difficultés économiques, qui précèdent une période de forte expansion.

LES PROBLÈMES ÉCONOMIQUES DE L'APRÈS-GUERRE

Dans l'immédiat après-guerre, le monde souffre de l'inflation, du désordre monétaire et des crises économiques.

Une forte inflation

L'inflation est née de la Première Guerre mondiale : pour financer le coût énorme de celle-ci, il a fallu faire tourner la planche à billets. Après la guerre, les lourdes charges de la reconstruction, les pensions aux victimes, le remboursement des emprunts (France, Grande-Bretagne) ou le paiement des réparations (Allemagne) entretiennent le gonflement de la masse monétaire. La hausse des prix est alors très rapide, amplifiée par le déséquilibre entre une forte demande de biens de consommation (après des années de frustration) et une offre faible.

La plupart des pays touchés par l'inflation cherchent à la réduire en engageant des politiques déflationnistes (augmentation des impôts, diminution des dépenses de l'État). Ils y parviennent, mais difficilement, dans la première moitié des années 20.

Les désordres monétaires

Au début du XXe siècle s'était mis en place le système d'étalon-or universel ou *Gold Standard* : chaque monnaie était convertible en or, ce qui entraînait des taux de change fixes entre les monnaies. La guerre désorganise ce système.

En faisant fonctionner la planche à billet, l'État augmente la masse monétaire qui devient supérieure à l'encaisse-or du pays : la valeur de la monnaie n'est plus garantie alors par un poids d'or fixe (sauf le dollar, parce que les États-Unis ont d'importantes réserves en or) et « flotte » au gré des bourrasques. Les taux de change deviennent variables, ce qui rend les échanges mondiaux plus difficiles.

En 1922, la conférence de Gênes, qui réunit toutes les puissances européennes, y compris l'Allemagne et l'URSS, tente de réorganiser le système monétaire international. Les États s'accordent pour essayer de revenir soit à la convertibilité-or (cela sera rapidement le cas de la livre sterling), soit à la convertibilité en devises, elles-mêmes convertibles en or si leurs réserves en métal précieux sont insuffisantes. Le *Gold Exchange Standard* remplace le *Gold Standard.*

Les crises économiques

En Europe centrale et orientale, la création de nouveaux États entraîne la rupture des circuits économiques traditionnels : c'est ainsi que le charbon de Bohême et de Moravie ne parvient plus à Vienne, paralysant les industries de la capitale autrichienne... En Russie, la guerre civile, l'intervention des armées étrangères, puis la collectivisation forcée (le communisme de guerre) rendent l'économie exsangue.

Après une longue période de croissance, les États-Unis subissent une courte mais grave crise économique en 1920-21 qui se traduit par une baisse de la production manufacturière. Cette dernière n'est pas seulement liée à la politique déflationniste menée par le gouvernement et à la réduction de la consommation qui en découle. Elle est surtout due à la réduction des commandes européennes, conséquence de la reprise de la production sur le vieux continent et de la restriction des crédits proposés par les États-Unis à l'Europe. Les exportations américaines chutent, le chômage se développe, entraînant une nouvelle réduction de la consommation.

Les pays fortement dépendants des États-Unis pour leurs exportations, comme le Japon ou le Royaume-Uni, sont touchés peu après.

LA CROISSANCE ÉCONOMIQUE DES ANNÉES 20

> À partir de 1922, les États-Unis et le monde connaissent une croissance économique rapide, liée à la « seconde révolution industrielle ».

La croissance aux États-Unis...

À partir de 1922, plusieurs facteurs contribuent à l'essor de la production, notamment industrielle, aux États-Unis :

– Les capitaux sont abondants. Ils proviennent des excédents de la balance commerciale pendant et après la guerre, mais aussi du remboursement partiel des dettes européennes ou des placements à l'étranger.

– Le mouvement de concentration des entreprises, amorcé avant la Première Guerre mondiale, se confirme. Qu'elle soit horizontale ou verticale, la concentration donne aux nouvelles entreprises géantes les moyens d'investir. Parfois ces dernières s'associent dans des ententes temporaires appelées cartels.

– Les grandes entreprises se lancent dans la standardisation (fabrication d'une grande quantité d'objets tous identiques), pratiquent le travail à la chaîne selon le système élaboré par Taylor (spécialisation des ouvriers dans un petit nombre de gestes sur des objets qui sont amenés mécaniquement devant eux), et financent la recherche destinée à

LA CROISSANCE INDUSTRIELLE DES ÉTATS-UNIS

	Production industrielle (indice 100 : moyenne 1933-1939)	Revenu national (en milliards de dollars)	Revenu/habitant (en dollars)
1921	58	59,4	522
1922	73	60,7	553
1923	88	71,6	634
1924	82	72,1	633
1925	90	76	644
1926	96	81,6	678
1927	95	80,1	674
1928	99	81,7	676
1929	110	87,2	716

découvrir de nouveaux produits, ce qui entraîne des gains de productivité importants.

– La consommation se développe. Elle est due à l'augmentation des salaires mais surtout à la généralisation de la vente à crédit et de la publicité, ainsi qu'à l'apparition des chaînes de magasins « à succursales multiples ».

– Enfin, l'adoption du libéralisme économique favorise les affaires ; c'est le temps de « l'argent-roi ».

● **... et dans le reste du monde**

Les pays industrialisés, comme la France, l'Allemagne, ou le Japon n'entrent pas encore pleinement, contrairement aux États-Unis, dans l'ère de la production et de la consommation de masse. Mais leur croissance n'en est pas moins forte, liée non seulement à la concentration des entreprises, à l'introduction des nouvelles méthodes de travail... mais aussi à la prospérité américaine (capitaux américains placés en Allemagne, importation de produits japonais ou européens par les États-Unis....). Le Royaume-Uni, dont l'industrie est de moins en moins compétitive, connaît en revanche de graves difficultés.

Les pays latino-américains, ainsi que les colonies européennes, profitent de la forte demande de matières premières de la part des pays riches. Des investisseurs américains ou européens se lancent dans l'agriculture commerciale, les mines et les hydrocarbures, les transports... Dans les dominions britanniques, au Brésil et en Argentine, et dans une moindre mesure en Inde et en Chine, apparaissent une industrie et une bourgeoisie locale.

En Europe méditerranéenne ou orientale, l'industrie se développe. De son côté, la Russie bolchevique – qui engage la NEP en 1921 – connaît un redressement économique rapide.

● **L'épanouissement
de la « seconde révolution industrielle »**

Au cours des années 20, la production agricole augmente, mais la demande de produits alimentaires est peu élastique et une tendance à la surproduction se fait jour. Par ailleurs, les industries de la « première révolution industrielle » sont peu dynamiques, qu'il s'agisse de l'industrie textile (l'industrie cotonnière connaît un certain développement, mais subit la concurrence des fibres artificielles, et sa production se développe au détriment de l'industrie du lin ou de la laine), de l'industrie liée au rail, de la sidérurgie ou de la construction navale. Le charbon ne dépasse qu'en 1926 son niveau de production de 1913.

En revanche, l'essor des industries de la « seconde révolution industrielle » est considérable, qu'il s'agisse de l'industrie automobile (surtout) et aéronautique, de l'industrie chimique (qui produit des pneumatiques, du bitume, de la rayonne, ou des produits pharmaceutiques et photographiques), de l'industrie de l'aluminium (stimulée par la construction aéronautique) ou des industries électriques (qui se consacrent à la fabrication de postes téléphoniques, de réchauds électriques, de réfrigérateurs ou de radios...) De nouvelles sources d'énergie comme le pétrole ou l'électricité s'imposent.

Au cours des années 20, la croissance économique est forte, surtout aux États-Unis, qui prennent un avantage de plus sur l'Europe. Mais la prospérité est éphémère : en 1929 se déclenche la plus grave crise économique de l'histoire du monde industrialisé.

CHRONOLOGIE

1919 : année de très forte inflation dans les pays qui ont participé à la guerre ; flottement des monnaies qui, hormis le dollar, ne sont plus convertibles en or.

1920-1921 : crise de surproduction dans certains pays industrialisés (États-Unis, Royaume-Uni, Japon...).

1922 : début de la prospérité économique aux États-Unis ; conférence de Gênes visant à réorganiser le système monétaire international.

1924 : création d'une nouvelle monnaie en Allemagne, le reichsmark, définie par rapport à l'étalon-or ; début de stabilisation des prix en Allemagne et en Angleterre.

1925 : rétablissement en Angleterre de la convertibilité-or de la livre à son niveau de 1914.

1928 : création du « franc Poincaré » en France, défini par rapport à l'étalon-or.

LIRE AUSSI ÉCONOMIE (ANNÉES 30).

ÉCONOMIE

(ANNÉES 30)

La crise de 1929 est l'événement majeur de la première moitié du XXᵉ siècle. Elle est exceptionnelle par son ampleur, sa durée, ses effets. Contre ce cataclysme sans précédent, la politique libérale semble inefficace.

LE DÉCLENCHEMENT DE LA CRISE AUX ÉTATS-UNIS

La crise se déclenche aux États-Unis en octobre 1929. Elle débute par un krach boursier qui se mue en crise économique.

Une économie fragile

Aux États-Unis, les difficultés s'annoncent à partir de 1927.

En effet, la consommation a tendance à stagner :

– Les agriculteurs souffrent de la baisse des prix agricoles, liée à un début de surproduction, alors que le coût des machines continue d'augmenter (crise des ciseaux). Leurs revenus diminuent et ils s'endettent. C'est une masse de consommateurs (ils forment encore le tiers de la population active) qui achète de plus en plus difficilement.

– Les salariés n'ont certes pas à se plaindre. Mais leurs salaires ont augmenté finalement assez peu au cours des années 20 (autour de 17 % en moyenne de 1919 à 1929) et leurs achats reposent en grande partie sur des emprunts qu'il faut bien rembourser.

– Enfin, nombre de besoins sont déjà comblés ; en 1929, l'automobile, les produits électro-ménagers, la radio sont très répandus. Que consommer de nouveau ?

Alors que le marché commence à être saturé, la production continue de s'accroître, surtout dans les secteurs de la seconde révolution industrielle (industrie automobile, industrie du matériel électrique...). Le déséquilibre entre production et consommation apparaît. Au début de 1929, les stocks s'accumulent.

Du krach boursier à la crise

De 1924 à 1926, le cours des actions augmente. Ce mouvement est justifié par la prospérité des grandes entreprises. À partir de 1926, les spéculateurs, attirés par la perspective de gains rapides et d'autant plus faciles à obtenir qu'il est possible d'acheter des actions à crédit, multiplient leurs achats. La hausse est désormais sans rapport avec l'évolution réelle de la valeur des entreprises, ce qui fait planer la menace d'une grave crise boursière.

En octobre 1929, les actionnaires avisés revendent leurs titres les plus douteux. Ces décisions inquiètent les petits porteurs (6 % des Américains détiennent des actions). Les ordres de vente s'amplifient et prennent un tour catastrophique à la séance du 24 octobre. C'est le jeudi noir (ou « krach de Wall Street ») ; les cours s'effondrent.

Le système de crédit s'écroule. En effet, les petits actionnaires, qui comptaient sur les gains boursiers, ne peuvent plus honorer leurs traites aux banques, qui ont par ailleurs engagé et perdu des fonds à Wall Street. Menacées de faillite, à court de liquidités, les banques restreignent leurs prêts. On assiste alors à une chute brutale de la demande intérieure qui rompt un équilibre économique déjà très fragile. La surproduction devient considérable, entraînant la faillite de nombreuses entreprises, une montée du chômage et une nouvelle baisse de la consommation. Le cycle infernal de la crise est engagé.

UNE CRISE DE GRANDE AMPLEUR

> La crise, désormais mondiale, est particulièrement dramatique.

Elle est étendue à l'ensemble du monde

Comme aux États-Unis, les économies des pays industriels connaissent le malaise agricole et le surinvestissement dans les activités de la seconde révolution industrielle. La dépression aux États-Unis renforce une crise de surproduction latente.

Les banques américaines qui avaient prêté de l'argent à l'étranger s'efforcent de rapatrier leurs capitaux pour reconstituer leur assise financière, provoquant du même

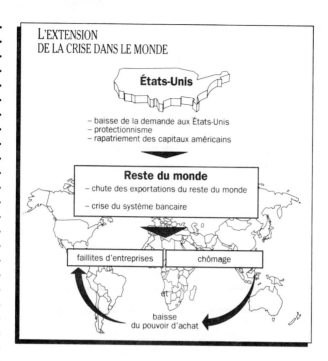

L'EXTENSION
DE LA CRISE DANS LE MONDE

États-Unis

– baisse de la demande aux États-Unis
– protectionnisme
– rapatriement des capitaux américains

Reste du monde
– chute des exportations du reste du monde

– crise du système bancaire

faillites d'entreprises — chômage

baisse
du pouvoir d'achat

coup la faillite des banques autrichiennes et allemandes qui en avaient le plus bénéficié, et qui avaient souvent placé ces derniers à long terme. L'Europe souffre par ailleurs de la diminution de la demande aux États-Unis et de la fermeture du marché américain (renforcement du protectionnisme par le tarif Hawley-Smooth de 1930) qui affectent particulièrement ses exportations.

L'Autriche, l'Allemagne et le Japon sont les premiers atteints, suivis du Royaume-Uni... La France, moins ouverte sur l'extérieur et peu dépendante des capitaux américains, est touchée plus tardivement (mais plus longtemps). Les pays peu développés sont quant à eux gravement lésés par la baisse des prix des matières premières dont la vente constituait souvent leur unique source de revenus. Seule l'URSS, qui est coupée du commerce et des échanges de capitaux mondiaux et qui dispose par ailleurs d'une économie planifiée, ne connaît pas la crise.

● *Elle est dramatique*
   La crise est d'une ampleur considérable.
   Tout d'abord dans le domaine économique et financier.
   Entre 1929 et 1933, aux États-Unis, les prix de gros chutent
   de 42 % et les prix de détail de 18,5 %.
   Presque partout la production recule.

LE RECUL DE LA PRODUCTION INDUSTRIELLE

(indice 100 en 1929)

	1930	1932	1937
États-Unis	81	54	92
Allemagne	88	58	116
Royaume-Uni	92	83	124
France	100	77	83
URSS	131	183	424

   Le commerce international s'affaisse : la valeur des
échanges internationaux est divisée par trois entre 1929 et
1933. La diminution des rentrées d'argent donne naissance à
d'importants déficits budgétaires.
   Ensuite dans le domaine social : en 1932, le chômage
représente de 15 à 25 % des actifs selon les pays (25 % aux
États-Unis, avec 12 millions de chômeurs), sans tenir
compte du chômage partiel, les chômeurs ne recevant souvent aucune indemnité. Les agriculteurs ne peuvent plus
écouler leur production ; aux États-Unis, ils sont dans
l'impossibilité de rembourser leurs dettes aux banques qui
mettent alors en vente les terres qu'elles détiennent en
garantie : ils migrent vers les villes et dans certaines régions
comme la Californie. Partout, la nuptialité et la natalité
régressent, la violence se développe.
   La misère provoque une grande colère contre les gouvernements rendus responsables de la crise : les manifestations (« les marches de la faim ») se succèdent pour exiger
une aide de l'État. À la confiance des années 1920-29, succède une profonde méfiance à l'égard du libéralisme économique et du régime démocratique.

114

LA LUTTE CONTRE LA CRISE

La politique de type libéral

Selon les libéraux, l'activité doit repartir d'elle-même : la baisse des prix des matières premières et des machines, des salaires (résultant de l'augmentation du chômage) et des taux d'intérêt (les banques ne trouvent personne à qui prêter et les taux d'intérêt diminuent donc automatiquement), la concentration des entreprises (les plus petites d'entre elles ne résistent pas à la crise et sont absorbées par les plus grandes), tout pousse au redémarrage économique à court ou moyen terme. Pour les libéraux, l'État n'a qu'à rétablir l'équilibre budgétaire (en diminuant les dépenses publiques) et faire accepter les baisses de salaires nécessaires à la réduction des coûts de production des entreprises.

> *À la politique anti-crise de type libéral, inefficace, succèdent des politiques de relance, de type keynésien ou de type fasciste.*

Ces politiques libérales, dites de déflation, sont souvent mises en œuvre au début de la crise. Elles échouent parce que les marchés extérieurs sont engorgés et parce qu'elles laminent encore davantage le pouvoir d'achat intérieur. La mise en place, à partir de 1930, d'un sévère protectionnisme n'y changera rien.

La politique de type keynésien

La politique anti-crise qui passe par l'intervention de l'État sera théorisée en 1936 par l'économiste anglais J.M. Keynes dans *La Théorie générale de l'emploi, de l'intérêt et de la monnaie*. Selon ce dernier, la reprise de l'activité dépend surtout de l'importance de la consommation. L'État doit donc mener une politique de grands travaux (susceptible de fournir du travail), verser des allocations-chômage, fixer un salaire minimal de manière à relancer le pouvoir d'achat. Il faut accepter le déficit budgétaire comme un mal passager et ne pas hésiter à dévaluer la monnaie, si nécessaire, pour faciliter les exportations.

À partir de 1933, dans de nombreux pays, l'État prend des mesures allant dans cette direction. Mais la reprise est modérée et le déséquilibre du budget devient considérable (États-Unis du New-Deal, France du Front populaire...).

● **La politique de type fasciste**

Dans les pays fascistes ou fascisants, l'État lance aussi une politique de grands travaux mais assure surtout la reprise par un réarmement actif. Par ailleurs, il met les syndicats au pas et fait accepter aux salariés des baisses substantielles de leurs salaires, ce qui permet aux entreprises d'augmenter fortement leurs profits.

Pour le réarmement, il faut des matières premières, dont ne disposent pas toujours les États fascistes. Ces derniers engagent alors des politiques d'expansion, qui permettent en outre de trouver des débouchés pour les exportations, d'utiliser les armes produites en quantité et de trouver une solution aux problèmes budgétaires (Allemagne nazie, Italie fasciste, Japon).

À la fin des années 30, l'État intervient nettement dans l'économie, sans remettre pourtant en cause le système capitaliste, et un peu partout la reprise est amorcée. Mais celle-ci est fortement liée au réarmement, et la guerre apparaît comme le moyen ultime de la résoudre.

CHRONOLOGIE

1929 : krach à la bourse de New York (Wall Street).

1930 : renforcement du protectionnisme aux États-Unis par le tarif Hawley-Smooth.

1931 : faillite de la banque autrichienne Kredit Anstalt à Vienne ; dévaluation de la livre sterling et abandon de la convertibilité-or.

1933 : début du New Deal aux États-Unis.

1934 : dévaluation du dollar.

1935 : décrets-lois déflationnistes de Laval en France.

1936 : dévaluations en France, Pays-Bas, Suisse, Italie.

LIRE AUSSI ÉCONOMIE (ANNÉES 20) ; ÉTATS-UNIS DU NEW-DEAL ; EMPIRES COLONIAUX ; FRANCE (ANNÉES 30) ; ITALIE FASCISTE ; ROYAUME-UNI (1919 À 1939) ; JAPON (AVANT 1945) ; ALLEMAGNE NAZIE.

ÉCONOMIE

(1945-1973)

Les relations économiques internationales ont été profondément bouleversées par la Deuxième Guerre mondiale. L'Europe est à reconstruire, tandis que s'affirment deux grandes puissances, les États-Unis et l'URSS. À partir de 1945, le monde entier va connaître une croissance exceptionnelle, mais inégalement répartie. La forte croissance des pays riches (notamment les « miracles » japonais et allemand) contraste avec la quasi-stagnation des pays sous-développés.

LES FACTEURS NOUVEAUX DE LA CROISSANCE

Plus d'hommes et plus d'argent

Les vingt années de l'après-guerre sont marquées par le baby boom des pays développés, qui se caractérise par une forte natalité (20 ‰) et un recul de la mortalité, surtout infantile. Cet essor démographique accroît le marché de consommation dès les années 50, ainsi que la population active dans les années 60. De même, l'investissement augmente dans tous les secteurs. Au Japon par exemple, les capitaux investis dans l'économie représentent près d'un tiers des ressources nationales. Ces investissements massifs financent les innovations, d'où une accélération de la productivité.

> *L'expansion démographique, l'essor des investissements publics et privés, ainsi que la mondialisation des échanges, stimulent la croissance.*

L'intervention massive de l'État

L'intervention des pouvoirs publics devient un facteur déterminant dans la croissance, non seulement dans les pays communistes (étatisation, planification) mais aussi dans les pays libéraux. La France, l'Italie, le Royaume-Uni, les pays scandinaves développent un important secteur public, notamment dans l'énergie (Charbonnages de France,

1946 ; Office national des hydrocarbures italiens, 1953), les transports et le crédit (nationalisations de la Banque de France et de la Banque d'Angleterre en 1945). Même dans les pays où le secteur nationalisé est faible, les dépenses publiques sont essentielles pour l'économie : aux États-Unis, l'augmentation des dépenses militaires pendant la guerre de Corée entraîne une forte accélération de la croissance ; en RFA, les dépenses publiques influent sur 40 % de la production. L'essor de la planification (premier plan français en 1947) et de la protection sociale généralisée (Sécurité sociale en France, *Welfare State* au Royaume-Uni) reflètent le rôle accru de l'État, y compris dans les économies capitalistes.

L'âge du pétrole et des nouvelles technologies

La croissance industrielle repose essentiellement sur l'essor des hydrocarbures, qui fournissent une énergie bon marché et qui supplantent de plus en plus le charbon. Le pétrole représente en 1974 près de 40 % de l'énergie consommée dans le monde, 65 % en Europe et au Japon. Mises en service à partir des années 50, une centaine de centrales nucléaires sont en fonctionnement en 1973, surtout aux États-Unis et au Royaume-Uni. Mais elles ne représentent encore qu'une part marginale de la production énergétique.

Les décennies de l'après-guerre sont marquées par l'explosion des progrès scientifiques et techniques, qui améliorent la productivité des entreprises. La compétition technico-militaire entre les deux Grands accélère ce processus, notamment dans le domaine nucléaire ou aérospatial. L'invention du transistor en 1948 permet de mettre au point la deuxième génération des ordinateurs, suivie par une troisième en 1965, grâce aux circuits intégrés, et par une quatrième en 1971, grâce aux micro-processeurs. Les découvertes de la chimie et de la biologie moléculaire s'appliquent dans le domaine industriel.

La concentration et la multinationalisation

La croissance de l'après-guerre s'appuie sur une concentration industrielle et financière accélérée : aux États-Unis, les 500 plus grosses entreprises emploient les trois quarts des salariés et réalisent quatre cinquièmes des bénéfices en 1970. Quelques entreprises se partagent tel ou tel secteur productif : General Motors, Ford et Chrysler produisent 95 % des automobiles américaines en 1970. D'autres se transforment en conglomérats financiers, groupes à activités multiples : *holdings* aux États-Unis, *Konzerne* en RFA, *zaikai* au Japon.

Contrôlant les marchés nationaux, les groupes importants, notamment américains, s'implantent sur le marché international, installent leurs filiales, leur usines et investissent à l'étranger, où ils bénéficient souvent d'une main-d'œuvre à moindre coût. En 1970, la production de ces multinationales représente 20 % du PNB des pays capitalistes.

La mondialisation des échanges

La modernisation et la baisse des coûts de transports est vitale pour l'essor des échanges et pour l'unification du marché international. Dans le domaine aéronautique, apparaissent les avions à réaction (Caravelle en 1955), les nouveaux longs courriers à forte capacité de transport (Boeing 747 en 1970), puis les jets supersoniques (Concorde en 1972). Les chantiers navals lancent des superpétroliers de 500 000 tonnes et des porte-conteneurs, qui transforment complètement l'organisation des ports. Les transports terrestres connaissent aussi de rapides progrès, avec la généralisation de l'automobile, l'extension du réseau autoroutier, l'électrification des trains à grande vitesse.

La révolution des transports permet de développer le commerce international. À partir de 1948, un effort d'abaissement des barrières douanières est tenté avec le GATT (Accord général sur les tarifs douaniers et le commerce signé par 23 pays en octobre 1947), mais il n'aboutit vraiment que dans les années 60, avec le *Kennedy Round* (négociation sur la baisse des tarifs entre l'Europe et les États-Unis, de 1963 à 1967). La suppression des droits de douane au sein du Marché commun est appliquée entre 1968 et 1972.

UNE CROISSANCE SANS PRÉCÉDENT

La croissance est rapide, mais très inégalement répartie.

Une croissance forte mais inégale

Entre 1950 et 1970, le PNB (produit national brut) mondial est multiplié par 2,7, soit un taux de croissance moyen de 5 % par an. Des ralentissements se font sentir en 1948-1949, en 1957-1958 et en 1967-1968, mais la croissance mondiale est constante, et ne subit aucune période de récession. Elle est toutefois très mal partagée : six pays (États-Unis, URSS, Japon, RFA, France, Royaume-Uni) réalisent en 1970 les deux tiers du produit mondial. Dans de nombreux pays sous-développés d'Amérique latine, d'Afrique et d'Asie, la croissance n'est pas suffisante pour soutenir l'explosion démographique. Le produit brut par habitant stagne, voire régresse. Les besoins élémentaires de nutrition et de santé ne sont pas assurés. En fait, la croissance des années 1945-1973 creuse les inégalités entre pays riches et pays pauvres.

● **Le déclin britannique et l'avènement des deux Grands**

De tous les pays occidentaux, le Royaume-Uni connaît le taux de croissance le plus faible (2,8 % par an de 1950 à 1970) et le plus irrégulier. La première puissance économique du XIXe siècle se retrouve en 1970 au sixième rang mondial, loin derrière les deux Grands.

L'URSS, très affaiblie par la Deuxième Guerre mondiale, réalise un taux de croissance très largement supérieur à la moyenne mondiale : son PNB est multiplié par 4 entre 1950 et 1970, ce qui l'amène au deuxième rang économique mondial. Cette reconstruction spectaculaire se fait dans le cadre d'une économie collectiviste, d'une planification centralisée, et le développement concerne surtout l'industrie lourde, au détriment des biens de consommation.

Les États-Unis connaissent un taux de croissance inférieur à la moyenne (3,9 %), mais leur avance est telle que les produits japonais, allemand, anglais, français et italien cumulés ne représentent encore que 75 % du PNB américain en 1970. L'économie américaine exerce sur le monde une triple domination commerciale (20 % des exportations mondiales en 1970), financière (la moitié des capitaux investis dans le monde entre 1945 et 1973) et monétaire (étalon-dollar depuis 1944).

● **Des « miracles » économiques**

Certains États connaissent des taux de croissance sans précédent dans leur histoire.

Le Japon réalise un taux de croissance record (11 % par an) entre 1950 et 1970. Plusieurs facteurs l'expliquent : la discipline sociale et la forte productivité du travail ;

l'importance de l'épargne investie dans la production ; la complémentarité entre les grands groupes industriels (les *Zaikai*) et leurs nombreuses PME sous-traitantes, utilisant une main-d'œuvre sous-payée ; le soutien du MITI (ministère de l'Industrie et du Commerce extérieur) ; le dynamisme des sociétés de commerce (les *Sogo Shosha*).

La RFA réalise un taux de croissance moyen de 5,5 % par an entre 1950 et 1970. Elle le doit notamment à la reconstitution des grands cartels *(Konzerne)* et de son puissant appareil productif, à l'aide du plan Marshall, à l'afflux d'une main-d'œuvre réfugiée (11 millions en 1945-46) peu exigeante, à une relative paix sociale, à la stabilité du deutschemark et la force de son commerce extérieur.

L'Italie connaît une forte croissance de 5,4 % par an entre 1950 et 1970. Ses handicaps : la pauvreté en énergie et en matières premières, la faiblesse industrielle du Sud (Mezzogiorno), l'instabilité gouvernementale. Mais elle peut compter sur l'aide américaine, sur une main-d'œuvre bon marché, sur le dynamisme du secteur d'État (Institut pour la reconstruction industrielle, IRI) et des grandes firmes multinationales (Fiat, Olivetti).

La France a une croissance moyenne légèrement moindre de 4,8 % par an entre 1950 et 1970, mais elle atteint, pour les seules années 60, le deuxième taux record derrière celui du Japon. Malgré une pénurie relative de main-d'œuvre (compensée par l'immigration) et la perte de son empire colonial, l'économie française se distingue par un essor industriel remarquable, appuyé sur un gros effort d'investissement, dans le cadre d'une économie mixte et d'une planification originale.

LES BOULEVERSEMENTS DE LA CROISSANCE

◀

Exode rural et dépendance alimentaire

Entre 1945 et 1973, les progrès de l'industrie chimique, de la recherche génétique et de la mécanisation permettent de tripler les rendements agricoles dans les pays développés. Ces gains de productivité se font au prix d'un fort endettement

La croissance exceptionnelle des années 1945-1973 bouleverse les équilibres économiques nationaux et internationaux.

◀

121

paysan, qui provoque de nombreuses faillites. De plus, le remplacement des hommes par les machines entraîne un rapide exode rural, d'où la désertification des zones montagneuses et le regroupement des exploitations. Les actifs agricoles, qui représentaient 12 % de la population active totale en 1950, n'en représentent plus que 4 % en 1973 (13 % en France et 3 % au Royaume-Uni). En revanche, le secteur agro-alimentaire connaît une croissance spectaculaire.

L'écart s'est creusé avec les pays sous-développés : en Afrique noire, notamment, de nombreux États sont incapables d'assurer leur autosuffisance alimentaire ; les pays à forte production sont tournés vers l'exportation, ils dépendent donc de plus en plus de la demande des pays riches.

Inflation et désorganisation du système monétaire international

La forte croissance des économies capitalistes est stimulée par la hausse constante des prix. Contenue jusqu'en 1965, l'inflation s'accélère ensuite, atteignant 4 % par an en France, 4,7 % au Royaume-Uni, et 5,7 % au Japon. L'inflation affaiblit la valeur des devises, notamment le dollar, monnaie de référence et de réserve depuis 1944. Plusieurs pays européens (France, RFA) échangent alors leurs réserves en dollars (eurodollars) contre de l'or, mais la livre sterling britannique est tout de même dévaluée en 1967, de même que le franc en 1969. Afin de freiner l'inflation et de combler le déficit de la balance des paiements américaine, le président Nixon décide alors de suspendre la convertibilité en or du dollar et de surtaxer les importations de 10 % (août 1971) : ce double coup de force contre l'étalon-or et contre la liberté des échanges provoque une grave crise des monnaies européennes (livre sterling et lire italienne), et ce malgré la mise en place du « serpent monétaire européen » en 1972. Pour sauvegarder la suprématie du dollar, les Américains ont plongé les pays industrialisés dans un désordre monétaire et financier, qui marque la fin du système de Bretton Woods.

L'inflation rampante engendrée par la croissance ainsi que la politique menée par les États-Unis ont complètement désorganisé le système monétaire établi à la fin de la guerre. Ces déséquilibres monétaires annoncent de graves difficultés pour l'économie mondiale.

CHRONOLOGIE

1944 : conférence de Bretton Woods : étalon-dollar et création du FMI.

1945 : nationalisations de la Banque de France et de la Banque d'Angleterre ; Sécurité sociale en France.

1946 : nationalisations des transports et de l'énergie en France et au Royaume-Uni.

1947 : premier plan français ; plan Marshall ; accord général sur les tarifs douaniers et le commerce (GATT).

1948 : mise en place du *Welfare State* au Royaume-Uni ; naissance de l'OECE.

1957 : traité de Rome et création du marché commun.

1959 : naissance de l'AELE.

1963 : début des négociations Europe/États-Unis pour la réduction des tarifs douaniers *(Kennedy Round)*.

1968 : suppression des droits de douane à l'intérieur du Marché commun.

1971 : suppression de la convertibilité du dollar marquant la fin du système de Bretton Woods.

1973 : premier choc pétrolier.

LIRE AUSSI ALLEMAGNE (DEPUIS 1945) ; ÉCONOMIE (DEPUIS 1973) ; ÉTATS-UNIS (1945-1964) ; FRANCE (IVᵉ RÉPUBLIQUE) ; ITALIE (DEPUIS 1945) ; JAPON (DEPUIS 1945) ; ROYAUME-UNI (DEPUIS 1945) ; TIERS MONDE ; URSS (1953-1985).

ÉCONOMIE

(DEPUIS 1973)

La croissance rapide et régulière des années 1945-1973 (appelées les « trente glorieuses » par l'économiste Jean Fourastié) est interrompue par le brusque relèvement des prix du pétrole, qui vient se juxtaposer aux déséquilibres monétaires et financiers existant depuis les années 1969-70. À partir de 1974, l'économie mondiale est plongée dans une longue dépression.

LA DÉPRESSION ÉCONOMIQUE

La crise économique apparue en 1973 marque le début d'une longue dépression.

La rupture

Afin de faire pression sur les pays occidentaux soutenant Israël dans la guerre du Kippour (6-25 octobre 1973), l'Organisation des pays arabes exportateurs de pétrole décide de réduire la production de 5 % par mois (octobre 1973) puis de multiplier par deux le prix du baril (décembre 1973). Début 1974, le prix du pétrole a ainsi quadruplé par rapport au prix de l'été 1973. La révolution islamiste iranienne de 1979 provoque un deuxième « choc pétrolier », avec un triplement des prix. Ces deux hausses brutales des coûts énergétiques frappent toute l'économie mondiale.

À partir de 1974, les grands pays capitalistes entrent dans une période de « stagflation » : brusque recul de la production industrielle en 1974 (– 20 % au Japon, – 10 % aux États-Unis et en RFA), puis quasi-stagnation ; accélération spectaculaire de l'inflation, qui dépasse le taux moyen de 10 % à partir de 1974.

Cette récession engendre de nombreuses faillites et une forte hausse du chômage (7 % de la population active aux États-Unis et au Royaume-Uni en 1980). À partir de 1976, elle touche aussi les pays socialistes d'Europe de l'Est. Pour les pays sous-développés, l'alourdissement de la facture

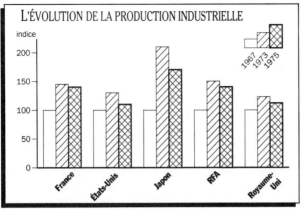

L'ÉVOLUTION DE LA PRODUCTION INDUSTRIELLE

indice

1967 1973 1975

France, États-Unis, Japon, RFA, Royaume-Uni

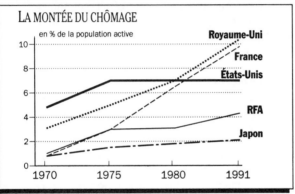

LA MONTÉE DU CHÔMAGE

en % de la population active

Royaume-Uni, France, États-Unis, RFA, Japon

1970 1975 1980 1991

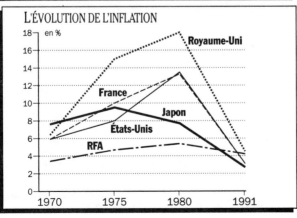

L'ÉVOLUTION DE L'INFLATION

en %

Royaume-Uni, France, Japon, États-Unis, RFA

1970 1975 1980 1991

125

pétrolière est un facteur de grave surendettement : de 1973 à 1983, la dette globale du tiers monde est multipliée par six.

Une croissance ralentie

La crise des années 70 n'est pas une catastrophe comparable à celle des années 30. Malgré le choc pétrolier, la croissance des pays développés se poursuit, à des rythmes plus faibles : de 5 % par an dans les années 60, on passe à 2,5 % de 1973 à 1987. Le pouvoir d'achat des ménages est globalement maintenu. Le commerce international se ralentit, mais il ne s'effondre pas : la croissance annuelle du volume global des exportations passe de 8,5 % dans les années 60 à 5 % dans les années 1973-1980. À partir de 1982, l'inflation est progressivement maîtrisée. Le chômage baisse, notamment aux États-Unis (7 % de la population active en 1991), en RFA (4,3 %) et au Japon (2,1 %). Plus que d'une véritable crise, il faut parler d'une dépression.

Une longue dépression

La réduction des taux d'inflation à partir de 1983, les phases de reprise économique en 1976,1984 et1988 ont laissé espérer la « sortie du tunnel », le retour d'une forte croissance. Mais le krach boursier d'octobre 1987, mettant fin à une forte poussée spéculative de cinq ans, a prouvé la fragilité des équilibres financiers internationaux. Les tensions monétaires internationales, le déclin de l'investissement productif, la faiblesse des gains de productivité et le maintien de taux de chômage élevés montrent que la dépression économique n'est pas terminée.

EXPLIQUER ET COMBATTRE LA CRISE

Aucune politique n'a pu résoudre la crise, car elle résulte de facteurs multiples.

Les explications de la crise

Depuis 1973, la dépression économique a suscité de nombreuses interprétations :

– L'explication immédiate, avancée par les gouvernements occidentaux, a été le double choc pétrolier de 1973 et 1979 : la montée des prix du baril a entraîné une hausse des coûts de production pour les entreprises consommatrices, obligées de se rattraper par une hausse des prix de leurs marchandises et par une pression sur les salaires. D'où une diminution de la consommation intérieure, l'inflation et le chômage. Mais la conjoncture économique était déjà dégradée avant 1973.

– Pour les « monétaristes », l'accident majeur n'est pas la hausse du pétrole mais bien la suspension américaine de la convertibilité du dollar (août 1971), qui a complètement désorganisé le système monétaire international, entraînant des phénomènes d'inflation galopante. Mais l'inflation a été considérablement réduite dans les années 80 (4 % en RFA, 3 % en France et aux États-Unis en 1991), et la crise se poursuit.

– Pour d'autres économistes, la crise marque la fin de toute une époque, c'est-à-dire du modèle de développement « fordiste », fondé sur la forte productivité, le travail à la chaîne et la consommation de masse. Les gains de productivité, qui avaient entretenu la croissance des trente glorieuses, ont fortement diminué à la fin des années 60, du fait de la démotivation des salariés, déresponsabilisés par le système, et de plus en plus sujets à l'absentéisme. Parallèlement, les coûts salariaux s'accroissaient fortement. D'où une réduction des profits industriels, qui s'est répercutée dans la baisse des investissements. En outre, le marché de consommation est arrivé à un taux voisin de la saturation.

– Enfin, pour les historiens du « temps long », la dépression commencée en 1973 s'inscrit dans l'alternance des cycles de croissance et de récession, dont la durée avoisine 25-30 ans, et qui rythment l'évolution économique depuis des siècles : une nouvelle « économie-monde » est en voie de restructuration.

Les réponses à la crise

Depuis 1973, les pays occidentaux ont expérimenté deux types de politiques économiques pour sortir de la crise :

– Des politiques de relance d'inspiration keynésienne ont été tentées au Royaume-Uni par les travaillistes (1974-79), aux États-Unis par le président Carter (1976-79), en France par les gouvernements Chirac (1974-76) et Mauroy (1981-82). Elles ont principalement consisté à augmenter les pres-

ÉCONOMIE
(depuis 1973)

127

tations sociales et le pouvoir d'achat afin de stimuler la consommation. Elles ont plus ou moins échoué : parce qu'elles ont provoqué d'énormes déficits budgétaires et commerciaux ; parce qu'elles ont alourdi les coûts de production pour les entreprises, qui ont répercuté cette hausse sur les prix de vente, d'où une forte inflation, qui a contraint à des dévaluations monétaires.

– Des politiques « libérales » ou « monétaristes » ont été menées au Royaume-Uni par Margaret Thatcher (1979-1990), aux États-Unis par Ronald Reagan (1980-1988), en RFA par Helmut Kohl, et, dans une moindre mesure, par tous les gouvernements français depuis 1982. Elles ont accordé la priorité à la lutte contre l'inflation et au rétablissement des équilibres financiers : allégement des charges sur les entreprises, restriction de la consommation, rigueur budgétaire, désengagement de l'État (dénationalisations des gouvernements Thatcher et Chirac), réduction des impôts directs. Ces politiques « d'austérité » ont contribué à réduire l'inflation, à rétablir en France l'équilibre de la balance commerciale, mais elles ont échoué à relancer, de manière durable, l'investissement et l'emploi.

LE NOUVEL ORDRE ÉCONOMIQUE

←

À la recherche
d'un nouveau système monétaire

La dépression a engendré un nouvel ordre économique, marqué par la multipolarisation.

←

Depuis l'effondrement du système de Bretton Woods en 1971, aucune monnaie n'a été capable de prendre la relève du dollar comme monnaie de référence et de réserve. La Communauté économique européenne a tenté d'organiser une zone monétaire stable : le « serpent monétaire » mis en place en 1972 n'a pas duré, puis le SME (Système monétaire européen) a été instauré en 1979. Les monnaies appartenant au SME ne peuvent fluctuer de plus de 2,25 % autour d'un taux-pivot. Mais les fluctuations du dollar jouent toujours un rôle déterminant dans l'équilibre monétaire : depuis les accords du Louvre (1987), la stabilisation de la monnaie américaine est obtenue par le soutien artificiel des pays excédentaires, notamment le

Japon. La sortie de la livre britannique et de la lire italienne du SME et les tensions internes sur les taux d'intérêt allemands (1993) montrent que l'Europe est encore incapable de constituer un pôle monétaire régulateur dans le monde.

● **Une nouvelle hiérarchie mondiale**

La crise a redistribué les cartes dans le jeu international :

– Elle fait émerger des pays « forts », qui accroissent leur influence économique : c'est le cas du Japon qui concilie une croissance soutenue (4,5 % en 1991), de faibles taux d'inflation (2,7 %) et de chômage (2 %), et une balance des paiements fortement excédentaire. Grâce à leurs faibles coûts de main-d'œuvre, huit nouveaux pays industriels (NPI), dont les « quatre dragons » asiatiques, ont réalisé eux aussi des taux de croissance annuels spectaculaires : 16,5 % pour la Corée du Sud, 12,5 % pour Taïwan, 10 % pour le Brésil entre 1970 et 1980.

– Les États-Unis sont confrontés à un déficit chronique de leur balance des paiements, qui les fragilise face aux concurrents japonais et allemands.

– Les vieilles puissances européennes (France, Royaume-Uni, Italie, Allemagne) n'arrivent pas à juguler le chômage et à relancer la machine économique.

– L'ex-URSS, deuxième puissance économique mondiale de l'après-guerre, est entrée depuis 1990 dans une phase de récession accélérée (– 16,8 % en 1991), qui en fait aujourd'hui un pays assisté.

– En dépit de certaines initiatives occidentales, l'écart s'est creusé entre les pays riches du Nord et les pays sous-développés. La dette du tiers monde envers les Occidentaux a plus que doublé entre 1982 et 1992. En 1993, trois milliards d'êtres humains peuplant les pays pauvres ne disposent que de 5,4 % du revenu mondial, tandis que les pays industrialisés, soit 15 % de la population mondiale, regroupent 80 % du revenu mondial.

● **Vers une économie multipolaire**

Le relatif déclin américain et la débâcle russe laissent la place à une multipolarisation économique : les États-Unis ont signé en 1992 l'accord nord-américain de libre-échange (NAFTA) avec le Canada et le Mexique ; l'Espace économique européen (EEE) doit réunir la CEE et l'AELE ; la zone

129

Pacifique est sous influence japonaise; un pôle sud-américain se constitue avec le MERCOSUR (Marché commun du Sud) en 1991 ; enfin, l'ancien bloc communiste pourrait, d'après les prévisions de la Banque mondiale, reconstituer un pôle influent à partir des années 1995-1996.

Les deux chocs pétroliers ont plongé l'économie mondiale dans une longue dépression, qui se traduit par un fort ralentissement de la croissance et par un chômage endémique. Aucune politique ne s'est avérée satisfaisante pour relancer durablement la croissance. Le krach boursier d'octobre 1987 a montré la fragilité de la reprise amorcée en 1983-84. Touchée par une nouvelle récession depuis 1991 (– 0,4 %), l'économie mondiale n'arrive pas à sortir de la crise.

CHRONOLOGIE

1973 : premier choc pétrolier.

1974 : début de la « stagflation » dans les pays riches ; politiques de relance en France et au Royaume-Uni.

1976 : flottement généralisé des monnaies (accords de la Jamaïque).

1979 : entrée en vigueur du SME ; deuxième choc pétrolier.

1980 : politiques monétaristes au Royaume-Uni et aux États-Unis.

1982 : sommet des pays industrialisés à Versailles ; inflation maîtrisée dans les pays occidentaux.

1987 : krach boursier à New York.

1991 : début de la récession mondiale.

1992 : Accord nord-américain de libre-échange (NAFTA).

1992 : signature du traité de Maastricht.

LIRE AUSSI ALLEMAGNE (DEPUIS 1945) ; ÉCONOMIE (1945-1973) ; ÉTATS-UNIS (DEPUIS 1964) ; FRANCE (Vᵉ RÉPUBLIQUE) ; ITALIE (DEPUIS 1945) ; JAPON (DEPUIS 1945) ; ROYAUME-UNI (DEPUIS 1945) ; TIERS MONDE ; URSS (1953-1985 ; DEPUIS 1985).

EMPIRES COLONIAUX

Au début du XXᵉ siècle, les États d'Europe possèdent une grande partie des terres émergées. Mais si l'on excepte les dominions britanniques, rares sont les colonies où les Européens sont nombreux. Les empires coloniaux sont à cette époque des territoires peuplés d'indigènes qui vivent principalement d'une agriculture vivrière et d'un artisanat traditionnel, et habitent la campagne.

LES EMPIRES COLONIAUX VERS 1914

De très vastes territoires

Avides de prestige, de matières premières et de débouchés pour leurs entreprises, soucieuses d'imposer la « civilisation du progrès », les grandes puissances européennes ont cherché à étendre leurs empires au XIXᵉ siècle. En 1914, l'empire britannique, présent sur tous les continents, regroupe 450 millions d'habitants et couvre 33 millions de km², soit près du quart des terres émergées. L'empire français atteint 10 millions de km² et possède environ 50 millions d'habitants : à la Réunion, la Martinique et la Guadeloupe, qu'elle contrôle depuis le XVIIᵉ siècle, la France a ajouté la Guyane au début du XIXᵉ siècle, puis l'Indochine et une bonne partie de l'Afrique à la fin du XIXᵉ et au début du XXᵉ siècle. Les possessions hollandaises (en Asie et en Amérique latine), allemandes, italiennes, belges ou portugaises (en Afrique) sont moins importantes mais non négligeables.

Vers 1914, les empires coloniaux représentent plus du quart des terres émergées. Ces territoires, dont les statuts diffèrent, sont mis en valeur pour les besoins de la métropole.

Les différents types de colonies...

Les pays soumis présentent une grande diversité de statuts.

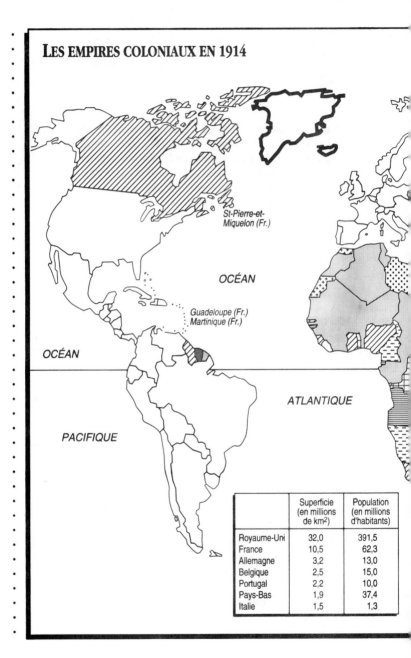

LES EMPIRES COLONIAUX EN 1914

St-Pierre-et-
Miquelon (Fr.)

OCÉAN

Guadeloupe (Fr.)
Martinique (Fr.)

OCÉAN

ATLANTIQUE

PACIFIQUE

	Superficie (en millions de km^2)	Population (en millions d'habitants)
Royaume-Uni	32,0	391,5
France	10,5	62,3
Allemagne	3,2	13,0
Belgique	2,5	15,0
Portugal	2,2	10,0
Pays-Bas	1,9	37,4
Italie	1,5	1,3

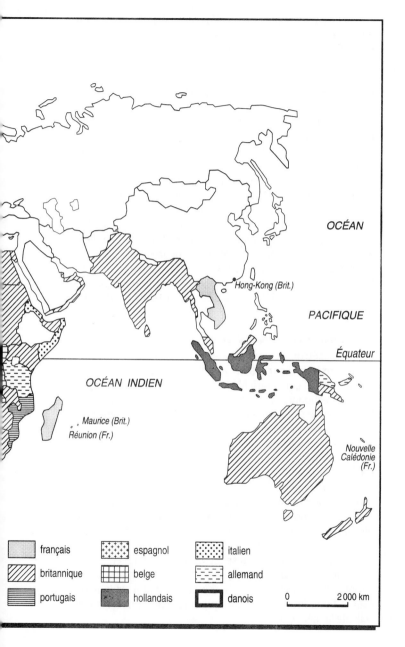

OCÉAN

PACIFIQUE

Équateur

Hong-Kong (Brit.)

OCÉAN INDIEN

Maurice (Brit.)
Réunion (Fr.)

Nouvelle
Calédonie
(Fr.)

français	espagnol	italien
britannique	belge	allemand
portugais	hollandais	danois

0   2 000 km

133

– Les *dominions* (Canada, Nouvelle-Zélande, Afrique du Sud, Australie) sont les colonies britanniques qui disposent d'un Parlement élu et d'un Ministère responsable. Ils sont presque indépendants mais leur autonomie est limitée dans quelques domaines (notamment dans le domaine extérieur) et ils doivent reconnaître l'autorité du roi d'Angleterre représenté par un gouverneur.

– Les protectorats (Maroc, Tunisie, Cambodge, Annam dans l'empire français) sont les territoires où subsistent une administration et un simulacre de Gouvernement indigène sous contrôle métropolitain.

– Enfin, dans les colonies, la souveraineté est exercée directement par la métropole ; à la tête de chaque colonie, un gouverneur nommé par la puissance coloniale s'appuie sur des fonctionnaires généralement européens ; dans les colonies les plus anciennes de l'empire français (Antilles, Réunion, Guyane, Algérie...), le gouverneur est assisté d'un Conseil général élu par les citoyens de la colonie (représentant en Algérie la minorité européenne de la population), qui, par ailleurs, délèguent des députés au Parlement français.

● ***...Et leur « mise en valeur »***

Les métropoles ont mis en place des régimes douaniers censés faciliter les échanges avec leurs colonies. La France a opté, par le tarif Méline de 1892, pour l'assimilation et le protectionnisme : il n'y a pas de droits de douane entre la métropole et la colonie, mais métropole et colonies en imposent aux marchandises étrangères. Parmi les grandes puissances coloniales, seul le Royaume-Uni est resté fidèle au libre-échange : l'empire britannique est ouvert sans restriction aux produits de tous les pays.

Parallèlement, les pays d'Europe ont favorisé dans leurs colonies le développement des cultures commerciales et l'exploitation des richesses minières dont elles avaient besoin tout en mettant en place les infrastructures (ports, voies ferrées...) pouvant permettre leur acheminement vers la métropole. Mais cette mise en valeur s'est faite en partie grâce aux corvées fournies par les autochtones et à leurs impôts, et, par ailleurs, tout a été fait pour freiner la naissance d'une industrie locale qui aurait pu concurrencer celle de la métropole.

Enfin, les puissances coloniales ont créé un réseau médical, des écoles (en grande partie cantonnées dans le premier degré) et commencé à diffuser leur langue, leur religion (chrétienne) et leurs valeurs (notions de l'argent, de l'État, du travail productif, de la propriété...).

L'ÉVOLUTION
DES EMPIRES COLONIAUX

À partir de 1914, les métropoles intensifient l'exploitation de leurs colonies et les sociétés indigènes se transforment. Dans les années 30, la crise mondiale atteint les économies coloniales.

La Première Guerre mondiale

L'apport des colonies à leur métropole est fondamental pendant la Première Guerre mondiale. Elles lui fournissent des troupes coloniales, des travailleurs, des matières premières et contribuent financièrement à l'effort de guerre ; parfois, elles entament un début d'industrialisation, souvent pour répondre aux besoins de la métropole. Les primes d'engagement, les soldes, les salaires des nouveaux travailleurs ou des émigrés contribuent à l'amélioration du sort des populations indigènes, qui, dans l'ensemble, restent calmes et fidèles.

À l'issue de la guerre, les puissances victorieuses, qui ont pris conscience de la valeur de leur empire, cherchent à l'étendre. Ainsi, elles obtiennent que la SDN leur confie des mandats sur les territoires de l'ancien empire allemand et les dépouilles de l'empire ottoman : le Royaume-Uni et la France en sont les principaux bénéficiaires, mais la Belgique obtient le Rwanda et le Burundi, le Japon et les dominions quelques terres. Les métropoles poussent par ailleurs leurs colonies à intensifier leur production de matières premières minières ou agricoles et à se spécialiser dans celles qui conviennent le mieux à leurs conditions géographiques.

Les transformations des sociétés indigènes

Entre les deux guerres, une bourgeoisie autochtone apparaît, composée d'hommes d'affaires, de fonctionnaires ou d'anciens militaires, ainsi que d'un prolétariat travaillant dans les mines, sur les chantiers ou dans les premières industries.

LES MANDATS DE LA SDN

Le système des mandats est établi après la Première Guerre mondiale par l'article 22 du pacte de la SDN. Les pays sous mandat sont considérés comme des « colonies ou territoires qui sont habités par des peuples encore incapables de se diriger eux-mêmes dans les conditions difficiles du monde moderne ». Le mandat est une tutelle sur une des anciennes colonies allemandes ou un des anciens territoires non turcs de l'empire ottoman, accordée par la SDN à une des puissances victorieuses.

On distingue trois types de mandats :

1. les mandats A, sur les régions détachées de l'empire ottoman. Ces régions jouissent théoriquement de l'indépendance sous contrôle d'un mandataire. La Syrie et le Liban, sous mandat français, en font partie; la Palestine, l'Irak et la Transjordanie, sous mandat anglais, aussi.

2. les mandats de type B, sur les anciennes colonies allemandes d'Afrique. Celles-ci requièrent une plus longue tutelle « en raison de l'état arriéré des populations ». Une partie du Togo, du Cameroun, et de l'Afrique-orientale ex-allemande sont ainsi placés sous mandat britannique, le reste du Togo et du Cameroun sous mandat français.

3. les mandats de type C, sur les autres colonies ex-allemandes. Elles sont directement intégrées aux empires coloniaux mandataires.

L'exercice des mandats est théoriquement soumis à une Commission permanente des mandats de la SDN composée de 11 membres. En fait, les puissances mandataires, comme la France en Syrie et au Liban, exercent souvent leur autorité en ne tenant compte que de leurs intérêts nationaux. Et les territoires sous mandat se distinguent finalement assez peu des autres territoires colonisés.

La société traditionnelle, quant à elle, est confrontée à de nombreux changements. Les artisans souffrent de la concurrence des marchandises européennes. Les paysans s'adonnent de plus en plus aux cultures commerciales, qui leur permettent de recevoir l'argent nécessaire au paiement des impôts et à la consommation de produits venant de la métropole ; dans certaines régions, la confiscation des meilleures terres ou des terres de pacage au profit des colons ou des sociétés européennes, et la mise en place de la propriété privée du sol à la place de son appropriation collective transforment radicalement leurs conditions de vie.

L'essor démographique est très fort : l'action sanitaire et médicale fait baisser les taux de mortalité alors que les taux de natalité se maintiennent. Nombreux sont les hommes et les femmes qui quittent les campagnes pour rejoindre les villes. Les années 20 et 30 sont celles d'une explosion urbaine qui profite avant tout aux villes neuves créées par les colonisateurs et « braquées sur le reste du monde » (les ports surtout).

La dépression des années 30

Les produits de l'agriculture commerciale ou des mines deviennent difficiles à écouler à partir de 1926 et leurs cours commencent alors à baisser. La situation devient dramatique après 1929, lorsque la crise entraîne une nette diminution de la demande dans les pays industrialisés : les prix s'effondrent, les mines doivent fermer ou réduire leurs activités, les paysans n'ont plus de rentrée d'argent et s'endettent, les ressources budgétaires des colonies diminuent.

Autre conséquence économique de la crise mondiale : les métropoles cherchent à réserver encore davantage à leurs industries le marché de leurs colonies ; c'est ainsi que le Royaume-Uni met fin à sa politique de libre-échange tout en établissant lors de la conférence d'Ottawa de 1932 un régime préférentiel avec les pays du Commonwealth et l'empire. Les liens commerciaux entre les puissances coloniales et leurs colonies s'en trouvent renforcés.

UNE REMISE EN QUESTION DE LA COLONISATION ?

L'opinion métropolitaine et l'attachement à l'Empire

L'opinion métropolitaine est très attachée aux colonies : elles ont joué un rôle important dans la victoire de 1918, semblent de plus en plus essentielles à la bonne santé de l'économie de la métropole, et apparaissent à la vieille Europe déclinante comme un de ses derniers signes de puissance. L'Empire est célébré par le cinéma ou la presse,

Si l'opinion métropolitaine est très attachée à l'Empire, du côté des peuples colonisés, des minorités remettent en question la domination coloniale.

137

valorisé dans les manuels scolaires ; les associations coloniales augmentent le nombre de leurs adhérents ; la Journée
coloniale organisée à Rome en 1926 ou l'Exposition coloniale
tenue à Paris en 1931 sont de grands succès... Les Européens
sont par ailleurs persuadés d'apporter le progrès aux indigènes. Dans ces conditions, rares sont ceux qui, en Europe,
prennent position contre la colonisation. Seuls les communistes et quelques personnalités indépendantes soulignent
les méfaits du système colonial.

Un début de contestation dans les colonies

Du côté des peuples colonisés, dès la fin de la guerre,
une minorité commence à remettre en question la domination extérieure. Les promesses de réforme libérale pendant
la guerre, les théories du président américain Wilson sur le
droit des peuples à l'auto-détermination, les prises de position de l'Internationale communiste qui appelle, lors de son
premier congrès du 6 mars 1919, les « esclaves coloniaux
d'Afrique et d'Asie » à lutter pour leur libération, ne sont pas
sans effet sur les anciens combattants qui ont porté les
armes aux côtés des Blancs contre des Blancs, sur la bourgeoisie naissante qui veut se débarrasser d'une tutelle
pesante et dont certains membres ont été formés dans les
universités européennes. Naissent alors des mouvements
nationalistes modérés – favorables à l'autonomie ou à une
indépendance par étapes – qui prennent de l'importance et
se radicalisent à la faveur de la crise économique des années
30 (surtout au Moyen-Orient, en Indochine et en Inde).

La voie de l'indépendance

Le Royaume-Uni est le premier à céder à la pression
des nationalismes en concédant une partie de son autorité
Dès 1919, les dominions, qui entrent à la SDN et reçoivent des mandats, font presque figure d'États souverains...
Le 11 décembre 1931, le statut de Westminster reconnaît
leur indépendance complète et ils font désormais partie,
avec le Royaume-Uni, d'un Commonwealth de nations
sœurs et égales, liées les unes aux autres par une commune
et symbolique allégeance à la Couronne britannique. Au
Moyen-Orient, le Royaume-Uni accorde l'indépendance à
l'Irak en 1930 et à l'Égypte en 1936 ; mais il garde des
troupes dans les deux pays. En Inde, à la suite du mouve-

ment de protestation du leader nationaliste Gandhi, la Grande-Bretagne proclame l'*India Act* de 1935 qui donne une relative autonomie au pays.

À l'opposé, la France s'oppose à tout changement dans le statut de ses colonies. Les gouvernements optent pour la répression et n'acceptent ni l'idée d'indépendance, ni celle d'autonomie (hormis le gouvernement du Front populaire, dont les tentatives n'aboutissent pas).

LA NAISSANCE DU COMMONWEALTH

Le statut des dominions reste assez flou dans les années 20.

Dans la théorie, les députés des dominions doivent faire serment d'allégeance à la Couronne britannique et le souverain britannique est représenté par un gouverneur ; le droit des dominions à régler par eux-mêmes certaines questions de politique extérieure n'est pas tout à fait précisé ; le Parlement britannique peut abroger certaines lois adoptées par les Parlements des dominions ; enfin, le Royaume-Uni conserve le droit de légiférer pour les dominions.

Dans la pratique, ils font bien allégeance à la Couronne britannique, mais dans les autres domaines, le Royaume-Uni n'exerce plus ses droits.

À la conférence impériale de 1930, ouverte par le roi d'Angleterre et qui réunit les délégués du Royaume-Uni et des dominions, les rapports se clarifient. La Grande-Bretagne abroge les lois qui restreignent les pouvoirs législatifs des dominions et il est clairement établi que le Parlement britannique n'aura le droit de légiférer pour les dominions qu'avec leur consentement. Les dominions possèdent le droit de voter des lois ayant effet en dehors de leur propre territoire (ce qui signifie qu'ils deviennent libres de mener leur propres politique extérieure). Toute modification légale concernant la succession au trône ou l'appellation et les titres du souverain devra désormais recevoir l'assentiment des Parlements des dominions. Toutes ces mesures sont introduites dans un texte de loi approuvé par le parlement britannique en 1931, appelé le statut de Westminster, qui constitue la charte du « British Commonwealth of Nations ».

À la conférence d'Ottawa de 1932, le Royaume-Uni et les membres du nouveau Commonwealth signent des accords douaniers préférentiels.

Le Commonwealth apparaît donc comme un ensemble d'États indépendants, librement associés autour de la Couronne britannique, amenés à engager une politique de coopération dans les domaines économique, politique et culturel.

En 1939, jamais les liens économiques entre les métropoles et leurs territoires n'ont été si forts et jamais les Européens, persuadés de leur mission civilisatrice et de l'intérêt de l'Empire, n'ont été si favorables à la colonisation. Pourtant, la décolonisation est ébauchée dans l'empire britannique. La France, qui, de son côté, refuse toute évolution, se prépare des jours amers.

CHRONOLOGIE

1919 : l'Internationale communiste appelle « les esclaves coloniaux d'Afrique et d'Asie » à lutter pour leur libération ; « pacte de la SDN » intégré au traité de Versailles.

1930 : le Royaume-Uni accorde l'indépendance à l'Irak, qui était sous mandat.

1931 : Exposition coloniale tenue à Paris ; le statut de Westminster reconnaît l'indépendance des dominions qui font désormais partie du Commonwealth avec le Royaume-Uni.

1932 : conférence d'Ottawa, par laquelle le Royaume-Uni établit des liens privilégiés avec son empire.

1935 : India Act qui donne une certaine autonomie à l'Inde.

1936 : indépendance accordée à l'Égypte par le Royaume-Uni.

LIRE AUSSI DÉCOLONISATION.

ÉTATS-UNIS

(ANNÉES 20)

En 1918, les États-Unis, qui ont su profiter de la guerre (boom de la production, développement de la flotte, prêts aux Alliés), forment le pays le plus riche de la planète. Avec près de 105 millions d'habitants, ils sont aussi l'un des plus peuplés. Au cours des années 20, sous le règne libéral et isolationniste des républicains, ils confirment leur avance sur le reste du monde et créent, non sans heurt, une civilisation nouvelle.

L'ÉVOLUTION POLITIQUE

> **Entre 1918 et 1920, les républicains s'imposent au pouvoir et rompent avec la politique du président Wilson.**

Le régime politique américain

À l'issue de la guerre, la Constitution est toujours celle de 1787. Le régime est fédéral (les différents États des États-Unis ont une large autonomie). Le pouvoir central est partagé entre un Président, le Congrès et une Cour suprême, institutions relativement indépendantes les unes des autres.

Le Président est élu tous les 4 ans. Il dispose de la totalité du pouvoir exécutif, ne peut pas être renversé par le Congrès et possède un droit de veto qu'il peut opposer aux lois votées par le Congrès.

Le Congrès est composé de deux Chambres élues : le Sénat et la Chambre des représentants ; elles exercent le pouvoir législatif ; le Sénat est en outre chargé de ratifier les traités à la majorité des deux tiers.

La Cour suprême est composée de neuf juges nommés à vie par le Président ; elle décide entre autre de la constitutionnalité des lois.

En 1920, le 19e amendement à la Constitution institue le vote des femmes. Le Président et le Congrès sont désormais élus au suffrage universel.

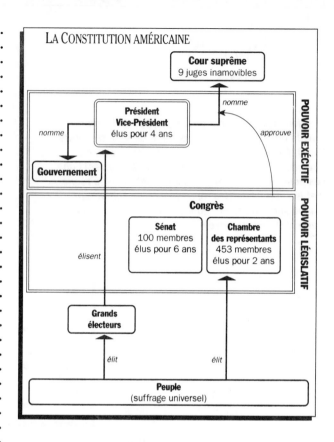

La Constitution américaine

Cour suprême
9 juges inamovibles

POUVOIR EXÉCUTIF

Président
Vice-Président
élus pour 4 ans

nomme

nomme

approuve

Gouvernement

POUVOIR LÉGISLATIF

Congrès

Sénat
100 membres
élus pour 6 ans

Chambre
des représentants
453 membres
élus pour 2 ans

élisent

Grands
électeurs

élit

élit

Peuple
(suffrage universel)

● ### *La fin de l'ère wilsonienne (1918-1920)*

Depuis le milieu du XIXᵉ siècle, deux partis alternent au pouvoir : le parti républicain et le parti démocrate. Les États-Unis sont gouvernés depuis 1912 par le président démocrate et réformiste Wilson. Mais à partir de 1918, celui-ci doit faire face au mécontentement de l'opinion publique.

Nombre d'Américains le portent responsable de la grave crise que traverse le pays. Crise politique tout d'abord : la création de deux partis communistes et une série d'attentats suscitent en 1919 une hystérie xénophobe (les étrangers sont accusés de subvertir les États-Unis) et anticommuniste, dont le triste épilogue est l'exécution en 1927 de deux anarchistes italiens – Sacco et Vanzetti –

condamnés pour meurtre en 1921 sans preuve formelle.
- Crise économique ensuite : le pays sort enrichi de la guerre
- mais l'inflation en 1919 puis la courte crise de surproduction
- qui éclate au printemps de 1920, provoquant le chômage de
- 5 millions de salariés, inquiètent les Américains.

ÉTATS-UNIS
(années 20)

Par ailleurs, le pays n'approuve pas les grandes orientations de sa politique. Pendant le conflit, Wilson a renforcé les pouvoirs du Président aux dépens du Congrès, de l'État fédéral au détriment des États ; il a aussi mené une politique économique dirigiste. À l'issue du conflit, il apparaît comme un frein au « retour à la normale » que désirent la plupart des Américains. Surtout, Wilson mène une politique extérieure mondialiste – le 8 janvier 1918, il propose au Congrès de suivre un programme en quatorze points par lequel « la paix du monde sera assurée » – alors que ses compatriotes ne veulent plus que les États-Unis interviennent dans les affaires du monde.

Le mécontentement se traduit tout d'abord par un reflux démocrate au Congrès : lors des élections sénatoriales de 1918, les républicains emportent la majorité des sièges, puis c'est la victoire du républicain Harding contre le candidat parrainé par Wilson aux élections présidentielles. Il est vrai que Harding a fait campagne sur les thèmes de « l'Amérique d'abord » et du « retour à la normale ».

● ***Le gouvernement des républicains***

Les républicains se maintiennent d'autant plus facilement au pouvoir que le pays entre dans une ère de grande prospérité dont ils semblent être à l'origine, et que le Parti démocrate est paralysé par les dissensions entre ses éléments sudistes et ruraux, et ses troupes urbaines, composées surtout d'immigrés récents. Les présidents successifs – Harding (1920-23), Coolidge (1923-1928) et Hoover (1928-1932) – sont tous trois républicains.

Les républicains rompent radicalement avec la politique de Wilson et des démocrates :
– En politique intérieure, ils optent pour le libéralisme : l'État fédéral limite ses interventions ; Mellon, magnat de l'aluminium et secrétaire au Trésor de 1921 à 1932, réduit les impôts, notamment ceux qui pèsent sur les plus riches ; la législation anti-trust d'avant-guerre n'est pas appliquée. L'État essaie aussi de protéger les industriels et les agricul-

teurs de la concurrence étrangère en relevant les tarifs douaniers (tarif Fordney de 1922). Par ailleurs, les républicains commencent à défendre les valeurs morales de l'Amérique profonde, en limitant l'entrée des immigrés qui ne sont ni protestants ni anglo-saxons, en interdisant l'alcool...

– En politique extérieure, les républicains choisissent l'isolationnisme. Dès 1919, le Sénat rejette le traité de Versailles et le pacte de la SDN. Mais les États-Unis interviennent dans les affaires du monde quand leurs intérêts sont en jeu : ils servent d'arbitre dans la question des réparations que doit verser l'Allemagne aux puissances victorieuses de la Seconde Guerre mondiale (plan Dawes, plan Young), bloquent l'expansion territoriale du Japon (conférence de Washington de 1921-22), cherchent à contrôler la mer des Caraïbes (occupation militaire de Haïti de 1915 à 1934, du Nicaragua jusqu'en 1933, du Salvador en 1921, du Honduras en 1924...).

LA PROSPÉRITÉ DES ANNÉES 20

Au cours des années 20, la croissance économique est forte et la société se transforme. Mais la prospérité a ses limites.

Une forte croissance économique

La crise économique s'achève en 1921 et de 1922 à 1929, les États-Unis connaissent une remarquable phase d'expansion.

Ils disposent de capitaux considérables (dus au remboursement des dettes de guerre européennes, aux excédents de la balance commerciale, au placement de capitaux étrangers aux États-Unis), qui permettent aux banques d'offrir des crédits faciles à faibles taux d'intérêt. Les entreprises américaines se concentrent, adoptent des méthodes de travail plus efficaces et donnent une large place à la recherche. Les salaires en hausse et l'extension de la vente à crédit, la publicité, la multiplication des magasins à succursales multiples qui mettent des foules de produits sous les yeux des clients, permettent le développement de la consommation.

Dans ces conditions, la production industrielle passe de l'indice 58 en 1921 à l'indice 73 en 1922, 100 en 1928, 110 en 1929. L'industrie automobile (modèle T de Ford), les industries de matériel électrique (radios...), du bâtiment, ou de l'aéronautique à partir de 1926 (Lindbergh traverse l'Atlantique en 1927), connaissent un essor vertigineux. De nouvelles sources d'énergie se développent : l'électricité, le pétrole...

Une société nouvelle

L'industrialisation du pays et les problèmes des agriculteurs, liés à la baisse des prix agricoles et à l'augmentation du coût de l'équipement (crise des ciseaux), accélèrent l'exode rural. Dès 1920, la population urbaine dépasse celle des campagnes. Le paysage de la ville se modifie : au centre s'érigent des gratte-ciels qui abritent le plus souvent des bureaux ; non loin s'installent les populations les plus déshéritées ; les habitants les plus aisés vont peupler des banlieues pavillonnaires plus aérées.

À partir de 1925, les États-Unis entrent dans l'ère de la consommation de masse et des loisirs. En 1929, il y a 23 millions de voitures de tourisme en circulation, soit 1 voiture pour 5 personnes. Le réfrigérateur, les appareils électroménagers, la radio se répandent dans de nombreux foyers. On se rend fréquemment au cinéma, on écoute du jazz et on assiste aux matchs de boxe ou de base-ball.

Parallèlement, les mœurs se libèrent. Les Églises protestantes subissent un déclin régulier. L'œuvre de Freud connaît un surprenant succès. Les Américaines, désormais autorisées à voter, s'émancipent : en 1930, elles sont 10 millions à gagner un salaire ; les cheveux coupés courts, les jambes dévoilées, la *Flapper* fume et boit en public.

Les limites de la prospérité

À côté des industries dynamiques, les industries alimentaires et textiles et la construction navale connaissent des difficultés. Le charbon est concurrencé par le pétrole et l'électricité, le chemin de fer par l'automobile. L'agriculture, qui s'est modernisée, est dans un état de surproduction endémique. La Californie, le nouveau Sud, le pourtour des Grands lacs deviennent des pôles attractifs, mais aux dépens des régions du vieux Sud et du Nord-Est traditionnel.

Les hommes d'affaires font des profits considérables. Les ouvriers ont des tâches de plus en plus répétitives, mais

- la hausse des salaires leur permet d'entrer dans la société
- de consommation, au même titre que les employés. En
- revanche, les Noirs et les nouveaux immigrés, sous-payés,
- fréquemment chômeurs (le nombre de chômeurs oscille
- entre 1 et 2 millions), restent à l'écart du nouveau mode de
- vie, tout comme un grand nombre de *farmers*, qui se sont
- endettés pour moderniser leurs exploitations et qui souf-
- frent de la baisse des prix agricoles.

LE PURITANISME DES ANNÉES 20

Puritanisme et intolérance

Dans les campagnes, les puritains (fondamentalistes protestants) sont plus nombreux et plus
actifs ; ils dénoncent la libération des mœurs ; ils
font preuve d'intolérance à l'égard des minorités
religieuses ; ils exigent le respect scrupuleux
et littéral de la Bible : en 1925, dans l'État
du Tennessee, un procès est intenté contre
J.T. Scopes, parce qu'il a enseigné à ses élèves que
l'homme descend du singe, contredisant ainsi la
version biblique de la création.

L'Amérique rurale réagit contre l'évolution des mœurs en défendant les valeurs des premiers colons. L'État fédéral satisfait certaines de ses revendications.

Les plus extrémistes d'entre eux adhèrent au Klu Klux
Klan. Reconstituée à partir de 1915, cette organisation, surtout représentée dans les États du Sud, atteint son apogée
en 1925 avec 5 millions d'adhérents. Ses membres se regroupent autour du slogan « Américain, Blanc, Protestant » et luttent contre les Noirs et les immigrés récents, les juifs et les
catholiques, le modernisme ou le bolchevisme en
employant des méthodes violentes.

Réclamée dès la première moitié du XIXe siècle, la prohibition de l'alcool devient, après la fondation de l'Anti-
saloon League en 1893, une revendication symbolique pour
l'Amérique puritaine.

Les mesures puritaines de l'État fédéral

Au mois de janvier 1919, le Congrès, en votant le
18e amendement à la Constitution, interdit la fabrication, le
transport et la vente de toute boisson alcoolisée. Sans grand

succès : aussitôt se développe une gigantesque contre-bande organisée par des groupes criminels et contre lesquels l'État reste impuissant malgré les exploits de policiers tels Eliot Ness. La prohibition sera abolie par le 21e amendement en 1933.

L'État fédéral cherche par ailleurs à contrôler étroitement l'accès du territoire, notamment pour maintenir le vieux fonds anglo-saxon et protestant de la population. Faisant suite à un texte moins discriminatoire voté en 1921, la « loi des quotas » de 1924 décide que le contingent annuel d'immigrés de chaque nationalité sera fixé à 2 % du nombre de personnes de la nationalité établies aux États-Unis en 1890, à une époque où les Slaves et les méditerranéens de religion juive ou catholique étaient très peu nombreux (les quotas ne s'appliquent ni aux Canadiens ni aux Latino-américains).

Au cours des années 20, les États-Unis se transforment. L'économie se développe, la société devient majoritairement urbaine et entre dans l'ère de la consommation de masse. Mais certaines industries, certaines régions ne profitent pas de la croissance, et de fortes minorités sont exclues de la prospérité. L'Amérique rurale, en crise, voit sa planche de salut dans le rejet des nouveautés.

CHRONOLOGIE

1919 : le Congrès vote le 18e amendement de la Constitution interdisant la fabrication, le transports et la vente de tout alcool ; rejet du traité de Versailles par le Sénat.

1920 : le 19e amendement à la Constitution donne le droit de vote aux femmes; élection de Harding à la présidence de la République.

1920-1921 : crise de surproduction.

1922 : tarif Fordney, qui élève les barrières protectionnistes ; début de la période de prospérité.

1923 : le vice-président des États-Unis Coolidge accède à la présidence.

1924 : loi des quotas limitant le contingent annuel d'immigrés.

1927 : Lindbergh, premier à traverser en avion l'Atlantique, sans escale.

1928 : Hoover devient président de la République.

LIRE AUSSI PREMIÈRE GUERRE MONDIALE (BILAN) ; RELATIONS INTERNATIONALES (ANNÉES 20) ; ÉCONOMIE (ANNÉES 20).

ÉTATS-UNIS DU NEW DEAL

Le krach de la bourse de New York, en octobre 1929, est le détonateur d'une grave crise économique et sociale. Les faillites d'entreprises se multiplient, le chômage gonfle brutalement, le cours des produits agricoles s'effondre. Hoover, élu en 1928, persuadé que les structures économiques du pays sont en excellente santé, multiplie les déclarations rassurantes : selon lui, « la prospérité est au coin de la rue ».

ROOSEVELT AU POUVOIR

La politique de Hoover

Républicain, attaché au libéralisme, Hoover est peu favorable à une intervention de l'État pour lutter contre la crise : il pense que seul le libre-jeu du marché peut la résoudre et il s'accommode mal du déficit budgétaire. Certes, il met en place les premiers éléments d'une politique de soutien aux *farmers* et crée un organisme destiné à aider les entreprises en difficulté, la *Reconstruction Finance Corporation*. Mais il ne va pas plus loin, et ces demi-mesures, trop tardives, n'ont pas de résultat concret. En 1932, la plupart des banques ont guichet fermé, la production ne représente que la moitié de celle de 1929, les prix sont au plus bas et les États-Unis comptent 13 millions de chômeurs, soit un travailleur sur quatre. Incapables de rembourser leurs emprunts, nombreux sont les fermiers expulsés de leurs terres par leurs puissants créanciers.

> *La politique du président Hoover ne résout pas la crise. Aux élections de 1932, il est battu par le candidat démocrate Roosevelt.*

La victoire de Roosevelt

Lors des élections présidentielles de novembre 1932, Roosevelt, candidat des démocrates, obtient facilement la victoire sur Hoover (23 millions de voix contre 16). Dans

cette élection, il est servi par l'attitude méprisante de
Hoover à l'égard des pauvres et le bilan catastrophique de
la gestion républicaine, par le contenu d'un programme qui
propose un New Deal (une « nouvelle donne ») pour le
peuple américain et par une très bonne image : il semble
avoir du courage, de la volonté, une sympathie sincère pour
ceux qui souffrent (il lutte lui-même contre la poliomyélite
depuis 1921) et il possède une solide expérience politique (il
a été secrétaire adjoint à la Marine sous Wilson et gouverneur apprécié de l'État de New-York de 1929 à 1933).

Un gouvernement d'un nouveau style

Au pouvoir, Roosevelt entreprend de gouverner autre-
ment. Il reste en contact étroit avec le peuple en organisant
des conférences de presse bi-hebdomadaires et en expliquant sa politique dans ses « causeries au coin du feu »
retransmises à la radio. Il s'entoure d'une équipe de
conseillers d'un nouveau genre (le *Brain Trust*), aux avis parfois divergents, plus proches des milieux universitaires que
des milieux d'affaires. Le Président est désormais à l'origine
de toutes les décisions politiques que le Congrès, à majorité
démocrate, ne fait plus qu'entériner.

LE PREMIER NEW DEAL

Le sens du premier New Deal

Les mesures du premier New Deal sont prises
en cent jours, à partir de l'arrivée de Roosevelt à la
Maison Blanche en mars 1933. Elles ont un objectif
social : l'État doit venir en aide aux plus démunis
(chômeurs, fermiers...) ; mais aussi économique :
l'augmentation du pouvoir d'achat qui résulte de
cette aide et l'action de l'État doivent permettre
une relance de la production, et sortir le pays de la crise ; et
politique : il faut sauver le régime capitaliste et éviter la
montée des extrémismes. Le gouvernement, en donnant à
l'État un rôle essentiel dans la résolution de la crise, met
fin au libéralisme et considère le déficit comme un mal
nécessaire.

> **Dès 1933, Roosevelt engage son New Deal. Mais deux grandes réformes sont invalidées par la Cour suprême.**

149

● Cent jours de réformes

– Dans le domaine financier et monétaire. Le 10 mars 1933, l'*Emergency Banking Act* établit une distinction entre banques de dépôts – qui doivent limiter leurs activités aux prêts à court terme – et banques d'affaires – seules autorisées à pratiquer le crédit à long terme, plus risqué ; aucune banque n'est autorisée à prendre une participation directe dans le capital d'une entreprise, et une politique d'assurance est instaurée pour garantir les dépôts des petits épargnants contre la faillite de leurs banques. Par ces mesures, l'administration démocrate espère sauver le système bancaire. Le gouvernement décide par ailleurs une dévaluation du dollar de 41 %, le 30 janvier 1934, pour favoriser les exportations en rendant les produits américains moins chers sur les marchés extérieurs, alléger les dettes des agriculteurs et provoquer une remontée des prix agricoles et industriels.

– Dans le domaine agricole. L'*Agricultural Adjustment Act* (AAA), voté le 12 mai 1933, vise d'abord à limiter la production agricole pour redresser les prix sur les marchés : des indemnités sont versées pour la destruction des stocks existants, puis des primes octroyées aux *farmers* qui réduisent les surfaces cultivées. Il vise ensuite à réduire le poids de la dette agricole : l'État assure aux fermiers des prêts à long terme et à faibles taux d'intérêt.

– Dans le domaine industriel. Le *National Industrial Recovery Act* (NIRA), voté le 16 mai, propose aux industriels d'une même branche de signer un « code de concurrence loyale ». Les codes, qui établissent des prix minima et des quotas de production, sont censés enrayer la baisse des prix des marchandises. En fixant la durée de semaine de travail à 35 ou 40 heures selon les branches ainsi qu'un plancher pour le salaire horaire, en légitimant l'existence des syndicats et en invitant les ouvriers à élire des délégués chargés de négocier avec le patronat des conventions collectives (article 7a du NIRA), ils doivent aussi permettre une amélioration sociale. Les entreprises signataires bénéficient des aides de l'État et leur civisme est signalé au public.

– Contre le chômage. Le NIRA doit théoriquement avoir un effet sur l'emploi. L'État fédéral crée par ailleurs des organismes chargés de fournir des travaux d'utilité publique à des chômeurs auxquels sont versés un salaire minimal. Ainsi naît la *Tennessee Valley Authority*, le 18 mai 1933. Cette société d'État a pour objectif de reboiser les versants de la vallée du Tennessee pour lutter contre leur érosion, et de construire une série de barrages et d'usines hydro-électriques. Il est prévu que des activités industrielles s'établiront ultérieurement dans la vallée.

L'échec du premier New Deal

La relance est freinée par le manque de moyens financiers engagés par l'État, par les quelques mesures déflationnistes (le traitement des fonctionnaires a été réduit de 15 %) et par l'action du patronat qui renâcle à appliquer les dispositions sociales du NIRA. En 1935, le PNB reste inférieur à celui de 1929 et le pays compte 10 millions de sans-emploi. Roosevelt se trouve dès lors confronté à une double opposition :

– à gauche, des politiciens démagogues dénoncent les insuffisances sociales du New Deal, notamment en matière d'aide aux personnes âgées. Ils promettent d'y remédier et gagnent de l'influence.

– à droite, les milieux d'affaires et les républicains, qui ne veulent plus du dirigisme, réagissent. La Cour suprême, à majorité républicaine, déclare le NIRA anticonstitutionnel le 27 mai 1935. L'AAA le sera à son tour, le 6 janvier 1936.

LE SECOND NEW DEAL

Les débuts de État-providence

Le NIRA est donc abandonné. Roosevelt, qui doit réorienter sa politique, choisit alors d'aller de l'avant dans les réformes.

La *Work Progress Administration*, fondée en avril 1935, est dotée de gros moyens pour employer des chômeurs. Parallèlement, la *National Youth Administration* offre des emplois à caractère intellectuel à 800 000 diplômés sans travail.

En août, le *Wagner Act* reprend l'article 7a du NIRA et donne des pouvoirs étendus au Gouvernement fédéral pour faire respecter les libertés syndicales et interdire le licenciement d'ouvriers syndiqués, ce qui déclenche un spectaculaire essor des syndicats.

En 1935, Roosevelt entame un second New Deal qui ressoude une communauté nationale divisée par la crise.

Le même mois, le *Social Security Act* est voté. Il crée un système fédéral d'assurance-vieillesse pour les personnes âgées, une assurance-chômage, l'octroi de subventions fédérales aux États pour l'assistance médicale aux plus démunis. Mais l'assurance-chômage et l'assurance-vieillesse ne couvrent que les salariés de l'industrie.

Enfin, le *Revenu Act* alourdit la fiscalité sur les hauts revenus et le *Holding Company Act* donne naissance à un organisme chargé de surveiller les holdings.

● **Les dernières mesures du New Deal**

La politique de Roosevelt est payante : il bat son concurrent républicain Laudon par 24 millions de voix contre 16 aux élections de 1936. Ce soutien populaire et les menaces du président obligent la Cour suprême à valider, en 1937, l'ensemble des lois sociales du second New Deal.

Mais l'année 1937 est celle des difficultés. Les industriels ont accru leur production au moment où le gouvernement, aux prises à un grave déficit budgétaire consécutif à la nouvelle politique sociale, doit restreindre ses dépenses : c'est la récession. Le *Committee for Industrial Organization* (CIO, syndicat dissident de l'*American Federation of Labor*) fondé en 1936 et ouvert aux ouvriers non qualifiés, lance des grèves avec occupation d'usines.

Roosevelt et son équipe prennent alors en 1938 de nouvelles mesures de relance : augmentation des crédits pour lutter contre le chômage, vote d'un second AAA, interdiction du travail des enfants dans certaines entreprises...

Le New Deal s'achève : l'opinion publique, qui craint le renforcement du pouvoir fédéral, veut une pause dans les réformes ; surtout, l'attention des dirigeants, qui semblaient se désintéresser depuis 1933 des problèmes du monde, est soudainement accaparée par la montée des périls en Europe et la nécessité du réarmement.

En 1939, l'indice de production est à peine au niveau de 1929 (avant la crise) et il reste 9 millions de chômeurs. Mais les grands travaux publics ont amélioré les infrastructures du pays et, signe encourageant pour l'avenir, la productivité du travail a gagné 22 % en une décennie. Surtout le New Deal a réalisé des réformes sociales. En s'occupant des exclus, il a endigué la montée des extrémismes et ressoudé la communauté nationale. Les États-Unis ont puisé une force nouvelle pour affronter le monde extérieur.

CHRONOLOGIE

1933 : entrée en fonction de Roosevelt élu en mars 1932 ; *Emergency Banking Act* pour tenter de sauver le système bancaire ; *Agricultural Adjustment Act* pour soutenir les prix agricoles et venir en aide aux agriculteurs ; *National Industrial Recovery Act* (NIRA) pour mettre fin à la baisse les prix industriels.

1934 : dévaluation du dollar.

1935 : fondation du *Work Progress Administration* (emploi des chômeurs).

1935 : invalidation du NIRA par la Cour suprême ; *Wagner Act* qui permet au gouvernement de faire respecter les libertés syndicales ; *Social Security Act* qui instaure un système fédéral d'assurance-vieillesse.

1936 : Roosevelt réélu président.

LIRE AUSSI AMÉRIQUE LATINE ; ÉTATS-UNIS (ANNÉES 20) ; ÉCONOMIE (ANNÉES 30) ; RELATIONS INTERNATIONALES (ANNÉES 30).

ÉTATS-UNIS

(1945-1964)

La Deuxième Guerre mondiale marque le début de
l'apogée politique et économique des États-Unis.
Première puissance mondiale, l'Amérique triomphante
doit pourtant affronter, à l'intérieur comme à l'extérieur,
les tensions de la guerre froide. En dépit de ces
problèmes, elle impose son modèle au monde occidental.

LES PROBLÈMES
DE L'APRÈS-GUERRE (1945-1947)

> *La société et l'économie américaines, très engagées dans la guerre, doivent se reconvertir à la paix.*

Truman termine la guerre

La mort de Roosevelt, le 12 avril 1945, laisse l'Amérique orpheline d'un chef prestigieux. Son successeur Harry S. Truman, vice-président depuis 1944, signe à San Francisco la charte fondatrice de l'Organisation des Nations unies (ONU), le 26 juin 1945. Il décide d'en finir avec le Japon : les deux bombes atomiques lâchées par les Américains sur Hiroshima et Nagasaki (6 et 9 août 1945), obligent l'empereur Hiro-Hito à accepter un armistice sans conditions, le 2 septembre 1945.

Le retour des soldats

En deux ans, de 1945 à 1947, 10,5 millions de soldats américains (7,5 % de la population totale) sont démobilisés. Le gouvernement organise leur réadaptation sociale, par des aides financières, des bourses d'étude et des garanties d'emprunt. Conséquence de ce retour des soldats : le nombre des mariages augmente rapidement. C'est l'une des raisons du baby boom : entre 1946 et 1953, plus de 3,5 millions de bébés naissent chaque année aux États-Unis. La population passe de 132 millions en 1940 à 152 en 1950, puis 192 en 1964. À cette date, 40 % des Américains ont moins de 20 ans.

Les difficultés de la reconversion

La guerre a donné un coup de fouet à l'économie américaine : le PNB a augmenté de 56 % entre 1940 et 1945. Mais le retour à une économie de paix soulève de graves difficultés, dont la plus importante est l'inflation. Le retour des démobilisés engendre en effet une hausse spectaculaire de la demande de biens de consommation, alors que la loi du 25 juillet 1946 met fin au contrôle des prix. Aussi, les prix s'envolent, provoquant un fort mécontentement parmi les ouvriers et une vague de grèves dans l'automobile, la sidérurgie et les mines de charbon. Resté très ferme face aux grévistes, Truman obtient la reprise du travail en décembre 1946.

LES ÉTATS-UNIS
DANS LA GUERRE FROIDE
(1947-1953)

> *La lutte contre le communisme obsède l'Amérique.*

L'endiguement du communisme

La Grande alliance entre les États-Unis et l'URSS ne survit pas à la guerre : dès 1945, le « rideau de fer » soviétique est tombé sur l'Europe de l'Est. À partir de 1947, Truman se décide à réagir, sur plusieurs fronts :

– Le 12 mars 1947, au nom de l'endiguement *(containment)* du communisme, il annonce que les États-Unis accordent un soutien financier à la Grèce et à la Turquie, menacées à leur tour par l'expansion communiste.

– Le 5 juin 1947, le secrétaire d'État George Marshall propose à l'Europe et à l'URSS un plan d'assistance financière. Accepté par 16 États d'Europe occidentale, mais refusé par l'URSS et les futures démocraties populaires, ce plan coûtera aux États-Unis 1,25 milliard de dollars, entre avril 1948 et juin 1952.

– De juin 1948 à mai 1949, les États-Unis organisent un pont aérien pour ravitailler Berlin-Ouest, isolée par le blocus soviétique.

– Le 4 avril 1949, Truman signe le traité de l'Atlantique Nord, qui crée l'OTAN, avec le Canada et 11 pays européens.

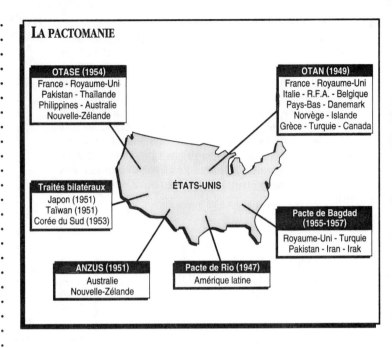

LA PACTOMANIE

OTASE (1954)
France - Royaume-Uni
Pakistan - Thaïlande
Philippines - Australie
Nouvelle-Zélande

OTAN (1949)
France - Royaume-Uni
Italie - R.F.A. - Belgique
Pays-Bas - Danemark
Norvège - Islande
Grèce - Turquie - Canada

Traités bilatéraux
Japon (1951)
Taïwan (1951)
Corée du Sud (1953)

ÉTATS-UNIS

**Pacte de Bagdad
(1955-1957)**
Royaume-Uni - Turquie
Pakistan - Iran - Irak

ANZUS (1951)
Australie
Nouvelle-Zélande

Pacte de Rio (1947)
Amérique latine

– En juin 1950, les troupes américaines interviennent en Corée du Sud pour riposter à l'invasion menée par la Corée du Nord communiste. L'armistice sera signé en juillet 1953.

Le maccarthysme

Dès 1947, la société américaine développe une véritable hantise du « complot » communiste :

– 26 000 employés de l'administration fédérale sont soumis aux investigations du FBI ;

– Beaucoup soupçonnent la CIO, deuxième centrale syndicale, d'être noyautée par les communistes ;

– Les milieux de la politique, de la littérature, du cinéma font l'objet de multiples enquêtes parlementaires.

À partir de 1950, le porte-parole des anticommunistes est le sénateur républicain du Wisconsin Joseph MacCarthy. À la tête de la commission d'enquête sénatoriale, il devient une sorte de héros national, traquant les communistes, leurs « compagnons de route » et tous les « libéraux ». Les

- époux Rosenberg, accusés d'espionnage, sont exécutés en
- juin 1953. Le « maccarthysme » et ses outrances reflètent
- l'intensité de la guerre froide.
-

De Truman à Eisenhower

- Ce climat de « chasse aux sorcières » complique la poli-
- tique de Truman. Attaqué dans son propre parti, sur sa
- gauche par Henri Wallace, sur sa droite par les démocrates
- conservateurs du Sud *(dixiecrats)*, il remporte néanmoins
- les élections présidentielles de 1948, par 24,1 millions de
- voix contre 21,9 au républicain Dewey. Les pauvres, les
- Noirs, les exclus ont massivement voté pour Truman. C'est
- pour eux qu'il lance en 1949 son programme de Fair Deal,
- dans la continuité du New Deal de Roosevelt : les bas
- salaires sont relevés ainsi que les prix agricoles et des mil-
- liers de logements sociaux sont construits.
- Mais le coût de la guerre de Corée et l'impact des cam-
- pagnes maccarthystes finissent par ternir le prestige de
- Truman et de son parti, accusés par les républicains de se
- montrer trop faibles envers les communistes. Aux élections
- de 1952, le candidat démocrate Adlai Stevenson est large-
- ment battu par le général Dwight Eisenhower, héros de la
- Deuxième Guerre mondiale, qui défend les couleurs républi-
- caines. Le vice-président est Richard Nixon, maccarthyste
- notoire, et le parti républicain est majoritaire au Congrès.
- C'est une nouvelle ère qui commence.

LES ANNÉES HEUREUSES
(1953-1960)

La présidence d'Eisenhower marque le triomphe du modèle américain.

Les leaders du « monde libre »

- Élu en pleine vague maccarthyste, Eisenhower
- promet d'aller plus loin que l'endiguement, c'est à
- dire de refouler *(roll back)* le communisme par-
- tout où il s'est installé. Il veut inaugurer une politique *new*
- *look*, qui donne la priorité à l'armement nucléaire, au nom
- de la théorie des « représailles massives ». Mais, en pratique,
- sa politique est empreinte d'une grande prudence : les États-
- Unis gardent le silence lors des soulèvements en RDA

(1953), en Pologne et en Hongrie (1956) ; ils condamnent l'intervention franco-britannique de Suez (1956), qui menace le fragile équilibre des deux blocs ; la « pactomanie » des années 50 s'inscrit dans la plus pure logique de l'endiguement.

Une ère d'abondance

Pour Eisenhower, la priorité est la croissance économique : entre 1950 et 1965, le PNB est multiplié par 2,5, la production industrielle double et le PNB par habitant augmente de 45 %.

Ce sont des taux de croissance plus faibles qu'en RFA, en France ou au Japon, mais les États-Unis produisent la moitié des biens mondiaux en 1955.

La concentration financière et industrielle est une des raisons majeures de cette forte croissance : en 1960, les 300 plus grosses entreprises américaines emploient un quart des ouvriers, versent un tiers des salaires et se partagent un tiers des bénéfices industriels. Gérées par des managers, financées par le capitalisme populaire (2 millions d'actionnaires pour General Motors), beaucoup s'implantent à l'étranger, devenant des « multinationales », comme Ford ou IBM.

Le marché américain est aux dimensions de son appareil productif. Vers 1955, un Américain sur trois a une automobile, 96 % des familles possèdent un réfrigérateur, 89 % une machine à laver et 81 % un téléviseur : c'est la société d'abondance. Les classes moyennes, ou « cols blancs », (employés, cadres, professions libérales) forment désormais l'ossature de la société américaine. Leur mode de vie, leurs valeurs gagnent les autres catégories sociales, ouvriers (« cols bleus ») et agriculteurs, qui, d'ailleurs, ne représentent plus respectivement que 33 % et 9 % de la population active en 1960. L'idéal est d'habiter en banlieue, dans une maison confortable, entourée de pelouses. Dans le monde entier, va peu à peu s'imposer ce modèle de l'*American Way of Life*.

L'envers du rêve américain

Malgré la politique sociale de « voie moyenne » (ou « conservatisme progressiste ») menée par Eisenhower, les bénéfices de la prospérité sont loin d'être également répar-

LE POIDS DES ÉTATS-UNIS DANS L'ÉCONOMIE MONDIALE

	1945	1955	1960
Population totale (en millions)	140	166	180
PNB (en milliards de dollars courants)	214	398	504

Revenu national par habitant en 1948 (en dollars)

États-Unis	1 523	France	417	Italie	229
Royaume-Uni	853	RFA	390		

Part des États-Unis dans le monde	1938	1950	1960
Production d'articles manufacturés	35,7 %	51,2 %	43,8 %
Exportations d'articles manufacturés	17,1 %	21,7 %	18,7 %

tis dans la société américaine. En 1960, les 5 % d'Américains les plus riches détiennent plus de 15 % du revenu national, tandis que les 20 % de pauvres n'en détiennent que 4,6 %.

Les Noirs sont victimes d'une double ségrégation, à la fois sociale et raciale. Sur ce dernier point, les choses commencent pourtant à bouger : en 1954, la Cour suprême condamne la ségrégation scolaire et, en 1957, Eisenhower envoie la troupe à Little Rock, dans l'Arkansas, pour permettre à des enfants noirs de pénétrer dans une école « blanche ». Mais il reste encore beaucoup à faire.

KENNEDY ET LA « NOUVELLE FRONTIÈRE » (1960-1963)

Pendant trois ans, Kennedy va incarner les rêves et les ambitions de l'Amérique.

Aux élections de novembre 1960, le démocrate Robert Fitzgerald Kennedy l'emporte de justesse sur le républicain Richard Nixon. Son vice-président, Lyndon B. Johnson, lui a assuré le soutien des États du Sud. À l'instar de Franklin Roosevelt, ce jeune président de 43 ans propose à l'Amérique d'atteindre une « Nouvelle frontière ».

Sur le plan extérieur, il lance notamment l'Agence pour le développement international, chargée d'aider le tiers monde, puis l'Alliance pour le progrès, une sorte de plan Marshall pour l'Amérique latine. À l'Europe, il propose de remplacer le leadership américain par un *Equal Partnership*. On reste néanmoins dans la continuité de l'endiguement, comme en témoignent les deux interventions américaines à Cuba, en 1961 et 1962, soutenues par l'ensemble du bloc occidental. Et l'envoi de 16 000 conseillers militaires pour aider le Sud-Viêtnam contre la guérilla communiste ouvre en 1963 un processus qui sera lourd de conséquences pour la société américaine et l'image des États-Unis dans le monde.

Sur le front intérieur, Kennedy se fixe deux tâches :

– Il essaie de lutter contre la pauvreté, en lançant des programmes d'aide au logement, en relevant le salaire minimum et l'allocation-chômage. Mais tous les autres projets (projet Medicare d'aide médicale gratuite aux personnes âgées, subventions éducatives, réduction fiscale) sont rejetés par le Congrès.

– Il tente de renforcer les droits civiques des Noirs, qui lancent en 1963 une grande campagne de marches pacifiques, organisées par le pasteur Martin Luther King. Ce dernier est reçu à la Maison Blanche, le 28 août 1963, et le président prépare un projet de loi interdisant la ségrégation. Mais le Congrès va enterrer le projet.

Lorsqu'il est assassiné à Dallas, le 22 novembre 1963, Kennedy est loin d'avoir atteint ses buts. Mais il laisse le plus beau mythe de l'histoire politique américaine.

Superpuissance de l'après-guerre, les États-Unis dominent le « monde libre » en guerre froide contre le bloc communiste. Toutefois, si le modèle de l'*American Way of Life* devient une référence universelle, il ne peut dissimuler les inégalités criantes de la société américaine, et notamment la ségrégation raciale. La présidence avortée de Kennedy n'a pas pu résoudre ces problèmes. La guerre du Viêtnam va plonger l'Amérique dans l'ère du doute et de la contestation.

1945 : mort de Roosevelt ; charte de l'ONU ; bombes atomiques sur Hiroshima et Nagasaki.

1947 : Truman annonce l'aide à la Grèce et à la Turquie au nom de l'endiguement du communisme.

1948 : début du plan Marshall ; pont aérien vers Berlin-Ouest ; réélection de Truman à la présidence.

1949 : programme social de Fair Deal ; traité de l'Atlantique Nord créant l'OTAN.

1950 : le sénateur MacCarthy dénonce le complot communiste ; début de la guerre de Corée.

1952 : Eisenhower (républicain) élu président.

1953 : fin de la guerre de Corée.

1954 : Organisation du traité de l'Asie du Sud-Est (OTASE).

1955 : Pacte de Bagdad.

1956 : Eisenhower stoppe l'expédition franco-britannique de Suez.

1957 : incidents raciaux à Little Rock (Arkansas).

1960 : Kennedy (démocrate) élu président ; il annonce son programme : la « Nouvelle frontière ».

1962 : crise des missiles de Cuba.

1963 : assassinat de Kennedy ; il est remplacé par le vice-président Johnson.

LIRE AUSSI ÉCONOMIE (1945-1973) ; ÉTATS-UNIS DU NEW DEAL ; ÉTATS-UNIS (DEPUIS 1964) ; DEUXIÈME GUERRE MONDIALE (DE 1942 À 1945 ; BILAN) ; ORGANISATIONS INTERNATIONALES (DEPUIS 1945) ; RELATIONS INTERNATIONALES (1945-1962).

ÉTATS-UNIS
(DEPUIS 1964)

Après la prospérité des années 50 et les espérances de la présidence Kennedy, les décennies suivantes vont être marquées par les doutes et les échecs. L'ère Reagan va redonner à l'Amérique ses certitudes, mais au prix de graves inégalités sociales.

L'ÉCHEC DE LA « GRANDE SOCIÉTÉ » (1964-1968)

> *Malgré les réformes de Johnson, la guerre du Viêtnam plonge l'Amérique dans une grave crise d'Identité.*

Les réformes de la présidence Johnson

Le nouveau président Lyndon B. Johnson choisit de reprendre et d'amplifier les projets sociaux de Kennedy, en baptisant son programme : la « Grande société ». Réélu triomphalement en 1964, Johnson bénéficie de la confiance du Congrès, à forte majorité démocrate. Il lance un vaste programme de lutte contre la pauvreté : l'*Office of Economic Opportunity* est chargé de diverses opérations, en faveur de l'apprentissage ou des fermiers ; le programme d'assistance médicale aux personnes âgées est voté par le Congrès (Medicare et Medicaid) ; enfin, l'Administration suscite la réhabilitation de 60 centres-villes. En 1968, il n'y a plus que 13 % des Américains en-dessous du seuil de pauvreté, contre 20 % en 1960, ce qui représente encore 25,4 millions de pauvres, pour 203 millions d'Américains.

En 1964, l'année où Martin Luther King obtient le prix Nobel de la Paix, est enfin votée la loi sur les droits civiques, qui interdit toute ségrégation ; elle est complétée en 1965 par une loi qui garantit le droit de vote aux Noirs ; enfin, Johnson nomme le premier ministre noir et le premier juge noir à la Cour suprême. Mais la ségrégation sociale est de moins en moins supportée par les jeunes Noirs des ghettos.

La « sale guerre » du Viêtnam

À partir d'août 1964, Johnson se fait octroyer les « pleins pouvoirs » en politique étrangère par le Congrès et engage les États-Unis dans un conflit militaire contre le Nord-Viêtnam. Mais cette « sale guerre », qui mobilise jusqu'à 535 000 soldats en 1968, est de plus en plus impopulaire. Premiers à réagir, les étudiants organisent des manifestations dans plus de 60 villes, dès l'automne 1965. Chaque jour, la presse américaine dévoile les atrocités du conflit, et la cote de popularité de Johnson tombe au plus bas en 1968. La guerre du Viêtnam joue le rôle d'un catalyseur pour tous les mécontents de la société américaine.

La crise du modèle américain

Au bas de l'échelle sociale, touchés à 30 % par le chômage, les Noirs se révoltent : à Los Angeles, en 1965, à Detroit, en 1967, les émeutes sont sanglantes. Le Black Power, les Black Muslims de Malcom X, puis les Black Panthers expriment la radicalisation politique du mouvement noir. La révolte noire offre un modèle aux autres minorités, comme les Indiens (Mouvement du Red Power pour la restitution des terres indiennes) et les Hispano-américains. Les femmes s'organisent elles-aussi : elles obtiendront en 1972 la reconnaissance légale de l'égalité entre les sexes, puis, en 1973, le droit à l'avortement.

Dans le monde étudiant, la contestation est d'abord politique, incarnée par la Nouvelle gauche, puis elle devient une véritable contre-culture. Sur les campus universitaires, c'est le temps des hippies, de la libération sexuelle, de la marijuana et de Bob Dylan. Toute une génération issue du baby boom remet en cause le modèle américain.

LES PRÉSIDENCES NIXON (1968-1974)

En dépit de ses succès Nixon n'ira pas au bout de son deuxième mandat présidentiel.

Le règlement du conflit viêtnamien

C'est parce qu'il a promis la paix au Viêtnam que le républicain Richard Nixon remporte les élections de 1968 contre le démocrate Humphrey.

Conseillé par Henry Kissinger, il lance une nouvelle doctrine, appelée *linkage* (lien) : dans le dialogue avec les pays communistes, tous les domaines sont liés. En pratique, le rapprochement des États-Unis avec la Chine (Nixon à Pékin en 1972) pousse l'URSS à rechercher la détente, ce qui favorise la résolution du conflit viêtnamien.

La « viêtnamisation » de la guerre est organisée : on remplace les soldats américains par des Sud-Vietnamiens, et l'on bombarde massivement le Nord-Viêtnam, afin de négocier en position de force. Le 27 janvier 1973, les accords de Paris mettent fin à l'engagement américain. La « sale guerre » a coûté à l'Amérique 57 000 morts et 140 milliards de dollars.

LE SCANDALE DU WATERGATE

Le 17 juin 1972, de faux « plombiers », travaillant pour le Comité de réélection du président, ont cambriolé l'immeuble du Watergate, siège du Parti démocrate. Le journal Washington Post *mène une enquête, prouvant que des proches de Nixon sont impliqués, et que le président cherche à étouffer l'affaire. Accusé de faire obstacle à l'enquête sénatoriale, Nixon est menacé par la procédure d'*impeachment, *qui le ferait passer en accusation devant le Sénat, pour haute trahison. D'autres irrégularités graves sont reprochées à la présidence, notamment le bombardement du Cambodge organisé en 1969-1973 sans l'autorisation du Congrès. Désavoué par 75 % des Américains (d'après les sondages), « Tricky Dicky » (Richard le Truqueur) démissionne, le 9 août 1974. C'est une victoire pour la presse (« le quatrième pouvoir ») et une revanche du Congrès sur la présidence. Mais un discrédit pèse désormais sur la présidence et sur toute la classe politique.*

Le « Nouveau fédéralisme »

Élu sur un programme de laisser-faire économique, Nixon est contraint par les circonstances à une politique interventionniste : en août 1971, il bloque les prix et les salaires pour freiner l'inflation ; il augmente considérablement l'aide aux personnes âgées ; il regroupe les programmes sociaux de l'État en un vaste Plan d'assistance à la famille. En revanche, une partie des ressources et des compétences fédérales sont décentralisées, c'est-à-dire transférées aux autorités locales : c'est le « Nouveau fédéralisme ».

Fort de ses succès, Nixon est facilement réélu en 1972 contre le démocrate Mac Govern. Mais, à partir de 1973, il est impliqué dans le scandale du Watergate. Contraint à démissionner en août 1974, il est remplacé par son vice-président Gerald Ford.

LES ÉCHECS DE JIMMY CARTER (1976-1980)

La présidence Carter est une période de crise et de doute pour les États-Unis.

Carter face à la crise économique

Présenté comme un homme nouveau, provincial, antipoliticien, le candidat démocrate Jimmy Carter, gouverneur de Géorgie, est élu président en 1976 contre Gerald Ford. Les priorités de Carter sont d'ordre économique, car les États-Unis sont frappés par la crise de 1973, qui entraîne inflation (+ 11,3 % en 1979), chômage (8,5 % en 1975), et dépréciation du dollar. Dans l'esprit du New Deal, Carter propose une série de mesures sociales, pour la plupart refusées par le Congrès. Il n'est pas plus heureux dans ses tentatives pour réduire les importations de pétrole : malgré la création du département de l'Énergie, il ne réussit ni à faire diminuer sensiblement la consommation ni à développer le nucléaire. Quant à sa politique de déréglementation des transports et des banques, elle stimule l'inflation plus qu'elle ne la freine.

Les maladresses de la politique étrangère

Le nouveau président, qui se veut le défenseur des droits de l'homme, obtient quelques grands succès diplomatiques, tels la signature des accords de Camp David entre l'Israélien Begin et l'Égyptien Sadate (septembre 1978) et le rétablissement des relations diplomatiques avec la Chine (décembre 1978). Mais l'année 1979 est fatale aux intérêts américains : en février, la révolution islamique, menée par l'ayatollah Khomeyni, abat le régime pro-américain du shah d'Iran ; en juillet, les sandinistes, soutenus par Cuba, prennent le pouvoir au Nicaragua ; enfin, en décembre, les troupes soviétiques envahissent l'Afghanistan. Carter tente de réagir à cette invasion par des mesures spectaculaires :

le gel des accords de désarmement SALT II, l'embargo céréalier à l'égard de l'URSS, le boycottage des Jeux Olympiques de Moscou (été 1980). Mais il subit un nouvel échec en avril 1980 : l'expédition militaire lancée pour délivrer les 52 diplomates américains détenus en otage à Téhéran est un fiasco.

Les échecs intérieurs et extérieurs de Carter discréditent durablement les démocrates.

L'AMÉRIQUE « REAGANIENNE » (1980-1992)

Sous les présidences de Reagan et de Bush, l'Amérique retrouve ses valeurs traditionnelles et son sentiment national.

La « révolution » conservatrice et ses conséquences

Gouverneur républicain de Californie, Ronald Reagan l'emporte largement sur Carter aux élections de 1980. Il s'appuie sur la « majorité morale » qui veut retrouver les valeurs traditionnelles de l'Amérique profonde, après la remise en cause des années 70. De nombreuses organisations, notamment sudistes, reflètent cette aspiration conservatrice. Le renouveau religieux, les prières à l'école, le rejet du divorce et de l'homosexualité sont leurs chevaux de bataille. Reagan trouve aussi un soutien dans la Nouvelle droite, qui veut en finir avec le *Welfare State* et revenir aux vertus de la libre entreprise.

Le programme économique de Reagan *(reaganomics)* réduit le poids de la fiscalité directe, accentue la déréglementation, notamment dans le secteur de l'énergie, et diminue sensiblement les programmes sociaux de l'État, tout en accroissant sensiblement les dépenses militaires. La production industrielle augmente de 15 % entre 1980 et 1986, le taux de chômage baisse de 10 % à 6 %, mais le déficit de la balance commerciale est multiplié par cinq, la sidérurgie et l'agriculture sont en crise, le Middle-West agricole et le Nord-Est industriel sont des régions sinistrées où les *homeless* (sans foyer) abondent, et les États-Unis deviennent en 1985 le pays le plus endetté du monde. De plus, la réduction des budgets sociaux et éducatifs accroît les difficultés de la

- population pauvre, notamment les minorités ethniques des
- ghettos, Noirs et Latino-américains. En réalité, l'effet Reagan
- est surtout psychologique. C'est ce qui lui permet d'être faci-
- lement réélu en 1984 contre le démocrate Walter Mondale.
- Mais le krach boursier d'octobre 1987 et le mécontentement
- social vont rendre plus difficile la fin de son mandat.
-

● Du raidissement à la détente

- Face à l'URSS, qu'il considère comme « l'empire du Mal »,
- Reagan semble tout d'abord vouloir l'épreuve de force.
- C'est pourquoi il accroît de 25 % le budget de la Défense et
- renforce le potentiel militaire américain. L'Initiative de
- défense stratégique (IDS), annoncée en mars 1983 et sur-
- nommée « guerre des étoiles », vise à élaborer dans l'espace
- un bouclier de canons à lasers protégeant le territoire amé-
- ricain contre toute attaque nucléaire. De même, Reagan
- n'hésite pas à lancer des opérations spectaculaires, comme
- le débarquement à la Grenade en octobre 1983 ou le raid
- aérien sur la Libye en avril 1986.
- Mais Reagan sait aussi faire preuve de pragmatisme.
- C'est pourquoi les États-Unis vendent secrètement des armes
- à l'Iran pour financer les « contras » en lutte contre le gouver-
- nement du Nicaragua ; ce scandale de l'« Irangate » ne sera
- révélé que fin 1986. On retrouve le même réalisme vis-à-vis de
- l'URSS, qui représente un énorme marché pour la production
- céréalière américaine : l'embargo instauré par Carter est donc
- levé dès 1981, et les deux Grands signent en 1983 le plus gros
- marché céréalier de l'histoire. En outre, Reagan est sensible
- aux initiatives de détente lancées par Gorbatchev à partir de
- 1985 : leur première rencontre au sommet, organisée à
- Genève en novembre 1985, aboutit au traité de décembre
- 1987, qui prévoit la destruction des forces nucléaires inter-
- médiaires (de portée comprise entre 500 et 5 000 km). Un
- deuxième sommet, organisé à Moscou en juin 1988, envisage
- une réduction de moitié des forces nucléaires des deux pays.
- C'est sur cette image pacifique que Reagan quitte le pouvoir.
-

● George Bush et la fin de la guerre froide

- Vice-président depuis huit ans, George Bush récolte les
- dividendes du reaganisme à l'élection de 1988, remportée
- facilement contre le démocrate Michael Dukakis. L'essentiel
- de son action est tourné vers la politique extérieure.

- Rencontrant Gorbatchev au sommet de Malte, en décembre
- 1989, il s'engage franchement en faveur de la perestroïka : le
- traité START *(Strategic Arms Reduction Talks)* de juillet 1991,
- réduisant de 30 % les armements nucléaires, couronne ce
- rapprochement des deux Grands. L'intervention contre
- l'Irak, baptisée guerre du Golfe, permet aux États-Unis
- d'apparaître comme la seule superpuissance du nouvel
- ordre mondial, face à l'effondrement soviétique. L'opération
- « Tempête du désert », mandatée par le Conseil de sécurité
- de l'ONU et acceptée par l'URSS, est menée par les troupes
- alliées sous commandement américain (janvier 1991). Ce
- leadership unique et incontesté des États-Unis reflète la fin
- de la guerre froide.
-     Mais le bilan intérieur de George Bush est beaucoup
- moins brillant. À partir de 1990, l'Amérique entre dans
- une phase de récession, marquée par le plus faible taux
- de croissance depuis 1945. Cette récession creuse le
- fossé entre les riches (1 % de la population et 37 % du
- revenu national) et les pauvres (13 % de la population),
- notamment les minorités ethniques, Noirs, Latino-améri-
- cains et, de plus en plus, Asiatiques. La crise de cette
- société multi-ethnique, et notamment le malaise des ghet-
- tos urbains (illettrisme, chômage, drogue, délinquance),
- éclate lors des émeutes de Los Angeles, le 29 avril 1992
- (50 morts).
-     C'est en proposant des réformes économiques et
- sociales que le démocrate Bill Clinton, jeune gouverneur de
- l'Arkansas, a battu George Bush à l'élection présidentielle de
- novembre 1992.
-
-     Après Kennedy, les États-Unis ont traversé une grave
- crise d'identité, liée notamment à leur échec au Viêtnam.
- L'ère Reagan a permis à l'Amérique de retrouver sa fierté
- perdue, mais au prix d'un malaise social aggravé, qui a
- coûté sa réélection à George Bush. Bill Clinton va tenter de
- réduire le déficit budgétaire puis de relancer l'économie
- américaine, en s'appuyant notamment sur la nouvelle zone
- de libre-échange englobant les États-Unis, le Canada et le
- Mexique (NAFTA, août 1992). Mais le peuple américain
- demande surtout une vraie politique sociale.
-
-

1964 : loi sur les droits civiques des Noirs ; début de la guerre du Viêtnam ; réélection de Johnson (démocrate) à la présidence.

1965 : loi sur le droit de vote des Noirs ; manifestations étudiantes contre la guerre du Viêtnam.

1968 : assassinat de Martin Luther King ; Nixon (républicain) élu président.

1969 : Armstrong est le premier homme sur la lune.

1971 : suspension de la convertibilité du dollar en or et début du désordre monétaire international.

1972 : Nixon en Chine ; bombardements massifs sur le Nord-Viêtnam.

1973 : accords de Paris mettant fin à la guerre du Viêtnam.

1974 : démission de Nixon après le scandale du Watergate.

1976 : Carter (démocrate) élu président.

1978 : accords de Camp David entre l'Égypte et Israël.

1980 : Ronald Reagan (républicain) élu président.

1983 : Initiative de défense stratégique (« guerre des étoiles ») ; intervention américaine sur l'île de la Grenade.

1984 : réélection de Reagan.

1985 : sommet Reagan-Gorbatchev à Genève.

1986 : scandale de l'Irangate.

1987 : krach boursier à New York ; traité américano-soviétique sur la destruction des forces nucléaires intermédiaires.

1988 : sommet de Moscou sur la réduction de moitié des armements nucléaires ; Bush (républicain) élu président.

1989 : sommet Bush-Gorbatchev à Malte.

1991 : victoire des Américains dans la guerre du Golfe contre l'Irak ; traité sur la réduction des armements nucléaires (START).

1992 : émeutes noires à Los Angeles ; Accord sur la zone nord-américaine de libre-échange (NAFTA) ; Clinton (démocrate) élu président.

LIRE AUSSI ÉCONOMIE (DEPUIS 1973) ;
ÉTATS-UNIS (1945-1964) ;
POPULATION MONDIALE (DEPUIS 1945) ;
RELATIONS INTERNATIONALES
(1962-1985 ; DEPUIS 1985).

EUROPE CENTRALE ET ORIENTALE

◀ **(1920-1939)**

À l'issue de la Première Guerre mondiale, sur les ruines des empires centraux (Autriche-Hongrie, empire allemand) et de la Russie tsariste apparaissent de nouveaux États. Qu'ils soient les héritiers directs des puissances vaincues (Autriche, Hongrie, Bulgarie), constitués ou reconstitués de toutes pièces (Tchécoslovaquie, Yougoslavie, Finlande, Pays baltes, Pologne), rajeunis et rénovés (Roumanie), leurs gouvernements doivent résoudre les tensions de l'après-guerre et élaborer des Constitutions.

DE NOUVEAUX RÉGIMES

◀

Les réformes agraires

En 1919, les pays d'Europe centrale et orientale sont dans leur grande majorité des pays agricoles avec des économies d'ancien régime. Une minorité de grands propriétaires possède la quasi-totalité du sol, alors que les nombreux paysans, dépendants, ne disposent que de petites exploitations, et voient leur sort s'aggraver à cause de l'essor démographique. Pour éviter les jacqueries et le partage spontané des terres à l'imitation de la Russie, tous les nouveaux États votent des lois agraires entre 1919 et 1922 qui prévoient la suppression des plus grandes propriétés (avec en contrepartie une indemnité) et leur partage entre les paysans les plus pauvres. Mais leur objectif est avant tout de ramener la paix civile et, dès le retour de celle-ci, les réformes sont en partie abandonnées. Elles ne seront vraiment appliquées que dans les pays où l'aristocratie est

> *Les gouvernements des nouveaux États d'Europe centrale entreprennent des réformes agraires et élaborent des Constitutions démocratiques.*
>
> ◀

d'origine étrangère : en Tchécoslovaquie et en Estonie où elle est allemande, en Yougoslavie où elle est hongroise. En Pologne et en Hongrie, là où les réformes sont les plus nécessaires, l'aristocratie locale finit par s'y opposer avec succès.

Des démocraties fragiles

Les gouvernements des pays d'Europe centrale et orientale adoptent leurs Constitutions entre 1919 et 1923. Quelle que soit la forme des régimes, républicain (Autriche, Tchécoslovaquie, Pologne, Finlande, Pays baltes) ou monarchique (Roumanie, Yougoslavie, Bulgarie), ces Constitutions offrent de grandes similitudes car tous ces États se veulent démocratiques et parlementaires. Les pouvoirs sont partagés entre une ou deux Assemblées élues au suffrage universel direct et un chef d'État généralement puissant (sauf dans les Pays baltes) ; des partis politiques se forment sur le modèle occidental.

Ainsi constituées, ces démocraties restent bien fragiles. L'Europe centrale et orientale manque de traditions démocratiques. Les nouveaux régimes doivent résoudre le problème ethnique : en Roumanie, mais surtout en Yougoslavie où Serbes et Croates s'affrontent, les Croates allant jusqu'à fonder un parlement séparatiste à Zagreb en août 1928. Les gouvernements sont par ailleurs confrontés à de graves difficultés économiques et sociales (désorganisation des échanges et chute de la production, inflation, chômage, inégalités...), ainsi que financières (déséquilibres budgétaires). La démocratie n'a même pas le temps de s'installer en Hongrie : en mars 1919, le communiste Bela Kun parvient à s'imposer ; peu après, il s'enfuit et l'amiral Horthy instaure un régime monarchique à tendance dictatoriale.

LA MULTIPLICATION DES DICTATURES

À partir de 1926 les régimes autoritaires se multiplient.

Les premières dictatures (1926-1929)

En Pologne, le général Pilsudski, qui a battu la Russie (guerre de 1920-21) et obtenu d'elle le traité de Riga (mars 1921), est considéré comme un héros. En mai

1926, il profite de la crise monétaire que traverse le pays pour organiser une marche meurtrière sur Varsovie avec l'appui de l'armée. Tout en conservant les apparences de la démocratie, la Pologne est dès lors soumise à sa dictature.

En Lituanie, l'opposition conservatrice organise un coup d'État le 17 décembre 1926 sous prétexte d'une collusion du gouvernement en place avec l'URSS communiste (un pacte de non-agression avait été conclu entre les deux pays en septembre). Voldemaras, au pouvoir jusqu'en 1929, supprime le Parlement en avril 1927.

En Yougoslavie, le roi Alexandre suspend la Constitution le 5 janvier 1929 pour mettre fin aux querelles sanglantes opposant les ethnies du pays, stabiliser un régime ébranlé par 44 crises ministérielles et renforcer l'État face aux visées expansionnistes de Mussolini.

Les dictatures des années 30

La chute des cours mondiaux des produits agricoles, à partir de 1929, aggrave la condition des paysans et les incite à soutenir les organisations qui se modèlent sur les partis fasciste et national-socialiste et qui obtiennent, surtout à partir de 1933, des subventions de l'Italie mussolinienne ou de l'Allemagne hitlérienne. En Pologne, le Parti national radical, en Hongrie les Croix fléchées, en Roumanie la Garde de fer trouvent ainsi un large écho parmi les paysans en lançant des campagnes pour la réforme agraire et en dénonçant les juifs.

Les hommes au pouvoir en 1929, qui s'appuient généralement sur les forces traditionnelles de la société (aristocratie foncière, armée, clergé), sont inquiets de la montée en puissance de ces partis de masse et instaurent des régimes autoritaires en grande partie pour endiguer leur progression. Il en est ainsi en Autriche, où, en mars 1933, le chancelier Dollfuss ajourne le Parlement et interdit les partis communiste et nazi ; dans les Pays baltes puis en Bulgarie, où Boris III finit par imposer, en 1935, son autorité absolue sur le pays ; en Roumanie, où Carol II a recours en 1938 à la dissolution de tous les partis pour éviter l'accession au pouvoir de la Garde de fer. De leur côté, les régimes autoritaires de Yougoslavie, Pologne, Hongrie et Lituanie se durcissent. À la fin des années 30, seule la Tchécoslovaquie reste fidèle au régime parlementaire.

Les dictatures conservatrices d'Europe centrale se distinguent des dictatures fascistes parce qu'elles émanent avant tout des forces traditionnelles de la société et n'envisagent aucun programme dit « révolutionnaire ». Autre différence majeure : elles sont pour la plupart favorables au statu quo en Europe. Seules la Hongrie et la Bulgarie, lésées à l'issue de la Première Guerre mondiale, « révisionnistes », et la Roumanie, qui craint plus que tout autre pays le géant soviétique, deviendront les alliées de l'Allemagne nazie en 1941.

EUROPE CENTRALE ET ORIENTALE (1920-1939)

CHRONOLOGIE

1919 : début des réformes agraires dans les pays d'Europe centrale et orientale.

1920 : Masaryk, premier président de la République tchécoslovaque, fait voter une Constitution ; l'amiral Horthy régent de Hongrie.

1921 : traité de Riga mettant fin à la guerre polono-soviétique au profit de la Pologne ; adoption d'une Constitution établissant un régime démocratique et parlementaire en Pologne.

1926 : coup d'État de Pilsudski en Pologne.

1929 : le roi Alexandre suspend la Constitution en Yougoslavie.

1930 : Charles II prend le trône en Roumanie.

1932 : Dollfuss Chancelier d'Autriche.

1933 : suspension du régime parlementaire en Autriche.

1934 : assassinat de Dollfuss par les nazis ; coup d'État de Präts en Estonie, qui marque le début de l'État autoritaire ; coup d'État du Premier ministre Ulmanis en Lettonie, qui met en place un gouvernement autoritaire.

1935 : en Bulgarie, le roi Boris III prend le pouvoir et gouverne en dictateur ; mort de Pilsudski en Pologne ; Bénès président de la République tchèque après le retrait de Masaryk.

1938 : en Roumanie, le roi Charles II (ou Carol II) établit une dictature royale ; annexion de l'Autriche par l'Allemagne ; annexion des Sudètes tchèques par l'Allemagne.

1939 : attaque de la Pologne par l'Allemagne.

LIRE AUSSI **ÉCONOMIE** (ANNÉES 20) ; **PREMIÈRE GUERRE MONDIALE** (BILAN) ; **RELATIONS INTERNATIONALES** (ANNÉES 30).

EUROPE DE L'EST

◀ (1945-1980)

L'Europe orientale et centrale, occupée par l'Armée rouge, s'aligne en quelques années sur le modèle soviétique. Cette stalinisation se fait au prix de l'épuration politique et de la répression militaire, notamment en Hongrie (1956) et en Tchécoslovaquie. Ce modèle imposé par la force provoque une dépendance politique et économique envers l'URSS.

LA CONSTITUTION DU BLOC DES DÉMOCRATIES POPULAIRES (1945-1949)

◀

> *Les huit pays d'Europe centrale et orientale deviennent des « démocraties » populaires.*
> ◀

Les premières « démocraties populaires »

En Albanie et en Yougoslavie, les partis communistes nationaux ont joué un rôle majeur dans la Résistance et dans la libération de leur pays, sans recourir à l'aide de l'Armée rouge. Dès octobre 1944, quand les troupes allemandes quittent l'Albanie, le chef communiste Enver Hodja prend le pouvoir. En Yougoslavie, Tito, chef des « partisans » communistes, gouverne d'abord avec les représentants du roi Pierre II, mais ceux-ci sont écartés dès le mois d'août 1945 : la Yougoslavie devient une République populaire fédérative, en janvier 1946. Tito rompra dès juin 1948 avec l'URSS, afin de mener une voie yougoslave de socialisme, qui sera violemment critiqué par Staline.

La soviétisation des autres démocraties populaires

Dans les autres pays d'Europe centrale, libérés par l'Armée rouge, des gouvernements de « fronts nationaux » réunissent tous les partis de la Résistance, dont les communistes. Quelques entreprises sont nationalisées et les réformes agraires de 1945 distribuent les terres aux paysans en Pologne, puis en Hongrie, en Roumanie et en Allemagne de l'Est : on s'achemine vers des régimes progressistes, bien différents du modèle collectiviste stalinien.

Mais, soutenus par l'URSS, les communistes accaparent très rapidement les ministères-clés (Intérieur, Défense), noyautent l'armée et l'administration, absorbent les partis socialistes et éliminent les autres partis (stratégie du « salami »). C'est ainsi que la Bulgarie, la Pologne et la Roumanie deviennent en 1947 et 1948 des « démocraties populaires » alignées sur l'URSS.

Dans les pays où existe une tradition démocratique, la soviétisation est plus lente et superficielle. En Tchécoslovaquie, il faudra le « coup de Prague », c'est-à-dire une manifestation musclée des milices ouvrières, en février 1948, pour que le président Bénès accepte la composition d'un cabinet communiste dirigé par Gottwald. En Hongrie, c'est seulement après la démission du président Tildy, en juillet 1948, que le communiste Rakosi s'empare du pouvoir. Enfin, le cas de l'Allemagne est le plus complexe, car elle est le principal enjeu de la guerre froide. Après la formation de la « trizone » occidentale en juin 1948, puis la naissance de la RFA en mai 1949, les communistes créent un État est-allemand, la République démocratique allemande, le 7 octobre 1949.

● ***L'organisation du « camp socialiste »***

Face à la politique d'« endiguement » lancée en mars 1947 par le président américain Truman, l'URSS renforce la cohésion des démocraties populaires, qu'elle contraint à refuser le plan Marshall. Le 27 septembre 1947, la conférence de Szklarska Poreba (Pologne) réunit les représentants des partis communistes européens. Le rapport du Soviétique Jdanov y souligne la nécessité d'unifier la stratégie du « camp socialiste » contre l'impérialisme américain : c'est dans ce but qu'est créé le Bureau d'information communiste (Kominform), organisme de liaison chargé de diffuser les consignes de Moscou. Puis est créé le Conseil d'aide économique mutuelle (CAEM ou Comecon), le 25 janvier 1949, qui concrétise la domination économique soviétique sur les pays communistes d'Europe de l'Est. Le Pacte de Varsovie, signé le 14 mai 1955, répondant à l'OTAN, entérinera l'alliance militaire du camp socialiste.

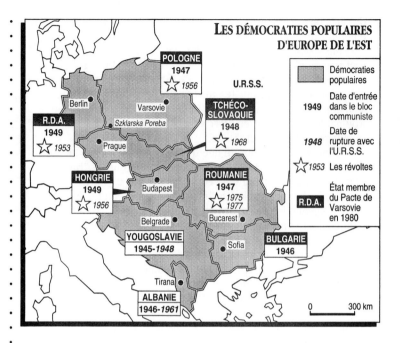

LES DÉMOCRATIES POPULAIRES
D'EUROPE DE L'EST

POLOGNE
1947
☆ 1956

U.R.S.S.

Berlin
Varsovie

TCHÉCO-
SLOVAQUIE
1948
☆ 1968

R.D.A.
1949
☆ 1953

Szklarska Poreba

Prague

HONGRIE
1949
☆ 1956

Budapest

ROUMANIE
1947
☆ 1975
1977

Belgrade
Bucarest

YOUGOSLAVIE
1945-1948

Sofia

BULGARIE
1946

Tirana

ALBANIE
1946-1961

0   300 km

Démocraties populaires

1949 Date d'entrée dans le bloc communiste

1948 Date de rupture avec l'U.R.S.S.

☆1953 Les révoltes

R.D.A. État membre du Pacte de Varsovie en 1980

SATELLISATION ET CONTESTATION (1949-1968)

La satellisation du bloc de l'Est provoque plusieurs révoltes populaires écrasées par l'URSS.

Le modèle stalinien

À partir de 1949, le modèle stalinien s'impose rapidement en Europe de l'Est, au mépris des traditions et des intérêts nationaux. La collectivisation des industries et des terres, la planification économique sur cinq ans, le primat de l'industrie lourde sont calqués sur le développement soviétique. L'alignement est tout aussi spectaculaire dans le domaine politique : les nouvelles Constitutions, adoptées de 1948 à 1952, reproduisent fidèlement la Constitution soviétique de 1936. C'est le règne du parti unique, qui contrôle toute la société et va jusqu'à éliminer ses militants hostiles à l'URSS : l'épuration touche 40 % des communistes en Hongrie ou en

- Tchécoslovaquie ; les dirigeants communistes « nationaux »
- (c'est-à-dire attachés à leur indépendance par rapport à
- Moscou) sont soumis à des procès politiques, tels Rajk en
- Hongrie et Kostov en Bulgarie (1949), Gomulka en Pologne
- (1951) ; en Tchécoslovaquie, Slanski est victime de l'antisé-
- mitisme des staliniens (1952). De même, les dignitaires de
- l'Église catholique ou orthodoxe doivent faire face à une vio-
- lente persécution. Enfin, les minorités nationales, Hongrois
- de Roumanie, Slovaques de Tchécoslovaquie, sont étroite-
- ment surveillées.

Après Staline : insurrection et répression

En mars 1953, la mort de Staline et les incertitudes de sa succession ébranlent tout le camp socialiste.

Dès le mois de juin 1953, la RDA et la Tchécoslovaquie sont secouées par des insurrections populaires, mais ces mouvements sont aussitôt réprimés par les chars soviétiques à Berlin-Est, et par les forces gouvernementales à Prague.

En Pologne, les ouvriers se soulèvent pour protester contre la baisse des salaires en juin 1956, mais l'émeute est écrasée par l'armée, au prix d'une cinquantaine de morts. Néanmoins, le processus de déstalinisation aboutit au retour au pouvoir du réformateur Gomulka, le 21 octobre 1956.

En Hongrie, les étudiants de Budapest se révoltent au même moment. Le modéré Imre Nagy est appelé à former le nouveau gouvernement hongrois : il proclame aussitôt la liberté de la presse, l'abolition du système du parti unique, et surtout la neutralité de la Hongrie, qui se retire du Pacte de Varsovie. Mais les chars soviétiques envahissent le pays le 1er novembre 1956. La résistance hongroise est héroïque, mais en vain : elle doit déposer les armes, le 13 novembre, en déplorant une dizaine de milliers de morts. Imre Nagy, qui avait voulu un « socialisme à visage humain », sera exécuté en 1958. Janos Kadar, chef d'un contre-gouvernement favorable à l'URSS, mènera la répression, avant d'assouplir le régime à partir de 1959.

Après Staline : l'émergence des diversités nationales

Malgré la répression, la déstalinisation du bloc communiste favorise l'émergence des diversités nationales. Certains pays affirment leur indépendance politique.

L'Albanie s'éloigne de plus en plus de l'URSS pour s'aligner sur la Chine, si bien qu'elle est mise au ban du bloc communiste européen en 1961, et se retire du Pacte de Varsovie en septembre 1968.

La Yougoslavie se réconcilie avec l'URSS en mai 1955, mais à la condition que Moscou admette la « pluralité des voies socialistes ». Tito essaie de construire dans son pays un socialisme original et décentralisé, fondé depuis 1950 sur l'autogestion : les entreprises sont gérées par les travailleurs et non par l'État et ses bureaucrates.

En Roumanie, Nicolae Ceaucescu, chef du Parti communiste à partir de 1965, manifeste son indépendance en ouvrant son pays au commerce occidental, notamment à la RFA, et en recevant à Bucarest le président américain Nixon en 1969. Toutefois, le régime roumain ne s'écarte pas fondamentalement du modèle soviétique.

Les autres pays communistes, plus contrôlés par Moscou, cherchent néanmoins des voies nationales de socialisme.

En Pologne, Gomulka lance après 1956 un « communisme national », qui redistribue aux paysans les terres collectivisées et tente d'assouplir la planification. Puis, à partir de 1970, son successeur Gierek favorise les industries de biens de consommation. Mais le système politique et social reste inchangé.

En Hongrie, les réformes économiques entreprises par Janos Kadar sont plus profondes : la réhabilitation du secteur privé, la flexibilité des prix, l'ouverture aux économies occidentales sont les caractéristiques de ce système original, surnommé le « socialisme du goulasch ».

LA GRANDE STAGNATION (1968-1980)

➤

La « normalisation » politique des pays de l'Est

> L'Europe de l'Est s'enfonce dans la paralysie politique et économique.
> ➤

En Tchécoslovaquie, le processus de libéralisation entamé après la récession économique des années 1963-1964 permet au réformateur Alexandre Dubcek

- de prendre la tête du Parti communiste en janvier 1968, et
- de lancer son programme intitulé « voie tchécoslovaque du
- socialisme ». Mais l'abolition de la censure et l'agitation des
- milieux intellectuels et étudiants en faveur de nouvelles
- réformes ne sont pas tolérées par Moscou : 500 000 soldats
- du Pacte de Varsovie pénètrent en Tchécoslovaquie dans la
- nuit du 20 au 21 août 1968. L'heure est à la « normalisation »,
- dans un climat de déception généralisée, qui conduit le
- jeune étudiant Jan Palach à s'immoler par le feu, le 16 jan-
- vier 1969. Dubcek est remplacé en avril 1969 par le stalinien
- Gustav Husak, qui procède à une épuration générale du
- Parti.
- Cette « normalisation » s'étend à d'autres pays de l'Est,
- au nom de la doctrine du droit d'intervention chez les pays
- frères, élaborée par Leonid Brejnev, premier secrétaire du
- Parti communiste d'Union soviétique. Elle se traduit notam-
- ment par le renforcement du Pacte de Varsovie en 1969, et
- surtout par la rédaction de nouvelles Constitutions souli-
- gnant l'unité du camp socialiste (Tchécoslovaquie, 1968 ;
- Bulgarie, 1971 ; Hongrie, 1972 ; RDA, 1974 ; Pologne, 1977).

● ### Faillite économique et aspiration au changement

- Les années 70 font apparaître les graves carences des
- économies socialistes, paralysées par le collectivisme et la
- bureaucratie. La Pologne, la Bulgarie, la Roumanie n'arrivent
- pas à atteindre les objectifs de la planification et doivent
- improviser des programmes d'autosuffisance alimentaire
- pour éviter la famine. Même la Hongrie voit son taux de
- croissance passer de 6 % en 1970 à 1,4 % en 1980. La pénurie
- devient courante, notamment en Pologne et en Roumanie,
- puis en RDA et en Tchécoslovaquie à partir de 1980.
- Sur fond de pauvreté, l'aspiration au changement est
- générale, sur le plan politique comme sur le plan écono-
- mique. Les « gérontocraties » au pouvoir verrouillent soi-
- gneusement toute velléité de critique, mais des mouve-
- ments de contestation se font cependant jour.
- En Pologne, est créé le KOR, Comité d'aide aux tra-
- vailleurs victimes de la répression (septembre 1976), à la suite
- des grèves ouvrières dans les ports de la Baltique (juin 1976).
- En Tchécoslovaquie, Vaclav Havel et ses amis publient,
- en janvier 1977, un manifeste intitulé *Charte 77* et réclamant
- le respect des droits de l'homme par le pouvoir.

179

En Roumanie, les émeutes de l'été 1975 et la grève des mineurs de 1977 sont sévèrement réprimés par Ceaucescu.

Mais ce ne sont encore que les prémices du grand ébranlement. C'est la faillite économique qui va ébranler ces régimes totalitaires et bureaucratiques.

CHRONOLOGIE

1944 : Tito et ses partisans communistes libèrent la Yougoslavie ; Enver Hodja au pouvoir en Albanie.

1945 : l'Armée rouge occupe la Pologne, la Hongrie, la Bulgarie, la Tchécoslovaquie, la Roumanie : gouvernements de « fronts nationaux ».

1947 : la Roumanie, la Pologne et la Bulgarie deviennent des démocraties populaires ; les pays d'Europe de l'Est refusent le plan Marshall ; conférence de neuf partis communistes à Szklarska Poreba et création du Kominform.

1948 : « Coup de Prague », la Tchécoslovaquie devient une démocratie populaire ; blocus de Berlin-Ouest par l'Armée rouge ; rupture entre Tito et l'URSS ; la Hongrie devient une démocratie populaire.

1949 : fondation du Comecon ; naissance de la RDA ; exécution des communistes « nationaux » Rajk en Hongrie et Kostov en Bulgarie.

1953 : mort de Staline ; révoltes ouvrières en RDA et répression soviétique.

1955 : Pacte de Varsovie ; réconciliation entre Tito et l'URSS.

1956 : révoltes ouvrières en Pologne ; Gomulka revient au pouvoir en Pologne ; insurrection hongroise, Imre Nagy au pouvoir et répression soviétique.

1961 : l'Albanie rompt avec l'URSS, édification du mur de Berlin.

1968 : « printemps de Prague » et intervention des troupes du Pacte de Varsovie en Tchécoslovaquie; début de la « normalisation ».

1969 : visite du président Nixon en Roumanie.

1976 : grèves en Pologne.

1977 : Charte 77, manifeste des opposants au régime tchécoslovaque.

LIRE AUSSI — ALLEMAGNE (DEPUIS 1945) ; EUROPE CENTRALE ET ORIENTALE (1920-1945) ; DEUXIÈME GUERRE MONDIALE (BILAN) ; RELATIONS INTERNATIONALES (1945-1962 ; 1962-1985) ; URSS (1928-1939 ; 1953-1985).

EUROPE DE L'EST

(DEPUIS 1980)

En une décennie, l'Europe de l'Est sort du communisme.
Entamé en Pologne par la révolte du syndicat Solidarité,
le processus de libéralisation est encouragé et accéléré
par Gorbatchev à partir de 1985. Spontanée et rapide
dans les pays d'Europe centrale, la chute des régimes
staliniens est en revanche beaucoup plus lente et difficile
dans l'Europe balkanique. Après la chute du mur de
Berlin, en novembre 1989, il faut attendre plusieurs mois
pour voir tomber toutes les « démocraties populaires ».
Les nouveaux États sont alors confrontés à d'énormes
difficultés financières et à la résurgence des
nationalismes rivaux.

L'EXEMPLE POLONAIS

Les accords de Gdansk
et la naissance de « Solidarité »

> La crise polonaise est le révélateur du malaise général des pays de l'Est.

Depuis 1975, la Pologne connaît la pénurie. En juillet 1980, une nouvelle hausse du prix de la viande provoque le soulèvement des chantiers navals de Gdansk (l'ancien Dantzig), puis s'étend à tous les ports de la Baltique et aux centres miniers de Silésie. Le comité ouvrier, dirigé par Lech Walesa, réclame la reconnaissance de syndicats libres, indépendants du Parti communiste. Les accords de Gdansk, signés le 31 août, leur donnent satisfaction : c'est une concession historique dans le monde communiste. Et le 18 septembre 1980, les syndicats issus de la grève se réunissent dans un mouvement baptisé *Solidarnosc* (Solidarité), présidé par Walesa, et soutenu par l'Église polonaise.

La répression

La reculade de Gdansk a coûté son poste à Gierek, remplacé en septembre 1980 par Stanislaw Kania à la tête du

Parti communiste. Kania démocratise le Parti : pour la première fois dans un pays de l'Est, le Comité central et le Bureau politique sont élus par un vote direct et secret du Congrès. Mais cela ne suffit pas à empêcher la radicalisation et l'essor spectaculaire de Solidarité (10 millions d'adhérents). C'est pourquoi, en octobre 1981, Moscou suscite le remplacement de Kania par le général Jaruselski, qui instaure l'état de guerre, le 13 décembre 1981. En quelques jours, des milliers de militants de Solidarité sont arrêtés.

La victoire de Lech Walesa

Solidarité parvient à se reconstituer clandestinement, et à organiser une véritable culture de résistance. Le soutien du pape polonais Jean-Paul II, et la remise du prix Nobel de la Paix à Lech Walesa, en 1983, obligent le pouvoir à faire des concessions. Sous la pression des grèves de 1988, Jaruselski accepte le multipartisme et organise des élections législatives, en juin 1989 : c'est un triomphe pour Solidarité. En novembre 1990, Lech Walesa est élu président de la République. Mais il doit faire face à une situation économique désastreuse (240 % d'inflation en 1990). Aux élections législatives d'octobre 1991, les Polonais s'abstiennent en masse pour exprimer leur désarroi.

LES PREMIERS EFFETS DE LA PERESTROÏKA

Sous l'impulsion de Gorbatchev, l'Europe de l'Est commence à se libéraliser à partir de 1985.

La libéralisation spontanée

À partir de 1985, les initiatives réformatrices venues d'URSS font boule de neige. En Hongrie, la crise économique de 1987 accélère la libéralisation entamée depuis les années 60 : les insurgés de 1956 sont réhabilités, les partis d'opposition reconnus, et la frontière avec l'Autriche ouverte. En mai 1988, Kadar abandonne le pouvoir qu'il détenait depuis 32 ans. En juin 1989, c'est Imre Pozsgay, chef du principal parti d'opposition, le Forum démocratique, qui prend la direction du pays.

La Tchécoslovaquie se réveille en 1988 : vingt ans après le « printemps de Prague », expérience de « socialisme à visage humain » tentée en 1968 par Alexandre Dubcek puis réprimée par l'URSS, les opposants tchèques manifestent en faveur de l'ex-premier secrétaire du Parti. Autre symbole de la résistance au communisme stalinien, le dramaturge Vaclav Havel est libéré en novembre. Il crée aussitôt le mouvement Forum civique, qui regroupe rapidement des milliers d'opposants, notamment issus des milieux étudiants et intellectuels.

Les réticences aux réformes

Plusieurs « démocraties populaires » se distinguent par leur méfiance envers la pérestroïka.

La RDA interdit la plupart des publications soviétiques et renforce les moyens d'action de sa police politique (la *Stasi*) face aux réformateurs.

On retrouve le même immobilisme chez les dirigeants bulgares comme chez les Albanais. Ces derniers, après avoir suivi le modèle chinois dans les années 60, sont redevenus des alliés dociles de l'URSS après la mort de Mao Zedong, en 1976.

La plus réticente aux réformes est la Roumanie du *Conducator* Ceaucescu, fidèle à sa tradition d'indépendance à l'égard de Moscou. Tout au long des années 70-80, le clan Ceaucescu a étouffé le pays sans une véritable dictature, fondée sur le culte de la personnalité.

La toute-puissante police politique *(Securitate)* réprime dans le sang toutes les révoltes ouvrières, notamment en octobre 1987, dans la région de Brasov.

LA FIN DU BLOC COMMUNISTE

Après la chute du mur de Berlin, le bloc communiste se disloque en quelques mois.

Le tournant des années 1989-1990

Les années 1989-1990 constituent un tournant historique pour les pays de l'Est : le processus de libéralisation progressive et contrôlée, lancé en 1985 par l'URSS, débouche soudain sur une explosion totale en Europe centrale.

En RDA, les manifestations se multiplient, à l'initiative du Neues Forum, le parti des opposants au régime. Sous la pression directe de Gorbatchev, venu à Berlin-Est, les communistes abandonnent le pouvoir, et le 9 novembre 1989, les frontières sont ouvertes entre les deux Allemagnes. C'est la chute du mur de Berlin, symbole du rideau de fer. La réunification des deux Allemagnes est finalement proclamée, le 3 octobre 1990.

En Tchécoslovaquie, les manifestations et la grève générale de l'automne 1989 obligent les députés communistes à appeler Dubcek à la présidence du parlement (28 décembre 1989), puis à faire de Vaclav Havel le président de la nouvelle République (29 décembre). Les élections libres de juin 1990 donnent au Forum civique la majorité absolue des sièges au parlement. La « révolution de velours » s'est déroulée dans l'euphorie, sans effusion de sang.

En Hongrie, le parti communiste (camouflé en « Parti socialiste hongrois ») est écrasé aux élections de mars-avril 1990, tandis que le Forum démocratique recueille à lui seul la moitié des sièges. Le pouvoir revient à une coalition de centre-droit, dirigée par Josef Antall.

● **Les résistances du communisme balkanique**

Dans l'Europe balkanique, le pouvoir communiste est plus coriace. En Roumanie, c'est le soulèvement de la minorité hongroise de Timisoara, puis de toute la Transylvanie (16 décembre) qui lance la révolution. Après s'être enfuis, Ceaucescu et sa femme sont rattrapés, jugés par un tribunal improvisé et exécutés, le 27 décembre 1989. Le pouvoir revient à un comité présidé par l'ancien communiste Ion Iliescu. Son parti, le Front du salut national, triomphe aux élections de mai 1990. Petre Roman, chef du gouvernement, réprime les manifestations d'étudiants de juin 1990, puis démissionne à l'automne 1991.

En Bulgarie, Petard Mladenov remplace le vieux stalinien Teodor Jivkov à la tête du Parti communiste (novembre 1989). Il tente d'engager le pays dans une restructuration calquée sur le modèle soviétique, sans remettre en cause le système communiste. Mais l'Union des forces démocratiques, regroupant les principaux partis d'opposition, l'emporte sur le parti communiste (rebaptisé « Parti socialiste ») aux élections d'octobre 1991. Jeliev, le chef de l'Union, forme le nouveau gouvernement.

En Albanie, Ramiz Alia, chef de l'État depuis 1985, a timidement amorcé des réformes, mais c'est surtout la pression populaire et l'exode massif vers l'Italie qui ont conduit aux vrais changements. La grève générale de l'été 1991 amène au pouvoir une Coalition d'unité nationale, où le parti communiste (rebaptisé « Parti socialiste »), appuyé sur l'électorat rural, conserve sa place. Mais les élections de mars 1992 lui sont fatales et donnent la victoire au Parti démocratique albanais (PDA), parti d'opposition libérale qui recueille deux tiers des suffrages. En avril 1992, Ramiz Alia est remplacé à la tête de l'État par Sali Berisha, leader du PDA.

La difficile transition vers le capitalisme

Les ex-démocraties populaires sont confrontées aux problèmes de la transition économique vers le système capitaliste. En dépit des aides occidentales, toute l'Europe de l'Est traverse une période difficile, marquée par l'inflation, la pénurie et le chômage.

L'introduction de l'économie de marché n'a pas suscité les hausses de production espérées, à cause de l'inertie du système, de la lenteur des privatisations, du manque d'infrastructures, et de l'effondrement du marché soviétique, principal marché d'exportation pour les pays de l'Est. En outre, les politiques fiscales et monétaires très restrictives, appliquées pour freiner l'inflation consécutive à la libération des prix, ont contribué à diminuer fortement la production.

La récession frappe même les pays les plus développés de la région, la Hongrie (– 8 % de croissance en 1991 et 29 % d'inflation), la Pologne (– 9 % et 60 % d'inflation) et la Tchécoslovaquie (– 16 % et 52 % d'inflation). L'intégration de la RDA dans l'Union économique et monétaire allemande, en juillet 1990, provoque la faillite de nombreuses industries, incapables d'affronter l'économie de marché.

Mais la situation est encore plus catastrophique dans l'Europe balkanique, moins industrialisée, aux structures économiques plus rigides, telles la Roumanie (en 1991, – 14 % de croissance et 161 % d'inflation) et la Bulgarie (– 17 % et 333 %). L'économie albanaise (– 21 % pour le PIB), avec un taux de chômage de 50 %, une dette extérieure de 700 millions de dollars et une industrie archaïque, est à reconstruire totalement. Il en sera bientôt de même pour l'ex-

Yougoslavie, ravagée par la guerre (– 28 % pour le PIB, 20 % de chômeurs et 1 000 % d'inflation en 1991). La reprise de la croissance, prévue en 1996 par la Banque mondiale pour l'ensemble de l'Europe de l'Est, s'arrêtera peut-être aux frontières de la Bosnie.

La résurgence des nationalités

La crise économique favorise la résurgence des nationalités. L'ancien bloc communiste risque de redevenir la « poudrière » de l'Europe.

Tchèques et Slovaques ont pacifiquement géré le problème : début 1993, ils constituent deux Républiques fédérées, souveraines mais associées, notamment sur le terrain économique et commercial.

En revanche, la Yougoslavie est plongée dans la guerre civile. La disparition de Tito en 1980 a dévoilé les tendances séparatistes que sa forte personnalité avait permis d'occulter. Sans son fédérateur, la fédération (six Républiques et deux Régions autonomes) est condamnée à l'éclatement. Le 25 juin 1991, la Slovénie et la Croatie se déclarent indépendantes, et les Albanais du Kosovo réclament leur autonomie.

Mais la Serbie (41 % de la population yougoslave) rêve de constituer une « Grande Serbie », appuyée sur les minorités serbes des autres États (12 % en Croatie, 31 % en Bosnie-Herzégovine). C'est pourquoi elle intervient en Slovénie puis en Croatie, au nom de la « purification ethnique » des zones serbes. Pourtant, en mars 1992, c'est au tour de la Bosnie-Herzégovine – dénommée « petite Yougoslavie » car son hétérogénéité ethnique est très forte – de voter massivement pour son indépendance par référendum. Mais la minorité serbe de Bosnie, refusant ce vote, fonde une République serbe de Bosnie qui engage la guerre contre les Musulmans, avec le soutien de la Serbie. En quelques semaines, l'armée serbe s'empare des deux tiers du territoire bosniaque et menace la capitale Sarajevo, devenue aujourd'hui le symbole sanglant de ce conflit ethnique. L'embargo pétrolier et aérien décrété, en mai 1992, par l'ONU à l'encontre de la « République fédérale de Yougoslavie » (Serbie et Monténégro) est resté sans effet sur la détermination de la Serbie. Après l'échec du plan de paix Vance-Owen (mai 1993), la communauté internationale semble admettre l'occupation serbe en Bosnie.

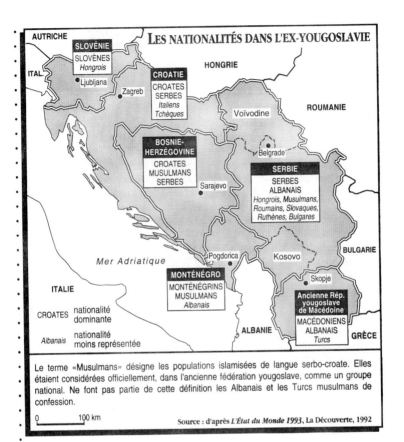

LES NATIONALITÉS DANS L'EX-YOUGOSLAVIE

AUTRICHE

SLOVÉNIE
SLOVÈNES
Hongrois

ITAL.

Ljubljana

Zagreb

HONGRIE

CROATIE
CROATES
SERBES
Italiens
Tchèques

Voïvodine

ROUMANIE

BOSNIE-HERZÉGOVINE
CROATES
MUSULMANS
SERBES

Belgrade

Sarajevo

SERBIE
SERBES
ALBANAIS
Hongrois, Musulmans,
Roumains, Slovaques,
Ruthènes, Bulgares

Mer Adriatique

Pogdorica

Kosovo

BULGARIE

ITALIE

MONTÉNÉGRO
MONTÉNÉGRINS
MUSULMANS
Albanais

Skopje

Ancienne Rép.
yougoslave
de Macédoine
MACÉDONIENS
ALBANAIS
Turcs

CROATES nationalité dominante

Albanais nationalité moins représentée

ALBANIE

GRÈCE

Le terme «Musulmans» désigne les populations islamisées de langue serbo-croate. Elles étaient considérées officiellement, dans l'ancienne fédération yougoslave, comme un groupe national. Ne font pas partie de cette définition les Albanais et les Turcs musulmans de confession.

0   100 km

Source : d'après *L'État du Monde 1993*, La Découverte, 1992

Le bloc communiste d'Europe de l'Est s'est écroulé en quelques mois, car il ne tenait que par la volonté soviétique. La politique de libéralisation lancée par Gorbatchev a servi de catalyseur aux rancœurs populaires accumulées depuis 1945 contre la dictature et la pénurie. Le tournant de 1989, symbolisé par la chute du mur de Berlin, a précipité l'évolution. Mais la disparition du système communiste plonge les anciennes « démocraties populaires » dans une profonde crise de reconversion, marquée par les difficultés économiques et par la résurgence conflictuelle des nationalités.

1980 : accords de Gdansk reconnaissant les syndicats libres en Pologne ; naissance du syndicat Solidarité, dirigé par Walesa.

1981 : état de guerre en Pologne.

1983 : visite du pape Jean-Paul II en Pologne ; Walesa prix Nobel de la paix.

1985 : Gorbatchev au pouvoir en URSS.

1987 : révolte ouvrière et répression en Roumanie.

1988 : Kadar quitte le pouvoir en Hongrie ; Jaruselski accepte de négocier avec Walesa ; Havel fonde le Forum civique en Tchécoslovaquie.

1989 : multipartisme en Hongrie ; ouverture de la frontière Hongrie-Autriche ; victoire de Solidarité aux élections législatives polonaises ; Pozsgay chef du gouvernement hongrois ; début de la « révolution de velours » en Tchécoslovaquie ; ouverture des frontières entre les deux Allemagnes et chute du mur de Berlin ; Havel président de la République tchécoslovaque ; révolution en Roumanie et exécution de Ceaucescu.

1990 : victoire du Forum démocratique aux élections hongroises ; Antall remplace Pozsgay ; victoire du Front national d'Iliescu aux élections roumaines ; réunification des deux Allemagnes ; Walesa président de la République polonaise.

1991 : la Slovénie et la Croatie se proclament indépendantes ; dissolution du Pacte de Varsovie.

1992 : par référendum, la Bosnie-Herzégovine se prononce pour l'indépendance ; naissance de la « République fédérale de Yougoslavie » (Serbie-Monténégro) ; embargo de l'ONU sur la Serbie.

1993 : les Serbes de Bosnie repoussent le plan de paix Vance-Owen.

LIRE AUSSI **ALLEMAGNE** (DEPUIS 1945) ; **EUROPE DE L'EST** (1945-1980) ; **URSS** (DEPUIS 1985).

EUROPE MÉRIDIONALE
(ESPAGNE, GRÈCE, PORTUGAL)

Au début du XXᵉ siècle, les monarchies parlementaires du
Sud de l'Europe, notamment l'Espagne d'Alphonse XIII ,
le Portugal de Charles Iᵉʳ et la Grèce de Georges Iᵉʳ, sont
très attardées par rapport au reste du continent, y
compris d'autres pays latins comme la France et l'Italie.
Dans ces sociétés rurales, peu industrialisées, les grands
propriétaires fonciers détiennent tous les pouvoirs, avec
le soutien de l'Église et de l'Armée. C'est pourquoi les
régimes républicains et démocratiques, installés dans les
années 1910-1930, vont rapidement laisser la place à
des dictatures militaires, appuyées sur les institutions
traditionnelles des vieilles monarchies. À la différence des
régimes fasciste et nazi, ces dictatures méridionales vont
survivre à la Deuxième Guerre mondiale.

DES MONARCHIES AUX DICTATURES (DE 1908 AUX ANNÉES 30)

> *Les jeunes et instables républiques méditerra-néennes se heurtent à l'hostilité de l'Armée.*

Des Républiques fragiles face à l'Armée

C'est le Portugal qui rompt le premier avec la monarchie : après l'assassinat de Charles Iᵉʳ (1908), son successeur Manuel II est renversé et la République est proclamée en octobre 1910. Mais les républicains sont aux prises avec les royalistes d'un côté, les anarcho-syndicalistes de l'autre. De 1919 à 1926, la république portugaise est secouée par de multiples grèves et par seize coups d'État. Après l'élection du général Carmona à la présidence de la République (1928), c'est le ministre des Finances Antonio de Oliveira Salazar qui commence une longue dictature.

En Grèce, le roi Georges II abdique en 1923 et la République est proclamée en mars 1924. Le Premier ministre

- Venizelos tente d'instaurer une vie démocratique de 1928 à
- 1932, mais se heurte aux pressions de l'Armée. La monar-
- chie est restaurée en novembre 1935, mais le véritable pou-
- voir est détenu par le général Metaxas, qui établit une dicta-
- ture militaire à partir de 1936.
- En Espagne, le général Miguel Primo de Rivera, capi-
- taine général de Catalogne, prend le pouvoir dans sa pro-
- vince et Alphonse XIII est contraint de l'appeler à la tête du
- gouvernement, de 1923 à 1930. Le triomphe des antimonar-
- chistes lors des élections municipales pousse le roi à quitter
- l'Espagne (avril 1931), mais sans abdiquer. La Catalogne en
- profite pour se déclarer autonome (octobre 1931), et la
- Constitution de décembre 1931 instaure une « République
- démocratique des travailleurs ». Après quelques années
- confuses, c'est la gauche, unie dans un *Frente Popular*, qui
- remporte les élections de février 1936. Mais l'Armée
- n'accepte pas le choix des électeurs.

- ● **La guerre d'Espagne (1936-1939)**
- En juillet 1936, le général Franco, commandant les
- troupes basées au Maroc, débarque en Espagne et prend la
- tête d'un vaste soulèvement militaire contre le pouvoir
- républicain. Le peuple espagnol est coupé en deux : du côté
- « nationaliste », l'Armée, l'Église, les forces catholiques des
- campagnes ; du côté « républicain », le gouvernement
- s'appuie sur les masses de volontaires des régions indus-
- trielles, mais les mouvements de gauche sont très divisés.
- Cette guerre « civile » est aussi un enjeu de politique interna-
- tionale : l'Italie fasciste engage 80 000 hommes et
- l'Allemagne nazie envoie son aviation (légion Condor) pour
- aider les « nationalistes » ; de l'autre côté, l'URSS fournit aux
- républicains des cadres, du matériel et de l'argent, et sou-
- tient les volontaires des « Brigades internationales ». Mais le
- Royaume-Uni et la France refusent d'intervenir.
- Fin 1936, Franco contrôle déjà une bonne moitié sud de
- l'Espagne, mais se heurte à la résistance farouche de
- Madrid, tandis que le gouvernement républicain du commu-
- niste Negrin s'installe à Barcelone et élimine ses opposants
- trotskistes. Au cours de l'année 1937, Franco s'empare de la
- Galice et du Pays basque, puis du littoral méditerranéen en
- 1938, avant de lancer l'offensive finale : Barcelone tombe en
- janvier et Madrid en mars 1939. C'est la fin de la guerre

civile, qui a fait plus de 400 000 morts. Plus de 500 000 républicains sont mis en prison par le régime franquiste ; 400 000 se sont réfugiés en France.

LE TEMPS DES DICTATURES (DES ANNÉES 30 À 1974)

Pendant plusieurs décennies, l'Europe méridionale est soumise aux dictatures militaires.

Des régimes autoritaires

L'Europe méridionale est soumise à des régimes autoritaires, dans lesquels l'Armée et l'Église jouent un rôle très important.

Ainsi, en Espagne, le général Franco s'appuie tout d'abord sur un parti unique, la Phalange, dirigé par son beau-frère, et qui contrôle l'enseignement, la presse, la vie politique et syndicale. Mais l'influence de ce parti fascisant décline nettement après 1945, et Franco se tourne vers l'Église, institution plus conforme aux mentalités espagnoles. Par la Loi de succession de mars 1947, l'Espagne est définie comme un « État catholique » et le *caudillo* (guide) se considère comme le régent à vie de la monarchie, dont héritera à sa mort le prince Juan Carlos. L'Opus Dei, organisation religieuse et paramilitaire, joue un rôle essentiel dans les gouvernements franquistes, même après la réforme constitutionnelle de 1966, qui instaure la liberté religieuse et élargit le recrutement des Assemblées *(Cortès).*

Au Portugal, le pouvoir est aux mains de Salazar, président du Conseil à partir de 1932 : il établit un régime autoritaire et corporatiste (Constitution de 1933). Comme en Espagne, l'influence de l'Église, reconnue par le Concordat de 1940, l'interdiction des partis, la censure, l'omniprésence de la police politique caractérisent cet *Estado Novo* (nouvel État).

En Grèce, la situation est plus confuse : au sortir de la Seconde Guerre mondiale, les résistants communistes et monarchistes s'opposent dans une guerre civile (1946-1949). Victorieux grâce au soutien des Anglo-Saxons, le roi Paul Ier appelle au pouvoir le maréchal Papagos (1952-1955), puis Constantin Karamanlis (1955-1963), qui mènent une politique conservatrice. Le renvoi du socialiste Georges Papandréou par le roi Constantin II (1965) ouvre une crise politique, qui aboutit au putsch militaire, dirigé par le colonel Papadopoulos (avril 1967). Le roi est alors contraint à l'exil et la Constitution de 1968 instaure le « régime des colonels », marqué par la censure et l'autoritarisme de l'Armée.

● **Des redressements encadrés**

Sous l'impulsion des gouvernements autoritaires, et grâce à l'appui financier américain, l'Europe méridionale connaît un rapide développement économique dans les années 50 et 60. C'est ainsi que le revenu national de la Grèce, bénéficiaire de l'aide Marshall, augmente de 9,5 % par an entre 1968 et 1973. L'Espagne, d'abord exclue du plan Marshall, reçoit l'aide américaine à partir de 1950. À partir de 1964, un vaste plan de développement économique est lancé, notamment par l'incitation au tourisme et l'implantation de firmes étrangères. Les résultats sont spectaculaires : au début des années 70, le PNB espagnol augmente de 11 % par an, et l'on parle du « miracle espagnol ». En revanche, Salazar mène au Portugal une politique économique trop prudente et recroquevillée sur ses échanges avec les colonies africaines en révolte (Angola, Mozambique). Soucieux avant tout d'encadrer l'industrie (« conditionnement industriel ») et de préserver l'équilibre financier, Salazar n'encourage pas l'investissement et l'ouverture : cela se traduit par une croissance relativement faible (3 % par an) et par le plus faible revenu par habitant d'Europe, d'où une très forte émigration de main-d'œuvre (940 000 départs entre 1961 et 1971, soit un dixième de la population totale).

● **La fin des dictatures**

Les régimes autoritaires et archaïques d'Europe méridionale sont de plus en plus contestés, notamment par les jeunes générations. Au Portugal, Marcello Caetano, qui succède à Salazar en 1968, tente une libéralisation politique et économique (ouverture aux investissements étrangers). Mais la poursuite des guerres coloniales, coûteuses et sans issue, pèse lourdement sur la croissance. Afin d'en finir avec cette politique, de jeunes officiers marxistes organisent un putsch qui renverse le régime salazariste, le 25 avril 1974 : c'est la « Révolution des œillets ». Porté à la tête de la junte révolutionnaire, le général de Spinola abolit la censure, rétablit les partis politiques et les syndicats, et prépare des élections libres. Son ministre des Affaires étrangères, le socialiste Mario Soarès, lance les négociations qui vont aboutir à l'indépendance des colonies portugaises en 1975.

C'est aussi un putsch militaire, organisé par le général réformateur Gizikis, qui met fin au « régime des colonels » en Grèce (juillet 1974). Nommé Premier ministre, le conservateur Constantin Karamanlis rétablit la démocratie et élabore une nouvelle Constitution, promulguée en juin 1975. Quelques mois plus tard, l'Espagne se débarrasse elle aussi de la dictature franquiste, déjà ébranlée depuis 1967 par des grèves, des manifestations étudiantes et par les attentats des autonomistes basques de l'ETA. Six d'entre eux ayant été condamnés à mort à l'issue du procès de Burgos (décembre 1970), une vague de protestation s'est élevée dans toute l'Espagne comme dans toutes les capitales européennes. Après l'assassinat de l'amiral Carrero Blanco par l'ETA (décembre 1973), le nouveau Premier ministre Arias Navarro lance en 1974 un plan de libéralisation (liberté d'association politique, élection des maires). La mort de Franco, en novembre 1975, laisse les mains libres au prince Juan Carlos, couronné roi d'Espagne, pour continuer les réformes.

LA DÉMOCRATIE INSTALLÉE (DEPUIS 1974)

◀—

Après quelques années de tâtonnements, l'Europe méridionale est en passe d'atteindre sa maturité politique et économique.

◀—

La difficile transition des années 70

La transition démocratique est marquée par de graves difficultés économiques, héritées des régimes précédents et renforcées par la crise mondiale. L'inflation (25 % en Espagne et en Grèce en 1975) et le chômage (11 % de la population active en Espagne, 13 % au Portugal en 1980) sont des fléaux particulièrement graves dans ces pays aux économies encore attardées.

En Grèce, c'est Constantin Karamanlis, Premier ministre à partir de 1974 puis président de la République en

1980, qui mène le redressement. En Espagne, le roi Juan Carlos nomme le libéral Adolfo Suarez à la tête du gouvernement (juillet 1976) : celui légalise les partis politiques, les syndicats, et procède à une large amnistie des opposants au franquisme. En juin 1977, les premières élections libres aux Cortès sont remportées par l'Union du centre démocratique, coalition centriste formée autour de Suarez. Ce dernier, reconduit dans ses fonctions, conclut un accord de compromis avec toutes forces parlementaires, afin de ramener l'inflation à 15 % (pacte de La Moncloa, octobre 1977). En décembre 1978, est promulguée la nouvelle Constitution espagnole : le roi, souverain héréditaire, est chef de l'État, dont l'Église est désormais séparée ; le pouvoir exécutif est exercé par le Gouvernement ; le pouvoir législatif revient aux Cortès : le Congrès des députés et le Sénat, élus au suffrage universel pour 4 ans ; la Cour suprême exerce le pouvoir judiciaire. Pourtant, en dépit de cette stabilisation politique et d'une croissance forte (6 % par an entre 1975 et 1980), les difficultés sociales, les attentats terroristes de l'ETA, et la poussée nationaliste dans les parlements régionaux basques et catalans, créés en 1980, conduisent Suarez à démissionner (janvier 1981).

Au Portugal, le général Spinola, rapidement débordé par son extrême-gauche, est remplacé par le général Costa Gomès, porte-parole des officiers marxistes, dès septembre 1974. Mais la gauche modérée (socialistes et sociaux-démocrates) remporte les élections de 1975 et 1976. Le général Eanes, qui a empêché une nouvelle tentative de putsch communiste en novembre 1975, est élu président de la République (juillet 1976). Il devra gouverner avec la coalition de droite, dirigée par Francisco Sa Carneiro, qui remporte les élections de 1979.

● ***Maturité et croissance :***
l'Europe méridionale socialiste des années 80

L'entrée de la Grèce (janvier 1981) puis de l'Espagne et du Portugal (janvier 1986) dans le Marché commun reflètent la maturité économique de l'Europe méridionale, qui a comblé une partie de son retard sur l'Europe du Nord. Cette maturité économique repose sur une stabilité politique retrouvée, sous le « règne » des socialistes.

En Espagne, le Parti socialiste ouvrier espagnol (PSOE), dirigé par Felipe Gonzalez, chef du gouvernement, détient le pouvoir depuis décembre 1982.

Au Portugal, socialistes et social-démocrates se partagent le pouvoir depuis les élections législatives de 1983 : le socialiste Mario Soares est président de la République depuis mars 1986 (réélu en janvier 1991) tandis que le social-démocrate Anibal Cavaco Silva dirige le gouvernement depuis novembre 1985.

En Grèce, le parti socialiste panhellénique (PASOK) détient lui aussi le pouvoir de 1981 à 1990, mais le Premier ministre socialiste Andreas Papandreou doit cohabiter jusqu'en 1985 avec le président conservateur Karamanlis. Affaiblis par les difficultés économiques et par les scandales, les socialistes laissent la place à la droite libérale en 1990. Karamanlis est réélu président en 1990.

La démocratisation et l'ouverture de l'Europe méridionale engendrent des difficultés nouvelles. Le choc culturel de la modernité (éclatement du couple, liberté sexuelle, féminisme, drogue) provoque de nombreuses tensions dans ces sociétés longtemps marquées par le poids de la religion et des interdits. L'entrée dans le Marché commun implique un effort de « convergence » pour hisser ces économies attardées au niveau des pays riches de l'Europe.

Forte de ces atouts industriels, l'Espagne est en passe de réussir ce pari difficile, comme en témoignent le succès de l'Exposition universelle de Séville et des Jeux Olympiques de Barcelone en 1992. Mais le produit intérieur brut espagnol est encore inférieur à la moitié du produit français ou italien, et la croissance de l'Espagne s'est faite au prix d'une inflation de 6,5 %, d'un déficit budgétaire considérable et d'un taux de chômage dépassant 17 % en 1992.

Les indicateurs économiques sont aussi inquiétants au Portugal (inflation à 9,5 %) et en Grèce (inflation 18 %, chômage 9 %), dont les économies restent très attardées par rapport au niveau espagnol.

Enfin, les régimes méditerranéens n'échappent pas à la corruption (Espagne, Grèce), qui engendre un antiparlementarisme exploité par les indépendantistes régionaux (Catalogne) ou par l'extrême-droite nationaliste (mouvement anti-turc ou anti-macédonien en Grèce).

Au cours du XXᵉ siècle, les pays du Sud de l'Europe ont lentement comblé leur retard sur les grandes puissances européennes. Les premières tentatives républicaines des années 30 n'ont pas pesé lourd face aux forces conservatrices, l'Armée, l'Église et les grands propriétaires fonciers. Les dictatures de Salazar au Portugal, de Franco en Espagne, des « colonels » en Grèce ont figé les sociétés d'Europe méridionale dans l'immobilisme social, économique et culturel. L'avènement de la démocratie en 1975 a permis à ces sociétés de combler une partie de leur retard sur le reste de l'Europe. Mais il leur reste beaucoup de chemin à parcourir, pour affronter la concurrence du Marché unique européen.

CHRONOLOGIE

1908 : République portugaise.

1924 : République grecque.

1931 : République espagnole.

1933 : Constitution salazariste au Portugal.

1936 : dictature de Metaxas en Grèce ; début de la guerre d'Espagne.

1939 : dictature franquiste en Espagne.

1946 : début de la guerre civile en Grèce.

1968 : début du régime des colonels grecs.

1974 : « Révolution des œillets » au Portugal ; fin du régime des colonels en Grèce.

1975 : mort de Franco et règne de Juan Carlos en Espagne.

1981 : les socialistes au pouvoir en Grèce ; entrée de la Grèce dans le Marché commun.

1983 : les socialistes au pouvoir en Espagne et au Portugal.

1986 : entrée du Portugal et de l'Espagne dans le Marché commun.

LIRE AUSSI CONSTRUCTION EUROPÉENNE ; RELATIONS INTERNATIONALES (ANNÉES 30) ; RELIGIONS (DEPUIS 1945).

FRANCE
➤ (ANNÉES 20)

En 1919, après quatre années d'épreuves, les Français se sentent soulagés de l'issue de la Première Guerre mondiale et fiers de leur victoire. Ils croient au prochain retour à la prospérité et au calme d'une avant-guerre que beaucoup idéalisent sous le nom de « Belle époque », sans se rendre encore compte que les temps ont changé.

LA FRANCE DE L'APRÈS-GUERRE
➤

Un pays en difficulté

Avec 1,35 million de tués ou disparus (10 % de la population active masculine), 3 millions de blessés dont 1 million d'invalides, la France est le pays qui a le plus souffert de la guerre proportionnellement à sa population.

> *Les Français comptent sur le régime et les partis qui les ont conduits à la victoire pour résoudre les difficultés de l'après-guerre.* ➤

Le bilan matériel est dramatique. Les départements du Nord et de l'Est sont en ruine. Pour financer les dépenses de guerre, l'État a dû recourir à l'emprunt : la dette publique est ainsi passée entre 1914 et 1919 de 33,5 à 219 milliards de francs-or ; l'emprunt étant insuffisant, l'État a également fait fonctionner la planche à billets, entraînant une forte inflation, qui se maintient après la guerre. Conséquence : le franc n'est plus, depuis 1914, convertible en métal.

La population doit faire face à de grosses difficultés sociales, dues en partie à la hausse des prix. Une vague de grèves se déclenche au printemps 1919. Le gouvernement y met difficilement fin, en faisant voter la journée de 8 heures de travail, le 23 avril.

Mais l'optimisme reste de mise : la France a récupéré l'Alsace-Lorraine, perdue en 1870 ; elle a étendu son empire colonial grâce aux mandats de la SDN ; enfin, le pays pense pouvoir compter sur le paiement des « réparations » que l'Allemagne doit verser.

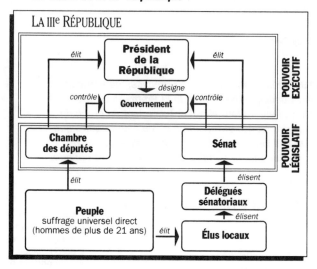

LA IIIᵉ RÉPUBLIQUE

POUVOIR EXÉCUTIF

Président de la République *élit* *élit*

désigne

contrôle **Gouvernement** *contrôle*

POUVOIR LÉGISLATIF

Chambre des députés **Sénat**

élit *élisent*

Peuple suffrage universel direct (hommes de plus de 21 ans) *élit* **Délégués sénatoriaux**

élisent

Élus locaux

Le cadre institutionnel reste celui de la IIIᵉ République.

Le pouvoir législatif est détenu par le Parlement, composé de deux Chambres : la Chambre des députés, élue pour 4 ans au suffrage universel masculin, et le Sénat.

Le pouvoir exécutif est aux mains d'un Gouvernement dirigé par un Président du Conseil ; le rôle politique du Président de la République se réduit à nommer le Président du Conseil.

Le régime est parlementaire : le Président de la République est nommé pour 7 ans par les deux Chambres réunies en Congrès, alors que le Gouvernement est responsable devant les Chambres, qui peuvent séparément décider de le renverser.

● *Les forces politiques en présence*

Les députés sont pour la plupart des « hommes nouveaux » ; mais les principaux groupes politiques n'ont pas changé. À droite, se trouvent les conservateurs et les modérés. Ils dénoncent vivement l'anticléricalisme de la gauche, qui, avant la guerre, a eu pour résultat l'interdiction de certaines congrégations religieuses, la rupture diplomatique avec le Vatican, et l'abolition du Concordat de 1801.

- Conservateurs et modérés estiment par ailleurs la vigilance
- indispensable face à l'Allemagne. Enfin, les deux partis récu-
- sent l'intervention de l'État dans le domaine économique et
- social. En 1919, la plupart de leurs positions concordent.
- À gauche se trouvent les socialistes (SFIO) et les radi-
- caux. Les uns comme les autres sont attachés à la laïcité,
- croient aux vertus de l'école, et sont confiants dans la
- coopération entre les peuples. Mais leurs opinions diver-
- gent sur bien des sujets. Les radicaux, qui représentent la
- petite bourgeoisie, sont très attachés à la propriété et peu
- concernés par la question sociale, ce qui les rapproche des
- partis de droite, alors que les socialistes, qui trouvent leur
- principal appui dans le monde ouvrier, font de la résolution
- des problèmes sociaux leur principale priorité.

L'ÉVOLUTION POLITIQUE DE 1919 À 1924

Alors que les partis du Bloc national, unis et victorieux aux élections de 1919, engagent une politique de droite, le mouvement ouvrier se divise.

La victoire du Bloc national (novembre 1919)

- L'opposition totale entre les extrémistes des
- partis socialiste et radical rend impossible une
- alliance à gauche en 1919, alors que les concor-
- dances de vue entre les conservateurs, les modé-
- rés et quelques radicaux permettent la formation
- d'une coalition de droite, appelée « Bloc national »,
- qui présente des listes communes aux élections
- de novembre 1919. L'union de la droite et la division de la
- gauche, la peur que suscite le socialisme peu de temps
- après la révolution bolchevique, et le nationalisme des par-
- tis de droite à un moment où l'opinion publique est très hos-
- tile à l'Allemagne, expliquent la victoire aisée du Bloc natio-
- nal : dans la nouvelle Chambre des députés, baptisée « bleu
- horizon » en l'honneur du grand nombre d'anciens combat-
- tants, les deux tiers des sièges lui reviennent.

Le gouvernement du Bloc national (1919-1924)

- De 1920 à 1922, le nouveau gouvernement autorise la
- réouverture des congrégations religieuses interdites au

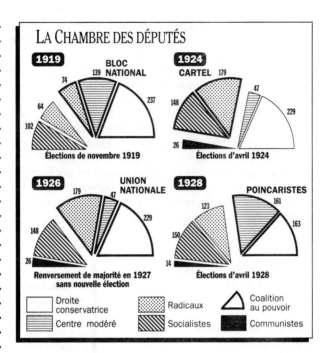

LA CHAMBRE DES DÉPUTÉS

1919 — BLOC NATIONAL
74 · 139 · 237 · 64 · 102
Élections de novembre 1919

1924 — CARTEL
179 · 148 · 47 · 229 · 26
Élections d'avril 1924

1926 — UNION NATIONALE
179 · 47 · 229 · 148 · 26
Renversement de majorité en 1927 sans nouvelle élection

1928 — POINCARISTES
161 · 123 · 163 · 150 · 14
Élections d'avril 1928

- Droite conservatrice
- Centre modéré
- Radicaux
- Socialistes
- Coalition au pouvoir
- Communistes

début du siècle, rétablit une ambassade auprès du Vatican, maintient en Alsace-Lorraine le Concordat de 1801 (grâce auquel les prêtres alsaciens et lorrains reçoivent un traitement de l'État). En outre, il réprime violemment les grèves de cheminots organisées au printemps 1920 : 15 000 d'entre eux sont révoqués.

Raymond Poincaré, président du Conseil à partir de 1922, cherche avant tout à réduire l'inflation en menant une politique d'équilibre budgétaire, qui se traduit par une augmentation de la pression fiscale et une diminution des dépenses de l'État. Constatant le retard dans le paiement des réparations allemandes, dont il a besoin pour réduire le déficit, il fait occuper la Ruhr par les troupes françaises en 1923. Mais l'opération est condamnée par les grandes puissances (Royaume-Uni, États-Unis) et les hausses d'impôts mécontentent la population sans assainir suffisamment les finances.

Le congrès de Tours (décembre 1920)

La défaite électorale du parti socialiste en 1919, l'échec de la grande grève de 1920, et surtout l'attrait qu'exerce la révolution russe sur certains de ses membres, entraînent l'éclatement du parti socialiste français au congrès qui se tient à Tours, du 25 au 29 décembre 1920.

Au cours de ce congrès, la majorité de la SFIO décide de suivre le modèle bolchevique, d'adhérer à la IIIe Internationale fondée par Lénine deux ans plus tôt et d'accepter les 21 conditions qu'il pose à cette adhésion. La SFIC (Section française de l'Internationale communiste) est née ; elle conserve *L'Humanité* (le journal du parti), et prendra bientôt le nom de Parti communiste français. La minorité, composée des éléments les plus réformistes, conserve l'appellation de SFIO, reste fidèle à la IIe Internationale (qui date de 1889) et fonde un nouveau journal, *Le Populaire*.

En 1922, le mouvement syndical éclate à son tour avec la création de la CGTU (Confédération générale du travail unitaire) proche du Parti communiste, à côté de l'ancienne CGT.

La scission ne réussit ni au PCF, qui suit la stratégie d'isolement de la IIIe Internationale (refus de toute alliance avec les autres partis, dits « bourgeois ») et qui connaît, au cours des années 20, une hémorragie continue de militants et d'électeurs, ni aux syndicats, dont les effectifs diminuent régulièrement. En revanche, elle semble convenir à la SFIO, qui, débarrassée des plus extrémistes, se rapproche du groupe radical et obtient de bons résultats électoraux.

L'ÉVOLUTION POLITIQUE DE 1924 À 1930

Le Cartel des gauches (1924-1926)

Le Cartel des gauches, qui unit sur des listes communes les radicaux et les socialistes SFIO, remporte une courte victoire sur les partis de droite en 1924. Le gouvernement, auquel ne participent pas les socialistes (mais qu'ils soutiennent à la Chambre), est dirigé par le radical Édouard Herriot.

Herriot prend le contre-pied des gouvernements du Bloc national. Il s'efforce (sans y parvenir) de supprimer l'ambassade au Vatican et d'appliquer à

> *Le Cartel des gauches ne parvient pas non plus à trouver une solution aux problèmes financiers qui ne seront résolus qu'en 1926 par Poincaré.*

- l'Alsace-Lorraine la loi de séparation de l'Église et de l'État ;
- il promulgue une amnistie qui s'étend aux condamnations
- de guerre et prévoit la réintégration des cheminots révo-
- qués en 1920 ; enfin, il accorde le droit syndical aux fonc-
- tionnaires. Par ailleurs, il reconnaît l'URSS, adhère – en août
- 1924 – au plan Dawes (qui allège le montant annuel des
- réparations) et prend l'engagement de cesser l'occupation
- de la Ruhr dans un délai d'une année.
-     Mais, incapable d'obtenir l'accord des partis socialiste et
- radical sur les mesures à prendre pour réduire le déficit bud-
- gétaire, et confronté à l'hostilité des milieux d'affaires (le « mur
- d'argent »), Herriot doit démissionner. Alors que s'installe une
- inquiétante instabilité ministérielle, liée au désaccord des radi-
- caux et des socialistes sur la politique à suivre, le déficit se
- creuse, l'inflation devient galopante, le franc s'effondre. Les
- radicaux décident alors de s'associer aux modérés.

●   **Les modérés au pouvoir (à partir de 1926)**

-     En politique intérieure, le modéré Poincaré, nommé de
- nouveau à la présidence du Conseil, s'attelle surtout au pro-
- blème financier. Il réalise des économies spectaculaires
- (suppressions de plus de cent sous-préfectures en sep-
- tembre 1926...), lance des emprunts, augmente les impôts
- indirects et parvient ainsi à rééquilibrer le budget. Après les
- élections de 1928, qui donnent une forte majorité aux
- conservateurs et aux modérés et qui font entrer les radicaux
- dans l'opposition, Poincaré, qui reste chef du gouverne-
- ment, cherche à stabiliser le franc à sa valeur réelle en
- créant le « franc Poincaré » (avril 1928). En 1929 et 1930,
- alors que l'inflation est vaincue, les excédents budgétaires
- permettent de réaliser des réformes coûteuses : retraite
- accordée aux anciens combattants, gratuité de l'enseigne-
- ment en classe de 6e, début d'un système d'assurances
- sociales, dépenses d'infrastructures...
-     En politique extérieure, Aristide Briand, ministre des
- Affaires étrangères de 1925 à 1932, maintient les grandes
- lignes de la politique du Cartel. Il choisit l'entente avec
- l'Allemagne et, en 1929, il accepte le « plan Young » (nouvel
- allégement des réparations). Ceci n'empêche pas la France,
- dont les finances sont restaurées, de commencer à
- construire, à partir de 1930, une ligne de défense fortifiée en
- béton le long de la frontière Nord-Est, la ligne Maginot.

LE FRANC POINCARÉ

Durant tout le XIXe siècle, le franc montra une stabilité remarquable. Mais à partir de 1914, pour les dépenses de la guerre et de l'après-guerre, l'État a en grande partie recours à la « planche à billets ». La masse monétaire devient supérieure à l'encaisse métallique du pays, et le franc se déprécie. Le dollar qui était à 5,18 francs durant la guerre, vaut 11 francs en juillet 1919, 17 francs en avril 1920, 27 francs en mai 1925, 47 francs en juillet 1926. Après avoir réalisé une stabilisation de fait durant l'été 1926, en menant une politique de strict équilibre budgétaire, Poincaré procède à la stabilisation légale par la loi du 25 juin 1928. Cette loi établit l'étalon-or pour le franc à la suite d'une dévaluation : le nouveau franc, le franc Poincaré, n'a plus que le cinquième environ du poids d'or du franc germinal de 1803.

LA PROSPÉRITÉ FRANÇAISE

> **Les années 20 sont en France celles d'une relative prospérité économique et sociale.**

Une croissance économique contrastée

L'effort de reconstruction du pays permet de retrouver dès 1923 le niveau de production de 1913. La croissance économique s'accélère de 1926 à 1930.

Elle est très forte dans les secteurs de l'électricité, de l'aluminium, de la chimie ou de l'automobile, occupés par quelques grandes entreprises (Peugeot, Renault et Citroën pour l'automobile ; Péchiney et Ugine pour l'aluminium ; Saint-Gobain et Kuhlmann pour la chimie...).

Elle est plus faible ailleurs. Elle se heurte en effet à des structures archaïques : la petite entreprise industrielle et commerciale et la petite exploitation agricole prédominent ; elle doit aussi faire face aux résistances des mentalités françaises, peu tournées vers l'entreprise : le petit patronat répugne à emprunter, les agriculteurs préfèrent acquérir des terres plutôt que des machines...

Les régions parisienne, lyonnaise et grenobloise, qui accueillent les entreprises les plus performantes, connaissent un développement économique rapide.

- **De lentes évolutions sociales**

Au cours des années 20, alors que les rentiers souffrent de l'inflation, quelques hommes d'affaires s'enrichissent. La classe moyenne s'étoffe, grâce au développement de l'entreprise moderne qui a besoin d'ingénieurs, de techniciens et de gestionnaires.

Les ouvriers, plus nombreux (7 millions en 1931), bénéficient du plein-emploi. Ils accomplissent des tâches de plus en plus répétitives. Leurs salaires rattrapent difficilement l'inflation et leurs conditions de vie évoluent peu (journée de travail de 8 heures en 1919, modeste système d'assurances sociales en 1930). Il est vrai que les désaccords entre les syndicats (CGT-CGTU) et les divisions catégorielles (ouvriers qualifiés et ouvriers spécialisés ; Français et immigrés, dont le nombre augmente à cause du manque de main-d'œuvre française...) rendent difficile leur unité d'action.

Les effectifs de la paysannerie, s'ils diminuent, restent très importants (42 % de la population active en 1921, 38 % en 1930) par rapport à ceux des autres pays d'Europe de l'Ouest ; les produits agricoles se vendent bien et l'inflation allège l'endettement paysan.

- **Optimisme et contestation**

Le temps est à l'optimisme. La France a récupéré l'Alsace-Lorraine, et elle possède un vaste empire colonial qui devient un champ d'investissements (développement des infrastructures et de l'agriculture commerciale). Elle bénéficie d'un grand rayonnement sportif et culturel : les Jeux Olympiques de 1924 et l'exposition des Arts décoratifs de 1925, qu'elle organise, sont des succès. Le développement du cinéma, de la radio ou de l'aviation ouvrent de nouveaux horizons. Elle connaît la prospérité.

Mais la violence de la guerre est dans tous les esprits. Les idées peu novatrices du personnel politique déçoivent une partie des jeunes, des femmes (elles n'ont pas le droit de vote), des ouvriers... L'instabilité ministérielle, le problème de l'inflation, le rapprochement avec l'Allemagne, la formation du Cartel des gauches, l'influence du fascisme italien donnent naissance à des organisations paramilitaires, les ligues : à côté de l'« Action française », fondée en 1898, et monarchiste, sont créées les « Jeunesses patriotes » de Taittinger (en 1924), le « Faisceau » de Valois (en 1925), les

« Croix de feu » du colonel de La Rocque (transformées en ligue en 1928)... Haineuses à l'égard de la République parlementaire, les ligues souhaitent l'avènement d'un pouvoir fort, nationaliste et anti-socialiste.

Dans les années 20, la France entre dans une ère de prospérité. Le gouvernement parvient finalement à résoudre les difficultés financières et à vaincre l'inflation. Il engage une politique d'entente avec l'Allemagne. C'est pourtant au cours de ces années que naissent les mouvements de contestation qui prospéreront lors de la crise économique des années 30.

FRANCE (années 20)

CHRONOLOGIE

1919 : vote de la journée de 8 heures de travail ; victoire des partis de droite regroupés dans le Bloc national.

1920 : grève des cheminots ; congrès de Tours consacrant la division des socialistes.

1923 : occupation de la Ruhr.

1924 : victoire électorale du Cartel des gauches (socialistes et radicaux) ; Édouard Herriot président du Conseil de 1924 à 1926 ; la France reconnaît l'URSS et accepte le plan Dawes ; formation des premières ligues.

1926 : les radicaux changent d'alliance et s'associent aux modérés ; accélération de la croissance économique.

1928 : création du franc Poincaré.

1929 : la France accepte le plan Young.

1930 : début de la construction de la ligne Maginot.

 LIRE AUSSI

PREMIÈRE GUERRE MONDIALE (BILAN) ; ORGANISATIONS INTERNATIONALES (1918 À 1939) ; RELATIONS INTERNATIONALES (ANNÉES 20) ; ALLEMAGNE DE WEIMAR.

FRANCE

(ANNÉES 30)

Peu ouverte sur l'extérieur, la France est encore, en 1931, « un îlot de prospérité dans un monde en crise ». Mais la dévaluation de la livre sterling en septembre 1931, qui rend les marchandises anglaises plus compétitives que les françaises, amorce le changement de tendance. La crise économique et la crise politique se développent alors, entraînant, en 1936, la victoire électorale d'un Front populaire qui rassemble toutes les forces de gauche.

LE DÉVELOPPEMENT DE LA CRISE (1931-1935)

> À partir de 1931, la France entre dans une double crise économique et politique.

Les premières difficultés économiques et sociales (1931-1934)

La France entre dans la crise économique tardivement, à la fin de 1931 : dans le domaine agricole, la crise se traduit par une surproduction et une baisse des prix qui atteint surtout trois produits clés : le blé, le vin, et la betterave ; dans les mines et l'industrie, ce sont les branches anciennes qui sont touchées : charbon, fer, acier et textiles. Le chômage augmente (mais le nombre des chômeurs officiels ne dépassera jamais 450 000). Et dès 1931, le budget de l'État devient déficitaire à cause de la baisse des recettes due à la diminution de l'activité économique.

Pour lutter contre la crise, les gouvernements refusent une dévaluation du franc, qui aurait pourtant rendu les marchandises françaises plus compétitives sur le marché mondial, et optent, avec plus ou moins de rigueur, pour une politique de déflation, dont l'objectif est de réduire les dépenses de l'État pour rééquilibrer le budget. Mais cette politique est, dans le court terme, un frein à la relance de la production puisqu'elle réduit la demande intérieure.

● **_Instabilité ministérielle et scandales politiques_**
  _(1932-1934)_

FRANCE
(années 30)

La droite, au pouvoir depuis 1928, est battue aux élections de 1932 et, de 1932 à 1934, les radicaux gouvernent, avec le soutien des socialistes à la Chambre. Mais ces derniers n'apprécient pas la politique économique déflationniste des radicaux et n'hésitent pas à s'opposer à eux quand ils l'estiment nécessaire. Cinq gouvernements radicaux sont successivement renversés de mai 1932 à janvier 1934, sans avoir le temps de vraiment gouverner.

À cette instabilité ministérielle, s'ajoutent de nombreux scandales politiques. Au début de 1934, une nouvelle affaire bouleverse l'opinion. L'escroc Alexandre Stavisky, juif né en Ukraine, est parvenu à réaliser une série d'opérations financières illégales avec la complaisance d'hommes politiques haut placés. Arrêté, mais relâché et placé en liberté provisoire, il monte avec l'aide du député-maire de Bayonne une nouvelle escroquerie dans cette ville. Celle-ci révélée, Stavisky s'enfuit. Il est découvert mort dans un chalet près de Chamonix en janvier 1934. L'enquête conclut à un suicide, mais on soupçonne ses « amis » politiques de l'avoir fait assassiner pour le réduire au silence.

La presse d'extrême-droite s'empare de l'affaire pour développer sa propagande antisémite et antiparlementaire.

● **_La crise du 6 février 1934_**

L'EFFECTIF DES LIGUES AU DÉBUT DE 1934

Action française	60 000
Jeunesses patriotes	90 000
Croix de Feu	100 à 150 000
Défense paysanne	30 000
Solidarité française	10 000
Francisme	moins de 10 000

Il y a alors **130 000** *inscrits à la* **SFIO et 28 000** *au PCF.*

Dans ce climat de crise économique et politique, les ligues d'extrême-droite prospèrent et s'agitent. À la suite de l'affaire Stavisky, elles organisent de violentes manifestations afin de déstabiliser le pouvoir. Le 6 février 1934, pour

207

- protester contre le renvoi par le tout nouveau président du
- Conseil, Édouard Daladier, du préfet Chiappe, qui leur était
- favorable, elles organisent devant le palais Bourbon une
- grande manifestation qui tourne à l'émeute. Les heurts avec
- la police font 15 morts et des centaines de blessés.
- Daladier songe à poursuivre les organisateurs de
- l'émeute. Mais certains radicaux cèdent devant la pression :
- ils abandonnent Daladier, qui démissionne, et ils décident de
- rompre leur alliance avec les socialistes, haïs des ligues,
- pour s'associer à la droite dans des gouvernements d'« Union
- nationale ».
- En 1934 et 1935, les gouvernements successifs restent
- passifs face à la montée de l'extrême-droite. Ils engagent par
- ailleurs plus avant la politique déflationniste menée depuis
- 1931 : Pierre Laval, président du Conseil de juin 1935 à jan-
- vier 1936, réduit ainsi de 10 % toutes les dépenses publiques
- (y compris les salaires des fonctionnaires), ce qui suscite un
- vif mécontentement. Fin 1935, la crise économique et
- sociale atteint son point culminant.

LE FRONT POPULAIRE (1935-1938)

> *En réaction aux événements du 6 février 1934, les forces de gauche se rassemblent.*

L'avènement du Front populaire

- En réaction aux événements du 6 février,
- considérés par la gauche comme une tentative de
- coup d'État fasciste, des intellectuels de tous
- bords créent au mois de mars 1934, un Comité de vigilance
- des intellectuels antifascistes (CVIA). Peu après, le PCF
- rompt son ancienne stratégie d'isolement et adopte une
- politique de « main tendue » en direction des socialistes,
- des radicaux et même, plus tard, des modérés, suivant en
- cela les consignes de la IIIᵉ Internationale, qui prône depuis
- peu l'union antifasciste. En 1935, un Front populaire (ras-
- semblement de toutes les forces de gauche contre le fas-
- cisme) est constitué. Il regroupe, aux côtés d'autres organi-
- sations antifascistes, le PC, la SFIO et les radicaux.
- En janvier 1936, les trois organisations politiques du
- Front populaire concluent un accord de désistement pour le

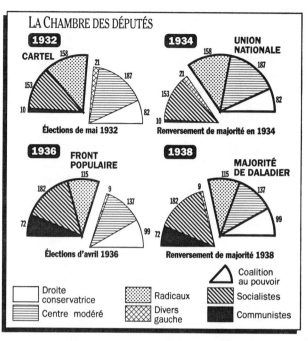

LA CHAMBRE DES DÉPUTÉS

1932
CARTEL 158
21
187
153
10
82
Élections de mai 1932

1934 UNION NATIONALE
158
187
21
153
10
82
Renversement de majorité en 1934

1936 FRONT POPULAIRE
115
182
9
137
72
99
Élections d'avril 1936

1938 MAJORITÉ DE DALADIER
115
9
137
182
99
72
Renversement de majorité 1938

Coalition au pouvoir

Droite conservatrice | Radicaux | Socialistes
Centre modéré | Divers gauche | Communistes

second tour des futures législatives et adoptent un programme commun de gouvernement dirigé contre le fascisme mais qui affiche aussi des préoccupations sociales,
autour du slogan « le pain, la paix, la liberté ». En mars, les
deux grands syndicats se réunifient : la CGTU, proche du
PCF, réintègre la CGT.

Aux élections législatives de mai 1936, le Front populaire l'emporte : il obtient 369 sièges contre 245 à la droite.
Les communistes sont les principaux gagnants des élections
puisqu'ils passent de 10 députés à 72, alors que les socialistes obtiennent avec 182 sièges le groupe le plus important
à la Chambre. Par contre, les radicaux, lâchés par une partie
de leur électorat qui n'accepte pas l'alliance avec les communistes, perdent plus de 40 sièges.

Peu après, Léon Blum, chef de la SFIO, prend la tête
d'un gouvernement socialiste et radical. Les communistes,
par fidélité à leurs principes révolutionnaires, ne veulent
pas participer à un gouvernement réformiste, mais ils soutiennent celui-ci au parlement.

- **L'action du Front populaire**
  - Dès la victoire du Front populaire, au début du mois de mai, la France est paralysée par une vague de grèves spontanées, qui touchent près de 2 millions de salariés, sont souvent accompagnées de l'occupation joyeuse des lieux de travail : il s'agit de fêter la victoire mais aussi de faire pression sur le patronat et le gouvernement pour qu'ils engagent rapidement des réformes sociales.
  - Les patrons, affolés, sont prêts à de nombreuses concessions pour voir revenir l'ordre. C'est à leur demande que Léon Blum réunit à l'Hôtel Matignon les délégués du patronat et ceux de la CGT qui signent les accords Matignon en faveur des salariés dans la nuit du 7 juin.

LES ACCORDS MATIGNON

Le 7 juin 1936, à l'hôtel Matignon, résidence du président du Conseil, s'ouvrent en présence de Léon Blum, Roger Salengro, Marx Dormoy et Jules Moch, tous ministres socialistes, les négociations entre les représentants du patronat (Confédération générale de la production) et des salariés (délégués de la CGT réunifiée). Dans la nuit, un accord est conclu.

Les patrons acceptent l'établissement de conventions collectives. Les salaires pratiqués au 25 mai 1936 sont relevés, de 15 % pour les plus bas à 7 % pour les plus élevés. Dans chaque établissement de plus de 10 personnes, il est permis aux membres du personnel d'élire des délégués qui les représenteront auprès de la direction (délégués du personnel). Acceptés dans leur principe, les premiers congés payés (15 jours) et la semaine de 40 heures sont votés par la Chambre des députés les 11 et 12 juin.

C'est sous la pression que ces mesures sociales ont été prises. Mais les membres du gouvernement ne voient pas en elles des mesures néfastes pour l'économie. Léon Blum espère bien que l'augmentation du pouvoir d'achat relancera la production et que la réduction du temps de travail permettra de dégager des emplois.

- La grève et les occupations d'usines ne cessent pourtant qu'à la fin du mois de juin. En juillet, le gouvernement peut alors engager des réformes plus structurelles : il crée l'Office national interprofessionnel du blé (ONIB, août 1936), qui achète le surplus des récoltes pour soutenir les cours ; il

- entreprend la nationalisation des industries de guerre, pour
- éviter les pressions des « marchands de canons » ; enfin, il
- réforme le statut de la Banque de France, pour briser la
- mainmise exercée sur elle par les représentants du monde
- des affaires, les « 200 familles », c'est-à-dire les 200 plus gros
- actionnaires de la banque qui, seuls, ont droit de vote au
- conseil d'administration.
- Le Front populaire introduit surtout un esprit nouveau
- en France. Pour la première fois, des femmes participent au
- gouvernement (elles sont trois). Léo Lagrange, nommé sous-
- secrétaire d'État aux Loisirs et aux Sports, encourage les
- « Auberges de jeunesse », les sports de masse, crée un billet
- de train tarif réduit pour les congés payés... Enfin, l'État
- montre un intérêt pour la culture et les sciences (création
- d'un sous-secrétariat à la Recherche scientifique, formation
- du CNRS...).
-
- ● **La fin du Front populaire**
- Dès l'été 1936, le Front populaire doit faire face à des
- difficultés qui le divisent :
- – Les communistes s'opposent à la politique extérieure
- du gouvernement. À partir de juillet 1936, une guerre civile
- oppose en Espagne le pouvoir républicain à une rébellion de
- l'armée, menée par le général Franco. L'Italie fasciste et
- l'Allemagne nazie soutiennent matériellement les fran-
- quistes. Léon Blum, qui essuie le refus du Royaume-Uni
- d'appuyer la France en cas d'intervention des Français aux
- côtés du gouvernement républicain espagnol, opte pour une
- politique de non-intervention, comme l'avaient demandé les
- radicaux. Ce choix provoque la colère du PCF qui voulait
- « des canons et des avions » pour les républicains.
- – À l'intérieur du pays, l'atmosphère malsaine effraie
- les radicaux. La presse d'extrême-droite déchaîne une vio-
- lente campagne antisémite contre Léon Blum et les
- membres juifs du gouvernement. Les ligues, dissoutes
- depuis juin 1936, se reconstituent sous forme de partis (le
- Parti social français de de La Rocque, le Parti populaire fran-
- çais de Doriot...) et les opposants les plus farouches passent
- à l'action violente (terrorisme d'une organisation appelée la
- « Cagoule »).
- – Dans le domaine de la politique économique, les
- divergences au sein de la coalition s'accentuent. La poli-

211

- tique de Blum n'a pas les effets escomptés : le déficit budgé-
- taire se creuse ; le financement des mesures sociales étouffe
- les entreprises, les capitaux fuient le pays et le patronat hos-
- tile n'investit pas ; la dévaluation d'octobre 1936 est trop tar-
- dive pour relancer les exportations. En février 1937, Blum
- proclame la « pause » dans les réformes sociales. Alors que
- cette pause sociale mécontente les communistes, les radi-
- caux multiplient les critiques à l'égard des choix écono-
- miques du gouvernement.
-       Les alliances du Front populaire sont donc de plus en
- plus fragiles. Le 21 juin 1937, lorsque Léon Blum demande
- au parlement les pleins pouvoirs financiers, les sénateurs
- radicaux joignent leurs voix à ceux de la droite contre lui, et
- il doit démissionner. Le gouvernement Chautemps, qui lui
- succède, est marqué par l'immobilisme (si l'on excepte en
- 1937 la nationalisation des chemins de fer qui donne nais-
- sance à la SNCF) ; il se maintient moins d'un an, de juin 1937
- à mars 1938. Le second gouvernement Blum (mars-avril
- 1938) est aussitôt renversé par le Sénat, du fait d'une nou-
- velle opposition radicale. C'est la fin du Front populaire : en
- avril 1938, les radicaux font alliance avec des hommes de
- droite et le radical Édouard Daladier devient président du
- Conseil.
-
-
-
-
- ## LA FRANCE FACE AU PÉRIL (1938-1939)
-
-
- ### Daladier et la menace allemande
-       En 1938, l'année où Daladier prend la tête du
- gouvernement, l'Allemagne est plus que jamais
- menaçante.
-       En effet, depuis 1933, Hitler multiplie les agres-
- sions : en mars 1936, il a remilitarisé la Rhénanie, en violation
- du traité de Versailles, sans que la France réagisse autre-
- ment que par des protestations verbales. En mars 1938, il
- annexe l'Autriche, et, en septembre, il revendique officielle-
- ment une partie de la Tchécoslovaquie, alliée de la France.
-       Daladier cède. Pour éviter un conflit généralisé, il signe
- avec Hitler, Mussolini et le chef du gouvernement britan-

> À partir de 1938, l'Allemagne est de plus en plus menaçante, mais la France n'est pas prête à la guerre.

nique Neville Chamberlain les accords de Munich, qui acceptent l'annexion des Sudètes tchèques par l'Allemagne. Daladier revient meurtri de Munich. Mais le président du Conseil considère ces accords comme un répit qu'il veut mettre à profit pour redresser le pays et le préparer à une guerre inévitable.

Les efforts de redressement national

Daladier était ministre de la Défense nationale sous le Front populaire : il avait alors mis en train un programme de réarmement. Une fois président du Conseil, il donne à celui-ci la priorité absolue.

Par ailleurs, il cherche à sortir le pays de la crise économique. Alors que l'effort de réarmement est censé favoriser la reprise, en mai 1938, le franc est dévalué afin de stimuler les exportations. Le ministre des finances, le modéré Paul Reynaud, engage une thérapie de choc : il diminue les dépenses civiles, augmente les impôts et, en novembre 1938, il remet en cause la loi des 40 heures. La CGT réplique par une grève générale, le 30 novembre, mais elle est sévèrement réprimée. Cette politique satisfait les milieux d'affaires : les capitaux sont rapatriés, les investissements repartent.

Daladier tente enfin d'enrayer la baisse de la natalité perceptible depuis 1930 et qui est une conséquence des difficultés sociales, de la tension internationale, et de l'arrivée à l'âge de fécondité des « classes creuses » de 1914-1919 : avec 41,9 millions d'habitants en 1939, la population française n'a augmenté depuis 1900 que de 3 %, contre 36 % en Allemagne. En juillet 1939, le Code de la famille, qui étend le régime des allocations familiales créé en 1932, inaugure une politique nataliste.

Malgré tout, la France n'est pas prête à la guerre

La politique nataliste est trop tardive et la reprise économique, bien qu'encourageante, reste insuffisante : fin 1938, la production connaît un redémarrage rapide, mais la production industrielle, qui est à l'indice 100 en 1929, n'atteint encore que l'indice 86 en 1939 alors que l'Allemagne a retrouvé depuis 1935 son niveau de production de 1929.

En 1939, l'équipement militaire de la France soutient certes la comparaison avec celui de l'Allemagne (sauf pour l'aviation), mais l'état-major commet de graves erreurs stratégiques : il pense que la France, protégée par la ligne Maginot, échappera à l'invasion allemande ; il prévoit une guerre longue ; enfin, il reste fidèle à des formules dépassées (tanks employés comme force d'accompagnement de l'infanterie, aviation reléguée à un rôle secondaire...).

Enfin, les Français ne sont pas prêts à se battre. Le souvenir des horreurs de la Première Guerre mondiale est encore très présent. Au retour de Munich, après la signature des accords qui évitent une guerre avec l'Allemagne, Daladier est reçu comme un héros. S'il existe bien alors, dans chaque parti, des minorités favorables à la fermeté face à l'Allemagne (les « antimunichois »), seul le PCF reste massivement uni dans son intransigeance à l'égard de Hitler... jusqu'à l'annonce du pacte germano-soviétique à la fin août 1939.

De 1936 à 1939, les Français se sont avant tout opposés sur les problèmes intérieurs. En 1939, la France, avec son économie convalescente, sa population peu dynamique, son armée mal préparée, son opinion majoritairement pacifiste, est peu de choses face à l'Allemagne conquérante.

CHRONOLOGIE

1932 : les radicaux gouvernent avec le soutien des socialistes à la Chambre.

1934 : affaire Stavisky et manifestation des ligues devant le palais Bourbon ; Daladier démissionne.

1935 : politique déflationniste de Laval (réduction de 10 % de toutes les dépenses publiques) ; la crise économique atteint son point culminant.

1936 : victoire du Front populaire (communistes, socialistes, radicaux) aux élections législatives ; Blum, chef du gouvernement ; début des grandes grèves ; accords Matignon.

1937 : Chautemps, chef du gouvernement.

1938 : fin du Front populaire ; les radicaux s'allient à la droite ; Daladier chef du gouvernement.

1938 : accords de Munich.

1939 : (septembre) invasion de la Pologne ; déclaration de guerre à l'Allemagne.

LIRE AUSSI ÉCONOMIE (ANNÉES 30) ; FRANCE (ANNÉES 20) ; RELATIONS INTERNATIONALES (ANNÉES 30).

FRANCE

(1939-1945)

Le 3 septembre 1939, à la suite de l'invasion de la
Pologne par les troupes de Hitler, la France déclare la
guerre à l'Allemagne. Le 22 juin 1940, envahie, elle doit
signer l'armistice.
La défaite entraîne l'occupation d'une grande partie du
territoire et la chute de la IIIe République ; un nouveau
gouvernement, dirigé par le maréchal Pétain, met en
place le régime réactionnaire de Vichy et entre dans la
voie de la collaboration avec l'Allemagne.
Mais une poignée d'hommes et de femmes, auprès
desquels va progressivement s'imposer la figure du
général de Gaulle, décide de résister à l'occupant.

L'EFFONDREMENT DE LA FRANCE

> *La France est écrasée en juin 1940 et le maréchal Pétain signe l'armistice.*

La déroute

Le 3 septembre, la France a déclaré la guerre à son puissant voisin, mais elle ne l'engage pas. De septembre 1939 à mai 1940, les Français attendent l'attaque allemande derrière la ligne Maginot et les fortifications hâtivement construites à la frontière belge : c'est la « drôle de guerre » qui aboutit à une démoralisation des soldats.

Du 13 au 15 mai 1940, les divisions blindées allemandes percent le front dans les Ardennes, où elles ne sont pas attendues, puis se dirigent vers l'Ouest en prenant à revers les armées franco-britanniques ; si les Anglais et quelques troupes françaises réussissent à embarquer à Dunkerque pour l'Angleterre, un grand nombre de soldats français doivent se rendre. Les Allemands foncent ensuite vers le Sud, refoulant le reste de l'armée française et provoquant l'exode de la population civile. À la mi-juin, la Wehrmacht occupe près de la moitié du territoire national.

L'armistice de Rethondes

Le modéré Paul Reynaud, élu président du Conseil en mars 1940 en remplacement de Daladier (accusé de passivité dans le conflit), se dit prêt à poursuivre la lutte en Afrique du Nord. De son côté, le maréchal Philippe Pétain, vice-président du Conseil depuis le 18 mai 1940, défend l'idée d'un armistice. Le 16 juin, sous la pression des partisans de l'armistice, Reynaud démissionne, et Pétain, soutenu par la droite, devient président du Conseil.

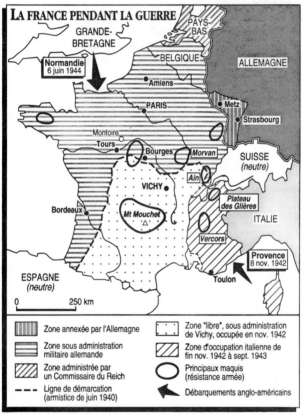

LA FRANCE PENDANT LA GUERRE

▦ Zone annexée par l'Allemagne	⬚ Zone "libre", sous administration de Vichy, occupée en nov. 1942
▩ Zone sous administration militaire allemande	▨ Zone d'occupation italienne de fin nov. 1942 à sept. 1943
▨ Zone administrée par un Commissaire du Reich	⬯ Principaux maquis (résistance armée)
– – – Ligne de démarcation (armistice de juin 1940)	◀ Débarquements anglo-américains

Les clauses de l'armistice, signé le 22 juin à Rethondes, sont sévères : l'Alsace et la Lorraine sont annexées au Reich ; le gouvernement français conserve l'autorité administrative sur le reste du pays, mais toute la partie Nord et Ouest de la

France reste occupée par l'armée allemande et 2 millions de prisonniers de guerre français sont acheminés vers l'Allemagne ; la France doit payer une lourde indemnité de guerre, assurer l'entretien des troupes d'occupation et se soumettre aux réquisitions ; elle conserve sa flotte et son empire, mais ne garde qu'une armée de 100 000 hommes dotée d'armes légères.

La fin de la République

Le parlement et le gouvernement s'installent à Vichy, dans la zone dite libre. Le prestige de Pétain est immense et les Français sont soulagés par l'armistice tout en étant exaspérés contre les parlementaires et le régime républicain, rendus responsables de l'impréparation militaire et donc de la défaite. Le 10 juillet 1940, à la suite de l'active campagne de l'ancien président du Conseil Pierre Laval, qui depuis 1939 s'est toujours montré hostile au conflit avec l'Allemagne, la Chambre des députés et le Sénat accordent au maréchal les pleins pouvoirs par 569 voix contre 80 pour modifier la Constitution.

Dès le lendemain, le 11 juillet, Pétain promulgue des actes constitutionnels lui accordant le titre de « chef de l'État français » avec le pouvoir législatif jusqu'à la formation de nouvelles assemblées, le droit de disposer de l'armée, de nommer et de révoquer les ministres, responsables seulement devant lui.

L'ÉTAT FRANÇAIS
ET LA COLLABORATION

La « révolution nationale »

Pétain entend « régénérer » la France. Il inaugure la « Révolution nationale », ensemble de réformes réactionnaires, résumées dans la nouvelle devise de l'État français « travail, famille, patrie » (qui remplace celle de la IIIᵉ République « liberté, égalité, fraternité ») :

– Pétain rejette le parlementarisme et la démocratie : il légifère par décrets, dissout tous les organes représentatifs

L'État français poursuit une politique réactionnaire et engage la collaboration avec l'occupant à partir d'octobre 1940.

- et les remplace par des fonctionnaires qu'il nomme. La propagande orchestre le culte de sa personnalité.
- – Il remet en honneur les traditions catholiques et familiales. Les congrégations retrouvent le droit d'enseigner. Les familles nombreuses sont privilégiées (cartes de priorité, allocations, dégrèvements), les mères au travail reçoivent une dot pour retourner au foyer, le divorce est rendu plus difficile et l'avortement sévèrement puni.
- – Sous son impulsion, l'État glorifie le travail traditionnel (artisanat, travail de la terre), tente de réformer les anciennes corporations rassemblant patrons et ouvriers de la même profession, prohibe la lutte des classes (interdiction des grèves, des syndicats ouvriers...) ; dans les faits, le régime favorise la grande entreprise industrielle et l'agriculture moderne.
- – Pétain exclut de la Communauté française ceux qui lui semblent ne pas adhérer à ce qu'il considère être de vieilles valeurs nationales. Il s'agit des Français de fraîche date (nombre de naturalisations opérées depuis 1927 sont annulées), des juifs (les deux « statuts des juifs » d'octobre 1940 et de juin 1941 interdisent à ceux-ci l'exercice de nombreuses professions, en particulier de la fonction publique), enfin, des francs-maçons, qui défendent des idées universalistes (la franc-maçonnerie est dissoute).

Pour promouvoir la « Révolution nationale », le régime de Vichy ne compte pas sur un parti unique. Il s'appuie sur les membres de l'administration et les enseignants (qui sont assermentés et dont les corps sont épurés), sur les organisations de jeunesse (anciennes comme le scoutisme, nouvelles comme le Mouvement des compagnons de France ou les Chantiers de jeunesse), ainsi que sur la Légion française des combattants, qui rassemble les associations d'anciens combattants. Il utilise aussi la répression policière, qui s'accentue à partir de 1941. Sous prétexte de juger les responsables de la défaite, un procès est engagé à Riom contre les principaux dirigeants de la IIIᵉ République (Daladier, Blum...) du 10 février au 11 avril 1941 ; le procès tourne court, parce que les accusés en profitent pour dénoncer le régime de Vichy : en avril 1942, une intervention de Hitler y met fin.

● **La collaboration**

Peu après les débuts de l'occupation, certains Français commencent à collaborer avec les Allemands. La collaboration économique, qui consiste à produire pour le Reich, est de signification ambiguë : les industriels donnent souvent leur concours contraints et forcés et seule une minorité de chefs d'entreprise cherche à approvisionner volontairement l'Allemagne (par exemple le fabricant d'automobiles Renault). La collaboration idéologique est plus claire. Certains individus défendent l'idéologie nazie et réclament une véritable alliance avec l'Allemagne. C'est le cas de quelques hommes politiques à la tête de petits partis (Doriot, Déat) et d'écrivains ou de journalistes (Brasillach, Drieu La Rochelle) qui veulent faire de la France un État fasciste ou espèrent obtenir des faveurs des nazis ; Doriot et Déat vont jusqu'à fonder, en 1941, la Légion des volontaires français contre le bolchevisme (LVF) qui combat sur le front russe sous uniforme allemand.

De son côté, Pétain décide d'engager une collaboration d'État avec l'Allemagne à la suite de la rencontre organisée par Laval entre lui et Hitler en gare de Montoire, le 30 octobre 1940 ; il affirme qu'aider l'Allemagne est la seule façon de maintenir la souveraineté de la France et d'obtenir du Reich des concessions.

D'octobre à décembre 1940, Laval, vice-président du Conseil, essaie de donner à cette collaboration un contenu concret en préparant une reconquête de l'Afrique équatoriale devenue gaulliste. Pétain, qui l'accuse de mener une politique personnelle, le remplace par Flandin puis Darlan.

Par les protocoles de Paris, signés en mai 1941, Darlan octroie des bases aériennes et maritimes à l'Allemagne en Syrie, en AOF et en Tunisie. Mais, se heurtant à la résistance des nationalistes de Vichy (Weygand...), le gouvernement rejette finalement les accords. Darlan, se ralliant alors à une politique de résistance diplomatique, devient insupportable aux nazis, qui poussent Pétain à rappeler Laval au pouvoir en avril 1942.

Laval entre alors dans la voie de la collaboration ouverte. Zélé à l'égard des Allemands, il accroît les envois de denrées alimentaires en Allemagne, fait livrer à l'occupant les juifs étrangers réfugiés dans la zone libre (dans la zone occupée, le 16 juillet 1942, 13 000 juifs étrangers de la région parisienne sont arrêtés par la police française sur l'ordre des Allemands, conduits dans le vélodrome d'hiver puis déportés), encourage les ouvriers français à partir tra-

- vailler volontairement en Allemagne en lançant la politique
- de la « relève » (pour trois ouvriers français partant en
- Allemagne, un prisonnier pourra rentrer en France).
- Le débarquement américain en Afrique du Nord, en
- novembre 1942, est suivi de l'occupation de la zone Sud par
- l'Allemagne ; désormais, la France n'est plus qu'un État fan-
- toche, totalement dévoué à l'Allemagne nazie : Pétain et
- Laval sont étroitement surveillés, les fascistes français
- (Déat, Darnand...) entrent au gouvernement.

● *Les difficultés croissantes de la population*

- À la suite de l'occupation de la zone Sud, les Français
- éprouvent des difficultés de plus en plus grandes :
- – Les frais d'occupation et les prélèvements pour
- l'Allemagne s'alourdissent. La pénurie, l'inflation, le ration-
- nement deviennent insupportables.
- – La relève est inefficace. Le Service du travail obliga-
- toire (STO), inauguré au début de 1943, contraint alors plus
- de 600 000 Français à aller travailler dans les usines alle-
- mandes.
- – La répression s'intensifie. Depuis 1940, Pétain appelle
- les Français à ne pas résister à l'occupant. À partir de 1943,
- la Milice, police supplétive fascisante créée par Darnand en
- janvier, fait la chasse aux résistants. Fréquemment, des
- Français sont exécutés comme otages par les Allemands en
- représailles aux actions de la Résistance. Les juifs sont
- déportés en Allemagne, qu'ils soient étrangers ou français,
- enfants compris.

LA RÉSISTANCE ET LA LIBÉRATION

◀━━

Naissance et développement
de la Résistance

- Le 18 juin 1940, à la BBC de Londres, le géné-
- ral de Gaulle, ancien sous-secrétaire d'État à la
- guerre dans le gouvernement de Paul Reynaud,
- appelle les Français à refuser l'armistice et à se
- joindre à lui. Il obtient le ralliement des colonies
- d'Afrique équatoriale et se dote d'une petite armée, princi-

Reconnu comme chef par la Résistance, de Gaulle prend la tête du gouvernement français à la Libération.

━▶

palement composée de contingents coloniaux, les Forces françaises libres (FFL). Les FFL engagent le combat aux côtés des Britanniques.

À la même époque, les résistants sont peu nombreux en France. En zone Sud, regroupés dans trois grandes organisations (Combat, Libération, Franc-tireur), ils mènent avant tout une lutte politique contre Vichy (dénonciation de la collaboration et élaboration doctrinale d'une république nouvelle) à travers une presse d'opposition clandestine ; en zone Nord occupée, la Résistance, divisée en de multiples petits mouvements (Organisation civile et militaire, Libération-nord...), et dirigée contre les Allemands, a surtout un caractère militaire : collecte de renseignements pour les Alliés, sabotages...

À la fin du mois de juin 1941, l'entrée de l'armée du Reich en URSS conduit les communistes français de la zone occupée à entrer dans la Résistance en créant le Front national et une organisation paramilitaire chargée de l'assister, les Francs-tireurs et partisans (FTP) ; leur action principale consiste à commettre des attentats contre les Allemands, afin que ceux-ci prennent des mesures de rétorsion rendant l'occupation insupportable à la population (premier assassinat d'un officier allemand par le communiste Fabien, à Paris, le 21 août 1941).

Par ailleurs, au début de 1943, l'invasion de la zone libre (depuis novembre 1942), le poids de l'occupation et surtout le STO amènent bon nombre de jeunes gens à constituer des maquis armés dans les régions montagneuses et difficilement accessibles.

● *De Gaulle regroupe partiellement la Résistance*

En janvier 1942, de Gaulle envoie en France Jean Moulin pour unifier la Résistance et la placer sous sa direction. Celui-ci parvient à faire fusionner en zone Sud les trois principaux groupes non communistes au sein des Mouvements unis de Résistance (MUR). En mai 1943, il tient la première réunion du Conseil national de la Résistance (CNR), qui comprend les délégués des mouvements de résistance du Nord comme du Sud (y compris communistes) des anciens partis politiques et syndicats ; le CNR est censé favoriser l'unification de la Résistance et réfléchir sur l'organisation politique et sociale de l'après-guerre. Lorsque

FRANCE
(1939-1945)

le 3 juin 1943 est créé à Alger le Comité français de libération nationale (CFLN), assisté bientôt d'une Assemblée consultative provisoire, de Gaulle, fort de l'appui du CNR, n'a pas de grande difficulté pour s'y imposer face au général Giraud, soutenu par les Américains.

Malgré la formation du CNR, la résistance en métropole n'est pas parfaitement unie à la veille de la Libération. En zone Sud, le Front national, qui s'est implanté après l'occupation allemande, n'a pas fusionné avec les MUR. En revanche, au début de 1944, les MUR sont parvenus à se fondre avec les mouvements de résistance non communistes de l'ancienne zone Nord pour former le Mouvement de la libération nationale (MLN). Les organisations paramilitaires, dont s'étaient dotés non seulement le Front national mais aussi les mouvements de résistance non communistes, et auxquelles avaient adhéré les maquis, sont théoriquement regroupées dans les Forces françaises de l'intérieur (FFI) depuis mars 1944, mais au sein de celles-ci les FTP communistes jouissent d'une grande autonomie.

● *La Libération et l'arrivée de de Gaulle au pouvoir*

Les Forces françaises libres (FFL) sont présentes lors des débarquements de Normandie (6 juin 1944) et de Provence (15 août 1944). De leur côté, les résistants armés de métropole, de plus en plus nombreux, harcèlent les troupes allemandes (qui n'hésitent pas en retour à terroriser les populations civiles) et devancent souvent les Alliés en libérant eux-mêmes une grande partie du territoire. Dès le soir du 25 août, de Gaulle rejoint Paris qui, après 8 jours d'insurrection et de combats, vient d'être libéré. Le 26, il descend triomphalement les Champs-Élysées.

La France redevient un État souverain. Le CFLN se transforme en Gouvernement provisoire de la République française (GPRF) et incorpore des membres de la Résistance intérieure. En province, des commissaires de la République nommés par le gouvernement provisoire prennent en charge l'administration. Les groupes armés de la Résistance, notamment les FTP, sont intégrés à l'armée régulière. Le nouveau pouvoir met fin à « l'épuration » spontanée et souvent aveugle, pratiquée par des éléments incontrôlés contre ceux qui ont eu des rapports avec l'occupant ou qui se sont montrés des auxiliaires trop zélés de Vichy (femmes tondues et promenées dans les rues, exécutions sommaires...). Dès 1945, de Gaulle est reconnu en France et à l'étranger comme le chef incontesté de la France nouvelle.

La France n'a pas été une puissance victorieuse et le régime de Vichy a collaboré avec l'ennemi. Pourtant, elle se retrouve en 1945 dans le camp des vainqueurs. Elle doit cette position à l'action de la Résistance et surtout à celle du général de Gaulle, reconnu par les Alliés.

CHRONOLOGIE

1939 : (septembre) déclaration de guerre à l'Allemagne ; début de la « drôle de guerre ».

1940 : (mai) invasion de la France par les Allemands ; le 18 juin, le général de Gaulle, à travers la BBC de Londres, appelle les Français à refuser l'armistice ; armistice à Rethondes le 22 juin ; vote des « pleins pouvoirs » à Pétain pour modifier la Constitution et fin de la IIIᵉ République ; rencontre de Pétain et Hitler à Montoire et début de la « collaboration d'État ».

1940 : en octobre, premier « statut des juifs » les excluant de nombreuses professions.

1942 : (novembre) débarquement anglo-américain en Afrique du Nord ; occupation de la zone Sud par l'Allemagne.

1943 : instauration du STO ; première réunion du Conseil national de la résistance.

1944 : débarquement anglo-américain en Normandie (juin) puis en Provence (août) ; de Gaulle descend triomphalement les Champs-Élysées dans Paris libéré.

LIRE AUSSI FRANCE (ANNÉES 30) ; DEUXIÈME GUERRE MONDIALE (DE 1939 À 1942 ; DE 1943 À 1945).

FRANCE

(IVᵉ RÉPUBLIQUE)

La capitulation de l'Allemagne, le 8 mai 1945, met un
terme à la guerre en Europe, et donc à la libération de la
France, commencée par le débarquement du 6 juin 1944.
Pour le gouvernement « d'unanimité nationale », dirigé par
le général de Gaulle, il faut reconstruire les structures
économiques et sociales du pays et donner de nouvelles
institutions à la République.

LA RECONSTRUCTION (1945-1947)

> La France
> libérée
> entame sa
> reconstruction
> économique,
> sociale et
> politique.

De nouvelles structures économiques et sociales

En 1945, l'économie française est en grande
difficulté : 74 départements ont été dévastés, un
logement sur six est détruit, la moitié du réseau ferroviaire est inutilisable, la production industrielle représente à peine 40 % de celle de 1938 et la production de blé a
diminué de moitié. La pénurie, le marché noir, l'inflation, les
tickets de rationnement (jusqu'en 1949) rendent très difficile
la vie quotidienne des Français. Il faut donc relancer
d'urgence la production agricole et industrielle : c'est la
conviction de toutes les forces politiques et syndicales, PCF
et CGT en tête, qui mobilisent les travailleurs pour gagner la
bataille de la production.

S'inspirant largement du programme élaboré par le
Conseil national de la Résistance (mars 1944), le gouvernement de Gaulle pose les bases du redressement.

– Afin de donner à l'État la maîtrise de la reconstruction, est lancé un programme de nationalisations, sans précédent dans les pays occidentaux. Il concerne aussi bien
l'énergie (Charbonnages de France, EDF, GDF), qu'une

- bonne partie de l'industrie automobile (régie Renault), de
- l'aéronautique (SNECMA, Air France), du crédit (Banque de
- France et quatre banques de dépôt) et des compagnies
- d'assurances. Un Commissariat au Plan, chargé de tracer les
- grandes lignes du développement économique, est confié à
- Jean Monnet (1947).
-     – Un important programme social est mis en œuvre :
- retour à la liberté syndicale, création des comités d'entre-
- prise (février 1945), et surtout mise en place de la Sécurité
- sociale (octobre 1945).

De Gaulle face à l'Assemblée constituante

La vie politique se reconstitue avec les partis traditionnels (radicaux, SFIO, PCF) et avec des partis nouveaux, issus
de la Résistance, notamment le Mouvement républicain
populaire (MRP), parti démocrate-chrétien. Le 21 octobre
1945, les électeurs et les électrices (pour la première fois en
France) sont appelés à un double scrutin :
     – par référendum, 96 % se prononcent pour la mise en
place de nouvelles institutions ;
     – ils élisent une Assemblée constituante, dominée par
trois partis : PCF, MRP et SFIO (« tripartisme »), qui réunissent
trois quarts des suffrages et qui vont gouverner ensemble.
     Le général de Gaulle est élu chef du gouvernement à
l'unanimité par l'Assemblée constituante (13 novembre
1945), mais les partis le tiennent à l'écart de la discussion
sur la future Constitution et manifestent leur hostilité envers
lui. C'est pourquoi de Gaulle démissionne le 20 janvier 1946
pour protester contre l'obstruction de ses ministres socialistes et communistes. Par le discours de Bayeux (16 juin
1946), il manifeste son opposition aux projets de République
parlementaire élaborés par la Constituante, et il souligne sa
volonté de renforcer le pouvoir exécutif

Les institutions de la IVᵉ République

Après le rejet du premier projet constitutionnel préparé par la gauche au référendum du 5 mai 1946, le
deuxième projet est accepté par les Français, mais à une
majorité relative : 36 % de oui, 31 % de non, 31 % d'abstentions au référendum du 13 octobre 1946.
     Le préambule de la nouvelle Constitution proclame
l'égalité hommes–femmes, le droit à l'emploi et à la protection

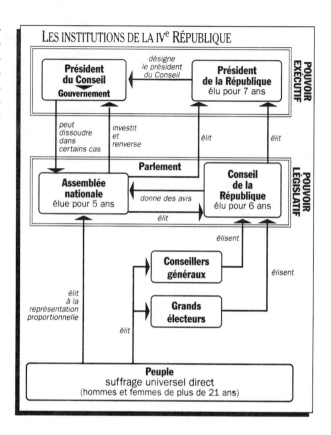

LES INSTITUTIONS DE LA IVᵉ RÉPUBLIQUE

POUVOIR EXÉCUTIF

Président du Conseil
Gouvernement

désigne le président du Conseil

Président de la République
élu pour 7 ans

peut dissoudre dans certains cas

investit et renverse

élit

élit

POUVOIR LÉGISLATIF

Parlement

Assemblée nationale
élue pour 5 ans

donne des avis

Conseil de la République
élu pour 6 ans

élit

élisent

Conseillers généraux

élisent

Grands électeurs

élit à la représentation proportionnelle

élit

Peuple
suffrage universel direct
(hommes et femmes de plus de 21 ans)

sociale, et remplace l'ancien empire colonial par une Union française.

Le pouvoir législatif revient à deux Chambres, formant le Parlement : le Conseil de la République, élu pour six ans par les notables, n'a qu'un pouvoir consultatif ; l'Assemblée nationale, élue au suffrage universel direct pour 5 ans, vote les lois et le budget, investit et censure le Président du Conseil.

Le pouvoir du Président de la République est restreint : élu pour sept ans par le Parlement réuni en Congrès, il ne peut pas organiser de référendum et ne peut dissoudre l'Assemblée nationale que dans des conditions très complexes. Le pouvoir exécutif revient en fait au Président du

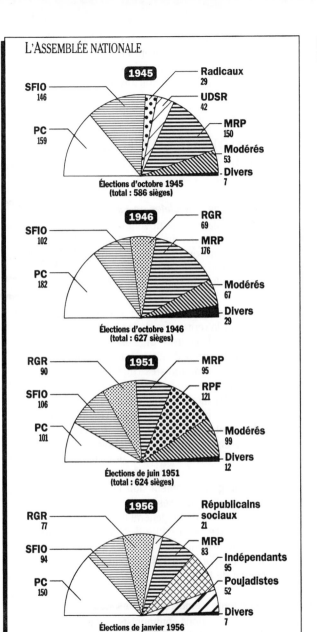

L'ASSEMBLÉE NATIONALE

1945

SFIO
146

PC
159

Radicaux
29

UDSR
42

MRP
150

Modérés
53

Divers
7

Élections d'octobre 1945
(total : 586 sièges)

1946

SFIO
102

PC
182

RGR
69

MRP
176

Modérés
67

Divers
29

Élections d'octobre 1946
(total : 627 sièges)

1951

RGR
90

SFIO
106

PC
101

MRP
95

RPF
121

Modérés
99

Divers
12

Élections de juin 1951
(total : 624 sièges)

1956

RGR
77

SFIO
94

PC
150

Républicains
sociaux
21

MRP
83

Indépendants
95

Poujadistes
52

Divers
7

Élections de janvier 1956
(total : 579 sièges)

227

Conseil, chef du Gouvernement, investi par l'Assemblée nationale, et qui est responsable devant elle. Cette soumission de l'exécutif au législatif transforme rapidement le régime parlementaire établi par la Constitution en un véritable « régime d'Assemblée ».

L'AUBE DES TRENTE GLORIEUSES (1947-1953)

Malgré la guerre froide et l'instabilité gouvernementale, la France entame une période de forte croissance économique.

Les crises politiques et sociales de 1947

Les élections législatives de novembre 1946 confirment la prépondérance du « Tripartisme » (PC-SFIO-MRP). En janvier 1947, le socialiste Vincent Auriol devient le premier président de la IVe République et choisit Paul Ramadier à la présidence du Conseil.

Mais le PCF ne tarde pas à s'opposer à ses partenaires, dénonçant notamment la répression de la révolte malgache et soutenant, avec la CGT, la grève organisée chez Renault (mars-avril 1947). C'est le prétexte choisi par Ramadier pour renvoyer ses ministres communistes (mai 1947). Dans le contexte international de guerre froide, et encouragé par les Soviétiques, le PCF entre alors dans une opposition résolue au pouvoir « bourgeois » et organise avec la CGT une vague de grèves qui paralysent le pays (hiver 1947). Hostile à cette tactique de « guerre civile » prônée par le Kominform, les militants socialistes de la CGT fondent alors le syndicat Force ouvrière (FO).

En avril 1947, le gouvernement doit faire face à une nouvelle opposition politique : c'est le Rassemblement du peuple français (RPF), créé par le général de Gaulle en avril 1947, afin de combattre le « régime des partis », et qui connaît un succès foudroyant, avec 38 % des suffrages aux élections municipales d'octobre 1947 et plus d'un million d'adhérents au début de 1948.

La « Troisième force » amorce la croissance

Entre les deux oppositions communiste et gaulliste, les partis au pouvoir (SFIO, MRP, radicaux, modérés) consti-

tuent la majorité de « Troisième force », qui va tenir jusqu'en
1951. En dépit d'une forte instabilité gouvernementale
(10 ministères de 1948 à 1952), les portefeuilles importants
reviennent souvent aux mêmes hommes, d'où une continuité dans le redressement économique et dans la construction européenne (création de la CECA en 1951). Dès la fin
1947, la production industrielle a retrouvé son niveau
d'avant-guerre ; en 1951, elle le dépasse de 45 % et le revenu
national dépasse de 25 % celui de 1938. En 1949, la balance
commerciale devient positive et les rationnements sont ter-
minés. La France se lance dans une période de forte croissance, que l'on appellera plus tard les « trente glorieuses »
de l'économie française.

Néanmoins, les divisions entre partenaires gouvernementaux conduisent souvent à l'immobilisme, notamment
face à l'inflation, aux inégalités sociales et aux revendications d'indépendance.

Grâce au système des « apparentements » mis en place
aux élections de juin 1951, la Troisième force réduit la représentation parlementaire des communistes et des gaullistes :
avec presque la moitié des suffrages, ils n'obtiennent qu'un
tiers des sièges. Mais les gaullistes suscitent en septembre
1951 une querelle sur le financement par l'État des écoles
privées (loi Barangé), qui provoque le départ des ministres
socialistes. C'est la fin de la Troisième force, et l'avènement
de la coalition du centre et de la droite, c'est-à-dire des radicaux, du MRP et des indépendants (ex-modérés).

L'expérience Pinay

Le chef des indépendants, Antoine Pinay, spécialiste
des questions économiques, est appelé en mars 1952 à la
présidence du Conseil, afin de combattre l'inflation. Soutenu
à la fois par les classes moyennes qu'il prétend incarner et
par les milieux financiers qu'il représente, Pinay mène une
politique libérale, axée sur la stabilisation du franc, la réduction des dépenses publiques et l'appel à l'épargne populaire, afin de rééquilibrer le budget (emprunt Pinay en juin
1952). Poursuivie par les gouvernements René Mayer et
Joseph Laniel en 1953, cette gestion prudente et conservatrice parvient à juguler l'inflation, mais ralentit l'investissement et la croissance. Les grèves de l'été 1953 illustrent
l'échec social d'un pouvoir paralysé par le régime des par-

tis. Quant à de Gaulle, abandonné par de nombreux députés gaullistes qui ont choisi de soutenir Pinay et ses successeurs, il dissout le groupe RPF en mai 1953, et s'éloigne de la vie politique : c'est la « traversée du désert ».

L'IMPUISSANCE ET LA CHUTE (1954-1958)

> *Après l'échec de Mendès-France, la IVe République sombre dans la guerre d'Algérie.*

Mendès-France : l'espérance déçue

Malgré la reprise économique et l'apaisement social, le pouvoir politique n'arrive pas à résoudre les grands problèmes extérieurs. La querelle sur la ratification du traité instituant la Communauté européenne de défense (CED) divise l'Assemblée nationale de 1952 à 1954 : les « cédistes » (MRP, indépendants) s'opposent aux « anticédistes » (communistes et gaullistes), tandis que les socialistes et les radicaux sont partagés. De même, les partis au pouvoir sont incapables de mener à bien la décolonisation au Maroc, en Tunisie, et surtout en Indochine, où les troupes françaises s'enlisent. Le 7 mai 1954, la reddition de Diên Biên Phû marque la défaite de la France.

C'est pour résoudre le problème indochinois que l'Assemblée nationale investit le radical Pierre Mendès-France, le 18 juin 1954. Ce dernier s'engage à négocier la paix avant un mois ou à démissionner : les accords signés à Genève, le 21 juillet 1954, illustrent sa réussite. De même, il prononce à Carthage un discours décisif qui ouvre la voie à l'indépendance tunisienne (1er août 1954). En trois mois, Mendès-France fait passer 120 décrets de modernisation économique et sociale.

Porté par un courant de sympathie exceptionnel, baptisé « mendésisme » par le journal *L'Express*, « PMF » veut rénover la vie politique, en renforçant le pouvoir exécutif et en instaurant une relation plus directe avec les citoyens, notamment grâce à la radio. Mais il suscite de nombreuses hostilités : la droite lui reproche de brader l'empire colonial ; l'Union de défense des commerçants et artisans (UDCA), dirigée par Pierre Poujade, l'accuse de persécution fiscale

contre les « petits », les oubliés de la croissance ; enfin, le
MRP ne lui pardonne pas d'avoir abandonné la CED, rejetée
par l'Assemblée nationale, le 30 août 1954. Pris de court par
l'insurrection algérienne commencée le 1er novembre 1954,
PMF est renversé par la coalition de ses ennemis politiques,
le 6 février 1955.

● ### *Le cancer algérien*

À partir de l'hiver 1954-55, la vie politique française est
rongée par le problème algérien. Le radical Edgar Faure,
successeur de PMF, dissout l'Assemblée en décembre 1955
afin de trouver une nouvelle majorité. Mais les élections du
2 janvier 1956 sont surtout marquées par l'apparition de
50 députés poujadistes. Néanmoins, la victoire relative du
Front républicain (radicaux et socialistes), soudé autour de
Mendès-France, permet au socialiste Guy Mollet de devenir
président du Conseil. Le bilan de ce gouvernement, le plus
long de la IVe République (février 1956-mai 1957), n'est pas
négligeable : troisième semaine de congés payés ; Fonds
national de solidarité ; indépendance de la Tunisie et du
Maroc (mars et mai 1956) ; loi-cadre du ministre Gaston
Defferre sur l'Afrique noire (juin 1956) ; signature des traités
de Rome instituant la Communauté économique européenne (CEE), appelée « Marché commun », et l'Euratom
(mars 1957).

En revanche, Guy Mollet s'avère incapable de résoudre
la question algérienne : le 6 février 1956, il recule devant une
manifestation des Français d'Algérie, hostiles à l'indépendance ; avant toute négociation avec les indépendantistes
du Front de libération nationale (FLN), il exige le cessez-le-
feu et des élections libres ; grâce aux pouvoirs spéciaux que
lui a conférés l'Assemblée, il augmente les effectifs du
contingent en Algérie.

C'est l'escalade. La violence et la torture se générali-
sent. L'armée française prend l'initiative de détourner
l'avion des chefs du FLN en octobre 1956, elle est engagée
avec les Britanniques dans l'expédition du canal de Suez en
novembre 1956, et les parachutistes du général Massu tra-
quent les partisans du FLN lors de la « bataille d'Alger » en
janvier 1957.

Les successeurs de Guy Mollet, les radicaux Maurice
Bourgès-Maunoury (juin 1957) puis Félix Gaillard (novembre

1957) n'auront pas plus de succès. Après le bombardement du village tunisien de Sakhiet, base de repli du FLN, par l'aviation française (janvier 1958), l'opinion internationale est indignée et Gaillard est contraint d'accepter les « bons offices » anglo-américains pour résoudre le conflit.

De Gaulle : « l'appel au sauveur »

Au terme d'une longue crise ministérielle, Pierre Pflimlin (MRP) est investi le 13 mai 1958, et il propose de négocier avec le FLN. Mais, le même jour, la population française d'Alger, encouragée par l'armée, se soulève contre la métropole et forme un « gouvernement de salut public » favorable à l'Algérie française. Face au désarroi du gouvernement Pflimlin, et à la menace d'un putsch militaire (commencé en Corse), la classe politique se tourne vers le général de Gaulle.

Ce dernier rencontre Pinay, Mollet, Pflimlin, et se pose en ultime recours pour résoudre la crise. Le 29 mai 1958, le président Coty l'appelle à la présidence du Conseil, et il est investi le 1er juin par l'Assemblée nationale, muni des pleins pouvoirs pour six mois et chargé de préparer une nouvelle Constitution. Le nouveau projet constitutionnel, inspiré des idées du général, est approuvé par 79 % de oui lors du référendum du 28 septembre 1958. C'est la fin de la IVe République.

La IVe République, mise en place en 1946, n'a pas résisté aux problèmes posés par la décolonisation. Longtemps incapable de résoudre la question indochinoise, le régime est tombé sur la question algérienne, qui a révélé l'impuissance des gouvernements de coalition. Mais, en dépit de ce drame algérien et de l'instabilité ministérielle chronique engendrée par le régime des partis, la IVe République a su moderniser profondément les structures sociales de la France et conduire une croissance économique sans précédent. L'avion à réaction Caravelle, la DS Citroën (1955) et l'ordinateur Bull (1956) sont ses plus beaux fleurons. La IVe République laisse à la Ve République l'héritage d'une France rajeunie, enrichie et modernisée.

1944 : programme du Conseil national de la Résistance ; débarquement des Alliés en Normandie ; gouvernement de Gaulle « d'unanimité nationale ».

1945 : début des nationalisations ; création de la Sécurité sociale ; référendum et élection de l'Assemblée constituante.

1946 : démission du général de Gaulle ; discours de Bayeux ; référendum : les Français acceptent la Constitution de la IVᵉ République ; victoire du « Tripartisme » (PC, SFIO, MRP) aux élections législatives.

1947 : Auriol (SFIO) élu président de la République ; de Gaulle fonde le Rassemblement du peuple français (RPF) ; Ramadier renvoie les ministres communistes ; début de la « Troisième force ».

1949 : fin du rationnement.

1951 : traité instituant la CECA ; fin de la « Troisième force ».

1952 : gouvernement Pinay.

1953 : de Gaulle dissout le RPF et commence sa « traversée du désert ».

1954 : défaite française à Diên Biên Phû ; gouvernement Mendès-France ; accords de Genève sur l'Indochine ; rejet du projet de CED ; insurrection en Algérie.

1956 : victoire du Front républicain aux élections législatives ; gouvernement Mollet ; indépendance de la Tunisie et du Maroc ; expédition de Suez.

1957 : traités de Rome instituant la CEE et l'Euratom.

1958 : insurrection d'Alger ; investiture du général de Gaulle ; référendum : les Français acceptent la Constitution de la Vᵉ République.

LIRE AUSSI

CONSTRUCTION EUROPÉENNE ;
ÉCONOMIE (1945-1973) ; DÉCOLONISATION ;
FRANCE : SOCIÉTÉ (DEPUIS 1945) ;
FRANCE (1939-1945 ; Vᵉ RÉPUBLIQUE) ;
INDOCHINE (DEPUIS 1945) ;
MAGHREB (DEPUIS 1945).

FRANCE

(Vᵉ RÉPUBLIQUE)

Arrivé au pouvoir pour résoudre la question algérienne, le général de Gaulle commence par réformer les institutions et la vie politique françaises. Il va mener de front le problème algérien et la consolidation de la Vᵉ République, adoptée en septembre 1958.

LA RÉPUBLIQUE GAULLIENNE (1958-1969)

> *Les débuts de la Vᵉ République portent la marque écrasante du général de Gaulle.*

Un régime parlementaire original

La Constitution de la Vᵉ République reflète les conceptions du général de Gaulle.

– Le pouvoir exécutif est considérablement renforcé. Élu pour sept ans par un collège de 80 000 membres, le Président de la République peut dissoudre l'Assemblée nationale, organiser un référendum, et exercer les pleins pouvoirs en cas de crise grave (article 16). Il nomme le Premier ministre, chef du Gouvernement, qui « détermine et conduit la politique de la nation » (article 20). Par le référendum d'octobre 1962 (62 % de oui), les Français accepteront l'élection du Président de la République au suffrage universel, proposée par de Gaulle.

– Le pouvoir législatif est détenu par deux Chambres : l'Assemblée nationale, élue pour cinq ans au suffrage universel direct, doit partager l'initiative des lois avec le Premier ministre et ne peut le renverser qu'à la majorité absolue ; le Sénat, élu au suffrage universel indirect, est renouvelable par tiers tous les trois ans.

– Le Conseil constitutionnel, composé de neuf membres, est chargé de vérifier que les lois sont conformes à la Constitution.

Les élections législatives de novembre 1958 sont un

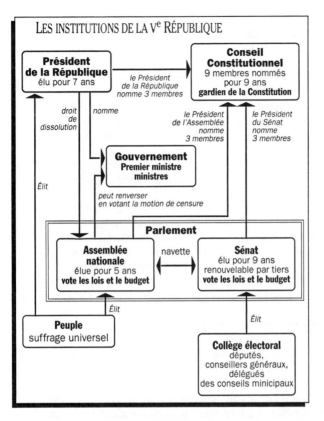

LES INSTITUTIONS DE LA Vᵉ RÉPUBLIQUE

Président de la République
élu pour 7 ans

le Président de la République nomme 3 membres

Conseil Constitutionnel
9 membres nommés pour 9 ans
gardien de la Constitution

droit de dissolution

nomme

le Président de l'Assemblée nomme 3 membres

le Président du Sénat nomme 3 membres

Élit

Gouvernement
Premier ministre
ministres

peut renverser en votant la motion de censure

Parlement

Assemblée nationale
élue pour 5 ans
vote les lois et le budget

navette

Sénat
élu pour 9 ans
renouvelable par tiers
vote les lois et le budget

Élit

Élit

Peuple
suffrage universel

Collège électoral
députés,
conseillers généraux,
délégués
des conseils minicipaux

succès pour les gaullistes de l'UNR (Union pour la nouvelle République), qui remportent 42 % des sièges. Le général de Gaulle est élu premier Président de la Vᵉ République avec 78 % des suffrages, en décembre 1958. Il choisit Michel Debré comme Premier ministre.

● L'achèvement de la décolonisation

Après avoir proposé aux colonies d'Afrique noire un statut d'association dans le cadre d'une Communauté française (septembre 1958), de Gaulle leur accorde l'indépendance en 1960.

Le processus est plus complexe en Algérie. Dans un premier temps, le chef de l'État semble favorable au maintien de l'Algérie française et à la « paix des braves » avec les indépendantistes du Front de libération nationale (octobre 1958) ; puis il évolue vers le principe de « l'autodétermination » des Algériens et entame des négociations avec le FLN (septembre 1959).

S'estimant trahis par la métropole, les Européens d'Alger se soulèvent lors de la « semaine des barricades » (janvier 1960), puis c'est une partie de la hiérarchie militaire française en Algérie qui organise un putsch, vite réprimé par de Gaulle (avril 1961). Une partie des conjurés bascule alors dans l'OAS (Organisation armée secrète), qui organise une série d'attentats à Paris et à Alger. Mais 76 % des votants se prononcent en faveur de l'autodétermination (référendum de janvier 1961).

Malgré les provocations de l'OAS et les « bavures » de la police parisienne (octobre 1961, février 1962), les négociations avec le FLN aboutissent aux accords d'Évian (18 mars 1962). Un État algérien indépendant est alors créé, et approuvé par 80 % des votants (référendum d'avril 1962). Plus de 800 000 « pieds-noirs » rentrent en métropole. Le 3 juillet 1962, de Gaulle reconnaît l'indépendance de l'Algérie.

Indépendance et expansion

De 1958 à 1969, la France connaît une grande stabilité ministérielle. Michel Debré (1959-1962), Georges Pompidou (1962-1968) puis Maurice Couve de Murville (1968-1969) se succèdent à la tête de gouvernements fidèles au général de Gaulle, tandis que le parti gaulliste (UNR puis UDR), allié à la droite libérale, est largement majoritaire dans les deux Chambres.

De Gaulle s'appuie sur cette stabilité pour promouvoir sa grande ambition : restaurer « le rang » de la France dans le monde. Refusant la logique d'un monde bipolaire, dominé par les Américains et les Soviétiques, il dote la France d'une « force de frappe » nucléaire autonome, dite de « dissuasion » (1960), il prend ses distances vis-à-vis des États-Unis en retirant la France du commandement unifié de l'OTAN (1966), en se rapprochant de l'URSS et en reconnaissant la Chine communiste (1964), et il renforce l'influence française en Afrique et en Amérique latine. Favorable à l'« Europe des patries », il privilégie le rapprochement franco-allemand (1963) mais s'oppose par deux fois à l'entrée du Royaume-Uni dans le Marché commun (1963 et 1967).

Cette politique d'indépendance nationale doit s'appuyer sur une économie forte, stimulée par l'État. Dans le cadre d'une stricte rigueur budgétaire (augmentation des impôts indirects), d'une monnaie renforcée (Nouveau franc créé en décembre 1958) et d'une planification souple (incitative et non directive), les pouvoirs publics encouragent la modernisation de l'appareil productif : groupes de dimension internationale, réalisations de prestige (Concorde, paquebot France), « plan calcul » pour l'informatique, restructuration de l'agriculture, aménagement du territoire (Délégation à l'aménagement du territoire et à l'action régionale, DATAR, créée en 1963, pour restructurer l'espace français). La décennie 60 est la plus performante pour l'économie française, avec un taux de croissance annuel dépassant 5 % (deuxième rang mondial), une production industrielle presque doublée et une balance des paiements excédentaire.

Crise de société et crise de régime

La lutte contre l'inflation entamée en 1962 freine un moment la croissance, ce qui fait apparaître le malaise social de certains secteurs industriels. Les grandes grèves de 1963 manifestent ce mécontentement, qui trouve son expression politique aux élections présidentielles de décembre 1965. De Gaulle ne l'emporte au deuxième tour que par 54,5 % des voix contre 45,5 % à François Mitterrand, candidat de la gauche. Aux élections législatives de mars 1967, la « majorité » ne l'emporte que d'un siège.

La crise de mai 1968 est néanmoins une surprise pour tout le monde. Elle s'inscrit dans une vague de contestation mondiale, commune à tous les pays développés, dépassant le cadre politique et mettant en cause les fondements mêmes de la société industrielle. Commencée à l'université de Nanterre (mouvement du 22 mars), la révolte étudiante gagne Paris (nuit des barricades, le 10 mai) et entraîne une révolte ouvrière spontanée, à partir du 13 mai : la France est peu à peu paralysée par la grève générale et les occupations d'usines. Les « accords » de Grenelle, négociés par Pompidou avec le patronat et les syndicats (27 mai), et prévoyant un relèvement de 10 % des salaires, sont rejetés par les grévistes. La crise sociale prend une dimension politique lorsque François Mitterrand réclame le départ du général de Gaulle (28 mai). Mais ce dernier, après s'être retiré en

L'ASSEMBLÉE NATIONALE

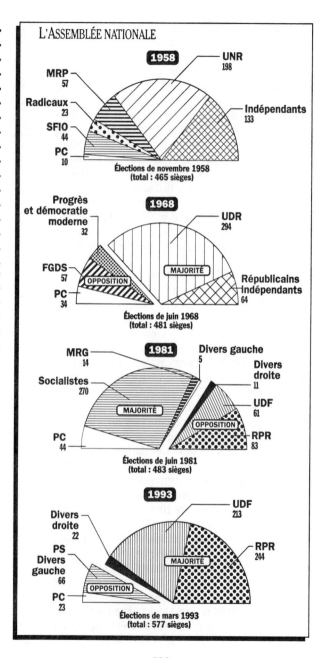

1958

MRP 57
Radicaux 23
SFIO 44
PC 10
UNR 198
Indépendants 133

Élections de novembre 1958
(total : 465 sièges)

1968

Progrès et démocratie moderne 32
FGDS 57
PC 34
UDR 294
MAJORITÉ
OPPOSITION
Républicains indépendants 64

Élections de juin 1968
(total : 481 sièges)

1981

MRG 14
Socialistes 270
PC 44
MAJORITÉ
Divers gauche 5
Divers droite 11
UDF 61
OPPOSITION
RPR 83

Élections de juin 1981
(total : 483 sièges)

1993

Divers droite 22
PS
Divers gauche 66
PC 23
UDF 213
RPR 244
MAJORITÉ
OPPOSITION

Élections de mars 1993
(total : 577 sièges)

Allemagne, contre-attaque en dissolvant l'Assemblée nationale et en appelant à la défense du régime (30 mai). Plus de
500 000 gaullistes défilent le soir même sur les Champs-
Élysées, et les élections législatives de juin sont un triomphe
pour l'UDR, qui recueille avec ses alliés les trois quarts des
sièges.

Mais la crise de 1968 a ébranlé en profondeur la
République gaullienne et, surtout, le prestige du chef de
l'État. Ce dernier choisit d'engager sa fonction lors du référendum proposé aux Français sur la régionalisation : une
majorité de 53 % ayant voté non, le général de Gaulle démissionne de la présidence de la République, le 28 avril 1969. Il
meurt en novembre 1970.

CONTINUITÉ ET RENOUVEAU (1969-1981)

Entre continuité gaullienne et renouveau libéral, la droite au pouvoir cherche sa voie.

Pompidou et la continuité gaullienne (1969-1974)

Georges Pompidou, candidat des droites,
remporte les élections présidentielles de juin 1969
par 57,5 % des voix contre 42,5 % au centriste
Alain Poher. Le nouveau chef de l'État maintient les grands
axes de la politique extérieure gaullienne, tout en l'assou-
plissant : il autorise en 1972 l'entrée du Royaume-Uni dans le
Marché commun. Sa préoccupation première est la modernisation économique de la France, par la concentration des
entreprises et le développement des investissements financiers. Il laisse son Premier ministre Jacques Chaban-Delmas
lancer une politique de réformes sociales, avec l'aide de
Jacques Delors, baptisée « Nouvelle société » : la mensualisa-
tion des salaires, la formation continue, le SMIC (Salaire
minimum interprofessionnel de croissance) représentent
des acquis majeurs. Mais cette politique est rapidement
jugée trop novatrice par Pompidou, qui remplace Chaban-
Delmas par Pierre Messmer en juillet 1972. Rongé par la
maladie, le chef de l'État ne peut faire face à la poussée de la
gauche, relancée par la création du Parti socialiste (1969) et
par la signature d'un « Programme commun de gouverne-

- ment » socialo-communiste (1972). Aux élections de mars
- 1973, la gauche obtient 45,5 % des voix, mais la droite garde
- la majorité. Pompidou meurt le 2 avril 1974.
-

- ### Giscard d'Estaing : le renouveau libéral (1974-81)
- Lors des élections présidentielles de mai 1974, le can-
- didat gaulliste Chaban-Delmas est éliminé dès le premier
- tour : c'est Valéry Giscard d'Estaing, candidat de la droite
- libérale et du centre, qui l'emporte de justesse avec moins
- de 2 % d'écart sur François Mitterrand, candidat unique de
- la gauche. Giscard d'Estaing choisit le gaulliste Jacques
- Chirac comme Premier ministre, mais il est bien décidé à
- rompre avec la République gaullienne, afin de promouvoir
- sa « société libérale avancée ». Il applique rapidement une
- série de réformes : majorité à 18 ans, création d'un secréta-
- riat d'État à la Condition féminine, libéralisation de l'avor-
- tement, divorce par consentement mutuel.
- Mais il se montre incapable d'enrayer l'inflation et la
- montée du chômage, consécutifs à la crise économique
- mondiale. En désaccord avec le président sur la politique
- économique, Jacques Chirac démissionne en août 1976,
- transforme l'UDR en RPR (Rassemblement pour la
- République), et s'installe en 1977 à la mairie de Paris. Il est
- remplacé à la tête du gouvernement par l'économiste
- Raymond Barre, qui met en place une politique d'austérité
- et de rigueur budgétaire. L'impopularité de ces mesures
- permet à la gauche de remporter les élections municipales
- de mars 1977. Seule la rupture de l'union entre socialistes
- et communistes en septembre 1977 empêche la gauche de
- confirmer sa victoire aux législatives de mars 1978.
-
-
-
- # LA RÉPUBLIQUE MITTERRANDIENNE
- # (DEPUIS 1981)

Les années Mitterrand sont marquées par les difficultés sociales et par l'échec des solutions dogmatiques.

- ### La gauche au pouvoir (1981-1983)
- Affaibli par la rivalité de Jacques Chirac,
- Giscard d'Estaing n'est pas réélu en mai 1981 : il ne
- recueille que 48,25 % des voix contre 51,75 % à
- François Mitterrand, candidat de la gauche.

C'est l'alternance, confirmée par les élections législatives de juin 1981, qui donnent la majorité absolue des
sièges aux socialistes. Pierre Mauroy prend la tête d'un
gouvernement de gauche comprenant quatre communistes. Les réformes sociales sont nombreuses : retraite à
60 ans, semaine de travail réduite à 39 heures, cinquième
semaine de congés payés... Cinq grands groupes industriels, deux compagnies financières et trente-six banques
sont nationalisés. Des mesures importantes concernent la
justice (abolition de la peine de mort) et l'audiovisuel
(chaînes privées de télévision, Haute Autorité). Enfin,
Gaston Defferre, ministre de l'Intérieur, orchestre la décentralisation, qui donne un grand pouvoir aux Conseils généraux dans les départements et met en place une nouvelle
collectivité territoriale, la Région (décembre 1981).

Pour lutter contre la crise, Mauroy tente une politique
« de gauche », c'est-à-dire la relance de la consommation par
l'augmentation des bas salaires et des prestations sociales.
Mais la reprise ne vient pas et les réformes coûtent cher à
l'État : on dépasse 2 millions de chômeurs fin 1981, le déficit
budgétaire se creuse, la balance commerciale est déséquilibrée, et le franc doit être dévalué trois fois.

● **Le tournant de la rigueur (1983-1986)**

Au printemps 1983, on abandonne la relance pour promouvoir une gestion plus classique de la crise ; par une
politique de rigueur budgétaire et de contrôle des prix, on
obtient un net ralentissement de l'inflation et le redressement du franc.

Mais la croissance piétine et le chômage atteint 10 %
de la population active en novembre 1984. De plus, le projet
Savary sur l'enseignement privé provoque de très grandes
manifestations pour « l'école libre » (juin 1984). D'où le
retrait du projet et la démission de Pierre Mauroy, remplacé par Laurent Fabius à la tête d'un nouveau gouvernement sans communistes (juillet 1984).

Les élections européennes de juin 1984 sont marquées
par le recul des socialistes, par l'émergence des écologistes
et par celle du Front national, parti d'extrême-droite dirigé
par Jean-Marie Le Pen, exploitant les thèmes du chômage,
de l'immigration et de l'insécurité.

- ### *La première cohabitation (1986-1988)*

Aux élections législatives de mars 1986, la droite (RPR-UDF) devance la gauche. Jacques Chirac est nommé Premier ministre par François Mitterrand. C'est une expérience inédite, la « cohabitation » entre un gouvernement de droite et un président de gauche. Prenant le contre-pied des mesures socialistes, Chirac privatise de nombreuses entreprises nationalisées et supprime l'impôt sur les grandes fortunes. L'inflation tombe à 2 % en 1986, mais la relance stagne et le chômage continue de grimper. Les manifestations lycéennes et étudiantes de décembre 1986 puis le krach bancaire du 19 octobre 1987 affaiblissent le gouvernement de cohabitation.

- ### *Le deuxième septennat de Mitterrand (depuis 1988)*

François Mitterrand est largement réélu président de la République en mai 1988, avec 54 % des voix contre 46 % à Jacques Chirac. Les élections législatives de juin 1988 ayant donné la majorité à la gauche, Michel Rocard est nommé Premier ministre. Ce dernier résout rapidement le problème de la Nouvelle-Calédonie (accords Tjibaou-Lafleur, juin 1988), mais sa politique prudente n'empêche pas le chômage de grimper. Édith Cresson, qui remplace M. Rocard en mai 1991, est la première femme à diriger le gouvernement de la France. Elle se heurte à la récession économique et aux multiples « affaires » impliquant des élus, voire des ministres socialistes. Pierre Bérégovoy, son successeur en février 1992, ne sera pas plus heureux. On retiendra surtout de son gouvernement la ratification des accords de Maastricht, qui ont divisé la droite comme la gauche.

Mais l'échec face au chômage (3 millions de chômeurs début 1993) et l'impact désastreux des « affaires » ont provoqué un rejet massif des socialistes. Les élections législatives de mars 1993 sont un succès pour les droites, qui recueillent 85 % des sièges de députés. Édouard Balladur est nommé Premier ministre, à la tête d'un gouvernement de coalition RPR-UDF. Le suicide de Pierre Bérégovoy, le 1er mai 1993, est un épisode tragique de la « république mitterrandienne ».

1958 : promulgation de la Constitution de la
Ve République ; de Gaulle élu président ;
création du nouveau franc.

1959 : Debré, Premier ministre ; autodétermination proposée aux Algériens.

1960 : indépendance des ex-colonies françaises d'Afrique noire.

1962 : accords d'Évian ; Pompidou Premier ministre.

1965 : de Gaulle élu président de la République contre Mitterrand.

1966 : retrait des forces françaises de l'OTAN.

1968 : révolte étudiante et mouvement social ; victoire de la majorité gaulliste
(UDR-RI) aux élections législatives ; Couve de Murville Premier ministre.

1969 : le non l'emporte au référendum sur la régionalisation ; de Gaulle
démissionne ; Pompidou élu président contre Poher ; Chaban-Delmas,
Premier ministre.

1970 : mort de de Gaulle.

1971 : Mitterrand à la tête du PS au congrès d'Épinay.

1972 : « Programme commun de gouvernement » (PS-PCF) ; Messmer Premier
ministre.

1974 : mort de Pompidou ; Giscard d'Estaing élu président contre Mitterrand ;
Chirac Premier ministre.

1976 : Barre Premier ministre.

1977 : Chirac élu maire de Paris ; rupture de l'Union de la gauche.

1981 : Mitterrand élu président contre Giscard d'Estaing ; Pierre Mauroy
Premier ministre ; victoire socialiste aux élections législatives .

1984 : Fabius Premier ministre.

1986 : victoire de la droite (UDF-RPR) aux élections législatives ; Chirac
Premier ministre de « cohabitation ».

1988 : Mitterrand réélu président contre Chirac ; Rocard Premier ministre ;
victoire socialiste aux élections législatives.

1991 : Édith Cresson Premier ministre.

1992 : Bérégovoy Premier ministre.

1993 : victoire de la droite (Union pour la France) aux législatives ; Balladur
Premier ministre de la deuxième « cohabitation » ; suicide de Bérégovoy.

LIRE AUSSI CONSTRUCTION EUROPÉENNE ;
ÉCONOMIE (1945-1973 ; DEPUIS 1973) ;
FRANCE (IVe RÉPUBLIQUE ; SOCIÉTÉ DEPUIS 1945) ;
MAGHREB (DEPUIS 1945) ; RELATIONS
INTERNATIONALES (1962-1985 ; DEPUIS 1985).

FRANCE : SOCIÉTÉ

(DEPUIS 1945)

Depuis la Deuxième Guerre mondiale, la société française a beaucoup changé : à une France malthusienne, paysanne et rurale a succédé une France plus nombreuse, tertiaire et urbaine, où la croissance démographique va de pair avec la croissance économique et où la société de consommation impose ses valeurs. Mais depuis 1973, la crise économique et le reflux démographique tendent à nuancer cette image d'un progrès sans nuages.

LA CROISSANCE DÉMOGRAPHIQUE

Après le baby boom de l'après-guerre, la population vieillit, ses structures évoluent.

Après la guerre, une croissance rapide

De 1945 à 1970, la population passe de 40 à 50 millions d'habitants. Cette croissance exceptionnelle résulte de deux facteurs.

Tout d'abord, le solde naturel est constamment positif. La natalité, parfois inférieure à la mortalité dans les années 30, remonte au lendemain de la guerre et se maintient à un niveau élevé (supérieur à 18 ‰) jusqu'au milieu des années 60 : c'est le baby boom. Dans le même temps, la mortalité, notamment infantile, diminue de façon significative, passant de 16 ‰ à 9,4 ‰ (déclin rapide des maladies infectieuses ou respiratoires).

Par ailleurs, l'immigration fournit environ un tiers de la croissance démographique de l'après-guerre. En 1945, l'Office national de l'immigration reçoit pour mission de recruter la main-d'œuvre qui fait alors défaut ; jusqu'en 1973, la France fait venir de nombreux étrangers, notamment portugais et maghrébins, pour assurer son développement économique. Cette population immigrée a elle-même une démographie dynamique. En 1962, s'y ajoutent les « pieds-noirs » rapatriés d'Algérie (800 000).

● **Ralentissement de la croissance et vieillissement**

La population française atteint aujourd'hui 57,5 millions d'habitants ; depuis vingt ans, sa croissance ralentit pour deux raisons :

– Le taux d'accroissement naturel est devenu faiblement positif (0,4 % actuellement). Vers le milieu des années 60, la natalité diminue rapidement pour stagner au-dessous de 15 ‰ depuis 1975. La mortalité ne baisse pratiquement plus ; les maladies cardio-vasculaires et les cancers restent responsables, avec les accidents de la route et l'alcool, de la majorité des décès.

– Second facteur de ralentissement : depuis la crise économique de 1973, l'immigration est officiellement arrêtée, exception faite des réfugiés politiques, des membres de famille des travailleurs immigrés et de certains travailleurs hautement qualifiés. Une immigration clandestine subsiste en outre, difficilement chiffrable.

Ces deux facteurs contribuent au vieillissement de la population. Le « troisième âge » tend à prendre une place croissante dans la société (7,2 millions de plus de 65 ans en 1992 contre 4,5 millions en 1945), et se prolonge de plus en plus vers un « quatrième âge » : les 75 ans sont deux fois plus nombreux qu'en 1945. Le financement des retraites et des soins pèse de plus en plus lourdement sur les actifs à cause du ralentissement de la croissance économique et démographique.

● **La famille traditionnelle est contestée**

Jusqu'à la fin des années 60, le modèle familial prédominant reste celui d'un couple élevant plus de deux enfants. Mais ce schéma traditionnel est de plus en plus remis en question.

Tout d'abord, la nuptialité est fortement contestée : augmentation de la cohabitation juvénile, de l'union libre, et surtout augmentation de la fréquence des divorces depuis 1965 (10 % des mariages en 1964, 31 % en 1988). L'instabilité qui en résulte rend beaucoup plus fréquentes les cellules monoparentales ou complexes, issues de remariages.

Ensuite, le nombre des enfants par famille diminue. La loi Neuwirth (1967), qui met fin à l'interdiction pesant sur la diffusion des procédés anticonceptionnels depuis 1920, la loi Veil (1975) légalisant l'avortement, remboursé par la

245

- Sécurité sociale (1982) facilitent la régulation des naissances ;
- la crise économique, l'insécurité de l'emploi depuis vingt
- ans expliquent peut-être le retour au malthusianisme.

LA MODERNISATION DES COMPOSANTES DE LA POPULATION

Plus urbaine, la société française s'est tertiarisée.

Une population plus urbaine

En 1945, les urbains dépassent à peine la moitié de la population française (53 %) ; en 1992, ils en représentent les trois quarts. Cette forte croissance de la population urbaine s'accompagne d'une accélération de l'exode rural. Celui-ci touche aussi les non-agriculteurs et se traduit par un recul de l'équipement, notamment commercial, des campagnes. Jusqu'aux années 60, l'absorption des arrivants dans des villes aux installations vétustes rend le problème du logement crucial : les solutions d'urgence, qui consistent en la construction de vastes cités en proche banlieue (Sarcelles en 1958), effacent les bidonvilles des paysages urbains, et multiplient les « grands ensembles » à la périphérie. Depuis le début des années 70, le mouvement s'inverse : les centres villes et les proches banlieues se vident de leurs habitants pour laisser place à des bureaux, des commerces, des logements à loyers élevés ; la grande banlieue pénètre peu à peu l'espace rural péri-urbain (rurbanisation).

La post-industrialisation

La population active augmente depuis 1945 ; les femmes y occupent une place croissante : 36 % en 1954, 46 % actuellement. Cette croissance s'est accompagnée de mutations sensibles dans la distribution des secteurs d'activité, reflétant la modernisation de l'économie française.

Au terme de quarante cinq années de modernisation, le secteur primaire s'effondre, passant de 36 % des actifs à 6 %. Les jeunes et les femmes désertent de plus en plus une profession contraignante, et où l'érosion des revenus, causée par la surproduction et la chute des cours, contraint 20 % des exploitants à avoir une deuxième activité.

Les effectifs du secteur secondaire s'accroissent jusqu'au milieu des années 70 ; sa part dans la population active se maintient à 39 % de 1945 à 1970. Mais la modernisation et ensuite la crise l'ont réduite à 29 % actuellement. Des secteurs entiers de l'industrie traditionnelle disparaissent à cause de la concurrence, comme les mines ou le textile. L'utilisation croissante de machines complexes nécessite des techniciens qualifiés qui s'opposent à la masse encore importante des ouvriers sans spécialisation, les OS.

Le secteur tertiaire connaît la plus forte croissance, à l'image de tous les pays modernes : de 25 % des actifs en 1946, il passe à 64 % en 1990, créant actuellement deux emplois sur trois. Les « cols blancs » (employés, travailleurs non manuels) détrônent peu à peu les « cols bleus » (ouvriers) et assurent l'essentiel de l'essor des classes moyennes.

DE LA SOCIÉTÉ
DE CONSOMMATION À LA CRISE

La société de consommation des trente glorieuses est remise en cause par la crise économique.

Naissance d'un idéal :
la société de consommation

Les trois décennies qui suivent la guerre, baptisées les trente glorieuses, ont vu une réelle amélioration des conditions de vie des Français.

La création de la Sécurité sociale en 1945, la prolongation de la scolarité jusqu'à 16 ans en 1959 ont démocratisé l'accès aux soins et à l'enseignement secondaire. À cette montée en puissance de l'État-providence s'ajoutent les effets de la hausse du revenu moyen, multiplié par deux depuis 1945. Après la fin du rationnement en 1949, après les premiers plans qui accordaient la priorité à l'industrie lourde et à l'énergie, la France est entrée au début de la V\ :sup:e\ République dans l'ère de la consommation de masse. Les dépenses des Français pour l'alimentation reculent au profit de dépenses d'équipement, de confort : l'automobile, le réfrigérateur, la télévision, la machine à laver, le téléphone pénètrent dans les foyers. Le désir d'accéder à la propriété, notamment d'une maison individuelle, développe les banlieues pavillonnaires. Depuis les années 70, le poste loisirs progresse dans les budgets : 60 % des Français partent en vacances en 1990 contre 45 % en 1961. Le développement de la publicité, les facilités de crédit concédées par les banques, la diffusion d'un modèle de vie « à l'américaine », ont suscité des besoins croissants, souvent supérieurs aux revenus, et dont le conformisme a parfois été critiqué, comme en mai 1968.

L'essor et la diversification des classes moyennes témoignent de cet enrichissement. Au petit commerce, artisanat ou patronat, en régression, s'ajoutent les nouveaux venus : techniciens qualifiés, cadres du secteur privé ou de la fonction publique, professions libérales. La figure du « jeune cadre dynamique » dans les années 70, relayée par celle des « yuppies » dans les années 80 symbolise l'idéal social de ces classes moyennes, souvent impliquées dans un travail responsabilisant et bien rémunéré.

● *La crise : exclusion et intolérance*

La crise économique, depuis 1973, remet en cause le triomphalisme des années de croissance.

Les chômeurs sont de plus en nombreux ; alors que le taux de chômage plafonnait à 2,6 % en 1970, il s'envole à partir de 1975 pour atteindre 10 % au début des années 90 (plus de 3 millions). Le chômage touche particulièrement les femmes, les jeunes à la recherche d'un premier emploi, les gens peu qualifiés, ou les plus de 45 ans. En outre, l'apparition récente d'un chômage de longue durée marginalise ses victimes dans une société où le statut social passe par l'activité. La crise a eu aussi pour effet de multiplier les emplois précaires : travail temporaire, travail clandestin (« au noir »). Avec l'extension du chômage de longue durée, certains ménages consommateurs de crédit se retrouvent dans une situation de surendettement catastrophique.

La deuxième génération des immigrés, parfois déchirée entre culture familiale et culture d'adoption, connaît des problèmes d'intégration qu'aggravent la difficulté croissante à trouver un emploi et la montée récente d'une xénophobie militante dans la population d'origine française. Au milieu des années 80 éclate au grand jour le problème des banlieues : les grands ensembles construits dans les années 60 pour résoudre la crise du logement, dégradés et dénués de toute vie locale associative sont devenus des ghettos de plus en plus abandonnés à une population immigrée à faibles revenus et où la jeunesse, particulièrement touchée par la délinquance, manifeste violemment son sentiment d'exclusion.

Les années 80 ont donc vu l'émergence des « nouveaux pauvres », formés d'immigrés, chômeurs longue durée en fin de droits, SDF (sans domicile fixe), exclus de la société de consommation et évalués à près de 3 millions. Ce « quart monde » en expansion, longtemps pris en charge par les seules organisations caritatives (Secours catholique, Restos du cœur, etc.), attire désormais l'attention des pouvoirs publics : en 1988 est créé un Revenu minimum d'insertion (RMI), destiné à permettre à ses bénéficiaires de retrouver une place dans la société.

Depuis 1945, la population française a fait preuve d'une certaine vitalité ; elle s'est donnée à travers le baby boom et l'immigration les moyens démographiques de la croissance, et a subi des reclassements inhérents à la modernisation de ses structures économiques. L'amélioration globale du niveau de vie est toutefois compromise par la crise et la montée du chômage, qui menace toutes les catégories.

CHRONOLOGIE

1945 : création de la Sécurité sociale.

1945-1964 : baby boom.

1959 : loi sur l'indemnisation du chômage.

1962 : rapatriement des « pieds-noirs » d'Algérie.

1967 : loi Neuwirth autorisant la propagande anticonceptionnelle.

1969 : création du SMIC.

1973 : début de la crise économique mondiale.

1974 : arrêt officiel de l'immigration.

1975 : loi Veil légalisant l'avortement.

1988 : création du Revenu minimum d'insertion.

LIRE AUSSI **ÉCONOMIE (1945-1973 ; DEPUIS 1973) ;**
POPULATION MONDIALE (DEPUIS 1945) ;
FRANCE (IVᵉ RÉPUBLIQUE ; Vᵉ RÉPUBLIQUE).

INDE

(DEPUIS 1945)

En 1945, l'empire des Indes est divisé en deux parties :
l'Inde britannique et l'Inde des princes composée de près
de 600 États sous protectorat britannique. À la veille de
la guerre, l'empire a 350 millions d'habitants, d'origines
et de confessions diverses.
Depuis le début du XXe siècle, le sentiment national se
renforce. Le Congrès national indien, mouvement
nationaliste qui regroupe surtout des hindous, avec à sa
tête Gandhi, revendique l'indépendance depuis 1920.

LA DÉCOLONISATION
DE L'EMPIRE DES INDES (1947)

> *L'empire des Indes est partagé en 1947 en deux États indépendants : l'Inde et le Pakistan.*

En août 1942, les dirigeants du Congrès national déclenchent la campagne « *Quit India* » contre
l'Angleterre qui vise à empêcher la participation
des Indiens à la guerre mondiale. Gandhi et un
autre dirigeant, Nehru, sont emprisonnés quelques
mois. Après la guerre, le gouvernement travailliste
anglais veut aborder au plus vite le problème de l'indépendance, mais il doit faire face à l'antagonisme entre les hindous du Congrès, qui souhaitent la création d'un seul État
multiconfessionnel, et les musulmans de la Ligue musulmane, qui, sous la conduite de Jinnah, revendiquent la création de deux États séparés, dont un musulman.

L'*Indian Independence Bill*, voté par le parlement britannique en juillet 1947, entre en vigueur le 15 août suivant.
Il partage l'empire en deux États, qui deviennent membres
du Commonwealth britannique : le Pakistan constitué de
deux zones à majorité musulmane distantes de 1 700 kilomètres l'une de l'autre, et l'Union indienne (ou Inde) formée
des territoires à majorité hindouiste. Mais les nouvelles

frontières sont contestées, déclenchant des affrontements entre communautés qui font plus de 500 000 victimes. 7,5 millions de musulmans fuient l'Inde vers le Pakistan tandis que 10 millions d'hindous et de sikhs s'y réfugient. Gandhi, qui prêche la tolérance, est assassiné par un fanatique hindou le 30 janvier 1948.

Le 4 février, Ceylan (qui prendra le nom de Sri Lanka en 1972) devient à son tour indépendante. Dans les années qui suivent, les comptoirs français et portugais sont progressivement incorporés à l'Union.

INDE
(depuis 1945)

LA CONSTRUCTION DE L'INDE

« La plus grande démocratie du monde »

L'Inde intègre les États princiers, et la Constitution de novembre 1949 en fait une République fédérale. Un Parlement de deux Chambres – l'une élue par les Assemblées des États, l'autre au suffrage universel direct – détient le pouvoir législatif ; le Premier ministre, responsable devant les Chambres, a la réalité du pouvoir exécutif. Les États provinciaux (avec Assemblées élues) disposent d'une large autonomie. L'Inde devient ainsi la plus grande démocratie du monde ; les structures traditionnelles de la société hindoue en sont bouleversées : le principe de l'égalité entraîne la fin de l'exclusion des Intouchables et l'abolition officielle du système des castes.

L'Inde, qui devient la plus grande démocratie du monde, doit faire face aux problèmes du développement et aux menaces de sécession.

Dans les premières années, le Congrès, transformé en parti politique, bénéficie d'une hégémonie au parlement, ce qui permet à ses chefs d'occuper successivement le poste de Premier ministre (Nehru, de 1947 à 1964 ; Schastri, de 1964 à 1966 ; Indira Gandhi, la fille de Nehru, à partir de 1966). En 1977, le parti Janata est victorieux aux législatives, et son chef, Desaï, prend la tête du gouvernement. Mais pour peu de temps : en 1980, les partisans d'Indira Gandhi gagnent de nouveau les élections et elle redevient Premier ministre, jusqu'à l'attentat qui lui coûte la vie en 1984. Son fils Rajiv Gandhi exerce alors le pouvoir jusqu'à ce qu'il soit obligé de démissionner, en novembre 1989, à cause d'un scandale financier. Le 21 mai 1991, il est à son tour assassiné. Peu après sa mort, en juin, le Congrès emporte une éclatante victoire aux élections législatives et Narasimha Rao, nouveau dirigeant du parti, devient Premier ministre.

Un développement autonome

À partir de 1947, l'Inde s'attache à développer tous les types d'industries, des industries de base (sidérurgie, chimie lourde) aux grandes industries de biens de consommation (automobile, textile cotonnier), en s'ouvrant le moins possible au capitalisme étranger.

Pour atteindre ce but, elle protège son économie de la concurrence étrangère par un sévère protectionnisme, et choisit une voie de développement à égale distance du socialisme et du capitalisme : les secteurs-clés et généralement peu rentables (industries de base, transports, énergie) sont nationalisés et soumis au Plan ; les autres secteurs industriels sont le plus souvent laissés aux mains du privé, ainsi que l'agriculture (une réforme agraire est mise en œuvre en 1951, mais elle n'aboutit à aucun changement significatif).

Après la famine de 1976, l'agriculture devient prioritaire et l'État encourage la Révolution verte qui rend possible un accroissement considérable de la production rizicole et permet à l'Inde d'atteindre l'autosuffisance alimentaire. En même temps, l'État crée une industrie de pointe. En 1980, le premier satellite indien est mis en orbite.

Mais le pays ne parvient pas à maîtriser sa démographie : la population augmente de 16 millions de personnes chaque année (850 millions d'habitants en 1992). La croissance économique, bien que forte, s'avère dès lors insuffisante. Avec un PIB de 370 dollars par habitant en 1992 (contre 110 en 1970), l'Inde reste un des pays les plus pauvres du monde.

C'est ce qui pousse notamment le gouvernement à libéraliser l'économie à partir de 1991 : il abaisse les barrières douanières, fait appel aux investisseurs étrangers, restructure les entreprises publiques et décide de diminuer les interventions de l'État...

Menaces sur l'Union

Le pays manque de cohésion. On y pratique plus de cent langues, dravidiennes au Sud (dont le tamoul), indo-

aryennes (dont le hindi) ou tibéto-birmanes au Nord ;
l'anglais est langue administrative à côté de l'hindi. À ces
divisions linguistiques, qui reposent sur la diversité ethnique, s'ajoute la multi-confessionnalité : en 1980, on
compte 550 millions d'hindous, 75 millions de musulmans,
16 millions de chrétiens, 13 millions de sikhs.

Heurts et révoltes se multiplient depuis le début des
années 80. Au Cachemire, région musulmane, des troubles
meurtriers éclatent en janvier 1984. Au Pendjab, la même
année, les sikhs se rebellent. En Assam, un Front uni de libération mène la lutte armée contre le pouvoir central. Au
Tamil Nadu, dans le Sud, les Tamouls se dressent contre le
gouvernement : ils ne peuvent accepter son intervention, en
1987, aux côtés du gouvernement sri lankais pour abattre la
guérilla menée par des Tamouls au Sri Lanka. Par ailleurs,
des émeutes entre hindous et musulmans ensanglantent
une douzaine d'États en décembre 1992.

AMRITSAR ET AYODHYA

*En 1984, les sikhs du Pendjab se révoltent pour réclamer
plus d'autonomie, voire l'indépendance de leur région. En
juin, Indira Gandhi ordonne l'assaut du Temple d'or
d'Amritsar, lieu sacré des sikhs, où se sont retranchés des
fidèles en armes ; en octobre, elle est abattue par ses deux
gardes du corps sikhs ; les hindous se vengent en massacrant
des milliers de sikhs.*

*En décembre 1992, à la suite de la destruction par des
fanatiques hindous de la mosquée d'Ayodhya (située non loin
de Bombay, elle a été construite au XVIᵉ siècle sur l'emplacement d'un ancien temple hindou), plus de 600 personnes trouvent la mort lors d'affrontements entre hindous et musulmans.*

L'INDE ET LES AUTRES

◀

Le non-alignement

En 1955, à la conférence de Bandoung, qui
réunit les États nouvellement indépendants
d'Afrique et d'Asie, Nehru se fait le champion du
neutralisme (ou non-alignement) entre les deux

**L'Inde est
championne du
non-alignement
jusqu'à la
chute de
l'URSS.**
◀

- blocs. Mais les conflits avec le Pakistan et la défaite dans la
- guerre qui l'oppose à la Chine en 1962 poussent l'Inde à se
- rapprocher d'abord des États-Unis puis de l'URSS, avec
- laquelle elle finit par signer un traité de paix, d'amitié et de
- coopération en août 1971.
- À partir de 1980, Indira Gandhi se montre soucieuse
- d'un véritable non-alignement. Elle s'efforce tout d'abord
- d'améliorer ses rapports avec ses voisins chinois et pakista-
- nais, puis accède en 1983 à la présidence des pays non-
- alignés. Elle affirme dès lors une préoccupation constante
- d'équilibre entre les deux superpuissances.
- Depuis 1991, l'effondrement de l'URSS et le choix par
- l'Inde d'un système économique plus libéral engagent le
- pays dans une collaboration plus étroite avec l'Occident.
-

● **Les guerres de voisinage**

- L'Inde reconnaît la Chine dès 1949, mais au cours des
- années 50, la tension monte entre les deux pays : l'Inde
- condamne en effet l'annexion du Tibet par la Chine en 1959,
- et donne refuge au dalaï-lama. La Chine revendique alors le
- Nord de l'Assam, qui appartient à l'Inde, et engage contre
- elle une guerre, en octobre 1962, qui se termine à son avan-
- tage ; elle réclame aussi le Ladakh, peuplé de bouddhistes,
- dans l'Est du Cachemire indien.
- Par ailleurs, depuis 1947, la tension est restée très vive
- entre l'Inde et le Pakistan. En 1948, les deux États s'affron-
- tent pour la possession du Cachemire, majoritairement peu-
- plé de musulmans. En 1949, l'Inde occupe les deux tiers Sud
- de la région, alors que le Pakistan établit son protectorat sur
- les montagnes du Nord-Ouest. En 1957, l'Inde annexe de fait
- la partie du Cachemire qu'elle occupe. En août 1965, une
- seconde guerre est déclenchée qui s'achève en 1966 sur des
- positions inchangées. Six ans plus tard, en 1971, à 1 700 kilo-
- mètres du Cachemire, les troupes indiennes envahissent le
- Pakistan oriental et imposent l'indépendance de la région,
- qui devient l'État du Bangladesh.
-
- L'Inde est certes une grande puissance, qui connaît un
- rapide développement économique. Mais elle reste malgré
- tout aujourd'hui un des pays les plus pauvres du globe en
- terme de revenu par tête et elle manque d'une cohésion
- nationale nécessaire à une réelle stabilité intérieure.

1947 : indépendance de l'Inde et du Pakistan.

1948 : indépendance de Ceylan ; guerre entre le Pakistan et l'Inde à propos du Cachemire.

1947 : Nehru Premier ministre.

1955 : Nehru se fait le champion du non-alignement.

1957 : le Sud du Cachemire est annexé par l'Inde.

1964 : Schastri Premier ministre.

1966 : Indira Gandhi Premier ministre.

1971 : traité de coopération avec l'URSS ; les troupes indiennes envahissent le Pakistan oriental et imposent l'indépendance de l'État du Bangladesh.

1974 : l'Inde procède à sa première explosion nucléaire expérimentale.

1977 : victoire électorale du parti Janata, parti d'opposition, dont le chef Desaï devient Premier ministre jusqu'en 1980.

1980 : nouvelle victoire du Congrès ; Indira Gandhi redevient Premier ministre.

1984 : troubles au Cachemire ; au Pendjab, révolte des sikhs et répression ; assassinat d'Indira Gandhi par deux sikhs ; Rajiv Gandhi, son fils, lui succède.

1991 : Rajiv Gandhi, principal dirigeant du Congrès, assassiné ; Narasimha Rao Premier ministre.

1992 : destruction de la mosquée d'Ayodhya et violents affrontements entre hindous et musulmans.

LIRE AUSSI **DÉCOLONISATION ; TIERS MONDE ; RELATIONS INTERNATIONALES (1945-1962 ; 1962-1985 ; DEPUIS 1985).**

INDOCHINE
(DEPUIS 1945)

L'Indochine est la péninsule de l'Asie du Sud-Est qui s'étend du golfe du Bengale à la mer de Chine méridionale. En 1945, elle est en grande partie dominée par la France qui y possède une colonie – la Cochinchine – et plusieurs protectorats : l'Annam, le Tonkin, le Cambodge et le Laos. Une longue guerre de décolonisation et des guerres civiles et régionales, où entrent en jeu les grandes puissances mondiales, en font, à partir de 1945, une des régions les plus tourmentées du globe.

LA PREMIÈRE GUERRE DU VIÊTNAM (1946-1954)

En 1945, le Vietnamien Hô Chi Minh, qui a fondé en 1941 un mouvement indépendantiste connu sous le nom de Viêtminh, installe à Hanoï un gouvernement à majorité communiste qui s'étend sur la Cochinchine, l'Annam et le Tonkin, c'est-à-dire sur le Viêtnam. Mais, à la fin de 1946, la France retire à Hô Chi Minh la confiance qu'elle lui avait un moment accordée, et celui-ci rentre dans la clandestinité avec son mouvement.

> *Après la guerre menée par le Viêtminh contre la France, les pays de l'Indochine française obtiennent leur indépendance en 1954.*

La France confie le Viêtnam à l'ex-empereur d'Annam Bao-Daï et combat les troupes du Viêtminh. Alors que celui-ci, à partir de 1950, dispose de l'appui matériel de la Chine populaire et de la reconnaissance diplomatique du bloc communiste, la France et le gouvernement de Bao-Daï reçoivent le soutien (sans engagement de troupes) des États-Unis.

La guerre tourne en faveur de Hô Chi Minh qui renforce ses positions au Tonkin. En 1953, la France décide de porter le corps expéditionnaire à plus de 250 000 hommes et de créer le camp retranché de Diên Biên Phû dans le Haut-Tonkin. Mais contrairement à toutes les prévisions, le camp est encerclé et pris par les troupes d'Hô Chi Minh au printemps 1954.

Le chef du gouvernement français, Mendès France, signe alors, le 21 juillet 1954, avec les représentants de 19 États, les accords de Genève qui mettent fin à la guerre. Les signataires reconnaissent l'indépendance totale du Viêtnam ; ils décident une coupure provisoire du pays en deux, de part et d'autre du 17e parallèle, le Nord étant sous la tutelle du Viêtminh, le Sud sous celle de Bao-Daï, jusqu'à une réunification devant se faire par des élections libres dans un délai de deux ans (elles n'auront jamais lieu) ; le Laos et le Cambodge, reconnus par la France « États associés » depuis 1949, obtiennent leur pleine indépendance.

LUTTES ET VICTOIRES DES COMMUNISTES (1954-1975)

La seconde guerre du Viêtnam

Les deux Viêtnams ont, dès leur naissance, des régimes politiques très différents. Au Nord, Hô Chi minh établit un régime communiste alors qu'au Sud, Ngô Dinh Diem, nommé Premier ministre, dépose Bao-Daï, établit une dictature personnelle et noue des relations étroites avec les États-Unis.

En 1975, trois mouvements communistes, le Viêtcong, les Khmers rouges et le Pathet Lao, s'emparent du pouvoir au Sud-Viêtnam, au Cambodge et au Laos.

La dictature et la misère entraînent au Sud-Viêtnam la constitution d'un mouvement d'opposition clandestin rapidement pris en main par des communistes, le Viêtcong, qui mène avec le soutien du Viêtminh des opérations de guérilla contre le pouvoir en place à partir de 1957.

Les Américains s'engagent alors massivement aux côtés de Diem puis de ses successeurs contre les communistes du Nord et du Sud. À partir de 1964, ils lancent des raids aériens sur le Nord-Viêtnam, puis, à partir de 1965, interviennent dans la guerre terrestre au côté du Sud contre le Nord. Les effectifs américains passent de 23 000 hommes en 1965 à 542 000 en 1969.

L'enlisement du conflit après 1968 et une opinion publique américaine de plus en plus hostile à la guerre obligent les États-Unis à se désengager. En 1973, les accords de Paris sont signés : les Américains acceptent de retirer leurs troupes et un cessez-le-feu est conclu. Mais la guerre continue sans les États-Unis et les communistes entrent à Saïgon le 30 avril 1975. En 1976, une Assemblée nationale unique adopte une nouvelle Constitution et ratifie la réunification du Viêtnam.

Le communisme s'étend au Cambodge et au Laos

Norodom Sihanouk – roi puis chef d'État du Cambodge – accepte en 1966 que le Cambodge devienne une des principales voies de ravitaillement des forces communistes engagées au Viêtnam du Sud. De 1966 à 1969, des milliers de tonnes de matériel de guerre sont ainsi amenées dans les ports cambodgiens par des cargos chinois, soviétiques, polonais... En mars 1970, les États-Unis décident alors de soutenir le coup d'État du général Lon Nol contre Sihanouk qui se réfugie à Pékin tandis que les Khmers rouges, communistes cambodgiens pro-chinois, entament la guérilla contre Lon Nol. Au cours des années 1971-1974, ces derniers ne cessent d'étendre leur influence sur les régions rurales et pauvres du Cambodge et, en avril 1975, ils s'emparent de Phnom Penh. Peu de temps après, Khieu Samphan, chef des Khmers rouges, prend la tête de l'État cambodgien et son second, Pol Pot, est nommé Premier ministre.

Au Laos, à partir de 1963, le parti pro-communiste (le Pathet Lao), mené par Souphanouvong, est en lutte contre le gouvernement de tendance pro-américaine. En 1964, l'aviation américaine commence à intervenir au Laos, aussi bien pour lutter contre les communistes que pour bombarder la piste Hô Chi Minh, qui passe par le territoire oriental du Laos et par laquelle le Viêtnam du Nord ravitaille les communistes sud-viêtnamiens. Après la victoire du Viêtcong et des Khmers rouges, les Américains abandonnent le Laos et le Pathet Lao prend le contrôle absolu du gouvernement mettant en place une « République populaire et démocratique » du Laos.

L'INDOCHINE COMMUNISTE
(DE 1975 À NOS JOURS)

Trois régimes communistes

Au Viêtnam, après la réunification, le Parti communiste dirige l'ensemble du pays, imposant une économie collectiviste sur tout le territoire. Il en est de même au Laos.

Au Cambodge, un régime particulièrement cruel se met en place. Le pays se ferme à l'étranger, Chine exceptée. Les Khmers rouges vident les villes de leurs habitants et tous les Cambodgiens sont soumis au travail forcé dans les campagnes. La vie culturelle disparaît, les écoles et les universités sont fermées alors que la monnaie et le commerce sont supprimés. En trois ans, sur une population de huit millions de personnes plus de deux millions périssent, massacrées, épuisées ou affamées.

> L'Indochine communiste, sur laquelle le Viêtnam assure son hégémonie de la fin des années 70 à la fin des années 80, tend depuis peu à s'ouvrir sur l'extérieur et à se libéraliser.

Le Viêtnam envahit le Cambodge

Pays peuplé de près de 50 millions d'habitants et doté d'une puissante armée, le Viêtnam décide d'étendre son influence sur l'ensemble de l'Indochine. En 1977, il se lie avec le Laos. Après avoir rompu ses liens avec la Chine et s'être rapproché de l'URSS (1978), il envahit le Cambodge prochinois des Khmers rouges, où il balaye le régime de Pol Pot et installe un gouvernement communiste qui lui est favorable (décembre 1978-janvier 1979). L'invasion est condamnée par la grande majorité des pays à l'ONU ; parallèlement, une armée de 30 000 Khmers rouges fidèles à Pol Pot ainsi que diverses forces d'opposition sihanoukiste et nationaliste engagent la résistance contre l'occupant et la Chine tente de faire pression sur le Viêtnam pour qu'il quitte le Cambodge en lui faisant la guerre (février-mars 1979). En vain.

Depuis 1980...

À la fin des années 70 et au début des années 80, des dizaines de milliers de réfugiés, s'embarquant le plus souvent sur des bateaux de fortune (d'où leur surnom de *Boat People*), fuient l'Indochine communiste.

À partir de 1985, confrontés à la pauvreté et à la lenteur du développement, les gouvernements viêtnamien et laotien donnent plus de place à l'initiative individuelle dans l'économie, libéralisent quelque peu leur régime, cherchent à se rapprocher de l'Occident...

En 1989, les pressions de l'allié soviétique et le coût de la lutte anti-guérilla poussent le Viêtnam à retirer l'essentiel de ses troupes du Cambodge, où un Conseil national suprême (CNS) composé de représentants du gouvernement pro-viêtnamien et de résistants des différentes tendances est chargé, en 1990, de gouverner provisoirement le pays. Mais les élections libres, qui ont lieu en mai 1993 sous l'égide de l'ONU, sont boycottées par les Khmers rouges qui reprennent la lutte armée.

La Birmanie – ancienne colonie anglaise indépendante depuis 1947 et neutraliste – et la Thaïlande pro-américaine n'ont pas connu de drames semblables à ceux des pays de l'ancienne Indochine française. Devenus communistes en 1975, ceux-ci sont en 1993 un des derniers bastions du communisme.

CHRONOLOGIE

1946 : début de la première guerre du Viêtnam ou guerre d'Indochine.

1954 : (juin) accords de Genève et fin de la guerre d'Indochine ; le Laos, le Cambodge et le Viêtnam, divisé en deux États, obtiennent leur indépendance.

1964 : début de la seconde guerre du Viêtnam.

1973 : (janvier) accords de Paris sur le Viêtnam, par lesquels les Américains acceptent de retirer leurs troupes du Viêtnam du Sud.

1975 : (avril) au Cambodge, les Khmers rouges prennent Phnom Penh ; au Viêtnam, chute de Saïgon aux mains des communistes ; proclamation d'une « République populaire et démocratique » au Laos.

1976 : élection d'une Assemblée unique pour le Viêtnam du Sud et du Nord, qui ratifie la réunification du Viêtnam.

1979 : le Viêtnam envahit le Cambodge.

1988-1989 : l'armée viêtnamienne quitte le Cambodge.

1993 : (mai) organisation d'élections libres sous l'égide de l'ONU au Cambodge.

LIRE AUSSI DÉCOLONISATION ; TIERS MONDE ; FRANCE (IVᵉ RÉPUBLIQUE) ; ÉTATS-UNIS (DEPUIS 1964).

ITALIE FASCISTE

En 1918, l'unité italienne est récente (elle date de 1870) et le sentiment national commence à s'épanouir. Le régime est démocratique depuis peu – le suffrage universel masculin a été institué en juin 1912 –, et la démocratie est fragile. Enfin, l'Italie, si elle appartient bien au camp des vainqueurs de la guerre, est en proie aux difficultés de l'après-guerre. C'est sur ce terrain que Mussolini et son parti fasciste vont prospérer...

LA MONTÉE DU FASCISME

Mussolini profite du mécontentement de l'après-guerre pour s'emparer du pouvoir.

Le mécontentement de l'après-guerre

À l'issue de la guerre, le mécontentement est grand.

Les provinces du Nord-Est de l'Italie sont en ruine. L'inflation et le chômage sont forts. Les ouvriers entament de grandes grèves qui culminent en septembre 1920 avec un mouvement d'occupation d'usines. Les paysans, trompés par l'État qui n'a pas fait la réforme agraire promise en 1917, se mettent à occuper les terres non cultivées et les grands domaines.

L'Italie est frustrée sur le plan international. Elle ne parvient à obtenir ni la totalité de l'Istrie, ni la Dalmatie, promises par les Alliés lors du traité de Londres de 1915, et ne reçoit que 10 % des réparations allemandes. L'idée que la victoire est « mutilée » est partagée par tous les Italiens.

Le régime est une monarchie parlementaire où les gouvernements sont responsables devant le Parlement. Or, les divisions entre les partis susceptibles de gouverner entraînent une grande instabilité ministérielle : quatre gouvernements se succèdent de juin 1919 à février 1922, suscitant irritation et désarroi dans l'opinion.

Les débuts du fascisme

Mussolini, né en 1883 en Romagne, ancien instituteur, commence par militer au Parti socialiste. En 1912, il est nommé directeur du quotidien socialiste *Avanti* !. Mais il rompt avec ses amis politiques en 1914, à la suite de ses prises de position en faveur de la guerre de son pays aux côtés des Alliés, et fonde à Milan, le 23 mars 1919, les « Faisceaux italiens de combat ». Son programme est flou, mêlant des revendications nationalistes (le rattachement à l'Italie de la Dalmatie...), sociales et politiques. Sans doute espère-t-il ainsi attirer les mécontents de l'après-guerre.

En fait, le fascisme tient l'essentiel de son succès à son action terroriste à la suite des troubles sociaux qui agitent l'Italie en 1920. Les fascistes se constituent en escadrons armés et motorisés (les *squadre*) et sèment la terreur parmi les militants paysans, incendient les sièges des syndicats et des journaux de gauche où brisent les grèves par la force (ainsi la grève générale de juillet-août 1922). Le fascisme, qui semble alors le meilleur rempart contre une révolution sociale, obtient l'adhésion d'une partie des classes moyennes et le soutien financier des classes possédantes. En novembre 1921, les Faisceaux sont transformés en un Parti national fasciste (PNF) qui, de 300 000 membres à la fin 1921, passe à 720 000 au printemps 1922.

Mussolini au pouvoir

En octobre 1922, Mussolini fait converger près de 40 000 « chemises noires » de la province vers la capitale. La « Marche sur Rome » est destinée à la prise du pouvoir. Cette démonstration peu redoutable – les squadristes sont mal armés et mal organisés – aurait pu être dispersée si le roi en avait donné l'ordre à l'armée. Mais Victor-Emmanuel III, voulant « éviter une effusion de sang », en fait pressé par tous ceux qui réclament une « solution Mussolini », prend la responsabilité d'appeler au pouvoir le chef des fascistes (30 octobre 1922).

Mussolini prend la tête d'un gouvernement d'union nationale (sans les socialistes et les communistes). Pendant deux ans, il applique un programme économique libéral, respecte les institutions et rassure les Italiens. Mais en même temps, il laisse les squadristes démanteler les organisations de gauche, et fait passer une loi électorale favorable à son parti. Les élections législatives de 1924, qui se déroulent dans un climat de violence, donnent la majorité absolue à la coalition fasciste.

LA DICTATURE FASCISTE

> **Mussolini et son parti fasciste imposent leur dictature et enrégimentent la nation.**

Un homme et un parti

En juin 1924, peu après les élections législatives, le député socialiste Matteotti est enlevé et assassiné par des squadristes. L'émotion est grande dans le pays. En signe de protestation, une partie des députés d'opposition refuse de siéger. Mussolini en profite pour faire voter, en 1925 et 1926, des lois qui établissent la dictature fasciste.

La royauté est maintenue mais le roi reste cantonné dans un rôle de représentation et d'enregistrement. Le chef du gouvernement, Mussolini, dispose du pouvoir exécutif et législatif (il peut désormais légiférer par décrets-lois) et il n'est plus responsable devant le Parlement. Il se fait assister dans sa tâche par un Grand conseil fasciste, formé de militants de la première heure ou de personnalités qu'il nomme. Il s'appuie sur une administration épurée et soumise, et sur le parti fasciste, dont une élite, la Milice, exerce la police dans le pays.

Le Sénat et la Chambre des députés sont toujours en place mais les députés d'opposition sont exclus de cette dernière et, après la loi électorale du 17 mai 1928, les élections législatives deviennent un simple plébiscite de 400 noms choisis par le Grand conseil fasciste. Ces deux assemblées n'ont plus, de toute façon, de pouvoir réel.

Tous les partis politiques et organisations non fascistes sont interdits. La police secrète – l'OVRA – est chargée de traquer les ennemis du régime, parfois expédiés dans les bagnes des îles Lipari.

La domination des esprits

Pour assurer son pouvoir, Mussolini cherche à gagner les esprits au fascisme.

Les instituteurs, qui font classe en uniforme fasciste à partir de 1933, les professeurs du secondaire ou de l'Université diffusent un savoir orienté.

Hors de l'école, l'État fasciste se charge des jeunes Italiens. De 4 à 8 ans, ils sont « fils de la Louve ». À 8 ans, les garçons entrent dans les « Balillas », où ils commencent à se livrer à des exercices militaires, alors que les filles, « Petites Italiennes » , sont formées à leur futur métier de mères. À 14 ans, les garçons sont « Avant-guardistes », les filles « Jeunes Italiennes ». Les étudiants sont regroupés dans les « Groupes universitaires fascistes ».

Les travailleurs appartiennent souvent au Parti national fasciste (3 millions d'inscrits en 1933) : la carte du parti permet de trouver plus facilement du travail. Ils adhèrent généralement à l'organisation d'État fasciste Dopolavoro qui offre des vacances à bon marché et organise des loisirs. Ils sont membres des syndicats fascistes.

Toutes ces organisations, mais aussi la radio, la presse, le cinéma font inlassablement l'éloge du régime et de Mussolini qui, de son côté, multiplie les voyages, les parades et les discours.

L'ŒUVRE DU FASCISME

La paix avec l'Église

Depuis que les États pontificaux ont été annexés par l'État italien en 1870, le pape s'oppose au gouvernement. Par les accords du Latran conclus en février 1929 avec Pie XI, Mussolini fait la paix avec l'Église.

> L'État fasciste cherche à créer une nation unie et forte qui puisse imposer sa domination aux autres nations.

Le Pape reconnaît l'État italien. En contrepartie, il obtient la souveraineté sur la cité du Vatican, une indemnité et une rente annuelle de l'État, et un Concordat religieux qui déclare le catholicisme seule religion de l'État, rend obligatoire le catéchisme dans les écoles, donne à l'Église le monopole du mariage des catholiques (le mariage civil disparaît et avec lui le droit au divorce).

Les accords du Latran sont un grand succès pour Mussolini. Ils gagnent les catholiques au régime et suppriment un des facteurs de division nationale.

● **L'action économique et sociale**

Dans le domaine économique, Mussolini passe du libéralisme à l'interventionnisme étatique pour faire de l'Italie un pays autarcique et réduire les effets de la crise qui se manifeste dans les années 30 (chute de 32 % de la production de 1929 à fin 1932). L'État lance, dès 1925, la « bataille du blé » et, en 1928, la « bataille de la bonification des terres », qui doit permettre à l'agriculture de gagner les plaines marécageuses d'Istrie (ainsi les Marais Pontins, au sud de Rome). Après 1929, il entame une politique de grands travaux (aménagement monumental de Rome, électrification des voies ferrées, création des premières autoroutes...). En 1933, il crée l'Institut pour la reconstruction industrielle (l'IRI), qui rachète les participations industrielles des banques en difficulté, et lui permet de contrôler des pans entiers de l'industrie. À partir de 1935, il développe la production de matières premières et d'énergie italiennes et il fait tourner l'économie par ses commandes de guerre. Toutes ces mesures sont accompagnées d'une politique protectionniste, qui se renforce nettement en 1934.

Dans le domaine social, l'État fasciste se veut un « État corporatif » où les discussions entre employeurs et salariés, sous la surveillance du gouvernement, remplacent la lutte des classes. La grève est interdite, la liberté syndicale supprimée et les salaires moins élevés en 1939 qu'en 1922. Mais un système d'assurances sociales obligatoires contre les maladies, les accidents de travail, l'invalidité, la vieillesse est créé ; le temps de travail est réduit et les loisirs sont organisés pour les travailleurs par le Dopolavoro ; enfin, l'État parvient à éradiquer le chômage, qui s'était développé après 1929 (1,3 million de chômeurs fin 1932).

● **L'extension de l'empire**

Mussolini rêve de créer un nouvel empire romain sur les pourtours de la Méditerranée.

De 1926 à 1930, il instaure des mesures natalistes (propagande, aide aux familles nombreuses, taxe spéciale sur les célibataires...) et interdit l'émigration ce qui fait passer l'Italie de 39 millions d'habitants en 1922 à 45 millions en 1940. L'expansion ne nécessite-t-elle pas la mobilisation d'une population nombreuse ?

En octobre 1935, il donne un début d'exécution à son projet colonial, en entamant la conquête de l'Éthiopie, seul territoire africain échappant encore à la colonisation européenne. Si la prise d'Addis Abeba, le 5 mai 1936, est un triomphe pour le Duce, l'agression contre l'Éthiopie marque la rupture avec les démocraties occidentales, qui font voter à la SDN, dès le début du conflit, le principe de sanctions économiques contre l'Italie.

LE RAPPROCHEMENT AVEC LE NAZISME

À partir de 1936, Mussolini prend modèle sur l'Allemagne nazie ; l'opposition au Duce se développe.

En juillet 1934, Mussolini, qui craint la formation d'une grande Allemagne aux portes de son pays, bloque la tentative de putsch nazi à Vienne par l'envoi de troupes sur la frontière autrichienne. Mais, en 1935, Hitler se garde bien de condamner l'agression italienne en Éthiopie et, tout comme Mussolini, il soutient Franco en Espagne à partir de juillet 1936. L'Italie et l'Allemagne se rapprochent (axe Rome-Berlin d'octobre 1936). En septembre 1937, le Duce rend visite au Führer à Berlin : il revient ébloui par la force germanique.

L'Allemagne nazie devient alors un modèle pour le chef fasciste qui crée un ministère de la Culture populaire chargé de veiller à la fascisation des esprits et de la culture (1937), fait défiler les militaires « au pas romain » sur le modèle du « pas de l'oie » allemand, multiplie les discours bellicistes et prend des mesures antisémites (les mariages entre juifs et non-juifs sont interdits, les juifs sont exclus de nombreux emplois...), plus ou moins appliquées.

Aussi, à l'intérieur, des critiques commencent à se manifester. Elles viennent du roi Victor-Emmanuel III, du Pape Pie XI (qui condamne l'antisémitisme en 1938) ou des rangs fascistes. À l'extérieur, les exilés politiques dénoncent devant l'opinion la vraie nature du régime.

En 1939, le pouvoir de Mussolini est en fait assez fragile : le roi, de plus en plus hostile, reste populaire dans l'armée, et Mussolini est critiqué au sein de son propre parti. Lorsque les Alliés envahissent l'Italie, en 1943, le Grand conseil fasciste décide avec le soutien du roi, l'arrestation de Mussolini. Libéré par les Allemands, ce dernier rétablit à Salô, au Nord de l'Italie, une éphémère république fasciste, à laquelle il ne survivra pas.

ITALIE
FASCISTE

CHRONOLOGIE

1919 : naissance des Faisceaux italiens de combat.

1920 : agitations ouvrières.

1921 : création du Parti national fasciste.

1922 : (octobre) « Marche sur Rome » organisée par les fascistes ; Mussolini appelé au gouvernement par le roi.

1923 : les fascistes seuls au gouvernement.

1924 : les fascistes rassemblent 65 % des suffrages aux élections générales d'avril ; assassinat du député socialiste Matteotti.

1925-1926 : lois fascistissimes.

1929 : (février) accords du Latran entre l'État italien et le Pape.

1933 : création de l'Institut pour la reconstruction industrielle.

1935-1936 : guerre d'Éthiopie puis annexion de l'Éthiopie.

1936 : début de l'intervention italienne en Espagne ; axe Rome-Berlin.

1940 : (juin) l'Italie déclare la guerre à la France et à l'Angleterre.

1943 : (juillet) débarquement allié en Sicile et occupation de l'Italie par les alliés ; arrestation de Mussolini ; (septembre) armistice ; création d'une République fasciste au Nord.

1945 : (avril) exécution de Mussolini.

LIRE AUSSI PREMIÈRE GUERRE MONDIALE (BILAN) ; RELATIONS INTERNATIONALES (ANNÉES 20 ; ANNÉES 30).

ITALIE
(DEPUIS 1945)

Coupée en deux depuis 1943 (les Allemands au Nord, les Alliés au Sud), l'Italie est réunifiée en 1945 sous l'autorité d'un Gouvernement d'union nationale, présidé par le résistant Ferrucio Parri. Mais ce dernier, jugé trop radical par les Alliés, est remplacé en décembre 1945 par Alcide de Gasperi, chef de la Démocratie chrétienne. Une lourde tâche l'attend : instaurer de nouvelles institutions et reconstruire une économie dévastée.

LA RENAISSANCE POLITIQUE (1945-1948)

> La monarchie, discréditée par l'expérience fasciste, laisse la place à une République parlementaire.

Une République parlementaire

Par le double scrutin du 2 juin 1946, le peuple italien abandonne la monarchie, et élit une Assemblée constituante chargée d'établir les nouvelles institutions républicaines. Le roi Humbert II, qui vient de succéder à son père Umberto, choisit l'exil. La Constitution, adoptée le 27 décembre 1947, instaure un régime parlementaire, fruit du compromis entre les trois grandes forces politiques, la Démocratie chrétienne (DC), le Parti socialiste (PSI) et le Parti communiste (PCI).

– Le pouvoir législatif est détenu par deux Assemblées ayant les mêmes pouvoirs (Chambre des députés et Sénat).

– Le Président de la République, garant des institutions, est élu par les deux Assemblées et les représentants des régions. Le Président du Conseil, chef du Gouvernement, est responsable devant les Assemblées.

– Deux articles importants sont concédés à la gauche : la promesse d'une large décentralisation et l'affirmation d'une « République fondée sur le travail. »

LES INSTITUTIONS ITALIENNES

POUVOIR EXÉCUTIF

Président de la République
élu pour 7 ans

nomme

nomme

Cour constitutionnelle

15 membres
nommés pour 12 ans

**Gouvernement
Président
du Conseil
+ ministres**

peut dissoudre

élit

nomme

**Magistrature
suprême**

nomme

*accorde
sa confiance*

POUVOIR LÉGISLATIF

Parlement élu pour 5 ans

Sénat

315
membres

**Chambre
des députés**
630
membres

élit

Peuple
(électeurs de plus de 18 ans ; sauf pour le Sénat : plus de 25 ans)

La victoire de la Démocratie chrétienne

Les difficultés économiques, l'inflation et la misère suscitent au printemps 1947 une vague de grèves, encouragée par le PC, dans le contexte de la guerre froide. En réaction, De Gasperi forme un nouveau gouvernement d'où sont exclus socialistes et communistes (mai 1947). Les élections d'avril 1948 sont un triomphe pour la Démocratie chrétienne, soutenue officiellement par le gouvernement américain et par l'Église italienne, et qui obtient la majorité absolue des sièges dans les deux assemblées.

LE REDRESSEMENT
(1948-1968)

En dépit d'une instabilité gouvernementale chronique, l'Italie se redresse rapidement.

Le règne de la Démocratie chrétienne

Premier parti italien, la DC va rester constamment à la tête du gouvernement jusqu'en 1981. Cette situation est profitable à la continuité de la politique étrangère italienne, qui s'intègre à la construction du Marché commun. En revanche, la vie politique intérieure est marquée par la succession rapide des ministères, due aux rivalités internes à la DC, ou aux changements d'alliance avec les autres partis du centre. L'ouverture à gauche, amorcée par Amintore Fanfani en 1958, et encouragée par le pape Jean XXIII, se concrétise en 1963 par la formation d'un cabinet de « centre gauche », dirigé par Aldo Moro, et comprenant des socialistes. Cette coalition se poursuivra jusqu'en 1972, toujours dirigée par la DC. Malgré l'hostilité de l'Église, la loi sur le divorce sera adoptée en 1970.

Le « miracle » économique italien

En dépit de l'instabilité ministérielle et de l'immobilisme politique, l'économie italienne connaît une forte croissance, qui repose sur divers facteurs : l'aide du plan Marshall (1947), l'exploitation intensive du gaz méthane et de l'hydro-électricité, le faible coût de la main-d'œuvre, les nouveaux débouchés du Marché commun. L'intervention de l'État y est particulièrement étendue : l'Institut pour la reconstruction industrielle (IRI) est omniprésent dans l'industrie électrique (Finelettrica), la sidérurgie (Finsider), les constructions navales ; l'Office national des hydrocarbures (ENI), créé en 1953, contrôle la production et le raffinage du pétrole. Le secteur contrôlé par l'État emploie 750 000 personnes et fournit la moitié de la production industrielle.

Les résultats sont spectaculaires : entre 1950 et 1965, le PNB est multiplié par 4, la production industrielle par 2,5. À la fin des années 60, l'Italie a le plus fort taux de croissance européen (5,9 % par an). Toutefois, les revenus d'un habitant du Sud (Mezziogiorno) ne représentent qu'un tiers de

ceux d'un habitant du Nord industriel, en 1965. Les travailleurs italiens sont parmi les plus mal payés d'Europe, le
travail clandestin est endémique (plus de 10 % du PNB),
l'écart des revenus est très élevé, et le pays souffre de fortes
carences en matière d'équipements collectifs (écoles, hôpitaux...). Le monopole exercé par la DC sur la haute administration et sur les postes-clés de la vie économique engendre
une corruption généralisée, souvent associée à la mafia.

UN SYSTÈME EN CRISE (DEPUIS 1968)

> L'inertie et la corruption du monde politique provoquent un phénomène de rejet, qui engendre la montée des extrémismes.

La contestation du système

La contestation du système démocrate-
chrétien éclate dans les milieux universitaires au
printemps 1968. Ce mouvement est vite relayé par
de vastes mouvements de grèves en 1969. Cette
mobilisation massive est payante : entre 1969 et
1973, les salaires ouvriers sont multipliés par deux ;
le « statut des travailleurs » (1970) reconnaît officiellement le
rôle des syndicats dans toutes les entreprises ; trois
accords signés chez Fiat (1971, 1974, 1975) consacrent
l'extension du pouvoir syndical au sein de l'entreprise.

Mais les extrémistes des deux bords, privés d'une véritable représentation parlementaire, jouent la carte du terrorisme. L'extrême-droite lance une vague d'attentats à Rome,
Turin, et surtout à Milan en décembre 1969. À l'extrême-
gauche, sont créées les Brigades rouges, qui pratiquent
l'enlèvement d'hommes politiques, de magistrats, de chefs
d'entreprise à partir de 1970. Les résultats des élections de
1972, marquées par l'effondrement du PSI et par la remontée du PCI, poussent le leader communiste Enrico
Berlinguer à proposer à la DC un « compromis historique »
de gouvernement (octobre 1973). Les démocrates-chrétiens
rejettent cette offre.

Récession, terrorisme et scandales

Les chocs pétroliers de 1973 et 1979 ont des effets
désastreux sur l'activité économique, déjà fortement pertur-

bée par les grèves de 1969-1972 : l'inflation dépasse 20 % par an après 1975, le taux de chômage atteint 7 % en 1980, tandis qu'à la même date la croissance est tombée à 2,5 %.

Ce contexte difficile est aggravé par le déferlement du terrorisme : l'assassinat d'Aldo Moro par les Brigades rouges (mai 1978) et l'attentat néo-fasciste de la gare de Bologne (août 1980) en sont les faits marquants. Face à cette vague de violence, l'opinion publique constate l'impuissance des gouvernements de « centre gauche », sans cesse remaniés (7 cabinets entre 1972 et 1976). La formation du cabinet Andreotti grâce à l'abstention du PCI (juillet 1976), puis la signature d'un programme de gouvernement avec les communistes (1977), semblent ouvrir une ère d'union nationale anti-crise. Mais le « compromis historique » est rompu dès 1978, quand le PCI contraint à démissionner le président de la République démocrate-chrétien Giovanni Leone, compromis dans un scandale politico-financier.

Après un nouveau scandale, impliquant plusieurs ministres de la DC dans une société secrète (Loge P2) ayant conspiré contre l'État, c'est Giovanni Spadolini, chef du petit Parti républicain, qui accède à la présidence du Conseil (juin 1981). C'est la première fois depuis 1946 qu'un démocrate-chrétien n'occupe pas cette fonction.

Un régime dans l'impasse

En déclin depuis 1979, le PCI se détache franchement de l'URSS, en prônant « l'euro-communisme », un communisme moderne, décentralisé et gestionnaire. La mort de son leader Enrico Berlinguer (1984) puis l'effondrement du bloc communiste conduiront le PCI à se transformer en Parti démocrate de la gauche (PDS). De son côté, la DC tente de rajeunir ses cadres et de faire oublier son image de parti corrompu et clientéliste. Mais les élections de 1983 lui sont défavorables, et c'est le socialiste Bettino Craxi qui va occuper la présidence du Conseil pendant plus de trois ans. Grâce à cette longévité exceptionnelle et à son autorité personnelle, Craxi parvient à faire reculer l'inflation et à négocier avec l'Église un nouveau Concordat, entérinant la laïcisation de la société italienne (février 1984).

Mais un de ces multiples désaccords entre les cinq partis de gouvernement (pentapartito) permet à la DC de reprendre la présidence du Conseil en mars 1987. L'instabilité ministérielle reprend de plus belle tandis que l'Italie s'enfonce dans le chômage (10 % en 1991) et la quasi-stagnation économique (1,8 % de croissance en 1992). L'impuissance gouvernementale face à la crise comme face à la Mafia (assassinats du général Della Chiesa en 1982 et du juge Falcone en mai 1992), la corruption généralisée (scandale des pots-de-vin de Milan en février 1992) suscitent un mécontentement général, qui s'exprime aux élections d'avril 1992 : la coalition gouvernementale perd la majorité absolue, alors que les autonomistes de la Ligue lombarde font une percée remarquée à 8,7 %.

L'inculpation de Giulio Andreotti, l'homme fort de la Démocratie chrétienne, frappe les esprits. Par leur vote positif au référendum d'avril 1993, les Italiens expriment leur volonté de réformer en profondeur leur système politique et social.

CHRONOLOGIE

1945 : gouvernement d'Union nationale (Alcide De Gasperi).

1946 : fin de la monarchie.

1947 : Constitution de la République italienne.

1953 : création de l'ENI.

1963 : cabinet Aldo Moro (alliance avec le Parti socialiste).

1969 : début des grèves et de la vague terroriste.

1970 : loi autorisant le divorce.

1976 : début du « compromis historique » avec le PCI.

1978 : assassinat d'Aldo Moro ; fin du « ompromis historique ».

1980 : attentat de Bologne.

1981 : Spadolini premier président du Conseil extérieur à la Démocratie chrétienne.

1983 : cabinet socialiste Bettino Craxi.

1984 : nouveau Concordat.

1987 : retour de la Démocratie chrétienne au pouvoir.

1992 : assassinat du juge Falcone.

1993 : référendum sur les nouvelles institutions.

LIRE AUSSI ÉCONOMIE (DEPUIS 1973) ; ITALIE FASCISTE ; RELIGIONS (DEPUIS 1945).

JAPON

◆── (AVANT 1945)

En 1914, le Japon sort à peine de l'« ère Meiji », nom donné à la période qui va de 1868, date de la restauration du pouvoir impérial, à 1912, date de la mort de l'empereur Meiji Tenno.
C'est au cours de cette période capitale que le Japon a développé son industrie, créé une armée moderne et transformé ses institutions en suivant le modèle occidental.
À la veille de la Première Guerre mondiale, le Japon, qui était encore un pays féodal en 1868, a le statut d'une grande puissance mondiale.

LE JAPON PACIFIQUE

◀───

> *Après la guerre, le Japon s'engage dans la voie de la démocratie et de la paix.* ◀──

Une démocratisation apparente

Depuis 1889, le Japon dispose d'une Constitution qui en fait une monarchie parlementaire. L'Empereur détient le pouvoir exécutif et les ministres ne sont responsables que devant lui. Un Parlement composé de deux Assemblées, la Chambre des pairs et la Chambre des représentants, possède le pouvoir législatif.

Après la guerre, le régime semble se démocratiser : à partir de 1925, le suffrage universel masculin est instauré pour l'élection de la Chambre des représentants et Hiro Hito, empereur à partir de 1926, accepte de jouer un rôle politique effacé.

Mais en fait, le Gouvernement et le Parlement sont sous la coupe des grandes entreprises capitalistes – les zaïbatsu – qui contrôlent les deux principaux partis (le Parti conservateur est contrôlé par Mitsui, le Parti libéral par Mitsubishi), et doivent par ailleurs compter avec une armée quasi autonome, puissante et nationaliste.

Une expansion arrêtée

Depuis la fin du XIXe siècle, le Japon ne cache pas ses ambitions impérialistes : annexion de Formose en 1895, du Sud des îles Sakhaline en 1905, de la Corée en 1910. À l'issue de la Première Guerre mondiale, il obtient la plupart des colonies allemandes dans le Pacifique ainsi que les droits allemands dans le Shandong chinois. L'expansion japonaise ne s'explique pas seulement par l'influence de l'armée dans la vie politique. Le Japon a besoin de débouchés pour son industrie, tournée vers les marchés extérieurs, ainsi que de matières premières (dont il est dépourvu). Par ailleurs, l'essor démographique (qui fait passer le pays de 30 à 55 millions d'habitants de 1867 à 1919) l'amène à chercher des terres de colonisation pour sa population en surnombre.

À partir de 1922, l'expansionnisme est arrêté. Lors de la conférence de Washington (1921-22), les États-Unis parviennent à convaincre le Japon de limiter sa flotte de guerre et d'abandonner à la Chine la plupart de ses droits dans le Shandong.

Une économie fragilisée

Le Japon – dont l'industrialisation est rapide depuis les débuts de l'ère Meiji – profite de la Première Guerre mondiale pour développer son économie : il bénéficie à cette époque des commandes des pays alliés et se substitue aux pays européens puis aux États-Unis sur de nombreux marchés d'Asie, d'Océanie et même d'Amérique latine.

Dans les années 20, la croissance continue mais à un rythme moins rapide : les produits japonais se heurtent à la réapparition des produits américains et européens en Extrême-Orient. La croissance est aussi beaucoup plus chaotique : la dépression de 1920-21, la faillite bancaire de 1927, le tremblement de terre de 1923, provoquent la disparition de nombreuses entreprises (ce qui accentue la concentration au profit des zaïbatsu) et de soudaines poussées du nombre des chômeurs (ils sont ainsi 2 millions en 1927).

LE JAPON AGRESSIF

Les militaires près du pouvoir

À partir de 1930, les militaires essaient de donner une nouvelle orientation à la politique en faisant pression sur les gouvernements. Certains se contentent de noyauter les ministères ; les plus extrémistes n'hésitent pas à fomenter des attentats contre les personnalités politiques jugées trop timorées (assassinat du Premier ministre Inukaï le 15 mai 1932), ou à tenter des coups d'État. En 1936, un groupe de jeunes officiers se rend maître de Tokyo ; ce putsch n'échoue que grâce au loyalisme de l'état-major, qui renforce du même coup son influence.

La montée du militarisme s'accompagne d'un retour à l'autoritarisme : restriction des libertés individuelles et syndicales, utilisation de la propagande pour une idéologie raciale et anticommuniste. Surtout, le Japon reprend la politique impérialiste abandonnée dans les années 20.

> À partir de 1930, les militaires imposent peu à peu leurs vues et le Japon revient à une politique impérialiste, ce qui stimule l'économie.

La reprise de l'impérialisme

Le Japon possède depuis longtemps de nombreux intérêts économiques en Mandchourie chinoise et notamment l'administration du chemin de fer sud-mandchourien, qu'il protège par une armée de 30 000 hommes. En 1931, prenant prétexte d'un incident mineur monté de toutes pièces contre la voie ferrée, l'armée japonaise occupe Moukden, puis toute la Mandchourie. Le dirigeant chinois Tchang Kaï-chek s'en remet à la SDN qui se contente de protestations verbales, ce qui permet au Japon de transformer la région en un État théoriquement indépendant, mais qui est de fait un protectorat, le « Mandchoukouo ».

En novembre 1936, le Japon se rapproche de l'Allemagne nazie en signant le Pacte anti-Komintern, dirigé à l'origine contre le communisme, mais qui contient une promesse secrète d'aide en cas d'attaque soviétique. En 1937, il exploite un incident entre soldats chinois et japonais près de Pékin, le 7 juillet, pour se lancer à la conquête de la Chine. La Chine littorale passe sous son contrôle. En 1940, les Japonais sont aux portes de l'Indochine française.

Une croissance économique rapide

La crise de 1929 se traduit par une baisse de la production et des exportations, une chute des cours de la soie et du riz. La situation des agriculteurs déjà en difficulté à cause de l'extrême morcellement des terres devient intenable. Le chômage des ouvriers augmente. Le renforcement du protectionnisme dans de nombreux pays risque de blesser mortellement l'économie.

Mais dès la fin de 1931, la croissance repart. C'est que l'expansionnisme japonais est très profitable au pays. La politique de réarmement entraîne un lourd déficit budgétaire et une forte inflation, mais stimule l'industrie alors que la conquête offre débouchés et matières premières. La production industrielle qui était tombée à l'indice 92 en 1931 (base 100 en 1929) atteint l'indice 173 en 1937 !

Jusqu'en 1945, le Japon parvient à éviter une guerre avec l'URSS. C'est vers le Sud-Est asiatique, vers les minerais et le caoutchouc d'Indochine et le pétrole des Indes néerlandaises que va principalement s'orienter l'impérialisme japonais au cours de la Seconde Guerre mondiale.

CHRONOLOGIE

1920-1921 : crise économique.

1921-1922 : conférence de Washington où les États-Unis parviennent à convaincre le Japon de limiter sa flotte de guerre et de renoncer à ses droits sur le Shandong chinois.

1926 : Hiro-Hito empereur.

1930 : les militaires commencent à prendre le contrôle du pouvoir.

1931 : protectorat sur la Mandchourie.

1933 : le Japon quitte la SDN.

1936 : (novembre) pacte anti-Komintern avec l'Allemagne nazie dirigé à l'origine contre le communisme mais contenant aussi une promesse secrète d'aide en cas d'attaque soviétique.

1937 : (juillet) le Japon se lance à la conquête de la Chine.

LIRE AUSSI JAPON (DEPUIS 1945) ; DEUXIÈME GUERRE MONDIALE (DE 1939 À 1942 ; DE 1943 À 1945) ; CHINE (AVANT 1945) ; RELATIONS INTERNATIONALES (ANNÉES 20 ; ANNÉES 30).

JAPON
◀━━ (DEPUIS 1945)

*Première puissance asiatique en 1942, contrôlant la
majeure partie du Pacifique et de l'Asie orientale, le
Japon n'est plus en 1945 qu'un pays vaincu, humilié et
dévasté, occupé par les troupes américaines.
Mais cette occupation, qui prend l'allure d'une véritable
« rééducation » démocratique, contribue à la
modernisation de la société et de l'économie japonaises.
En quelques années, le Japon va se redresser de façon
spectaculaire : on parlera de « miracle japonais. »*

LE REMODELAGE DU JAPON (1945-1951)
◀━━━

> **Les occupants américains façonnent le nouveau visage du Japon.** ➡

La démocratie imposée

Après les bombardements atomiques sur
Hiroshima et Nagasaki (6 et 9 août 1945), qui ont
entraîné la capitulation du 2 septembre 1945 (annoncée à la
radio par l'empereur Hiro-Hito aux Japonais, qui entendent
sa voix pour la première fois), le Japon est soumis à l'autorité du général américain Mac Arthur, commandant
suprême des forces alliées (SCAP). Sa première tâche est le
rapatriement de cinq millions de réfugiés, soldats et civils,
venus des quatre coins de l'empire nippon (Formose,
Mandchourie, Corée, îles Kouriles). Puis Mac Arthur dirige
l'épuration de la société japonaise, qui frappe 200 000 personnes, notamment les dirigeants politiques et militaires
des années 1930-1945. Le général Tojo, Premier ministre
depuis 1941, est exécuté. Enfin, Mac Arthur impose une nouvelle Constitution, promulguée en novembre 1946 :

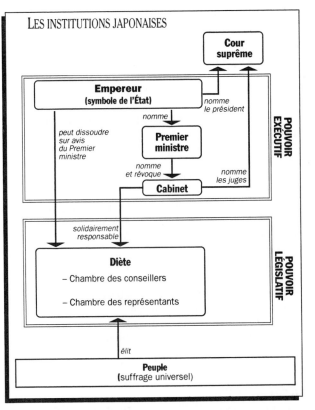

LES INSTITUTIONS JAPONAISES

Cour suprême

Empereur
(symbole de l'État)

nomme
le président

nomme

Premier ministre

peut dissoudre sur avis du Premier ministre

nomme et révoque

nomme les juges

Cabinet

POUVOIR EXÉCUTIF

solidairement responsable

Diète

– Chambre des conseillers

– Chambre des représentants

POUVOIR LÉGISLATIF

élit

Peuple
(suffrage universel)

– L'empereur Hiro-Hito, qui a renoncé dès janvier 1946 à son ascendance divine, reste le symbole de l'État japonais, mais il perd tout pouvoir politique. Il décédera en janvier 1989, et sera remplacé par son fils Aki-Hito, 125ᵉ empereur du Japon.

– Le régime est de type parlementaire : la Diète, composée de deux Chambres élues au suffrage universel (Chambre des représentants et Chambre des conseillers), désigne le Premier ministre, chef de l'exécutif. Une Cour suprême, calquée sur le modèle américain, contrôle la constitutionnalité des lois.

– Une disposition originale : le peuple japonais doit renoncer pour toujours à la guerre (article 9).

- **Une société rénovée**

Les Américains tentent de modifier en profondeur les structures de la société japonaise :

– La loi eugénique de 1948 autorise l'avortement et la stérilisation afin d'endiguer la forte croissance démographique ; entre 1948 et 1957, le taux de natalité baissera de moitié.

– Le système éducatif est démilitarisé, démocratisé et calqué sur le modèle américain.

– La noblesse est abolie, et le shintoïsme n'est plus religion d'État.

Le même effort de démocratisation est accompli dans le domaine de la production :

– La législation du travail est alignée sur les conceptions occidentales les plus progressistes et le mouvement syndical croît très rapidement (55 % des salariés sont syndiqués en 1949).

– De 1945 à 1949, la réforme agraire redistribue 40 % des terres aux petits paysans.

– Les grands monopoles familiaux (zaïbatsu), accusés d'avoir soutenu l'expansionnisme japonais, sont démantelés. Une partie de leur capital est nationalisée, les actions des trusts sont mises en vente et de nombreux dirigeants sont destitués.

- **La fin de l'occupation**

À partir des années 1949-1950, la guerre froide amène les Américains à réviser leur politique vis-à-vis du Japon : il ne s'agit plus de le « rééduquer », de le démilitariser mais au contraire de renforcer son potentiel défensif contre l'expansion du communisme en Asie.

C'est le sens des traités signés à San Francisco en septembre 1951 : un traité de paix et de sécurité est signé par 48 nations, dont les États-Unis et le Japon, qui concluent en outre un pacte de sécurité prévoyant la fin de l'occupation américaine en 1952 et reconnaissent l'indépendance et le droit au réarmement du Japon. Enfin, celui-ci est admis à l'ONU en 1956.

Le plafonnement des dépenses militaires japonaises à 1 % du PNB, va contribuer à libérer des investissements pour la croissance économique.

UN REDRESSEMENT SPECTACULAIRE

Le « miracle « économique japonais

À partir de 1950, les Japonais connaissent une croissance économique sans précédent dans leur histoire. C'est pourquoi ils appellent cette période « Jimmu boom », en référence à l'empereur Jimmu, fondateur légendaire de la dynastie impériale, au VIIe siècle avant Jésus-Christ. Cette croissance exceptionnelle, qui dépasse 10 % par an, s'appuie sur les particularités de la production japonaise :

> Les années 50 sont marquées par un spectaculaire redressement économique : le « Jimmu boom ».

– Un drainage constant de l'épargne individuelle vers l'appareil productif.

– Une main-d'œuvre abondante, qualifiée et très disciplinée, convaincue de servir, par son travail, l'intérêt national.

– Un capitalisme dualiste : les grands groupes financiers reconstitués (zaikai), aux activités diversifiées, font

L'EXEMPLE JAPONAIS

	1950	1960	1970	1980	1991
Population (millions)			104,3	116,8	123,9
Densité (hab/km²)			277	313	332
PNB (en milliards de dollars)			201,8	1 152,6	3 337,9
Croissance annuelle du PNB	10 %	10 %	7,6 %	4,5 %	4,5 %
PNB par habitant (dollars)	132		1 940	9 870	26 936
Taux d'inflation	2,5 %	3,2 %	7,6 %	7,7 %	2,7 %
Taux de chômage		1,5 %	1,1 %	2 %	2,1 %
Part dans le commerce mondial	2 %		6 %		9,2 %

travailler en sous-traitance une masse de petites entreprises, qui exploitent une main-d'œuvre bon marché.

– Un effort d'investissement et de recherche très important.

– La place originale des sogo shosha, sociétés de commerce liées aux grandes entreprises, et qui jouent à la fois le rôle de fournisseur de matières premières, de banquier et d'exportateur.

- Le soutien actif de l'État, notamment du ministère de l'Industrie et de la recherche (MITI), et un protectionnisme sévère envers les produits étrangers.

La première société de consommation en Asie

L'occupation américaine puis le Jimmu boom des années 50 ont profondément transformé la société japonaise. L'urbanisation est spectaculaire : en 1960, Tokyo devient la première ville du monde, avec 11 millions d'habitants, soit plus d'un Japonais sur dix. À la même époque, les appareils électro-ménagers deviennent d'usage courant, de même que la télévision. C'est la civilisation des classes moyennes, très américanisées, comme en témoigne le sport national japonais : le base-ball. Mais ces transformations rapides ont aussi des conséquences négatives sur la société japonaise, qui perd une partie de ses traditions et de son homogénéité séculaire.

LE MODÈLE JAPONAIS

Le modèle japonais se caractérise par une exceptionnelle stabilité politique et une forte croissance économique.

Une grande stabilité politique

La vie politique japonaise est dominée par le Parti libéral-démocrate (PLD), au pouvoir sans interruption depuis 1955. Les milieux d'affaires, et surtout les classes moyennes, lui assurent une large majorité parlementaire, notamment grâce au clientélisme et à la corruption. Le seul pluralisme, c'est l'équilibre entre les quatre ou cinq clans qui se partagent le parti dominant. L'opposition reste divisée, sauf sur le thème de l'anti-américanisme : de nombreuses et violentes manifestations d'étudiants sont organisées en 1960, 1969 et 1971 contre le maintien des bases américaines, notamment sur l'île d'Okinawa. Mais le Parti communiste régresse et le Parti socialiste, malgré ses progrès, reste encore au second plan. En dépit des nombreux scandales qui l'ont affecté, entraînant la démission de deux Premiers ministres, Tanaka en 1974 et Takeshita en 1989, le PLD a conservé son hégémonie politique.

● **Une forte croissance économique**

Après le Jimmu boom des années 50, la croissance japonaise se poursuit à un rythme élevé tout au long des années 60. Entre 1960 et 1968, la production industrielle est multipliée par trois. Le Japon est présent aussi bien dans l'industrie lourde (acier, chimie) que dans les secteurs de haute technicité (électronique, photographie). Son influence s'étend sur une bonne partie du Sud-Est asiatique, de la Corée du Sud à l'Indonésie.

Les deux chocs pétroliers de 1973 et 1979 ont fortement ralenti les rythmes de croissance, car le Japon importe 90 % de son pétrole. Cependant, l'économie japonaise a mieux résisté que ses concurrentes occidentales grâce aux facultés d'adaptation de sa main-d'œuvre, aux gains de productivité réalisés, et à l'orientation vers les secteurs technologiques les plus avancés (électronique, aéronautique, informatique, nucléaire). Depuis 1986, l'économie japonaise connaît une période de croissance ininterrompue, que les Japonais appellent Heisei boom (du nom de l'ère actuelle) et qui contraste avec les problèmes des autres pays industrialisés. Le Japon est aujourd'hui la deuxième puissance économique mondiale, sa croissance est de loin la plus forte des pays riches (4,5 % en 1991) et son PNB par habitant est le plus élevé du monde. La percée des investissements japonais dans le monde industrialisé, la place du Japon dans le commerce international (9,2 % des exportations en 1991), l'invasion des automobiles japonaises sur le marché américain (un tiers du marché) sont les manifestations de sa puissance économique.

Mais ce dynamisme exportateur irrite les États-Unis et l'Europe, principaux « clients » du Japon (30 et 19 % des exportations nippones). De plus, les entreprises japonaises doivent affronter la concurrence des « nouveaux pays industriels » d'Asie orientale, qui produisent à moindre coût. L'effondrement de la bourse de Tokyo en décembre 1989 est un signe inquiétant pour l'avenir de l'économie japonaise.

● **Les déséquilibres de la société japonaise**

Le « modèle » japonais a produit de nombreux déséquilibres :

– La croissance s'est faite au détriment de l'environnement : la surpopulation urbaine rend les conditions de vie

283

très difficiles ; la pollution industrielle souille une grande partie des zones littorales, c'est-à-dire un sixième du territoire, où se concentre la majorité des 124 millions de Japonais.

– L'amélioration du niveau et de la qualité de vie des Japonais n'a pas suivi l'essor de la production : les équipements collectifs sont insuffisants, les logements et les réseaux de transport inadaptés et, surtout, le temps réservé aux loisirs très restreint.

– Enfin, la croissance laisse de côté une bonne partie de la population : les petits paysans, les ouvriers des petites entreprises, aux salaires très faibles, sans protection sociale, et les personnes âgées, sans retraite suffisante.

CHRONOLOGIE

1945 : bombes atomiques sur Hiroshima et Nagasaki ; capitulation japonaise.

1946 : l'empereur Hiro-Hito renonce à son ascendance divine ; promulgation de la Constitution.

1947 : droit de vote aux femmes.

1951 : à San Francisco, signature du traité de paix par 48 pays et du pacte de sécurité entre les États-Unis et le Japon.

1952 : fin de l'occupation américaine.

1956 : Japon admis à l'ONU.

1963 : Japon admis à l'OCDE.

1971 : émeutes contre les bases américaines.

1972 : restitution de l'île d'Okinawa au Japon par les États-Unis ; normalisation des relations avec la Chine.

1974 : démission du Premier ministre Tanaka, accusé de corruption.

1989 : mort de l'empereur Hiro-Hito ; démission du Premier ministre Takeshita.

1990 : intronisation de l'empereur Aki-Hito.

LIRE AUSSI ÉCONOMIE (1945-1973 ; DEPUIS 1973) ; JAPON (AVANT 1945) ; DEUXIÈME GUERRE MONDIALE (DE 1943 À 1945).

MAGHREB

(DEPUIS 1945)

Dans la première moitié du XIXᵉ siècle, l'Algérie devient une colonie que la France administre directement, et de nombreux colons s'y installent ; plus tard, la Tunisie devient un protectorat français, dans lequel le gouvernement indigène est contrôlé par un résident général nommé par la France, et le Maroc, un protectorat français et espagnol. Mais la perte de prestige de la métropole, liée à la défaite de 1940, et l'occupation momentanée de l'Afrique du Nord par les Anglo-américains à partir de 1942, ouvrent la voie de l'indépendance.

UNE DÉCOLONISATION DIFFICILE

La Tunisie et le Maroc obtiennent leur indépendance (1956)

Habib Bourguiba, qui a fondé le parti nationaliste du Néo-Destour en 1934, revendique, après la guerre, l'autonomie interne de la Tunisie. Il est arrêté le 18 janvier 1952. Mais en 1954, Mendès France, chef du gouvernement français, proclame l'autonomie de la Tunisie à Carthage et, en juin 1955, Bourguiba, libéré, fait un retour triomphal dans son pays.

> La Tunisie et le Maroc obtiennent leur indépendance en 1956 ; l'Algérie, à la suite d'une longue guerre, en 1962, par les accords d'Évian.

Au Maroc, l'influence grandissante de l'Istiqlal, parti indépendantiste né en 1943 et qui bénéficie de l'appui du sultan en place Mohammed V Ben Youssef, pousse la métropole à engager des réformes. Mais celles-ci, jugées excessives par les colons, sont abandonnées. La population musulmane réagit avec violence. Le gouvernement français décide alors de déporter le sultan (août 1953), considéré comme le fauteur des troubles, et de le remplacer par un souverain fantoche et docile, Ben Arafa, ce qui ne fait qu'aggraver la situation.

La défaite en Indochine convainc les Français de la nécessité de la décolonisation dans les deux protectorats. Mohammed Ben Youssef peut rentrer à Rabat (novembre 1955) et le gouvernement de Guy Mollet proclame l'indépendance du Maroc le 2 mars 1956. La Tunisie devient indépendante quelques jours plus tard, le 20 mars.

Les débuts de la guerre d'Algérie (1954-1958)

À la différence du Maroc et de la Tunisie, l'Algérie est considérée comme partie intégrante du territoire et elle abrite une communauté européenne importante.

Peu après les émeutes de Sétif (mai 1945), qu'elle réprime violemment, la France donne une certaine autonomie à l'Algérie en créant une Assemblée algérienne (1947). Mais celle-ci a peu de pouvoirs et elle est élue moitié par les Français d'Algérie, moitié par les musulmans, alors que les Français sont très minoritaires dans le pays (900 000 Français contre 8 millions de musulmans). Surtout, il apparaît rapidement que les élections au collège musulman sont truquées aux dépens des nationalistes, qui ne voient alors plus de solution que dans la lutte armée.

L'insurrection est déclenchée dans la nuit du 30 octobre 1954. Au même moment, Ben Bella fonde un nouveau parti, le Front de libération nationale (FLN) qui proclame sa volonté d'engager le combat pour l'indépendance de l'Algérie et qui s'implante d'abord dans les campagnes. La guerre commence vraiment avec les émeutes du Constantinois, les 20 et 21 août 1955 : des Français sont assassinés, l'armée et la population européenne ripostent par le massacre de 12 000 musulmans. À l'automne 1955, le gouvernement d'Edgar Faure décide l'envoi du contingent en Algérie pour ramener l'ordre.

À partir de 1956, le FLN rallie nombre de militants des autres tendances nationalistes, comme Ferhat Abbas, et s'implante dans les villes où il multiplie les attentats contre les Européens. Il bénéficie du soutien du Maroc, de la Tunisie, et de l'Égypte de Nasser. La France essaie alors de provoquer la chute de Nasser, fait détourner un avion marocain pour y arrêter Ben Bella et d'autres dirigeants du FLN, et engage son armée dans la « bataille d'Alger » pour y déloger le FLN : si le bilan est lourd pour les indépendantistes, l'utilisation de la torture par l'armée commence à faire douter l'opinion de la métropole.

● **Vers l'indépendance de l'Algérie (1958-1962)**

Le 18 février 1958, l'armée française, cherchant à détruire les unités du FLN réfugiées en Tunisie, bombarde le village tunisien de Sakhiet Sidi Youssef. Le conflit s'internationalise : le président tunisien Bourguiba saisit l'ONU ; les États-Unis et la Grande-Bretagne font pression sur la France pour qu'elle recherche un compromis avec les nationalistes. Mais, hostile à tout compromis, la population française d'Alger se soulève, ce qui provoque en France le retour au pouvoir du général de Gaulle (mai 1958).

Le 19 septembre 1958, le FLN crée au Caire le Gouvernement provisoire de la République algérienne (GPRA) et en 1959, de Gaulle finit par se prononcer pour le droit des Algériens à l'autodétermination. Les Français d'Algérie, qui s'estiment trahis, manifestent leur colère lors de la « semaine des barricades » à Alger, en janvier 1960, mais le droit à l'autodétermination est approuvé par les Français de métropole lors du référendum du 8 janvier 1961. Si les plus activistes des partisans de l'Algérie française réagissent – en février, ils fondent l'OAS (Organisation armée secrète), qui multiplie les attentats terroristes, et en avril quelques généraux (Salan, Challe, Zeller, Jouhaud) tentent un putsch à Alger – c'est en vain.

En mars 1962, le FLN et le gouvernement français signent les accords d'Évian, qui donnent l'indépendance à l'Algérie et sont ratifiés par référendum en France, puis en Algérie. 800 000 Français quittent l'ancienne colonie et, le 3 juillet, l'indépendance est proclamée. La guerre a fait près de 500 000 morts parmi les musulmans, victimes de l'armée, de l'OAS ou bien du FLN lorsqu'ils lui étaient hostiles...

TROIS ÉTATS EN CONSTRUCTION

Les nouveaux États, autoritaires, sont confrontés à de graves problèmes depuis les années 80.

Le Maroc d'Hassan II

Au Maroc, le roi Mohammed V obtient de l'Espagne la rétrocession de ses territoires marocains (1958). Son fils Hassan II, qui lui succède en février 1961, fait d'abord approuver une Constitution (décembre 1962) qui – tout en maintenant de larges prérogatives royales – établit un système parlementaire bicaméral, reconnaît la pluralité des partis ainsi que le suffrage universel ; mais, à partir de 1965, il décrète l'état d'urgence (jusqu'en 1970).

Hassan II instaure par ailleurs un système économique libéral où l'État intervient peu ; les Européens peuvent revendre librement leurs domaines et un code des investissements favorable aux étrangers est établi. Enfin, le roi engage de bons rapports avec l'Occident et joue un rôle modérateur au sein du monde arabe.

L'année 1975 est une année charnière. Avant cette date, le Maroc et la Mauritanie revendiquaient le Sahara occidental qui est aux mains de l'Espagne. En 1975, à la suite de la « marche verte » de 350 000 Marocains volontaires sur la région, l'Espagne consent à partager son ancienne province entre la Mauritanie et le Maroc ; mais cet accord est récusé par le Front Polisario, mouvement nationaliste du Sahara occidental, qui réclame une République arabe sahraouie indépendante. Alors que la « marche verte » crée au Maroc un climat d'union nationale que le roi Hassan II s'efforce de prolonger par une libéralisation de la vie politique, l'ONU affirme le droit à l'autodétermination des Sahraouis (novembre 1979).

À la fin des années 80, le principal problème devient l'endettement de l'État. C'est lui qui amène Hassan II à engager une politique d'austérité, que la population accepte difficilement (émeutes de 1984) et à entreprendre, à partir de 1990, la privatisation des entreprises à capitaux publics. L'endettement n'est sans doute pas pour rien non plus dans l'ouverture, en 1988, de négociations avec le Polisario, qui doivent mettre fin à une guerre coûteuse.

L'Algérie de Ben Bella à Chadli Bendjedid

En septembre 1962, le vice-président du GPRA, Ben Bella, qui s'appuie sur l'armée contrôlée par le colonel Boumediene, prend les rênes du pouvoir. Il engage le pays dans la voie du changement. En mars 1963, les vastes domaines agricoles des anciens colons sont nationalisés. Une Constitution, adoptée le 8 septembre 1963, donne au régime un caractère autoritaire (c'est désormais au FLN, parti unique, de choisir les candidats aux élections). Et Ben Bella, élu à la présidence de la République (septembre 1963), opte pour le socialisme (charte d'Alger de 1964).

Le 19 juin 1965, Boumediene renverse Ben Bella, mais il met en œuvre une politique proche de celle de son prédécesseur.

Dans le domaine économique, tout d'abord. Il nationalise les entreprises étrangères et, en 1971, les compagnies pétrolières. La rente pétrolière, considérable à partir de 1973, permet à l'État de créer une industrie lourde et de consacrer des dépenses importantes à l'éducation. À partir de 1971, les grands domaines fonciers encore privés sont nationalisés (c'est la « Révolution agraire »), mais la petite propriété se maintient. De façon générale, l'industrie de biens de consommation et l'agriculture sont négligés.

Dans le domaine politique, ensuite. À l'intérieur, la Constitution de 1976 confirme le rôle dirigeant du FLN. À l'extérieur, Boumediene défend avec ferveur la cause arabe (déclarant la guerre à Israël en juin 1967), soutient les mouvements révolutionnaires dans le tiers monde et les revendications du Front Polisario, ce qui suscite une vive tension entre Rabat et Alger.

Au début des années 80, le colonel Chadli Bendjedid – qui a succédé à Boumediene en 1979 – doit faire face à l'explosion démographique (+ 3,4 % par an), aux difficultés financières (déficit et endettement), au ralentissement de la croissance économique (lié à la baisse du prix du pétrole et à l'incurie du secteur public), et à une crise sociale (montée du chômage, pénuries) qui aboutit à de violentes émeutes en 1988. Ce modéré, qui, dès ses débuts, a cherché à rapprocher l'Algérie de la France et de ses voisins du Maghreb, engage après 1988 de profondes réformes économiques (faveurs aux industries de biens de consommation, partage des domaines nationalisés entre les fellahs, début de restructuration des entreprises publiques, libéralisation des prix...) et politiques (établissement du multipartisme en 1989).

Mais en juin 1991, il instaure l'état de siège et reporte les élections législatives, parce qu'il craint la victoire du Front islamique du salut (FIS), parti religieux intégriste.

La Tunisie de Bourguiba à Ben Ali

En Tunisie, Bourguiba proclame l'établissement de la République en juillet 1957.

Après avoir installé, par la Constitution de 1959, un

- régime autoritaire avec un parti unique, le Néo-Destour, il
- met en œuvre une politique de laïcisation (abolition de la
- polygamie, droit de vote aux femmes, droit à l'avortement et
- à la contraception, laïcisation de l'état civil et de la justice.)
- et tente de réorganiser l'économie sur une base socialiste
- (prise en charge par l'État des secteurs de base et transfor-
- mation des grands domaines, notamment coloniaux, en
- fermes d'État et en coopératives). Mais après l'échec de la
- collectivisation forcée de toute l'agriculture et du petit
- commerce entre 1967 et 1969, Bourguiba revient à une poli-
- tique économique plus libérale et ouvre le pays au capital
- étranger.
- En politique extérieure, Bourguiba s'oriente vers une
- collaboration avec l'Occident. Il suit par ailleurs une ligne
- modérée au sein de la Ligue arabe (organisation régionale
- qui regroupe presque tous les pays arabes et qui a pour
- objectif de coordonner leurs politiques et de favoriser
- l'unité arabe) : c'est ainsi qu'il préconise en 1965 une solu-
- tion négociée avec Israël. Enfin, il rêve d'une union de toute
- l'Afrique du Nord.
- À partir de 1980, une agitation religieuse intégriste se
- développe dans les grandes villes. Confronté à la dette et
- aux difficultés financières, l'État engage une politique
- d'austérité et réduit les subventions, d'où, en 1984, un dou-
- blement du prix du pain suivi de violentes émeutes. Le
- général Zine Ben Ali profite du malaise pour déposer le
- vieux Bourguiba (novembre 1987). Il démocratise le pays
- (transformation du Néo-Destour en Rassemblement consti-
- tutionnel démocratique, élections réellement libres en
- 1989...) tout en persistant dans la voie de la libéralisation
- de l'économie.
-
- En optant pour la démocratisation, les gouvernements
- de l'Algérie et de la Tunisie pensent sans doute éviter une
- révolution qui balaierait les anciens partis dirigeants... Mais
- ils offrent une tribune aux partis religieux intégristes qui
- savent canaliser le mécontentement. C'est ce qui a poussé le
- gouvernement algérien à réinstaurer un système dictatorial
- en 1991.
-
-
-

- *1945 :* émeutes de Sétif, dans le Constantinois, en Algérie.
- *1954 :* début de l'insurrection algérienne et création du FLN.
- *1956 :* indépendance du Maroc et de la Tunisie.
- *1958 :* création par le FLN du Gouvernement provisoire de la République algérienne (GPRA).
- *1961 :* Hassan II roi du Maroc.
- *1962 :* (mars) accords d'Évian donnant l'indépendance à l'Algérie ; Ben Bella vice-président du GPRA, prend les rênes du pouvoir en Algérie et opte pour le socialisme (charte d'Alger).
- *1965 :* en Algérie, Boumediene renverse Ben Bella.
- *1965-1970 :* état d'urgence au Maroc.
- *1975 :* (novembre) « marche verte » de 350 000 volontaires marocains sur le Sahara espagnol.
- *1979 :* en Algérie, Bendjedid succède à Boumediene ; l'ONU affirme le droit à l'autodétermination des Sahraouis (anciens habitants du Sahara espagnol).
- *1984 :* émeutes au Maroc et en Algérie.
- *1987 :* Ben Ali dépose Bourguiba et démocratise la Tunisie.
- *1988 :* violentes émeutes en Algérie suivies de l'ouverture des néogociations par le roi Hassan II sur le Sahara occidental.
- *1989 :* instauration du multipartisme en Algérie.
- *1991 :* instauration de l'état de siège en Algérie.

LIRE AUSSI EMPIRES COLONIAUX ; DÉCOLONISATION ;
FRANCE (IVᵉ RÉPUBLIQUE, Vᵉ RÉPUBLIQUE) ;
TIERS MONDE.

MOYEN-ORIENT

(DEPUIS 1945)

Le Moyen-Orient est un espace géographique mal défini dans lequel on peut inclure trois grands pays (la Turquie, l'Égypte, l'Iran), Israël et Chypre et les pays arabes d'Asie. Berceau des religions monothéistes, il est peuplé en majorité d'Arabes musulmans mais regroupe de nombreuses communautés religieuses ou ethniques. Le Moyen-Orient a été longtemps dominé par les Turcs ottomans puis, entre les deux guerres mondiales, par la France et le Royaume-Uni. Depuis 1945, avec ses immenses ressources pétrolières, c'est une zone économique vitale pour l'Occident. C'est aussi une région déchirée par de multiples conflits.

LE CONFLIT ISRAÉLO-ARABE

La naissance d'Israël

> *Depuis sa naissance en 1948, l'État d'Israël, en conflit ouvert avec les États arabes, est confronté au problème palestinien.*

De 1922 à 1948, la Palestine est sous la tutelle du Royaume-Uni. Elle est surtout peuplée d'Arabes musulmans, mais les juifs, qui viennent s'y installer depuis le développement des thèses sionistes de Théodore Herzl à la fin du XIXe siècle, sont de plus en plus nombreux : la montée de l'antisémitisme en Europe dans les années 30, puis le génocide de la Seconde Guerre mondiale renforcent leur exode vers la « Terre promise » où ils espèrent créer un État hébreu indépendant.

Le 29 novembre 1947, l'ONU propose un plan de partage de la Palestine britannique en deux États, l'un juif, l'autre arabe palestinien. Le 14 mai 1948, le leader juif Ben Gourion proclame solennellement la création de l'État d'Israël dans le respect des frontières fixées pour l'État juif par l'ONU.

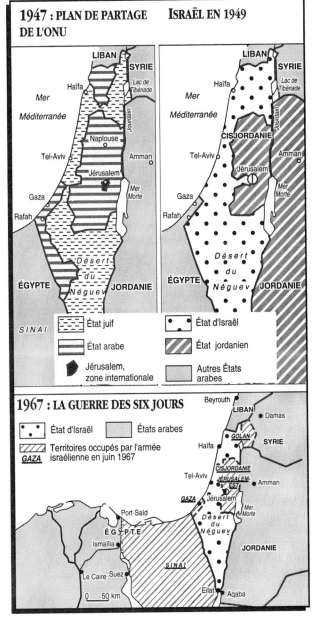

1947 : PLAN DE PARTAGE DE L'ONU

ISRAËL EN 1949

LIBAN
SYRIE
Haïfa
Lac de Tibériade
Mer
Méditerranée
Jourdain
Naplouse
Tel-Aviv
Amman
Jérusalem
Mer Morte
Gaza
Rafah
Désert du Néguev
ÉGYPTE
JORDANIE
SINAÏ

LIBAN
SYRIE
Haïfa
Lac de Tibériade
Mer
Méditerranée
CISJORDANIE
Jourdain
Tel-Aviv
Amman
Jérusalem
Mer Morte
Gaza
Rafah
Désert du Néguev
ÉGYPTE
JORDANIE

État juif

État d'Israël

État arabe

État jordanien

Jérusalem, zone internationale

Autres États arabes

1967 : LA GUERRE DES SIX JOURS

Beyrouth
LIBAN
Damas

État d'Israël

États arabes

GOLAN
SYRIE
Haïfa

Territoires occupés par l'armée israélienne en juin 1967

GAZA

CISJORDANIE
JÉRUSALEM-EST
Tel-Aviv
Amman
GAZA
Jérusalem
Mer Morte
Port-Saïd
Désert du Néguev
ÉGYPTE
Ismaïlia
SINAÏ
JORDANIE
Le Caire
Suez
Eilat
Aqaba
0   50 km

293

- **Les guerres israélo-arabes**

Les États arabes n'acceptent pas la création d'un État juif sur une terre qu'ils estiment arabe ; ils ne se sentent pas responsables de l'holocauste. Quatre guerres vont les opposer à Israël, en 1948, 1956, 1967 et 1973 :

– Lors de la première (mai 1948-janvier 1949), Israël, la Transjordanie (qui prend alors le nom de Jordanie), et l'Égypte se partagent les territoires qui, selon l'ONU, auraient dû former la base territoriale de l'État palestinien.

– La seconde est déclenchée en octobre 1956 par Israël, aidé des Britanniques et des Français, contre l'Égypte de Nasser qui a nationalisé le canal de Suez, mais l'URSS et les États-Unis les obligent à se retirer (« crise de Suez »).

– À l'issue de la « guerre des six jours », en juin 1967, l'armée israélienne victorieuse s'empare, aux dépens des États arabes, du Golan, de Gaza, du Sinaï et de la Cisjordanie (avec Jérusalem-Est), qui vont désormais former les « territoires occupés » (le Golan sera annexé en 1981).

– Enfin, au cours de la « guerre du Kippour » en 1973, Israël, agressé, est victorieux face aux armées syrienne et égyptienne, mais sans gain territorial.

Jusqu'en 1973, les Israéliens sont certains de leur supériorité militaire et ils ne cherchent pas à nouer des alliances dans la région. Mais le demi-échec de la guerre du Kippour les amène à réviser leur stratégie. Le 17 septembre 1978, le chef du gouvernement israélien, Menahem Begin, signe avec le président égyptien Anouar el Sadate et le président des États-Unis Jimmy Carter les accords de Camp David, complétés le 26 mars 1979 par le traité de paix de Washington. L'Égypte reconnaît Israël et obtient en échange l'évacuation du Sinaï, effective en 1982. Mais en dehors de l'Égypte, les pays arabes restent hostiles à l'État hébreu.

- **La question palestinienne**

Les Palestiniens sont les anciens habitants arabes de la Palestine britannique et leurs descendants. La plupart d'entre eux, qui ont fui Israël pendant la guerre de 1948-49, se sont réfugiés dans des camps en Jordanie, en Syrie, au Liban. Ils forment donc un peuple sans État. Dans leur état de déracinement et souvent de dénuement, ils constituent une masse disponible pour des idéologies extrémistes. C'est dans les camps de réfugiés que commence à s'organiser, dès les années 50, la résistance palestinienne. Les Palestiniens sont finalement nombreux à se reconnaître dans un mouvement, l'Organisation de libération de la Palestine (OLP), créé en 1964, qui revendique la création d'un État palestinien et, jusqu'aux années 80, la destruction d'Israël.

Après la défaite des États arabes en 1967, l'OLP comprend qu'elle doit avant tout compter sur ses propres forces. Prise en main par Yasser Arafat en 1969, l'Organisation multiplie alors les actes terroristes contre l'État hébreu, surtout à partir de ses bases jordaniennes. En septembre 1970 (ou « septembre noir »), le roi Hussein de Jordanie chasse violemment de son pays les troupes palestiniennes, qui se réfugient au Liban.

Isolée sur le plan international et confrontée à la supériorité militaire d'Israël, l'OLP opte, à partir de 1973, pour l'action diplomatique et peu à peu pour le compromis. Cette orientation est confirmée après que la direction du mouvement a été chassée de Beyrouth par l'armée israélienne en 1982 lors de l'opération « Paix en Galilée ». En novembre 1988, Arafat accepte la résolution 242 des Nations unies et reconnaît donc implicitement le droit à l'existence d'Israël.

À la fin des années 80, du fait de ses positions plus conciliantes, Arafat ne fait plus l'unanimité dans son propre camp. L'OLP reste honnie par Israël, mais elle bénéficie désormais de la reconnaissance internationale, et le soulèvement, à partir de décembre 1987, des Palestiniens des territoires occupés (« l'Intifada ») lui donne un surcroît de légitimité. L'idée d'un État palestinien qui correspondrait globalement aux « territoires occupés » fait son chemin et en 1991, sous l'égide des États-Unis, des discussions s'engagent entre Israël, les États arabes et des Palestiniens.

LE DRAME LIBANAIS

Des équilibres fragiles (1945-1975)

Après avoir longtemps fait partie de l'empire ottoman, le Liban, confié à la France entre les deux guerres, devient réellement indépendant en 1946. C'est alors un État multiconfessionnel, les chré-

> **Le Liban est un État multiconfessionnel qui entre dans une terrible guerre civile en 1975.**

tiens, principalement des maronites, formant près de la moitié de la population, l'autre moitié se composant de musulmans chiites, sunnites et druzes. C'est aussi un État démocratique qui cherche à respecter les équilibres religieux du pays : en vertu du « Pacte national » de 1943, le président de la République doit toujours être un maronite chrétien, le chef du gouvernement un musulman sunnite, le président de l'Assemblée un chiite. Carrefour commercial et financier du Proche-Orient, le Liban est un État riche relativement aux autres pays de la région.

Dès les années 50, des tensions entre chrétiens et musulmans se font jour. Les chrétiens, qui forment la partie commerçante et aisée de la population, souhaitent le développement d'une politique d'amitié et d'échanges avec l'Occident, et ne veulent pas s'impliquer dans le conflit israélo-arabe, alors que les musulmans se méfient de l'Occident et inclinent vers le panarabisme et un engagement du Liban contre Israël. Le président chrétien Camille Chamoun, accusé de mener une politique pro-occidentale à l'occasion de la crise de Suez de 1956, est aux prises avec une véritable insurrection menée par le courant musulman, qui ne peut être matée qu'à la suite d'une intervention militaire américaine (juillet 1958).

Après la guerre israélo-arabe de 1967, les Palestiniens sont de plus en plus nombreux au Liban (près de 300 000), et des commandos palestiniens, installés dans le Sud du pays, se livrent à des coups de main en territoire israélien exposant le Liban à de violentes ripostes israéliennes. Divisés sur l'attitude à adopter à leur égard (les chrétiens sont profondément opposés à leur présence), les Libanais le sont encore plus sur les institutions. Les musulmans, dont la croissance démographique est plus forte que celle des chrétiens, veulent remanier le pacte de 1943, au contraire de ces derniers. Dans les deux camps, on constitue alors des milices armées.

● *Les guerres du Liban (depuis 1975)*

À partir de 1975, les guerres ensanglantent le Liban. À Beyrouth, en 1975 et 1976, des combats opposent d'abord milices chrétiennes et Palestiniens puis milices chrétiennes et milices musulmanes alliées aux Palestiniens. Ce premier conflit meurtrier prend fin momentanément en 1976, après l'intervention d'une « force de paix arabe ».

Le dépérissement de l'État et la décomposition de l'armée libanaise facilitent le retour de la guerre civile en 1977. Aux luttes entre les communautés (druzes, chiites, chrétiens, Palestiniens...), s'ajoutent la résistance aux occupants syrien et israélien et, surtout à partir de 1985, les combats intra-communautaires, les plus meurtriers opposant, à l'intérieur de la communauté chiite, la milice pro-syrienne Amal aux Hezbollahs islamistes pro-iraniens.

La Syrie et Israël profitent de la guerre civile pour s'implanter dans le pays. En 1978, la Syrie prend le contrôle de tout un périmètre dans le Nord du Liban. De son côté, Israël occupe momentanément le Sud du Liban en 1978, puis, en 1982, déclenche l'opération « Paix en Galilée » destinée avant tout à anéantir l'appareil politico-militaire de l'OLP à Beyrouth. Israël se maintient ensuite au Sud, dont elle se retire peu à peu à partir de 1985.

Une « force multinationale d'interposition », comprenant des soldats américains, français et italiens, intervient en 1982 pour mettre fin à la guerre civile. C'est un échec et elle doit se retirer. Le pays ne retrouve la paix qu'au début des années 90 : en renforçant sa présence militaire (40 000 soldats en 1992), la Syrie est parvenue à ramener l'ordre dans un pays épuisé et ruiné par la guerre, aux dépens des libertés.

LE MONDE ARABE

De la dépendance au nassérisme

Au moment des indépendances, à l'issue de la Seconde Guerre mondiale, les Arabes, qui possèdent une langue commune et une conscience ethnique diffuse, sont partagés entre plusieurs États (au Moyen-Orient, tous les États sont arabes excepté l'Iran, la Turquie et Israël), pauvres (les États ne profitent guère de leurs ressources pétrolières alors aux mains des compagnies étrangères) et faibles (regroupés au sein de la Ligue arabe, créée en 1945 pour favoriser leur unité et coordonner leur politique, ils sont cependant incapables de vaincre Israël en 1948).

> *La politique du leader égyptien Nasser redonne confiance aux Arabes ; les richesses pétrolières permettent à certains États de s'enrichir.*

297

Ils ressentent à cette époque une profonde humiliation, mais le colonel Nasser, qui arrive au pouvoir en Égypte en 1954, leur redonne dignité et espoir en tenant tête aux anciennes puissances coloniales et en se faisant le défenseur du panarabisme : il n'hésite pas à s'opposer à la France et au Royaume-Uni en nationalisant en 1956 le canal de Suez ; il revendique l'unité de la « nation arabe » et combat obstinément l'ennemi commun, Israël. Il devient le grand leader régional.

Mais Nasser ne parvient pas à réaliser ses objectifs : l'union de l'Égypte et de la Syrie dans une République arabe unie est éphémère (de 1958 à 1961) et l'unité arabe échoue car elle bute sur les particularismes des peuples de la région (Syriens, Irakiens, Égyptiens...). Cependant la perte d'influence des anciennes puissances coloniales (remplacées, il est vrai, par les États-Unis et l'URSS), la solidarité des Arabes face à l'État juif (tout au moins jusqu'à la « guerre du Kippour ») et la prise en main par les États du Moyen-Orient de leurs richesses nationales sont en partie l'héritage du nassérisme.

Les nantis de l'or noir

Gros producteurs et exportateurs de pétrole (hormis la Jordanie et le Liban), les États arabes du Moyen-Orient et l'Iran – seul pays non arabe de la région à être gros producteur – prennent peu à peu le contrôle des sociétés pétrolières étrangères opérant sur leur territoire. La plupart d'entre eux se regroupent au sein de l'Organisation des pays exportateurs de pétrole (OPEP), doublée en 1964 de l'Organisation des pays arabes exportateurs de pétrole (OPAEP).

Au cours des années 70, le prix du pétrole augmente considérablement. Son quintuplement d'octobre à décembre 1973 (premier choc pétrolier) est principalement dû à l'embargo pétrolier des pays arabes à l'encontre des alliés d'Israël pendant la « guerre du Kippour », alors que la demande des pays industriels est très forte. Son doublement de 1979 à 1981 (second choc pétrolier) est directement lié à la chute de la production au moment de la révolution islamique. Si, à partir de 1981, la tendance s'oriente à la baisse, le pétrole est toujours une matière première qui rapporte.

Les pétrodollars ont permis à des États quasi désertiques de la région du Golfe (Koweït, Émirats, Arabie saoudite) de

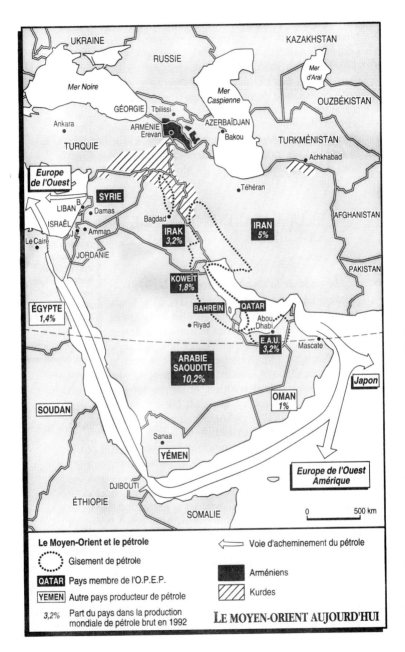

Le Moyen-Orient et le pétrole

UKRAINE
RUSSIE
KAZAKHSTAN
Mer Noire
Mer Caspienne
Mer d'Aral
OUZBÉKISTAN
GÉORGIE Tbilissi
ARMÉNIE AZERBAÏDJAN
Ankara
Erevan
Bakou
TURKMÉNISTAN
TURQUIE
Achkhabad
Europe de l'Ouest
Téhéran
SYRIE
LIBAN B.
Damas
Bagdad
ISRAËL
J. Amman
IRAK
3,2%
IRAN
5%
AFGHANISTAN
Le Caire
JORDANIE
PAKISTAN
KOWEÏT
1,8%
ÉGYPTE
1,4%
BAHREIN QATAR
Abou Dhabi
Riyad
E.A.U.
3,2%
Mascate
SOUDAN
ARABIE SAOUDITE
10,2%
OMAN
1%
Japon
Sanaa
YÉMEN
Europe de l'Ouest Amérique
DJIBOUTI
ÉTHIOPIE
SOMALIE
0   500 km

Le Moyen-Orient et le pétrole

· · · · · Gisement de pétrole

QATAR Pays membre de l'O.P.E.P.

YEMEN Autre pays producteur de pétrole

3,2% Part du pays dans la production mondiale de pétrole brut en 1992

⟵ Voie d'acheminement du pétrole

◼ Arméniens

▨ Kurdes

LE MOYEN-ORIENT AUJOURD'HUI

299

devenir riches en terme de revenu par tête et de mener à bien d'ambitieux programmes d'équipement et de développement industriel, attirant une main-d'œuvre nombreuse d'Asie du Sud (Inde, Pakistan) et des pays arabes voisins. Mais il n'ont pas permis aux États peuplés, subissant une forte croissance démographique (Iran, Irak, Égypte), de résoudre tous leurs problèmes économiques et sociaux. Surtout, ils ont renforcé la dépendance économique (technologies importées, immigration de cadres européens et américains) et politique (influence croissante des États-Unis, surarmement des États) du Moyen-Orient à l'égard de l'Occident.

DE LA RÉVOLUTION IRANIENNE À LA GUERRE DU GOLFE

◄━━

> Dans les années 80, de nouveaux conflits, où entrent en jeu les grandes puissances, déstabilisent la région. ◄━━

Le choc de la révolution iranienne (1979)

En Iran, au cours des années 60 et 70, le Shah, Mohammed Reza Pahlavi, instaure sa dictature et impose l'occidentalisation des mœurs. Sa politique économique – ambitieuse grâce aux pétrodollars – ne profite qu'à une petite minorité et accroît la dépendance du pays à l'égard de l'Occident. En janvier 1979, il est chassé par la révolution, et un religieux musulman chiite, l'Imam Khomeiny, qui s'est fait connaître par son opposition irréductible au Shah, établit une République islamique, proclamée le 31 mars 1979.

Au nom de l'Islam, le nouveau pouvoir, détenu par le clergé chiite, arrête les opposants et remet en vigueur les châtiments les plus barbares ; il refuse toute concession au monde moderne, fermant ses frontières aux influences occidentales ; enfin, il menace d'exporter la révolution islamique intégriste dans le monde entier et n'hésite pas à violer les règles internationales, comme le montre la prise en otage du personnel de l'ambassade américaine (novembre 1979 à janvier 1981), encouragée par le nouveau pouvoir.

L'Iran, « gendarme du Golfe » au profit des États-Unis sous le Shah, inquiète alors aussi bien les Occidentaux, qui voient naître un régime hostile sur les bords du golfe Persique, que l'URSS, qui craint l'extension du modèle islamique à ses républiques musulmanes. Mais l'affaiblissement du pays à la suite de la guerre contre l'Irak, puis la mort de Khomeiny, poussent le gouvernement islamique à davantage de conciliation avec l'Occident au début des années 90.

● *La guerre Iran-Irak (1980-1988)*

En attaquant l'Iran, en septembre 1980, le président irakien Saddam Hussein ne veut pas seulement écraser un régime pouvant servir de modèle aux musulmans chiites de son pays ; il cherche aussi à faire reculer la frontière avec l'Iran du milieu des eaux à la rive orientale du fleuve Chatt-el-Arab et ambitionne peut-être d'annexer le proche Khouzistan iranien, riche en pétrole. Espérant être soutenu par les pays arabes contre le traditionnel ennemi persan, il pense obtenir une victoire-éclair.

Mais la guerre entre les deux pays est interminable. À la « guerre des frontières », au cours de laquelle les Iraniens lancent contre l'ennemi des vagues d'assaut humaines peu armées comprenant des enfants, alors que les Irakiens utilisent des armes chimiques, s'ajoutent de 1984 à 1988 la « guerre des villes » (les villes sont bombardées) et la « guerre du Golfe » ou chacun tente de couler les pétroliers de l'autre, mine le Golfe et contrôle la navigation.

Les Occidentaux, qui soutenaient l'Irak en lui vendant des armes (ils en fournissaient parfois à l'Iran comme le révèle « l'affaire de l'Irangate »), ne peuvent pas accepter cette dernière forme de conflit, qui met en péril leur approvisionnement en pétrole. En 1987, ils déploient leurs flottes de guerre dans la région.

Épuisés, soumis à la pression internationale, les deux belligérants finissent par accepter le cessez-le-feu sous l'égide de l'ONU, qui devient officiel le 20 août 1988. La guerre a fait plus d'un million de morts et n'a pas permis à Saddam Hussein d'obtenir ce qu'il désirait. La minorité kurde d'Irak et d'Iran a dû faire face pendant dix ans à l'hostilité sanglante des gouvernements de Bagdad et de Téhéran.

● *La guerre du Golfe (1990-1991)*

Le Koweït est riche de son pétrole et l'Irak, très endetté à la suite de sa guerre avec l'Iran, a besoin d'argent. Hussein fait envahir le Koweït le 2 août 1990. Une coalition militaire se forme alors contre l'Irak. Pour l'Occident, il s'agit non seulement de faire respecter le droit international mais aussi de protéger son approvisionnement en pétrole et de défendre Israël.

Quelque 580 000 Irakiens font face aux 750 000 hommes (dont 510 000 Américains) d'une coalition de plus de 30 pays. La guerre, qui se déroule du 17 janvier au 28 février 1991, consiste en quarante deux jours de bombardements aériens par la coalition auxquels succèdent cent heures de combats terrestres. L'Irak oppose peu de résistance, perd la plus grande partie de son matériel militaire, plus de 50 000 hommes, et subit de graves dégâts matériels.

Dès l'annonce du cessez-le-feu (3 mars 1991), en Irak, les opposants au régime de Bagdad se soulèvent – les

DEUX MINORITÉS NATIONALES : KURDES ET ARMÉNIENS

Les Kurdes et les Arméniens sont répartis entre plusieurs États du Moyen-Orient dans lesquels ils forment des minorités opprimées. Ils luttent depuis de nombreuses décennies pour la reconnaissance de leurs droits.

Les Arméniens parlent une langue indo-européenne et sont chrétiens. Ils sont partagés depuis longtemps entre l'empire ottoman (puis la Turquie) et la Russie. Opprimés, massacrés en 1915 par les Turcs, de nombreux Arméniens ont fui à l'étranger, notamment à partir de 1923, où ils ont formé des communautés actives. Les Arméniens veulent que l'État turc reconnaisse les massacres de 1915 (génocide arménien), ainsi que leurs droits nationaux. En 1920, le traité de Sèvres prévoit la création d'un État d'Arménie, mais il ne sera jamais réalisé du fait de l'opposition de la nouvelle Turquie. Les Arméniens d'URSS ont cependant obtenu une certaine autonomie – la République fédérative d'Arménie – au sein de la Russie. En 1991, à la suite de l'éclatement de l'URSS, l'Arménie soviétique est devenue indépendante.

Les Kurdes, indo-européens eux aussi, mais musulmans, sont partagés aujourd'hui entre cinq pays : la Turquie, l'Iran, l'Irak, la Syrie et l'ex-URSS. Ils ont aussi été victimes des Turcs, qui auraient tué 700 000 d'entre eux. Moins qu'un État indépendant, les Kurdes veulent une autonomie et le respect de leur spécificité. Les Kurdes d'Irak ont fait du Kurdistan une région autonome entre 1970 et 1975, grâce à leur lutte armée et au soutien de l'Iran ; mais la réconciliation, en 1975, de l'Iran et de l'Irak, a permis à l'Irak d'y rétablir son autorité. La révolution islamique iranienne et la guerre Iran-Irak ont relancé le mouvement contestataire kurde.

chiites du Sud du pays, la minorité kurde du Nord – mais Hussein rétablit rapidement son autorité. La défaite irakienne est une humiliation pour une grande partie de la population arabe qui se reconnaissait dans son action contre les nantis de l'or noir, Israël et l'Occident. Elle est apparemment une grande victoire pour les États-Unis, principal acteur de la coalition.

Le Moyen-Orient est une zone géostratégique essentielle où les grandes puissances interviennent régulièrement. Il en résulte de grandes frustrations parmi les populations autochtones. En combattant contre l'Irak lors de la guerre du Golfe, les forces de la coalition n'ont-elles pas dressé les masses arabes contre l'Occident pour les années à venir ?

CHRONOLOGIE

1947 : plan de partage de la Palestine britannique par l'ONU.

1948 : proclamation de la création de l'État d'Israël par le leader juif Ben Gourion ; première guerre israélo-arabe.

1956 : Nasser nationalise le canal de Suez ; deuxième guerre israélo-arabe.

1967 : (juin) « guerre des six jours » (troisième guerre israélo-arabe).

1970 : « septembre noir », les Palestiniens sont chassés de Jordanie.

1973 : « guerre du Kippour » (quatrième guerre israélo-arabe) et premier choc pétrolier.

1974 : l'OLP obtient le statut d'observateur à l'ONU.

1975 : début de la guerre civile au Liban.

1978 : (septembre) accords de Camp David entre Israël et l'Égypte.

1979 : « révolution islamique » en Iran.

1980 : début de la guerre Iran-Irak.

1982 : opération « paix en Galilée » des Israéliens au Liban.

1988 : cessez-le-feu Iran-Irak.

1990 : invasion du Koweït par l'Irak.

1991 : défaite de l'Irak ; soulèvements chiites et kurdes en Irak.

LIRE AUSSI DÉCOLONISATION, TIERS MONDE, RELATIONS INTERNATIONALES (1945-1962 ; 1962-1985 ; DEPUIS 1985) ; ÉCONOMIE (1945-1973 ; DEPUIS 1973).

ORGANISATIONS INTERNATIONALES

◄── NON MILITAIRES (1918-1939)

En 1914, les organisations internationales, qu'elles soient gouvernementales (regroupant des États) ou non gouvernementales, sont peu nombreuses. En créant après 1914 une Société des Nations censée réunir la plupart des États du monde, ne veut-on pas montrer que, désormais, il est urgent pour les peuples de la terre de trouver des lieux de rencontre et de discussion ?

LA SOCIÉTÉ DES NATIONS

◄──

Naissance et objectifs de la SDN

En 1919, le président américain Wilson fait adopter son projet de Société des Nations, qu'il a présenté en 1918 dans ses *Quatorze points*. Le « pacte » qui la constitue est incorporé dans chacun des traités de paix. La SDN naît officiellement lors de l'entrée en vigueur du traité de Versailles (janvier 1920) et son siège est fixé à Genève. Aux 32 membres fondateurs (vainqueurs) s'ajoutent 13 États neutres. Tout autre pays peut faire partie de l'organisation s'il est admis par l'Assemblée générale à la majorité des deux tiers. Les vaincus en sont provisoirement exclus.

> Pour la première fois, une organisation réunit la plupart des pays libres du monde. Mais la SDN n'atteint pas son principal objectif, le maintien de la paix. ◄──

La SDN a pour objectif principal de garantir la paix : si un différend grave oppose deux États membres, elle est chargée d'aider à le résoudre en proposant son arbitrage ; en cas d'agression contre un État membre, elle peut user de sanctions morales, économiques ou même militaires contre l'agresseur ; enfin, elle doit s'efforcer d'obtenir une réduction des armements. La SDN doit par ailleurs administrer les territoires internationaux, contrôler les territoires sous

- mandats coloniaux, réviser éventuellement les traités et
- assurer la protection des minorités...

● *L'organisation de la SDN*

Elle se compose de trois organismes :

– L'Assemblée générale, qui se réunit une fois par an à Genève et où chaque État membre dispose d'une voix.

– Le Conseil, composé à l'origine de cinq membres permanents et de quatre membres provisoires choisis par l'Assemblée générale. L'Allemagne intègre la SDN en 1926 et devient membre permanent du Conseil à cette date, puis, après son retrait (1933), l'URSS, enfin admise, la remplace (1934). Le nombre des membres provisoires passe quant à lui de six en 1922 à neuf en 1926 et onze en 1933. C'est le Conseil qui doit, en cas de conflit, décider qui est l'agresseur et préconiser d'éventuelles sanctions.

– Le Secrétariat général, dirigé par un Secrétaire général permanent, prépare les documents et les rapports pour l'Assemblée et le Conseil.

– La Cour permanente de justice internationale de La Haye joue un rôle d'arbitrage dans les conflits.

En outre, plusieurs organisations spécialisées, rattachées à la SDN, sont chargées d'étendre la coopération internationale aux questions sociales (Bureau international du travail ou BIT), financières (Banque des règlements internationaux) et intellectuelles (Centre international de coopération intellectuelle).

● *Les faiblesses de la SDN*

Dès ses débuts, la SDN se révèle incapable de satisfaire les espoirs que l'on mettait en elle :

– Les États-Unis n'en sont pas membres : le sénat américain a refusé de ratifier le traité de Versailles, et donc le texte fondateur de la SDN qui y était inclus ; l'Allemagne, le Japon et l'URSS n'en font partie qu'épisodiquement. Les sanctions perdent de leur efficacité, ces grandes puissances ne se sentant pas engagées par les positions de la SDN.

– L'Assemblée, comme le Conseil, émettent des « recommandations », que les États membres ne sont en fait pas obligés de suivre. La nécessité de l'unanimité dans les recommandations, qu'elles viennent de l'Assemblée ou du Conseil, freine considérablement l'action de la SDN.

ORGANISATIONS
INTERNATIONALES
(1918-1939)

305

– La SDN ne possède pas ses propres forces armées et le Royaume-Uni, membre du Conseil de sécurité, est opposé à tout engagement armé. Il ne peut donc y avoir de sanction militaire.

En 1924, le dirigeant tchécoslovaque Bénès présente à Genève un protocole pour rendre la SDN plus efficace : il prévoit un arbitrage obligatoire des différends par la SDN ; la prise de sanctions non plus à l'unanimité du Conseil mais à la majorité des deux tiers ; la création d'une armée internationale qui serait mise à la disposition de l'organisation. Mais ses propositions restent lettre morte. En conséquence, la SDN se montre impuissante face aux problèmes graves : elle ne prend aucune mesure contre le Japon lors de l'invasion de la Mandchourie en 1931 ; les sanctions économiques contre l'Italie, qui agresse l'Éthiopie en 1935, n'ont pas de résultat ; surtout, elle assiste passivement à la violation des traités de paix par l'Allemagne en 1935 et 1936, à la guerre civile espagnole de 1936 à 1939, à l'Anschluss en 1938 et au démembrement de la Tchécoslovaquie en 1938-39.

LES AUTRES ORGANISATIONS INTERNATIONALES

En dehors de la SDN, les organisations internationales sont peu nombreuses.

Des organisations spécialisées

Les organisations spécialisées s'occupent de questions techniques et non politiques. Elles couvrent un domaine limité et leur administration est généralement modeste. Elles ne dépendent pas toutes de la SDN ; la plupart d'entre elles, nées au XIXe siècle ou à la veille de la Première Guerre mondiale, gardent leur autonomie après la guerre, en particulier parce que certains pays qui y adhèrent ne sont pas membres de la SDN ; tel est le cas des associations qui ont pour objet la gestion commune des fleuves internationaux, ou l'Union postale universelle (1874), l'Office international pour la publication des tarifs douaniers (1890), l'Union internationale pour le transport des marchandises par chemin de fer (1890), l'Office international de l'agriculture (1905)...

● **Une organisation régionale**

Les organisations régionales, qui regroupent des États d'une même région, sont quasiment inexistantes entre les deux guerres : non seulement parce que les pays indépendants (et donc libres de s'associer) sont peu nombreux, mais aussi parce que les rivalités et les tensions de l'époque ne sont pas favorables à la formation d'associations interétatiques. Le Français Briand lance bien un projet d'Union européenne en 1929, mais en vain. La seule organisation régionale importante est celle qui réunit les représentants des diverses républiques américaines dans l'Union panaméricaine (créée en 1889) : les États d'Amérique tiennent conférence de manière plus ou moins régulière ; un bureau central permanent prépare les conférences et commence à jouer un rôle diplomatique.

● **Quelques organisations non gouvernementales**

Il existe aussi des associations à caractère international, sans but lucratif, agissant en dehors des sphères gou-

---

LES INTERNATIONALES SOCIALISTES

Les Internationales sont des fédérations regroupant des partis ouvriers de divers pays, ayant pour but d'organiser le passage à une économie mondiale de type socialiste. Quatre Internationales se sont succédé.

– La Ire Internationale, fondée à Londres en 1864, regroupe des partis français, anglais, russes, autour des idées de Marx. Elle est dissoute en 1876.

– La IIe Internationale, fondée à Paris en 1889, adopte également la théorie marxiste de la lutte des classes, mais se prononce en faveur de la participation des socialistes à la vie politique parlementaire, et se rallie en 1914 au mouvement d'Union sacrée. Cet abandon du pacifisme lui vaut les critiques des « internationalistes », dont Lénine. Elle est dissoute en 1939.

– La IIIe Internationale ou Komintern, fondée par Lénine en 1919, se veut plus révolutionnaire : elle doit être un instrument de promotion de la révolution mondiale. Dominée par le Parti communiste soviétique, elle impose aux partis désireux d'y adhérer le respect de la ligne qu'il détermine. Elle est dissoute par Staline en 1943.

– En exil au Mexique, Trotski fonde en 1937 une IVe Internationale dissidente, regroupant tous les partis communistes antistaliniens.

---

vernementales. Il peut s'agir des fédérations internationales de syndicats (la Fédération syndicale internationale, reconstituée à Amsterdam en 1919, proche de la social-démocratie ; la Confédération internationale des syndicats chrétiens, fondée en 1919 ; l'Internationale syndicale rouge, sous obédience communiste, qui dure de 1921 à 1937), de fédérations de partis comme les Internationales, d'associations de savants... il y a aussi des organisations à caractère humanitaire comme la Croix rouge, créée en 1863, qui siège à Genève.

CHRONOLOGIE

1919 : création de la Confédération internationale des syndicats chrétiens et de la IIIᵉ Internationale.

1920 : (janvier) naissance officielle de la SDN.

1924 : le Tchécoslovaque Bénès propose le « protocole de Genève » pour rendre la SDN plus efficace.

1926 : adhésion de l'Allemagne à la SDN.

1933 : le Japon et l'Allemagne quittent la SDN.

1934 : adhésion de l'URSS à la SDN.

1937 : l'Italie quitte la SDN ; création de la IVᵉ Internationale.

LIRE AUSSI **RELATIONS INTERNATIONALES** (ANNÉES 20 ; ANNÉES 30).

ORGANISATIONS INTERNATIONALES

◀━━━━ NON MILITAIRES (DEPUIS 1945)

Après la guerre, et à la suite de la décolonisation, la multiplication des organisations internationales manifeste la prise de conscience d'intérêts communs.
L'Organisation des Nations unies, qui réunit la quasi-totalité des États du monde, se substitue à l'ancienne Société des Nations pour garantir la paix ; les organisations qui associent les États d'une même région ou d'une même aire culturelle se multiplient ; enfin, nombreux sont les individus qui rejoignent des organisations internationales privées avec pour objectif de réduire les déséquilibres de la planète.

L'ORGANISATION DES NATIONS UNIES

◀━━━━

La naissance de l'ONU

Au cours de la Deuxième Guerre mondiale, la Grande-Bretagne, les États-Unis et l'URSS réfléchissent aux moyens à mettre en œuvre pour éviter à l'avenir une nouvelle guerre. C'est ainsi qu'ils décident en 1943 de créer une nouvelle organisation internationale à la place de la Société des Nations. En 1945, la charte fondatrice de l'Organisation des Nations unies (ONU) est signée à San Francisco par 50 États auxquels viennent régulièrement s'ajouter de nouveaux membres : les pays d'Asie et d'Afrique qui accèdent à l'indépendance, les anciens alliés de l'Allemagne (1955 et 1956) puis la Chine communiste (1971), les deux Allemagnes (1973), et plus récemment des États nés des bouleversements en Europe de l'Est et dans l'ancienne URSS.

> *L'ONU, qui réunit la plupart des pays du monde, a pour principal objectif de maintenir la paix.*
> ◀━━━━

L'ONU, qui rassemble 160 membres à la fin de 1990, a pour tâche d'assurer le maintien de la paix, de favoriser la coopération entre les peuples et de défendre les droits de l'homme dans le monde.

Les organes centraux de l'ONU

L'ONU, dont le siège permanent est à New York depuis 1952, repose sur cinq organes centraux :

– L'Assemblée générale, composée de tous les États membres de l'organisation, lesquels disposent chacun d'une voix. Elle siège – en dehors des sessions extraordinaires – en une longue session qui s'étend de septembre à décembre. Elle peut inscrire à son ordre du jour n'importe quelle question, mais ne peut émettre que des « recommandations ».

– Le Conseil de sécurité de onze membres : cinq sont permanents (États-Unis, URSS – aujourd'hui Russie –, Royaume-Uni, France et Chine populaire) et six sont élus pour deux ans par l'Assemblée générale. C'est le Conseil qui décide, à la majorité renforcée (7 voix sur 11), des sanctions morales, économiques et même militaires (des forces armées étant alors prêtées par les pays membres) à prendre contre un État agresseur, mais le veto d'un des cinq membres permanents suffit à interdire l'exécution d'une de ces « résolutions ».

– Le Secrétariat général. Élu pour cinq ans par l'Assemblée générale sur proposition du Conseil de sécurité, le Secrétaire général est à la tête de toute l'administration ; il représente l'Organisation et il propose souvent ses « bons offices » pour aider à la résolution des différends.

– Une Cour internationale de justice, qui siège à La Haye, arbitre les conflits entre les États.

– Enfin, un Conseil économique et social est chargé de coordonner les activités des organisations spécialisées dépendantes de l'ONU.

Le budget des Nations unies et les contributions de ses membres sont fixés annuellement en fonction de leurs ressources.

Les organisations spécialisées de l'ONU et la CNUCED

L'ONU cherche aussi à améliorer la situation des populations les plus démunies.

Des organisations spécialisées dépendant de l'ONU ont cette fonction. L'Organisation pour l'alimentation et l'agriculture (FAO – 1945) s'occupe des questions agricoles et alimentaires, l'Organisation mondiale de la santé (OMS – 1946) des affaires médicales et sanitaires, l'Organisation internationale du travail (OIT – 1946) des problèmes sociaux, l'Organisation des Nations unies pour l'éducation, la science et la culture (UNESCO – 1946) des aspects culturels ; le Fonds monétaire international (FMI – 1947), et la Banque internationale pour la reconstruction et le développement (BIRD – 1946), contrôlés par le « groupe des Cinq » (États-Unis, Royaume-Uni, RFA, France, Japon) qui les financent en grande partie et y ont donc un poids prépondérant, ont pour principal objectif depuis la fin des années 70 d'accorder une aide aux États membres nécessiteux (principalement les pays pauvres) ; ils leur imposent en échange de sévères assainissements financiers.

Depuis 1964, la Conférence des Nations unies pour le commerce et le développement (CNUCED) réunit les États membres de l'ONU tous les quatre ans, pour trouver des réponses aux problèmes du développement. À la suite de la déclaration de l'Assemblée extraordinaire de l'ONU, le 1er mai 1974, elle cherche à instaurer un « nouvel ordre économique international », qui doit reposer en particulier sur le relèvement du prix des matières premières exportées par le tiers monde.

Désillusions et espoirs

Le Conseil de sécurité, qui devait être la clé de voûte de l'ONU, se relève en fait impuissant : dès le début de la guerre froide, en 1947, son mécanisme de décision est en général bloqué, car chacun des deux Grands use de son droit de veto sur les propositions de l'autre (de 1946 à 1964, il y a 103 vetos de l'URSS). L'intervention des forces de l'ONU en Corée en juin 1950 n'est possible que parce que l'URSS boycotte alors le Conseil de sécurité, en raison du refus des États-Unis d'admettre à l'ONU la Chine populaire.

Mais la politique menée par Gorbatchev à partir de 1985, puis la disparition du communisme en Europe et dans les territoires de l'ancienne l'URSS après 1989, mettent un terme à la paralysie du Conseil : il peut désormais y avoir consensus. En 1991, l'ONU condamne alors l'invasion du

L'ONU ET LA DÉCLARATION UNIVERSELLE DES DROITS DE L'HOMME

Dès sa création, l'ONU se préoccupe de rédiger un texte où seront précisés les droits de l'homme. Il ne s'agit pas de définir uniquement les libertés fondamentales (liberté de se réunir, liberté de se déplacer, liberté de la presse..), telles qu'elles étaient établies dans la Déclaration de 1789 par les membres de l'Assemblée constituante française. On considère que les conditions qui permettent aux hommes d'être réellement libres font partie des droits de l'homme et, pour cette raison, les rédacteurs (dont le Français René Cassin) s'efforcent de donner une large place aux droits économiques et sociaux.

Le texte est soumis le 10 décembre 1948 au vote des délégués de 56 pays réunis au Palais de Chaillot à Paris. Cette Déclaration universelle des droits de l'homme a été approuvée depuis par de nombreux États, mais son application reste soumise à la bonne volonté des gouvernements : l'ONU ne peut contraindre ceux-ci à la respecter. Elle n'en demeure pas moins un texte de référence pour tous ceux qui, dans le monde, agissent en faveur des droits de l'homme.

Koweït et fait intervenir les forces armées des pays membres contre l'agresseur irakien ; en 1993, elle décide une intervention en Somalie pour y ramener la paix civile. Les États-Unis, dont le leadership mondial est désormais incontesté, sont le principal acteur de ces nouvelles interventions.

LES AUTRES ORGANISATIONS INTERNATIONALES

À côté de l'ONU, il existe de nombreuses organisations régionales et des organisations privées.

Les organisations régionales des pays sous-développés

En 1948, la charte de Bogota crée l'OEA (Organisation des États américains), qui prend la suite de l'Union panaméricaine. Tous les États du continent américain en sont membres à l'exception du Canada et de Cuba (exclue en 1962). Le but de cette organisation, où les États-Unis exercent une grande influence, est à l'origine le maintien de la paix et de la sécurité sur le continent américain, notamment contre les mouvements communistes. À la fin des années 70, l'anticommunisme perd de son intensité et, au Conseil permanent, à caractère politique, s'ajoutent un Conseil économique et social et un Conseil pour l'éducation, la science et la culture.

L'OUA (Organisation de l'unité africaine) a été créée par la charte d'Addis Abeba, en 1963. Elle regroupe tous les États d'Afrique (sauf Afrique du Sud et Maroc). Dans la pratique, elle multiplie les condamnations de la colonisation et de l'Apartheid, et contribue à apaiser certains conflits frontaliers. Mais les divisions entre les États africains paralysent souvent l'Organisation.

Les États du monde arabe sont réunis depuis 1945 dans la Ligue arabe (sauf l'Égypte, exclue en 1979 après les accords de Camp David signés avec Israël), dont le but initial est de favoriser l'unité des pays arabes et de coordonner leur politique. Mais son action est entravée par le principe de l'unanimité au Conseil qui la dirige (chaque État membre disposant d'une voix) et les seuls réels succès de la Ligue concernent l'adoption d'une position commune sur le problème palestinien en 1973 et 1974 et l'accord sur un appui aux pays engagés dans la guerre contre Israël.

L'Association des nations de l'Asie du Sud-Est (ASEAN), créée en 1967, regroupe l'Indonésie, la Malaisie, les Philippines, Singapour, la Thaïlande, et Brunei (depuis 1984). Elle est chargée d'assurer la coopération régionale et d'accélérer la croissance économique et le progrès culturel ; la montée en puissance de la région lui donne un rôle de plus en plus important.

Enfin, les pays producteurs et exportateurs de matières premières, avant tout des pays du tiers monde, se regroupent parfois en cartels pour défendre leurs prix face aux pays consommateurs. Ainsi l'Organisation des pays exportateurs de pétrole (OPEP – 1960), le Conseil intergouvernemental de pays exportateurs de cuivre (CIPEC) ou l'Association des pays producteurs d'étain (APPE). C'est en s'associant dans l'OPEP que les pays exportateurs de pétrole ont pu s'enrichir considérablement au cours des années 70.

● **Les organisations régionales des pays développés**

En avril 1948 est fondée l'Organisation européenne de coopération économique (OECE) afin de répartir l'aide financière américaine du plan Marshall. En 1960, cette organisation devient l'Organisation de coopération et de développement économique (OCDE) qui regroupe non plus seulement des pays d'Europe de l'Ouest, mais aussi des pays industrialisés d'Amérique (comme les États-Unis) et d'Asie (comme le Japon). L'OCDE cherche à coordonner les politiques économiques et sociales, mais elle n'est qu'un organisme de réflexion.

La coopération entre les pays communistes s'est effectuée dans le cadre du CAEM, Conseil d'assistance économique mutuelle ou Comecon, créé en 1949, et conçu à l'origine comme une réplique de l'OECE occidentale. Le Conseil s'efforce à partir de 1954 de promouvoir la coordination et la spécialisation économique de chaque pays membre au nom de la « division socialiste du travail ». Mais cet objectif d'intégration ne s'est pas vraiment réalisé et l'effondrement du communisme dans les pays d'Europe de l'Est a entraîné la dissolution du Comecon en 1991.

L'OECE, en devenant l'OCDE, a perdu son caractère européen, mais les pays d'Europe de l'Ouest ont cherché à se regrouper de façon autonome, à l'écart des deux blocs,

LE CONSEIL DE L'EUROPE ET LA CONVENTION EUROPÉENNE DES DROITS DE L'HOMME

Cette organisation, qu'il ne faut pas confondre avec le Conseil européen, l'une des branches de l'exécutif de la Communauté économique européenne, devait à l'origine réaliser une union de plus en plus étroite entre les Européens, dans tous les domaines (politique, culturel, éconnomique, social...). Elle regroupe plus de 20 pays aujourd'hui. Son siège est à Strasbourg. Le véritable pouvoir appartient à un Conseil des ministres dans lequel chaque gouvernement dispose d'un représentant. Les décisions sont prises à l'unanimité.

Dans les faits, le Conseil de l'Europe ne joue un rôle important que dans la reconnaissance et la protection des droits de l'homme. En 1950, il élabore la « Convention européenne des droits de l'homme et des libertés fondamentales », entrée en vigueur en 1953. L'État signataire de cette Convention doit en respecter les principes et accepter les jugements rendus contre lui par une Cour européenne des droits de l'homme, si celle-ci estime que l'État viole la Convention.

dans d'autres organisations. Dès 1949, ils forment le Conseil de l'Europe qui joue un rôle important dans la reconnaissance et la protection des droits de l'homme. Surtout, le 25 mars 1957, le traité de Rome crée la Communauté économique européenne, qui réunit à l'origine six États. C'est avant tout un marché commun, mais les membres élaborent aussi des politiques communes dans certains domaines, comme l'agriculture. La CEE a un grand succès : elle s'élargit dans les années 70 et 80 à douze membres, étend les domaines de la politique commune et évolue vers l'intégration. La plupart des pays d'Europe de l'Ouest qui n'adhèrent pas à la CEE rejoignent l'AELE (Association européenne de libre-échange), fondée en 1960.

● *Les organisations non gouvernementales (ONG)*

Il existe depuis longtemps des organisations internationales qui agissent en dehors des sphères gouvernementales sans avoir de but lucratif : les fédérations de partis ; les internationales syndicales (en 1949, les syndicats non communistes constituent la CISL – Confédération internationale des syndicats libres – à côté de la FSM – Fédération syndicale mondiale – qui garde en son sein les syndicats communistes) ; les groupements religieux (en 1948, les Églises chrétiennes commencent à se regrouper au sein du Conseil oecuménique) ; les nombreuses formations scientifiques, sportives....

Mais le phénomène nouveau des trente dernières années est la multiplication des organisations qui cherchent à réduire les grands déséquilibres mondiaux et qui agissent principalement dans trois directions : la défense des droits de l'homme (Amnesty International, fondée en 1961), la protection de l'environnement (Greenpeace), et l'aide humanitaire (Frères des hommes fondé en 1965, Médecins sans frontière en 1971, Médecins du monde en 1979...).

Depuis la fin des années 80, les sources de tension s'accentuent dans le monde, en Afrique mais aussi sur les territoires de l'ancienne URSS et dans les pays de l'Europe de l'Est. Parallèlement, la disparition des blocs réduit les dissensions qui paralysaient jusqu'à présent nombre de grandes organisations et surtout la première d'entre elles,

315

- l'Organisation des Nations unies. Les organisations interna-
- tionales sont donc amenées à jouer un rôle de plus en plus
- grand dans les années à venir.
-
-
-

CHRONOLOGIE

- *1945 :* fondation de l'ONU dont la charte
- (111 articles) est signée par les représentants
- de 50 États ; fondation de la Ligue arabe.
- *1945-1947 :* fondation des organisations spécialisées de l'ONU (FAO, OMS,
- OIT, UNESCO, BIRD).
- *1948 :* fondation de l'OEA succédant à l'Union panaméricaine ; création de
- l'OECE chargée de répartir l'aide financière du plan Marshall ; création du
- Comecon ou CAEM par les pays communistes.
- *1949 :* fondation du Conseil de l'Europe.
- *1957 :* (mars) naissance de la CEE.
- *1960 :* création de l'AELE par plusieurs pays d'Europe occidentale dont le
- Royaume-Uni ; création de l'OPEP par les pays exportateurs de pétrole.
- *1961 :* fondation d'Amnesty international.
- *1963 :* fondation de l'OUA par la charte d'Addis Abeba.
- *1964 :* première réunion de la CNUCED, chargée de trouver des réponses au
- développement.
- *1967 :* fondation de l'ASEAN en Asie du Sud-Est.
-
-
-
-
-
-
-
-
-
-
-
-
-
-
-

LIRE AUSSI DEUXIÈME GUERRE MONDIALE (BILAN) ;
ORGANISATIONS INTERNATIONALES (1918-
1939) ; RELATIONS INTERNATIONALES
(1945-1962).

-
-

POPULATION MONDIALE
(DEPUIS 1945)

La population mondiale est passée de 2,3 milliards d'hommes en 1946 à environ 5,3 milliards en 1991. Ce mouvement de croissance spectaculaire, amorcé en fait à partir des années 30, cache de profondes disparités selon le niveau de développement des pays. L'explosion démographique des pays pauvres entraîne des mouvements de population importants.

LA POPULATION MONDIALE AUGMENTE FORTEMENT

> *La croissance ralentit dans les pays développés et se maintient à un rythme élevé dans le tiers monde.*

Le ralentissement de la croissance dans les pays développés

Les pays européens, les États-Unis et les pays socialistes enregistrent une croissance de leur population depuis 1945, marquée par deux phases distinctes.

La première, rapide, est due à la hausse de la natalité qui suit la Deuxième Guerre mondiale et se prolonge plus longtemps qu'après la guerre de 1914-1918. Ce baby boom fait remonter les taux de natalité à des niveaux bien supérieurs à ceux qui existaient avant 1939. Le rajeunissement de la population qui en résulte, et les progrès réalisés dans la médicalisation entraînent une diminution de la mortalité (notamment infantile). Le taux d'accroissement naturel, qui mesure l'écart entre le taux de natalité et le taux de mortalité, est donc élevé.

Le reflux démographique, qui met fin au baby boom, intervient à des dates variables : 1955 pour l'URSS, 1957 pour les États-Unis, 1964 pour l'Europe. Les taux de natalité baissent plus ou moins rapidement et retombent à des niveaux inférieurs à ceux de l'avant-guerre. La mortalité continue à baisser mais plus lentement. Le solde naturel

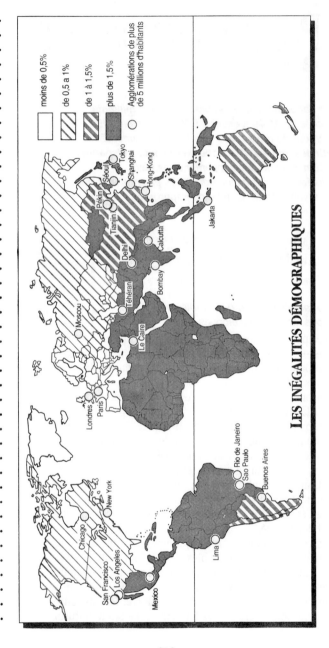

LES INÉGALITÉS DÉMOGRAPHIQUES

Légende :
- moins de 0,5%
- de 0,5 à 1%
- de 1 à 1,5%
- plus de 1,5%
- ○ Agglomérations de plus de 5 millions d'habitants

Villes indiquées : San Francisco, Los Angeles, Chicago, New York, Mexico, Lima, Rio de Janeiro, Sao Paulo, Buenos Aires, Londres, Paris, Moscou, Le Caire, Téhéran, Delhi, Bombay, Calcutta, Tianjin, Pékin, Séoul, Tokyo, Shanghai, Hong-Kong, Jakarta

318

(écart entre le nombre de naissances et le nombre de morts intervenues en une année) devient faiblement positif, voire négatif comme en Allemagne.

La population des pays riches a donc tendance à vieillir : le paiement des retraites, le financement des systèmes de soins risquent de poser des problèmes compte tenu de l'augmentation prochaine du nombre des inactifs par rapport aux actifs cotisants.

● **L'explosion du tiers monde**

La croissance des pays du tiers monde est beaucoup plus rapide, et tend à modifier les équilibres démographiques sur la planète.

Les taux de natalité restent très élevés depuis 1945, aux alentours de 40 ‰ en moyenne, avec des écarts importants. Certains pays ont mis en place des politiques de contrôle des naissances, comme l'Inde en 1951, la Chine en 1953, la Corée en 1961, le Mexique ou l'Indonésie dans les années 70 ; mais les résultats sont inégaux, souvent décevants ; les pays arabes et africains restent à l'écart de ces tentatives pour des raisons culturelles ou politiques.

Parallèlement, les taux de mortalité diminuent très fortement pour deux raisons : la population est jeune, et son état sanitaire général s'améliore grâce à la progression de la médicalisation, même si les famines continuent à décimer périodiquement le continent africain (Somalie, 1992), même si de nouvelles épidémies s'y déclarent (progression inquiétante du sida) et si la mortalité infantile reste élevée. L'espérance de vie est moins élevée que dans les pays riches.

Le taux d'accroissement naturel est toujours largement positif : 2 à 3 % actuellement.

Cette population massivement jeune connaît des problèmes différents de ceux de la population des pays riches : scolarisation des enfants, travail des adultes.

● **La transition démographique**

Pour expliquer l'évolution différentielle de la population mondiale, les démographes ont forgé la notion de transition démographique. À un régime démographique primaire de forte natalité et de forte mortalité, se traduisant par une croissance très lente, l'humanité a substitué une phase transitoire se caractérisant d'abord par une baisse de

319

la mortalité, puis ensuite par une baisse de la natalité. Toutes les régions du monde ne sont pas au même point de la transition. En Afrique, le taux d'accroissement annuel reste élevé (3 à 4 %) en raison d'une natalité encore très forte. Dans d'autres pays comme ceux d'Amérique latine, la Chine ou l'Inde en revanche, la transition est plus avancée : l'accroissement naturel est plus faible (1 à 3 %), car la natalité tend à descendre au niveau de la mortalité. Pour les pays riches, la transition démographique est achevée : la croissance est devenue très lente, avec une natalité et une mortalité basses. Ce schéma de transition démographique explique le ralentissement progressif de la croissance mondiale : de 2,1 % par an à la fin des années 50, elle n'est plus que de 1,6 % à la fin des années 80.

LES MOUVEMENTS DE POPULATION

➤

L'urbanisation, phénomène mondial

Partout dans le monde, la part de la population urbaine va en augmentant, plus ou moins rapidement : elle passe de 29 % en 1950 à 43 % environ en 1990. Dans les pays développés, elle progresse à un rythme modéré (variable selon le degré d'urbanisation déjà atteint en 1945), et concerne 53 à 75 % de la population totale. Ce sont surtout les grandes villes qui ont bénéficié de l'exode rural. Depuis une vingtaine d'années, on observe toutefois un mouvement de départ de la population aisée des centres des villes et des proches banlieues vers la grande banlieue, voire vers les communes rurales périphériques (rurbanisation). La croissance spatiale des villes entraîne des problèmes de circulation, de pollution. La hausse des prix des terrains centraux, peu à peu envahis par les commerces, les bureaux, aboutit à une ségrégation sociale ou raciale : rejetés dans des quartiers laissés à l'abandon, comme le Bronx à New York, ou dans des banlieues mal équipées, les populations à faibles revenus et les minorités raciales se regroupent dans de véritables ghettos, où sévit une délinquance endémique. En

De la campagne vers la ville, des pays pauvres vers les pays riches, tels sont les principaux mouvements migratoires.

➤

1992, les émeutes raciales de Los Angeles ont révélé brutalement l'existence de cette dichotomie.

Dans les pays du tiers monde, l'urbanisation, plus récente, est galopante : la population urbaine y représente 35 % contre 17 % après la guerre ; elle touche particulièrement le continent sud-américain, où les taux d'urbanisation sont comparables à ceux des pays riches. Les villes à croissance très rapide, véritables villes-champignons, accueillent un flot incessant de ruraux à la recherche d'une promotion sociale, et leur population jeune, à forte fécondité, entretient la croissance naturelle. Mexico est ainsi passé de 12 millions d'habitants en 1975 à plus de 20 millions aujourd'hui. Aux problèmes de circulation ou de pollution communs avec les métropoles des pays développés, les villes du tiers monde ajoutent ceux, plus spécifiques, des bidonvilles qui se multiplient en périphérie pour abriter les nouveaux arrivants dans des conditions de confort et d'hygiène déplorables.

En l'an 2000, on estime que la population urbaine l'emportera sur la population rurale dans le monde ; une soixantaine d'agglomérations devraient dépasser les 5 millions d'habitants, contre 6 en 1950 ; 80 % d'entre elles seront situées dans les pays en voie de développement.

● Les grands mouvements migratoires

Les grands mouvements migratoires résultent de plusieurs types de facteurs.

Les facteurs historiques et politiques ont provoqué des mouvements ponctuels : la division de l'Allemagne après sa défaite en 1945 aboutit au « déplacement » de 15 millions d'Allemands ; la création de l'État d'Israël en 1948 attire 2 à 3 millions de juifs au Proche-Orient ; la partition de l'Inde et du Pakistan en 1947 entraîne l'échange de 17 millions de personnes ; les mouvements de décolonisation provoquent le rapatriement de nombreux colons vers les métropoles (« pieds-noirs » français). On estime à environ 15 millions le nombre des « réfugiés » que la faim, la peur de la répression politique ou religieuse ont chassé de leurs pays d'origine vers des pays voisins rarement prêts à les accueillir. Le fonctionnement des régimes communistes d'URSS et d'Europe de l'Est a en revanche bloqué tout mouvement migratoire, d'entrée ou surtout de sortie.

Ce sont surtout les facteurs démographiques et économiques qui ont joué sur les grands courants de fond : la pauvreté et la pression démographique stimulent l'émigration chez les habitants des pays pauvres ; la forte croissance économique et l'affaiblissement démographique des pays riches créent un appel de main-d'œuvre. Deux grandes phases peuvent être distinguées.

Après 1945, les mouvements migratoires partent des pays du tiers monde vers les pays industrialisés, contrairement aux mouvements de colonisation qui caractérisaient le siècle précédent. Les États-Unis attirent des hispanophones d'Amérique centrale, et depuis les années 70, des Asiatiques de plus en plus nombreux. En Europe, l'ensemble des pays sont peu à peu devenus des terres d'immigration (les derniers en date sont ceux du Sud : Italie, Espagne...) et accueillent une main-d'œuvre provenant du Maghreb, d'Afrique noire, mais aussi d'Asie.

La crise économique en 1973 ouvre une seconde phase : la plupart des pays européens mettent en place des lois de contrôle ou même d'arrêt de l'immigration officielle. Les États-Unis ont même établi des quotas sur les immigrants sud-américains. Mais une immigration clandestine persiste. Un autre courant s'est mis en place, de 1973 au milieu des années 80, qui draine les migrants du tiers monde vers les pays du golfe Persique, dont l'activité économique s'est accélérée avec les profits liés à la hausse du prix du pétrole.

La croissance de la population mondiale ne s'est donc pas faite partout au même rythme. Même si la tendance est au ralentissement, ce sont surtout les pays du tiers monde qui assurent à l'heure actuelle l'essentiel de cette croissance, provoquent la montée de l'urbanisation et nourrissent le gros des courants migratoires vers les pays riches.

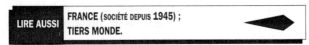

LIRE AUSSI FRANCE (SOCIÉTÉ DEPUIS 1945) ; TIERS MONDE.

PREMIÈRE GUERRE MONDIALE

(ORIGINES)

Depuis le milieu du XIXᵉ siècle, le réveil des minorités nationales et la démocratisation de certains régimes, les changements économiques et sociaux liés à la révolution industrielle, la formation des empires coloniaux transforment le visage de l'Europe. Au début du XXᵉ siècle, alors que se réveillent d'anciennes haines et de lointaines ambitions, l'expansion économique et coloniale ne peut plus se faire qu'aux dépens des autres puissances européennes. Partout, on a des raisons de faire la guerre.

LES ANTAGONISMES EUROPÉENS

Au début du siècle, les grandes puissances européennes ont toutes des raisons pour s'entre-déchirer.

Au début du siècle, de profonds antagonismes divisent l'Europe :

– La France aspire à recouvrer l'Alsace-Lorraine, qu'elle a perdue à la suite de la guerre de 1870, et à prendre sa « revanche » sur l'Allemagne. L'antagonisme franco-allemand semble s'apaiser entre 1890 et 1900, mais, après cette date, il reprend vigueur, notamment dans les milieux intellectuels.

– Le Royaume-Uni, qui a failli faire la guerre à la France en 1898 pour le contrôle du Haut-Nil (affaire de Fachoda), voit en l'Allemagne une redoutable rivale depuis que les marchandises allemandes concurrencent les produits de l'industrie anglaise en Europe, en Amérique et en Asie. L'essor de la flotte de guerre germanique, décidé par Guillaume II (empereur d'Allemagne de 1888 à 1918), est un sujet de préoccupation pour Londres.

– L'Allemagne bénéficie d'une forte croissance économique, mais son expansion est freinée par le manque de colonies dont elle a besoin pour écouler ses produits,

Entente	"Régions revendiquées"
État allié à la Russie	*Trentin*
Triple Alliance (ou Triplice)	État signataire réservé

L'EUROPE À LA VEILLE DU CONFLIT

obtenir les matières premières indispensables à son industrie et placer ses capitaux. Elle jette un regard avide sur les
colonies françaises ou britanniques.

   – L'Italie a difficilement pardonné à la France d'avoir
occupé la Tunisie avant elle, en 1881. Mais après 1900, elle
veut avant tout récupérer le Trentin et l'Istrie, peuplés
d'Italiens, et revendique la Dalmatie. Comme toutes ces
régions appartiennent à l'Autriche-Hongrie, elle est amenée
à s'opposer à cette dernière.

   – L'empire austro-hongrois doit faire face au réveil de
ses minorités slaves (Slovènes, Croates) dont les revendications nationalistes sont encouragées par la petite Serbie
indépendante du roi Pierre Iᵉʳ (roi depuis 1903) qui veut
réunir dans un État « yougoslave » tous les Slaves du Sud

(les Serbes sont slaves). L'hostilité est vive entre l'Autriche-
Hongrie et la Serbie.

– Enfin, l'antagonisme austro-russe est très développé.
Alors que la Russie se veut protectrice des Slaves,
l'Autriche-Hongrie les opprime. La Russie, comme
l'Autriche-Hongrie, aimerait contrôler les Détroits de la mer
Noire. Une guerre contre l'empire austro-hongrois serait en
outre l'occasion pour le tsar de redonner de l'éclat à son
régime, terni par la défaite militaire contre le Japon (1904-
1905), et de juguler l'opposition intérieure, très active
depuis 1905.

ALLIANCES ET TENSIONS

La formation des alliances

Pour se protéger des ardeurs bellicistes de
leurs voisins, les États européens signent entre
eux des alliances plus ou moins contraignantes et
défensives (elles fonctionnent en cas d'attaque
ennemie). La Triple Alliance – ou Triplice – groupe
l'Allemagne, l'Autriche-Hongrie et l'Italie. La Triple
Entente unit la France à la Russie et au Royaume-
Uni.

Alors que les systèmes d'alliance peuvent étendre à toute l'Europe un conflit très localisé, les tensions s'aggravent entre les grandes puissances à partir de 1907.

Le Chancelier de l'empire allemand, Bismark,
qui craint la volonté de revanche de la France,
lance le premier jalon de la Triple Alliance en
concluant en 1879 une alliance défensive entre l'Allemagne
et l'Autriche-Hongrie. L'Italie, humiliée par l'affaire tunisienne, s'y joint en 1882. Par la suite l'alliance germano-
autrichienne ne cesse de s'affirmer alors que l'alliance de
l'Italie avec ses partenaires tend à se relâcher.

En 1892-1893, la France parvient à rompre son isolement en s'alliant avec la Russie. En 1904, elle conclut avec le
Royaume-Uni une Entente cordiale. La Triple Entente
achève de se former en 1907 avec le rapprochement du
Royaume-Uni et de la Russie. Mais si la France et la Russie
sont liées par des engagements réciproques, le Royaume-
Uni, puissance coloniale rivale de la France, se borne à des
promesses générales.

- **De nouvelles tensions**

De graves tensions surviennent au Maroc et en Europe balkanique après l'achèvement de la Triple Entente.

Depuis 1905, l'Allemagne s'efforce d'empêcher la France d'établir son protectorat sur le Maroc. En 1911, lorsque les troupes françaises s'installent à Fès et à Meknès, le Reich envoie mouiller un navire de guerre à Agadir. Le conflit est évité parce que la France accepte d'abandonner à l'Allemagne une portion de territoire au Congo contre sa liberté d'action au Maroc. Mais cette crise ne fait que renforcer les ressentiments nationaux : en 1913, en France, une loi instituant le service militaire de trois ans est votée et le Lorrain Poincaré, partisan résolu de la revanche contre l'Allemagne, devient président du Conseil.

En 1908-1909, l'Autriche-Hongrie annexe les provinces slaves de Bosnie et d'Herzégovine, anciennement sous contrôle ottoman. En 1912-1913, à l'occasion des deux guerres balkaniques, la Serbie étend son territoire et son influence aux dépens de l'empire ottoman, qui perd la plus grande partie de ses possessions européennes (mais garde le contrôle des Détroits). Ces bouleversements avivent le nationalisme serbe et excitent l'Autriche-Hongrie contre la Serbie.

L'ÉTÉ 1914

L'attentat de Sarajevo

Le 28 juin 1914, François Ferdinand de Habsbourg, héritier du trône de l'empire austro-hongrois, visite Sarajevo, en Bosnie. Il est assassiné par deux terroristes bosniaques, membres d'une organisation secrète dont les dirigeants sont serbes. Arrêtés, ils affirment avoir voulu par leur geste contribuer à réaliser l'unité des Slaves du Sud autour de la Serbie.

> L'attentat de Sarajevo est l'occasion pour l'Autriche-Hongrie de déclarer la guerre à la Serbie. Aussitôt, le conflit se généralise.

L'Autriche-Hongrie a un prétexte pour écraser la Serbie à laquelle, en accord avec l'Allemagne, elle adresse un ultimatum inacceptable : les Serbes doivent laisser les Autrichiens mener une enquête dans leur pays.

L'engrenage

La Serbie rejette l'ultimatum et, le 28 juillet, l'Autriche lui déclare la guerre. La Russie décrète la mobilisation générale le 30 juillet. L'Allemagne déclare la guerre à la Russie le 1er août, puis à la France le 3, après que cette dernière a décidé à son tour la mobilisation. L'Italie prend prétexte de ce que ses alliés n'ont pas été attaqués pour rester neutre. Le Royaume-Uni déclare la guerre à l'Allemagne le 4 août, lorsque celle-ci décide de violer la neutralité de la Belgique. Enfin, le Japon, allié de l'Angleterre, déclare la guerre à l'Allemagne le 23 août.

Fin août 1914, la plupart des puissances européennes sont en guerre : parce que les alliances les engagent à soutenir leurs alliés en cas d'attaque ennemie, mais surtout parce que les rivalités européennes sont exacerbées. On pense que la guerre sera courte, et rares sont alors les pacifistes.

CHRONOLOGIE

1881 : la France occupe la Tunisie que l'Italie voulait coloniser.

1882 : formation de la Triple Alliance (Allemagne, Autriche-Hongrie, Italie).

1898 : « affaire de Fachoda » : la France et le Royaume-Uni ont failli se faire la guerre pour le contrôle du Haut-Nil.

1907 : formation de la Triple Entente (France, Russie, Royaume-Uni).

1908-1909 : l'Autriche-Hongrie annexe les provinces slaves de Bosnie et d'Herzégovine anciennement sous contrôle ottoman.

1912-1913 : deux guerres balkaniques permettent à la Serbie d'étendre son territoire aux dépens de l'empire musulman.

1914 : (28 juin) attentat de Sarajevo ; (28 juillet) l'Autriche déclare la guerre à la Serbie ; (1er août) l'Allemagne déclare la guerre à la Russie ; (3 août) l'Allemagne déclare la guerre à la France ; (4 août) le Royaume-Uni déclare la guerre à l'Allemagne, qui a violé la neutralité de la Belgique ; (23 août) le Japon déclare la guerre à l'Allemagne.

LIRE AUSSI PREMIÈRE GUERRE MONDIALE (ÉTAPES).

PREMIÈRE GUERRE MONDIALE

◀━━ (ÉTAPES)

En août 1914, les empires centraux (Allemagne et Autriche-Hongrie) sont prêts à affronter les membres de l'Entente, appelés aussi Alliés (France, Russie, Royaume-Uni). Dans chaque pays, les appels à l'unité contre l'ennemi ont un grand succès, amenant parfois la formation de gouvernements d'union nationale, qui regroupent tous les partis politiques. Les combattants partent avec enthousiasme au front sans imaginer que la guerre pourrait être longue et meurtrière.

UNE GUERRE DE MOUVEMENT

◀━━

> À l'Ouest, les armées des empires centraux, qui ont envahi la France, sont refoulées sur l'Aisne ; à l'Est, les armées russes commencent à reculer. **◀━━**

Les forces en présence

Au début du conflit, les empires centraux possèdent de nombreux avantages sur leurs adversaires : meilleur équipement de leurs armées, disponibilité immédiate de leurs troupes, commandement unique. Mais à moyen terme, les conditions de la guerre sont plus favorables aux Alliés : leurs réserves en effectifs sont plus importantes grâce à la puissance démographique de la Russie ; leurs vastes empires coloniaux leur permettent de compter sur un approvisionnement en vivres et matières premières presque inépuisable ; les flottes anglaise (première du monde) et française (quatrième du monde) surclassent la flotte germanique.

Aussi les dirigeants allemands, qui craignent qu'une guerre longue ne tourne en leur défaveur, cherchent-ils à l'emporter rapidement.

Sur le front occidental

En 1914, le plan allemand, appelé plan Schlieffen, prévoit, pour éviter le combat simultané sur deux fronts,

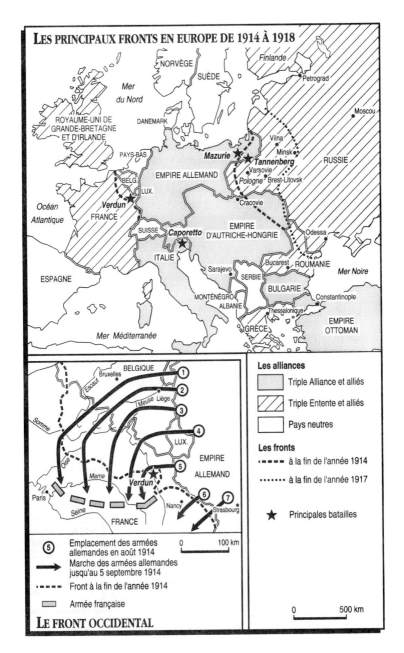

LES PRINCIPAUX FRONTS EN EUROPE DE 1914 À 1918

NORVÈGE
SUÈDE
Finlande
Petrograd
Mer
du Nord
Moscou
ROYAUME-UNI DE
GRANDE-BRETAGNE
ET D'IRLANDE
DANEMARK
Vilna
PAYS-BAS
Minsk
RUSSIE
Mazurie ★ ★ *Tannenberg*
BELG.
EMPIRE ALLEMAND
Varsovie
LUX.
Pologne Brest-Litovsk
Océan
Atlantique
Verdun ★
FRANCE
Cracovie
SUISSE *Caporetto* ★
EMPIRE
D'AUTRICHE-HONGRIE
Odessa
ITALIE
ESPAGNE
Sarajevo
SERBIE
Bucarest ROUMANIE
Mer Noire
BULGARIE
MONTÉNÉGRO
Constantinople
ALBANIE
Thessalonique
EMPIRE
OTTOMAN
Mer Méditerranée
GRÈCE

LE FRONT OCCIDENTAL

BELGIQUE
Bruxelles
Escaut
Liège ①
Meuse ②
Somme ③
④
LUX.
EMPIRE
ALLEMAND
Oise
Marne ⑤
Verdun
Paris
⑥ ⑦
Seine
Nancy
Strasbourg
FRANCE

⑤ Emplacement des armées
allemandes en août 1914
→ Marche des armées allemandes
jusqu'au 5 septembre 1914
---- Front à la fin de l'année 1914
▨ Armée française

0   100 km

Les alliances

▨ Triple Alliance et alliés

▨ Triple Entente et alliés

☐ Pays neutres

Les fronts

–·–·– à la fin de l'année 1914

········· à la fin de l'année 1917

★ Principales batailles

0   500 km

329

d'écraser la France en passant par la Belgique neutre avant de se retourner contre la Russie.

En août, en application de ce plan, les Allemands envahissent la Belgique puis pénètrent en France. Mais l'aile droite allemande, commandée par Von Klück, fonce vers le Sud-Est à la poursuite de l'armée française et défile devant Paris, s'exposant imprudemment à une attaque à partir du camp retranché organisé aux abords de la capitale. Le général en chef français, Joffre, donne aux troupes en retraite l'ordre de passer à la contre-offensive, tandis que l'armée française stationnée sous Paris attaque sur leur flanc les divisions de Von Klück. La bataille de la Marne, qui dure six jours (6-12 septembre), est une victoire pour les Français : les Allemands doivent reculer jusqu'à l'Aisne.

Les deux armées tentent alors en vain de se déborder par l'Ouest : c'est la « course à la mer ». À la mi-novembre, elles se stabilisent face à face, le long d'un front qui s'étend sur 800 km, de la mer du Nord à la frontière suisse.

Sur le front oriental

Les armées russes, qui ont commencé leur offensive dès le mois d'août, obligeant le général en chef allemand Moltke à prélever quatre divisions à l'Ouest pour les transporter sur le front oriental, sont battues à Tannenberg (27-30 août) et aux lacs de Mazurie (8-10 septembre). Elles commencent alors un recul vers l'Est qui ne va guère cesser jusqu'en 1917.

UNE GUERRE QUI S'ENLISE

La guerre des tranchées

Sur le front occidental, les troupes, face à face, s'enterrent dans des tranchées au tracé sinueux (pour éviter les tirs d'enfilade), précédées de réseaux de fil de fer barbelé, séparées par un espace de un ou deux kilomètres sur lequel tous les engagements se livrent. En hiver et lors des pluies, les tranchées deviennent un cloaque d'eau fétide ou de boue glaciale. L'armement s'adapte · les mor-

En novembre 1914, commence, à l'Ouest, la longue guerre des tranchées, qui pousse les deux camps à élargir leurs alliances.

tiers, les grenades, au tir courbe, les lance-flammes et les gaz asphyxiants jouent un rôle croissant ; les deux adversaires s'observent grâce à des ballons captifs – les saucisses – et à des avions, qui finissent par se livrer à des combats dans les airs ou à des attaques au sol (les exploits de l'aviateur français Guynemer sont célèbres).

Toutes les offensives pour percer le front se soldent par des échecs. Tel est le cas de l'offensive des Français et des Anglais en Artois et en Champagne en 1915, des Allemands à Verdun de février à juin 1916, des Français sur la Somme, la même année, ou sur le Chemin des Dames en avril et mai 1917. La résistance de Verdun marque particulièrement l'opinion, non seulement parce que les Français, commandés par le général Pétain, tiennent bon face aux assauts de l'adversaire, mais aussi parce que les combats sont extrêmement meurtriers, faisant de chaque côté autour de 350 000 morts.

La mobilisation intérieure

À l'arrière, la pénurie de main-d'œuvre qui résulte de la guerre nécessite la mobilisation des non-combattants. Les femmes prennent la place des hommes dans de nombreux métiers et la main-d'œuvre est complétée par l'appel aux étrangers, aux ressortissants coloniaux, voire aux prisonniers de guerre. Les ouvriers spécialisés sont rappelés du front pour travailler en usine.

Les États, dérogeant au libéralisme, interviennent pour organiser la production de guerre. Ils reconvertissent ou créent des usines, répartissent les matières premières, s'occupent des communications, imposent le rationnement. Leurs dépenses, de plus en plus lourdes, creusent les déficits budgétaires, qu'ils comblent en augmentant la fiscalité (surtout en Angleterre), en recourant à l'emprunt (surtout en France et en Allemagne) ou en faisant fonctionner la « planche à billets », ce qui donne naissance à l'inflation.

Pour éviter que l'arrière faiblisse, les États censurent la presse (les mauvaises nouvelles sont supprimées), font surveiller le courrier et intensifient la propagande.

De nouveaux fronts

La guerre se prolonge et chacun des deux camps cherche à se trouver de nouveaux alliés. En novembre 1914, les empires centraux reçoivent l'aide de l'empire ottoman, puis de la Bulgarie en septembre 1915. De son côté, l'Entente obtient l'appui de l'Italie en mai 1915 (à laquelle elle promet, par le traité de Londres, d'importants avantages territoriaux en cas de victoire) et de la Roumanie en 1916.

Il en résulte une extension des théâtres d'opération.

– Dans le Nord de l'Italie : après deux ans de combat, les Autrichiens infligent à l'armée italienne, en octobre 1917, le désastre de Caporetto.

– Dans les Balkans : les Serbes sont mis hors combat à la fin de 1915 par une offensive combinée des Bulgares et d'une armée austro-allemande.

– Au Moyen-Orient : les Anglais, appuyés par la révolte arabe contre la domination ottomane, s'emparent de Jérusalem puis de la Mésopotamie (1917).

LA FIN DE LA GUERRE

La lassitude des hommes

En 1917, la lassitude s'empare des combattants : des mutineries éclatent en France au mois de mai ; le mouvement d'agitation gagne la flotte allemande durant l'été et, à l'automne, le désastre de Caporetto est suivi d'une vague de désertion dans l'armée italienne. Elle s'empare aussi des civils : la pénurie, due à la nécessité de satisfaire avant tout les besoins militaires, au manque de main-d'œuvre, aux destructions, et qui est renforcée en Allemagne par le blocus naval allié et en Angleterre par les effets de la guerre sous-marine allemande, alimente la hausse des prix et exaspère les populations.

L'entrée en guerre des États-Unis aux côtés des Alliés, en 1917, permet à ceux-ci de l'emporter en 1918.

Dans ces conditions, le courant pacifiste se renforce, notamment chez les socialistes. En France, ces derniers, qui avaient soutenu l'effort de guerre depuis 1914, décident de rompre l'« Union sacrée » en 1917 et de quitter le gouvernement. Surtout, en Russie, les Bolcheviks, dont le chef Lénine a préconisé la paix immédiate dans ses *Thèses d'avril* (1917), s'appuient sur la crise morale pour s'emparer du pouvoir

par la « révolution d'Octobre », puis engagent des négociations avec l'Allemagne, qui aboutissent à la signature d'un
armistice séparé, à Brest-Litovsk, le 15 décembre 1917 (suivi
par le traité de paix de Brest-Litovsk du 3 mars 1918).

L'intervention américaine

Dès la déclaration de guerre, Anglais et Français ont
mis les côtes allemandes en état de blocus, condamnant
l'Allemagne à ne plus rien recevoir par mer et rendant dramatique la situation économique des empires centraux à la
fin de 1916. En représailles, l'Allemagne a déclenché une
guerre sous-marine, qu'elle veut totale à partir de janvier
1917 : ses sous-marins ont reçu l'ordre de couler tout navire
ennemi ou neutre se trouvant dans les eaux britanniques ;
l'état-major allemand espère ainsi contraindre le Royaume-
Uni à la paix avant l'entrée en guerre des États-Unis.

Mais cela ne fait que précipiter l'intervention américaine. Les États-Unis ont établi depuis 1914 un commerce
maritime fructueux avec les puissances de l'Entente, lié aux
énormes besoins militaires de celles-ci. Par ailleurs, la
France et l'Angleterre ont beaucoup emprunté aux banques
américaines. Les Américains ne peuvent donc tolérer ni la
guerre sous-marine contre le Royaume-Uni, qui ruinerait
leur commerce, ni la défaite des Alliés, fortement débiteurs.
La divulgation d'intrigues menées par les Allemands pour
tenter de provoquer une guerre entre eux et le Mexique renforce le courant favorable à l'intervention. Les États-Unis
déclarent solennellement la guerre à l'Allemagne le 6 avril
1917, et ils sont suivis par de nombreux pays d'Amérique
latine.

La victoire alliée

Libérés de la guerre à l'Est depuis l'armistice avec la
Russie, les Allemands tentent de réussir la percée sur le
front occidental avant l'arrivée des Américains. Le 21 mars
1918, ils lancent leur grande offensive qui, en juillet, les
conduit sur la Marne. Paris, bombardée par l'artillerie
lourde, est menacée.

Mais l'armée allemande est épuisée et les Alliés, qui ont
unifié leur commandement sous la direction du général
Foch en avril 1918, bénéficient désormais de l'envoi de centaines de milliers de soldats américains (60 000 en mars,

240 000 en mai, 1,9 million en octobre 1918 sur le sol européen) et d'un flot inépuisable de matériel. La seconde
bataille de la Marne, engagée le 18 juillet 1918, débouche en
quatre mois sur la reconquête de toute la France du Nord.
L'effondrement des puissances centrales se précipite : la
Bulgarie signe l'armistice le 29 septembre ; la Turquie, le
30 octobre ; l'Autriche-Hongrie, vaincue par l'Italie à Vittorio
Veneto (24 octobre), le 4 novembre ; l'Allemagne cède après
l'abdication de l'empereur Guillaume II : elle signe l'armistice à Rethondes, près de Compiègne, le 11 novembre 1918.

La guerre a duré quatre ans et demi. De « guerre de
mouvement », elle s'est muée en « guerre de position » sur le
front occidental, alors que les armées russes faisaient
retraite face aux armées des empires centraux et qu'un peu
partout les Alliés subissaient des défaites. L'année 1917 est
le tournant de la guerre : la lassitude s'installe, la Russie
signe un armistice avec l'Allemagne, les États-Unis entrent
dans le conflit aux côtés des Alliés. En 1918, le rapport de
force tourne finalement au profit de ces derniers.

CHRONOLOGIE

1914 : bataille de Belgique (front occidental) ;
défaite russe à Tannenberg (front oriental) ;
bataille de la Marne.
1915 : offensives alliées en Artois et en Champagne.
1916 : offensive allemande sur Verdun ; offensive alliée sur la Somme.
1917 : les États-Unis entrent en guerre ; échec de l'offensive Nivelle dans
l'Aisne ; début des troubles dans l'armée française ; les Italiens battus par les
Autrichiens à Caporetto.
1917-1918 : (17 décembre) armistice puis (mars 1918) traité de Brest-Litovsk
entre l'URSS et l'Allemagne.
1918 : offensive générale des Allemands sur la Picardie, la Flandre puis la
Champagne ; début de la contre-offensive victorieuse des Alliés ; armistices
des empires centraux : (4 novembre) Autriche-Hongrie à Villa Giusti,
(11 novembre) Allemagne à Rethondes.

LIRE AUSSI **PREMIÈRE GUERRE MONDIALE** (ORIGINES) ;
RUSSIE (RÉVOLUTIONS DE **1917**).

PREMIÈRE GUERRE MONDIALE

(BILAN)

L'armistice est accueilli avec une immense joie. Alors que les anciens combattants, choqués par l'horreur de la guerre, aspirent désormais à vivre intensément, les femmes s'émancipent et réclament le droit de vote. Cela ne sera plus jamais comme avant.

UNE EUROPE AFFAIBLIE

> *La guerre a affaibli l'Europe au principal bénéfice des États-Unis.*

La saignée démographique

Le conflit a saigné l'Europe. Les combats ont fait plus de 8 millions de morts et 6,5 millions d'invalides. L'Allemagne et la Russie sont les plus touchées avec chacune 1,7 million de morts. L'Autriche-Hongrie et la France en comptent respectivement 1,45 et 1,35 million, le Japon et les États-Unis 300 000 et 100 000.

À côté des gros bataillons de paysans, les élites intellectuelles ont versé un lourd tribut : en France, Charles Péguy, Alain Fournier, Guillaume Apollinaire sont morts. L'affaiblissement des populations a favorisé le développement d'épidémies comme la « grippe espagnole » qui, en 1918, a tué près d'un million de gens. Enfin, les taux de natalité se sont effondrés du fait de la séparation des ménages ou de l'angoisse provoquée par le péril, donnant naissance à des « classes creuses » (classes d'âges moins nombreuses).

Ces pertes affectent le dynamisme des nations européennes et la formation des « classes creuses » va entraîner, dans les années 30, leur stagnation démographique.

Le désastre matériel et financier

La France du Nord et du Nord-Est, l'Italie du Nord-Est, la Russie d'Europe, qui ont été les principaux théâtres d'opération militaire, sont en partie ruinées. La France et le Royaume-Uni ont respectivement perdu 30 % et 20 % du tonnage de leur flotte marchande.

335

La dette publique a considérablement augmenté, passant en France de 33,5 milliards de francs-or en 1914 à 219 milliards en 1919, ainsi que la dette extérieure qui atteint, en France, 33 milliards de francs-or en 1919.

Quadruplant dans l'hexagone, les prix ont partout au moins doublé pendant le conflit ; à l'issue de celui-ci, la hausse s'accentue, parce que les États, dont les dépenses sont très lourdes, doivent faire fonctionner la « planche à billets » et parce que la demande de biens de consommation est très forte alors que la production reste faible.

Le transfert de puissance

Le conflit a fait perdre à l'Europe sa suprématie.

Les États-Unis et le Japon ont profité de la guerre pour affirmer leur puissance. De débiteurs avant le conflit, les États-Unis sont devenus les créanciers du Vieux continent à l'issue de celui-ci, et ce sont eux qui prêtent désormais des capitaux aux pays neufs ; leur production, stimulée par les énormes besoins de l'Europe en guerre, a fortement augmenté et leur commerce a supplanté le commerce européen en Amérique latine. De son côté, le Japon s'est imposé sur les marchés asiatiques.

La domination de l'Europe commence par ailleurs à être contestée dans les colonies : la participation de celles-ci à la défense des métropoles, la diffusion des principes wilsoniens du droit des peuples à l'autodétermination, la victoire des communistes en Russie, qui fustigent le colonialisme, ont réveillé le nationalisme des peuples colonisés.

UNE EUROPE REMANIÉE

La conférence de la paix

Les traités de paix mettant fin à la guerre sont préparés par la conférence de la Paix, qui réunit les pays vainqueurs à Paris à partir du 18 janvier 1919. Le président du Conseil français, Clemenceau, le Premier ministre britannique Lloyd George, le président des États-Unis Wilson dominent les débats. Il s'agit pour eux non seulement de satisfaire leurs intérêts nationaux, mais aussi de mettre en place un ordre

En remaniant la carte de l'Europe, les vainqueurs essaient de satisfaire leurs intérêts tout en créant les conditions futures de la paix.

international plus juste : le texte servant de base à la discussion est le message en 14 points du président Wilson de janvier 1918, qui défend le droit à l'autodétermination des peuples et la création d'une association de nations qui aurait pour objectif de garantir la paix mondiale.

À l'issue de ces discussions, cinq traités sont signés entre les Alliés et les pays vaincus. Ils sont précédés d'un préambule créant une Société des Nations.

● **Le traité de Versailles**

Le traité de Versailles, signé avec l'Allemagne le 28 juin 1919, est très dur pour celle-ci. Déclarée responsable, avec ses alliés, du déclenchement du conflit, elle est condamnée à payer aux Alliés de lourdes réparations pour dommages de guerre. Elle perd une partie de son territoire (elle doit en particulier restituer l'Alsace et la Lorraine à la France) et ses quelques colonies. La Sarre est placée sous contrôle de la SDN pour une durée de 15 ans, au terme desquels les habitants de la région pourront par plébiscite choisir le rattachement à la France ou à l'Allemagne. La rive gauche du Rhin qui sera au préalable occupée de 5 à 15 ans par les Alliés et une bande de 50 kilomètres sur la rive droite sont définitivement démilitarisées. Enfin, le service militaire est aboli et l'armée allemande, limitée à 100 000 hommes, est privée de chars, de sous-marins, d'avions et d'artillerie lourde.

● **Le démembrement des empires**

Le traité de Saint-Germain-en-Laye signé avec l'Autriche (10 septembre 1919) et celui de Trianon, avec la Hongrie (4 juin 1920), consacrent l'éclatement de l'empire austro-hongrois en de nouveaux États : Tchécoslovaquie, Yougoslavie, Autriche, Hongrie et Pologne (reconstituée à partir de territoires pris à l'Autriche-Hongrie, mais aussi à l'Allemagne et à la Russie) et rattachent certaines régions à des États déjà existants : la Transylvanie à la Roumanie, le Trentin et une partie de l'Istrie à l'Italie. Le traité de Neuilly avec la Bulgarie (27 novembre 1919), ampute cette dernière de territoires au profit des États voisins.

Le traité de Sèvres avec la Turquie (10 août 1920), démilitarise les Détroits et démembre l'empire ottoman : la Grèce reçoit en particulier la Thrace orientale et Smyrne ; de nouveaux États apparaissent (Égypte, Arabie, Palestine,

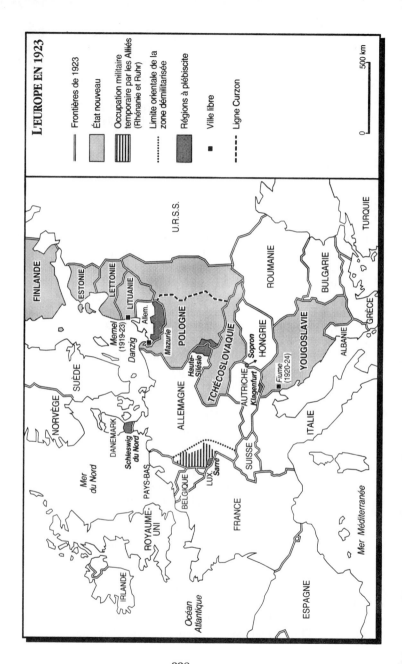

L'EUROPE EN 1923

— Frontières de 1923

État nouveau

Occupation militaire temporaire par les Alliés (Rhénanie et Ruhr)

Limite orientale de la zone démilitarisée

Régions à plébiscite

■ Ville libre

— · — Ligne Curzon

0 _____ 500 km

U.R.S.S.

FINLANDE

ESTONIE

LETTONIE

LITUANIE

Memel (1919-23)
Danzig ■
Allem.
Mazurie
POLOGNE

NORVÈGE

SUÈDE

DANEMARK
Schleswig du Nord

Mer du Nord

ROYAUME-UNI

IRLANDE

Océan Atlantique

PAYS-BAS

BELGIQUE
LUX.
Sarre

FRANCE

ESPAGNE

ALLEMAGNE

SUISSE

AUTRICHE
Klagenfurt
HONGRIE
Sopron
Fiume (1920-24) ■

Haute-Silésie

TCHÉCOSLOVAQUIE

ITALIE

Mer Méditerranée

ROUMANIE

YOUGOSLAVIE

BULGARIE

ALBANIE

GRÈCE

TURQUIE

Irak, Transjordanie, Syrie, Liban...) placés par la SDN sous la tutelle du Royaume-Uni ou de la France (mandats) ; la Turquie est réduite à la région d'Istanbul et à une partie de l'Asie Mineure.

À l'issue des traités, il reste cependant bien des incertitudes : certaines régions devront décider par plébiscite à quel pays elles veulent appartenir, alors que certaines villes sont déclarées libres.

DE VIVES TENSIONS

Alors que les difficultés de l'après-guerre entraînent une forte agitation politique et sociale, les traités suscitent rancœurs et tensions.

L'agitation politique et sociale

La quasi-totalité des régimes politiques européens sont devenus des démocraties à l'issue de la guerre. Mais elles sont très fragiles. Les difficultés sociales de l'après-guerre et l'exemple bolchevik favorisent le développement de mouvements révolutionnaires dans les nouvelles républiques d'Allemagne et de Hongrie en 1919 ; au Royaume-Uni, en France et en Italie (qui est aussi le théâtre de troubles agraires), le mécontentement se traduit par des vagues de grèves au printemps 1919 et en 1920.

En effrayant les classes possédantes, l'agitation politique et sociale contribue à la montée du fascisme en Italie et à la naissance d'un régime autoritaire en Hongrie.

Les nouvelles tensions internationales

En 1920, à l'issue des traités, de nouveaux litiges apparaissent entre les puissances européennes : l'Allemagne, humiliée par le traité de Versailles, qu'elle considère comme un *Diktat* (commandement), n'admet pas d'être coupée en deux par le corridor polonais et accepte difficilement les très lourdes réparations. La Turquie refuse de laisser à la Grèce la Thrace orientale et la région de Smyrne, la Bulgarie d'être privée de son accès à la mer Égée, la Hongrie d'être réduite à un tiers de son ancienne superficie. L'Italie n'a renoncé ni à Fiume, ni à la côte dalmate, qui ont été octroyés à la nouvelle Yougoslavie. La Russie n'est résignée ni à la perte des trois États baltes, qui ont conquis leur indépendance en 1918-1920, ni à celle de la Bessarabie, annexée par la Roumanie en 1918. La Pologne, qui rêve de retrouver ses limites de 1772, ne veut pas de la « ligne Curzon » qui lui a été proposée comme frontière orientale par les Alliés en 1919.

● **Le problème des minorités nationales**

Certaines nationalités ont obtenu, grâce aux traités, la création d'États souverains. Mais sur les 450 millions d'Européens, 30 millions (contre 60 en 1914) vivent encore hors de leur patrie : tel est le cas des 3 millions d'Allemands des Sudètes qui, après avoir fait partie du groupe dominant de l'empire austro-hongrois, se retrouvent minoritaires en Tchécoslovaquie, ou des Hongrois, qui sont désormais 700 000 à vivre en Tchécoslovaquie et 1,3 million en Roumanie.

La Première Guerre mondiale a engagé le Vieux continent dans la voie du déclin tout en favorisant l'essor du Japon et des États-Unis. Elle est aussi à l'origine d'une nouvelle carte de l'Europe qui crée les conditions objectives de nouvelles guerres.

CHRONOLOGIE

1918 : annexion de la Bessarabie par la Roumanie.

1919 : conférence de la paix réunissant les pays vainqueurs ; (juin) traité de Versailles signé entre les Alliés et l'Allemagne ; création de la SDN ; traité de Saint-Germain-en-Laye entre les Alliés et l'Autriche ; traité de Neuilly entre les Alliés et la Bulgarie.

1919-1920 : (janvier 1919) tentative d'insurrection en Allemagne ; début de la guerre russo-polonaise ; grandes grèves au Royaume-Uni, en France, en Italie.

1920 : traité de Trianon entre les Alliés et la Hongrie ; traité de Sèvres entre les Alliés et la Turquie.

LIRE AUSSI PREMIÈRE GUERRE MONDIALE (ORIGINES ; ÉTAPES). ◄████

RELATIONS INTERNATIONALES
(ANNÉES 20)

Le monde sort bouleversé de la Première Guerre mondiale. Le Japon a profité de la guerre pour s'étendre dans le Pacifique, ce qui irrite bon nombre de nations. Les États-Unis ont renforcé leur économie, ce qui leur donne un poids plus important dans les rapports internationaux. En Europe, l'apparition d'un État communiste en Russie, les traités de paix, considérés comme injustes par les vaincus, créent de nouvelles rivalités entre les nations.

LES ÉTATS-UNIS ET LE MONDE

> Vers 1920, les États-Unis font le choix de l'isolationnisme. Tout en cherchant à contenir l'expansionnisme japonais.

L'« isolationnisme » des États-Unis

En novembre 1919, le sénat américain refuse de ratifier le traité de Versailles et les États-Unis renoncent par là même à faire partie de la Société des Nations, dont le pacte fondateur était inclus dans le traité. La victoire du républicain Harding contre le candidat démocrate parrainé par Wilson aux élections présidentielles de 1920 démontre bien la force du courant isolationniste qui traverse alors les États-Unis et pousse le pays à se replier sur lui-même (protectionnisme, quotas d'immigration retour aux « valeurs » américaines...).

Mais ce repli est relatif. Les États-Unis ne peuvent se désintéresser complètement de l'Europe, parce qu'ils y exportent une partie de leur production et parce que celle-ci a contracté auprès d'eux, au cours de la guerre, des emprunts qu'elle doit désormais rembourser. Surtout, les États-Unis n'ont pas renoncé à intervenir dans leur « périmètre de sécurité » : en Amérique latine d'abord, où ils cherchent à protéger leurs intérêts économiques ; dans le Pacifique ensuite où la montée en puissance du Japon, qui a su profiter de la guerre et des traités de paix pour faire de la

Chine un État semi-colonial et s'emparer du Shandong, les
inquiète.

● **La conférence de Washington**

C'est à l'initiative du secrétaire d'État américain Hugues que se tient une conférence internationale à Washington de novembre 1921 à février 1922, consacrée au désarmement naval et à la situation dans le Pacifique. Elle débouche sur plusieurs accords. Les États-Unis, le Royaume-Uni, le Japon, la France et l'Italie fixent un système de quotas pour leurs gros navires de guerre. Ces puissances ainsi que la Chine, la Belgique, les Pays-Bas et le Portugal s'engagent à maintenir l'indépendance et l'intégrité territoriale de la Chine. Les États-Unis, le Japon, la France et le Royaume-Uni font serment de maintenir le statu quo dans le Pacifique. Enfin, le Japon accepte de renoncer à la plupart de ses droits au Shandong. Ces accords satisfont pleinement les États-Unis puisqu'ils entérinent leur suprématie militaire dans le domaine naval et contiennent l'expansionnisme japonais.

L'EUROPE EN CRISE (1920-1924)

De son côté, l'Europe est déchirée par les querelles et les conflits locaux.

Les querelles européennes

Vers 1920, l'Europe est déchirée par ses querelles :

– Nombreux sont les États européens, mécontents des traités de paix et qui ont pour ambition de modifier leurs frontières, par la force si nécessaire. C'est le cas des puissances vaincues (notamment de la Turquie, qui, par le traité de Sèvres de 1920, a dû laisser à la Grèce la Thrace orientale et la région de Smyrne, démilitariser les Détroits et accepter une aggravation du régime des capitulations qui donne des privilèges en Turquie aux Occidentaux), mais aussi de l'Italie qui n'a pu obtenir ni Fiume ni la côte dalmate, ou de la nouvelle Pologne, qui refuse d'accepter la ligne Curzon proposée comme frontière orientale par les Alliés.

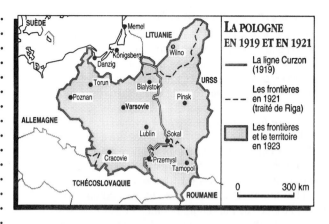

LA POLOGNE EN 1919 ET EN 1921

— La ligne Curzon (1919)

- - - Les frontières en 1921 (traité de Riga)

Les frontières et le territoire en 1923

0   300 km

– L'antagonisme est vif entre la France, gouvernée par les partis du « bloc national », qui veulent la stricte application du traité de Versailles et l'Allemagne, humiliée par un traité qu'elle considère comme un *Diktat* et dont elle veut la révision.

– Les relations sont conflictuelles entre la France et le Royaume-Uni parce que ces deux pays sont en compétition au Moyen-Orient et parce que les Britanniques, contrairement aux Français, sont favorables au redressement de l'Allemagne (ils craignent une hégémonie française sur le continent, et un effondrement de l'Allemagne nuisible à leur commerce).

– Enfin, beaucoup d'États sont hostiles à la Russie soviétique qui a nationalisé les entreprises étrangères sur son sol, qui se refuse à rembourser les emprunts contractés par le gouvernement tsariste en Europe avant la révolution, et qui appelle les peuples du monde à se soulever contre leurs gouvernements (1920).

Les guerres et les coups de force pourraient être évités s'il y avait des garde-fous. Mais les États-Unis ne veulent pas être les « gendarmes » de l'Europe et la SDN, créée pour garantir la paix, est impuissante : le principe de l'unanimité la paralyse, elle ne peut décider de sanctions militaires, et de grands États n'en font pas partie (les États-Unis, la Russie soviétique, l'Allemagne...).

- **Les guerres d'annexion en Europe**

En Pologne, le maréchal Pilsudski aspire à reconstituer la Grande Pologne de 1772 (d'avant les partages) en étendant le pays vers l'est, au-delà de la ligne Curzon. En avril 1920, il lance les troupes polonaises à la conquête de l'Ukraine russe. Après une contre-attaque foudroyante de l'Armée rouge, qui la mène aux portes de Varsovie (août), Pilsudski, assisté de la mission militaire française du général Weygand, parvient à reprendre l'offensive. Il impose finalement aux Soviétiques le traité de Riga (18 mars 1921) qui fixe la frontière orientale de la Pologne à plus de 150 kilomètres à l'est de la ligne Curzon : la Russie doit abandonner des territoires peuplés par une majorité d'Ukrainiens et de Biélorussiens. En soutenant la Pologne, la France est parvenue à combiner deux de ses objectifs : ses alliances de revers contre l'Allemagne et sa politique de « cordon sanitaire » contre la Russie soviétique.

En Turquie, en 1920, le général nationaliste Mustapha Kémal organise la résistance au traité de Sèvres. Une guerre de deux ans l'oppose aux Grecs (soutenus par les Anglais). Vainqueur, il obtient des Alliés le traité de Lausanne (24 juillet 1923), qui assure à la Turquie toute l'Asie mineure, la Thrace orientale, ainsi que la zone des Détroits et annule le régime des capitulations. Les Turcs de Grèce (350 000 personnes) rentrent en Turquie et les Grecs de Turquie (1,4 million de personnes) en Grèce. Cette affaire renforce la rivalité franco-britannique, l'Angleterre reprochant à la France de ne l'avoir pas vraiment soutenue aux côtés de la Grèce.

Aux annexions polonaises et turques s'en ajoutent d'autres plus mineures. En 1920, la Pologne prend Vilno à la Lituanie. En 1923, la Lituanie s'empare de Memel, une ancienne ville allemande de la Prusse-orientale que le traité de Versailles avait érigée en « ville libre ». À l'autre extrémité de l'Europe, des groupes de nationalistes italiens dirigés par le poète Gabriele D'Annunzio occupent pendant plus d'un an la ville de Fiume qui sera finalement annexée par l'Italie de Mussolini en 1924.

- **L'occupation de la Ruhr**

Le montant des réparations que doit verser l'Allemagne, dont la répartition entre les vainqueurs a été déterminée à la conférence de Spa en 1920 (la France obtient 52 % de ce montant), est fixé à 132 milliards de marks-or en 1921.

Mais l'Allemagne tarde à payer. La France, en accord avec l'Italie et la Belgique, décide alors d'occuper la Ruhr – riche région minière de l'Allemagne – de manière à faire plier le Reich et à prélever en nature une partie des réparations. Le 11 janvier 1923, les militaires entrent à Essen, Bochum, Dortmund et Gelsenkirchen.

En réaction, le gouvernement allemand du Chancelier Cuno lance le mot d'ordre de « résistance passive » et le 22 janvier, la grève générale est déclenchée dans le bassin de la Ruhr.

Mais des mineurs et des cheminots français prennent la relève ; l'économie allemande privée de charbon est paralysée ; le mark s'effondre. En août 1923, Cuno laisse place au conciliant Stresemann, qui ordonne la fin de la résistance passive.

LA DÉTENTE

De 1924 à 1929, la France et l'Allemagne se rapprochent, et, dans le monde, des initiatives sont prises pour éviter de nouvelles guerres.

Les conditions de la détente

À partir de la fin de 1923, plusieurs facteurs contribuent à la détente internationale :

– Les États-Unis s'associent au Royaume-Uni pour condamner l'occupation de la Ruhr. Ils font pression sur la France pour qu'elle évacue la région et allège le poids des réparations.

– La Première Guerre mondiale s'éloigne et le nationalisme est moins vif. Au Royaume-Uni, en France, des hommes de gauche, favorables à la coopération entre les peuples, arrivent au pouvoir en 1924, alors qu'en Allemagne, les gouvernements sont désormais ouverts à la discussion avec les Alliés.

– Depuis que Lénine a abandonné le communisme de guerre pour la NEP en 1921, l'Union soviétique laisse de côté l'idée de révolution mondiale et cherche à nouer des relations avec les pays capitalistes.

– Enfin, le monde entre dans une ère de croissance économique et de prospérité favorables à la détente.

Le rapprochement franco-allemand

Le rapprochement franco-allemand, mené principalement par les ministres des Affaires étrangères français,

- Briand, et allemand, Stresemann, passe par plusieurs
- étapes.
- – Le plan Dawes est accepté en 1924. La France promet
- l'évacuation de la Ruhr (qui de fait sera évacuée d'octobre
- 1924 à juillet 1925). Les Alliés réduisent le montant annuel
- des réparations pour les années 1924-29 (sans en modifier le
- montant total), dont ils s'assurent le versement par un
- contrôle sur les finances de la République de Weimar. De
- leurs côtés, les États-Unis prêtent des capitaux à l'Allemagne
- pour qu'elle puisse remplir ses obligations.
- – Par le pacte de Locarno (accords conclus en 1925),
- l'Allemagne reconnaît ses frontières occidentales avec la
- France et la Belgique (mais non les frontières orientales) et
- s'engage à observer les dispositions du traité de Versailles
- sur la zone démilitarisée de Rhénanie. En 1926, parrainée
- par la France, elle entre à la SDN.
- – Le plan Young, signé en 1929, diminue le montant total
- des réparations, échelonne leur paiement jusqu'en 1988 et
- supprime le contrôle financier exercé par les Alliés. En 1930,
- Anglais, Français et Belges évacuent la rive gauche du Rhin
- avec cinq ans d'avance sur la date fixée par le traité de 1919.
-

- **Vers la paix mondiale ?**
- À partir de 1924, le monde semble à la recherche d'un
- nouvel ordre, plus pacifique.
- Les relations conflictuelles entre les pays capitalistes
- et la Russie communiste s'apaisent. Dès avril 1922,
- l'Allemagne reconnaît l'URSS à l'occasion des accords de
- Locarno (par lesquels les deux pays annulent leurs dettes
- réciproques et entament une collaboration militaire). En
- 1924, le Royaume-Uni, puis l'Italie, la Chine, et presque tous
- les pays d'Europe, dont la France, échangent des ambassa-
- deurs avec Moscou.
- Des initiatives sont prises pour rendre la SDN plus effi-
- cace. Le Tchécoslovaque Bénès présente en 1924 à Genève
- un protocole qui réforme la Société des Nations en propo-
- sant un arbitrage obligatoire des différends, des sanctions
- décidées non plus à l'unanimité du Conseil mais à la majo-
- rité des deux tiers, et la création d'une armée internationale.
- Si le « protocole de Genève » est finalement rejeté, la SDN,
- renforcée par l'adhésion allemande, parvient à régler
- quelques litiges entre petites puissances de 1926 à 1931.

Enfin, Briand cherche à faire progresser la paix par de nouvelles voies. Il obtient en 1928 de Kellogg, secrétaire d'État américain, un pacte pacifiste et formel, le pacte Briand-Kellogg, auquel adhèrent 63 États (dont les États-Unis, l'Allemagne, le Japon et l'URSS) qui s'engagent à régler leurs problèmes sans avoir recours à la guerre. En 1929, il préconise à la SDN la création d'une fédération européenne qui, « sans toucher à la souveraineté d'aucune des nations », tisserait des liens économiques et politiques entre elles, et rendrait ainsi la guerre impossible en Europe.

À une période de fortes tensions internationales, de 1920 à 1924, succède donc le temps de la détente. Mais celle-ci est fragile. Malgré les apparences, la méfiance reste grande entre les puissances européennes qui cherchent à créer autour d'elles des réseaux défensifs, comme la France, qui conclut tout au long des années 20 des alliances avec les pays de l'Est capables de prendre l'Allemagne « de revers » en cas de guerre. Surtout, la détente est fortement liée à une prospérité éphémère.

CHRONOLOGIE

1921-1922 : conférence de Washington sur la limitation des armements navals des grandes puissances et la situation dans le Pacifique.

1921 : (mars) traité de Riga repoussant à l'est la frontière orientale de la Pologne.

1923 : occupation de la Ruhr par la France ; (juillet) traité de Lausanne assurant à la Turquie toute l'Asie Mineure, la Thrace orientale, la zone des Détroits et annulant le régime des capitulations.

1924 : plan Dawes préconisant l'évacuation de la Ruhr et une réduction du montant annuel des réparations à payer l'Allemagne.

1925 : pacte de Locarno garantissant certaines frontières fixées par le traité de Versailles.

1928 : pacte Briand-Kellogg : 63 nations renoncent solennellement à la guerre.

1929 : plan Young diminuant le montant total des réparations payées par l'Allemagne.

LIRE AUSSI PREMIÈRE GUERRE MONDIALE (BILAN) ; ORGANISATIONS INTERNATIONALES (1918-1939) ; ÉCONOMIE (ANNÉES 20).

RELATIONS INTERNATIONALES
(ANNÉES 30)

La grande crise économique des années 30 a pour conséquence la fin de la détente. Elle contribue au succès de dictatures qui proposent comme solutions aux problèmes le réarmement et une politique d'expansion. Elle affaiblit les démocraties, qui se replient sur elles-mêmes, et restent presque sans réaction face aux agressions des dictatures.

LE RETOUR DES TENSIONS
(1930-1933)

En Occident, les premiers malentendus

De 1930 à 1933, s'ouvre une nouvelle période de tension en Orient et en Occident.

Pour les responsables politiques d'Allemagne et d'Autriche, la création d'un vaste marché pro-tégé austro-allemand est le remède le plus efficace à la crise. Mais le projet d'union douanière qu'ils concluent le 14 mars 1931 apparaît à beaucoup comme un prélude à une union politique proscrite par les traités. Allemands et Autrichiens font finalement marche arrière, mais leur initiative jette un froid sur les rela-tions franco-allemandes.

En juillet 1932, à la conférence de Lausanne, les Alliés acceptent sous la pression américaine de renoncer définiti-vement aux réparations allemandes. Ils espèrent en contre-partie l'annulation par les États-Unis de leurs créances. Mais le président américain Hoover s'y refuse. Le gouvernement français décide alors unilatéralement de ne plus rembourser les dettes qu'il a contractées auprès des États-Unis, alors que les autres États débiteurs continuent de rembourser des sommes très symboliques. Le ressentiment s'installe entre les États-Unis et les démocraties européennes. L'isola-tionnisme américain se renforce.

En Orient, la rupture du statu quo

Le Japon ressent les effets violents de la crise dès 1930. Comme solution à celle-ci, les militaires nippons, dont l'influence est de plus en plus grande, préconisent une politique de conquête. En septembre 1931, les troupes japonaises occupent les principales villes de la Mandchourie, riche région minière et agricole du nord de la Chine, puis en quelques semaines, la totalité de la province, qui devient un protectorat sous le nom de Mandchoukouo.

Par son attaque contre la Chine, le Japon viole le pacte de la SDN et le pacte Briand-Kellog de 1928. La SDN, qui demande au Japon de procéder au repli de ses troupes, se heurte à un refus et révèle par la suite incapable de prendre la moindre sanction. Le Japon quitte l'organisation le 17 mars 1933, et envahit le Jéhol, région chinoise comprise entre la Mandchourie et la Grande Muraille.

L'échec du désarmement

À la grande conférence de Genève sur le désarmement, qui débute en février 1932, 62 États sont représentés dont les États-Unis et l'URSS. Mais la France ne veut pas renoncer à ses armes terrestres, le Royaume-Uni et les États-Unis à leurs armes navales. Alors que les discussions débouchent sur une impasse, le nouveau chancelier allemand, A. Hitler, annonce le retrait de l'Allemagne de la conférence, le 14 octobre 1933, et de la SDN, le 19 octobre. Il a désormais les mains libres pour réarmer son pays.

LA MONTÉE DU PÉRIL
(1933-1937)

L'Allemagne nazie face à l'Europe
(1933-1935)

Le programme expansionniste de Hitler est annoncé dans son ouvrage *Mein Kampf*, qui paraît en 1925. Pour Hitler, il s'agit de rétablir la puissance militaire de l'Allemagne, puis de l'agrandir en lui rattachant les populations de sang allemand, notamment les Autrichiens et les Allemands des Sudètes. Le

De 1933 à 1937, les dictatures, qui mènent des politiques de plus ne plus agressives, finissent par s'allier entre elles.

L'EXPANSION DES DICTATURES EUROPÉENNES

☐ Allemagne en 1935

— Limites de l'Allemagne le 1er septembre 1939

☐ Remilitarisation de la Rhénanie (7 mars 1936)

Annexions allemandes :
Sarre (plébiscite le 13 janvier 1935)
Autriche (annexion le 15 mars 1938)
Tchécoslovaquie : ① Sudètes (annexion le 1er octobre 1938)
② Protectorat de Bohême-Moravie (15 mars 1939)

Annexions hongroises :
Hongrie septentrionale (3 novembre 1938)
Ruthénie (15 mars 1939)

Annexion polonaise :
Teschen (1er octobre 1938)

Annexion italienne :
Albanie (7 avril 1939)

- Reich pourra alors avoir une « explication définitive avec la
- France », avant de conquérir à l'Est un « espace vital » aux
- dépens des Slaves.
- De 1933 à 1935, le Führer donne un début d'exécution à
- ses projets. En juillet 1934, à Vienne, un commando de nazis
- autrichiens assassine le Chancelier Dollfuss, préparant le
- terrain à la réunification de l'Autriche avec l'Allemagne, à
- laquelle Hitler renonce de justesse quand Mussolini, hostile
- à la formation d'un nouvel empire à ses frontières, mobilise
- quatre divisions sur le col de Brenner. À la fin de 1934, les
- nazis font une campagne musclée dans la Sarre, où un plé-
- biscite doit décider en janvier 1935 du destin de la région et
- le vote en faveur du rattachement à l'Allemagne l'emporte à
- 90 %. Surtout, en mars 1935, Hitler annonce publiquement le
- rétablissement du service militaire obligatoire de deux ans
- et la création d'une aviation militaire, la Luftwaffe, en viola-
- tion des clauses du traité de Versailles.
- La France, qui craint la revanche allemande, cherche
- alors à isoler son voisin. Dans les années 20, elle avait mis en
- place un système d'alliances avec les puissances d'Europe
- centrale. En 1934, le ministre français des Affaires étrangères,
- Louis Barthou, essaie de consolider ce système tout en rap-
- prochant la France de l'Union Soviétique et de l'Italie. Son suc-
- cesseur, Pierre Laval, continue cette politique. Il signe le 14
- avril 1935 avec les représentants de l'Italie et de l'Angleterre
- les accords de Stresa, par lesquels les trois pays affirment leur
- fidélité au pacte de Locarno et leur souci de préserver le statu
- quo en Europe. Le 2 mai 1935, il conclut avec les Soviétiques
- un traité d'assistance mutuelle en cas d'agression.

Les agressions allemande et italienne (1935-1936)

- Depuis 1933, Mussolini songe à s'emparer du dernier
- État indépendant d'Afrique, l'Éthiopie. Le 3 octobre 1935, il
- lance ses soldats à l'assaut de l'Éthiopie. Sur l'initiative des
- démocraties, la SDN décide aussitôt des sanctions écono-
- miques à l'encontre de l'Italie (levées en mai 1936) alors que
- l'Allemagne s'empresse de lui fournir le charbon qui lui est
- nécessaire. Le 28 décembre 1935, Mussolini, furieux contre
- la France et le Royaume-Uni, dénonce les accords de Stresa,
- puis, le 9 mai 1936, il annexe l'Éthiopie.
- Le 7 mars 1936, Hitler fait pénétrer 30 000 soldats en
- Rhénanie qui, selon le traité de Versailles, confirmé par le

- pacte de Locarno, devait rester définitivement démilitarisée.
- La construction de la ligne Siegfried, face à la ligne Maginot,
- est immédiatement entreprise. Le cabinet français, auquel
- les responsables britanniques refusent un appui militaire, se
- contente d'en appeler à la SDN, impuissante. Paris voit par
- son aveu de faiblesse la Pologne, la Roumanie, la
- Yougoslavie s'éloigner d'elle et regarder vers l'Allemagne.
- L'Espagne, devenue en 1931 une république, est gou-
- vernée à partir de février 1936 par un front populaire
- regroupant la gauche. En juillet, une partie de l'armée se
- rebelle sous l'impulsion du général Franco. En août, les
- grandes puissances européennes signent un pacte de « non-
- intervention » qui consiste à ne fournir aucune aide militaire
- à aucun des deux camps. Mais dès la fin de 1936,
- l'Allemagne et l'Italie, pourtant signataires du pacte, don-
- nent leur appui militaire à Franco, qui l'emporte en 1939.
-
- ● **_L'alliance des dictatures (1936-1937)_**
- L'Italie et l'Allemagne, de plus en plus proches, signent
- à Berlin, en octobre 1936, un traité d'amitié, qualifié du nom
- d'« axe Rome-Berlin ». Le 6 novembre 1937, l'Italie adhère au
- pacte anti-komintern, dirigé à l'origine contre le commu-
- nisme, mais qui contient une promesse secrète d'aide en
- cas d'attaque soviétique, et qui a été signé par l'Allemagne
- et le Japon le 25 novembre 1936. Plus expérimentées, mieux
- armées, conscientes de l'impuissance de la SDN (que l'Italie
- quitte en décembre 1937) et des démocraties, les dictatures
- peuvent désormais réaliser leurs ambitions.
-
-
-
-
- # LA MARCHE À LA GUERRE
- # (1937-1939)
- ●
- ●

Le Japon part à l'assaut de la Chine

Le 7 juillet 1937, les troupes japonaises lancent une vaste offensive en Chine. Pékin conquise
(26-27 juillet), elles envahissent toute la Chine du
Nord-Est. Fin 1937, elles contrôlent les ports importants, dont Shangaï. Seule une partie intérieure du

Face à la passivité des démocraties, les dictatures n'hésitent plus à satisfaire ouvertement leurs ambitions.

- pays leur échappe, tenue par l'armée de Tchang Kaï-Chek
- qui a fait de la ville de Chongking sa capitale provisoire.
- Tokyo se décide alors à asphyxier la résistance chinoise, en
- coupant les routes par lesquelles elle reçoit des armes
- d'URSS (jusqu'en 1938) puis des États-Unis.

L'Allemagne annexe l'Autriche et les Sudètes

En Autriche, après avoir nommé le nazi Seyss-Inquart au poste de ministre de l'Intérieur sous la pression de Hitler, le chancelier Schuschnigg tente d'organiser en vain un référendum sur l'indépendance de son pays. Contraint par les nazis de démissionner, il est remplacé par Seyss-Inquart à la chancellerie, qui appelle les troupes allemandes. L'*Anschluss*, auquel l'Italie ne s'oppose plus, est proclamé le 13 mars 1938, et plébiscité par 97 % des Allemands et des Autrichiens. Les démocraties protestent mollement.

À la suite de l'*Anschluss*, Hitler revendique, le 12 septembre 1938, le territoire des Sudètes, riche région industrielle de Tchécoslovaquie peuplée d'une population de langue allemande. Un conflit entre l'Allemagne et la Tchécoslovaquie – alliée de l'URSS (traité de 1935), et surtout de la France (traité de 1925) – risque de se généraliser à toute l'Europe. Alors que la guerre est imminente, Hitler accepte de rencontrer, le 29 septembre 1938, Mussolini (pour l'Italie), Chamberlain (pour le Royaume-Uni) et Daladier (pour la France), à Munich, pour discuter du problème (ni l'URSS, ni la Tchécoslovaquie ne sont conviées) : les accords de Munich, signés le 30, reconnaissent à l'Allemagne les Sudètes. Les populations de France et d'Angleterre, qui pensent avoir ainsi gagné la paix, accueillent avec enthousiasme leurs représentants à leur retour. C'est pourtant un désastre : les démocraties ont confirmé leur faiblesse et éloigné d'elles l'URSS.

La crise de l'année 1939

L'existence de l'État tchécoslovaque, même diminué, barre à Hitler l'accès de l'Europe orientale et du pétrole roumain. Le 15 mars 1939, l'armée allemande pénètre dans les régions tchèques de Bohème et de Moravie, qui deviennent un protectorat allemand et la Slovaquie, à moitié dépecée par les États riverains, est érigée en État satellite. Peu après, le Führer contraint la Lituanie à lui céder le port de Memel

(22 mars). Alors qu'en avril, Mussolini s'empare à son tour de l'Albanie, la presse allemande se déchaîne contre la Pologne, qui semble la prochaine victime du Reich.

Les démocraties réagissent enfin. Elles activent leur réarmement. La France confirme, le 13 avril 1939, son alliance de 1921 avec la Pologne, et Chamberlain conclut en août un traité avec cette dernière. Mais un traité germano-soviétique est signé le 23 août, par lequel l'URSS et l'Allemagne promettent de ne pas s'agresser et se partagent la Pologne dans un protocole secret.

L'Allemagne, le Japon et l'Italie ont su profiter de la faiblesse des démocraties pour commencer à réaliser au cours des années 30 leurs ambitions extérieures, au mépris de toutes les règles internationales. Ce n'est qu'à l'été 1939 que le Royaume-Uni et la France commencent à réellement réagir. Mais il est bien tard.

CHRONOLOGIE

1931 : le Japon envahit la Mandchourie.

1932 : (juillet) conférence de Lausanne où les Alliés renoncent définitivement aux réparations allemandes.

1933 : le Japon et l'Allemagne quittent la SDN.

1935 : rattachement de la Sarre à l'Allemagne à la suite d'un référendum.

1936 : remilitarisation de la Rhénanie par l'Allemagne ; l'Italie annexe l'Éthiopie ; début de la guerre civile d'Espagne.

1937 : le Japon lance son offensive contre la Chine.

1938 : (mars) annexion de l'Autriche par l'Allemagne ; (septembre) accords de Munich, où les grandes puissances européennes reconnaissent à l'Allemagne les Sudètes tchécoslovaques.

1939 : (août) pacte germano-soviétique.

LIRE AUSSI RELATIONS INTERNATIONALES (ANNÉES 20) ; ÉTATS-UNIS DU NEW DEAL ; FRANCE (ANNÉES 30) ; ROYAUME-UNI (1918-1939) ; ALLEMAGNE NAZIE ; ITALIE FASCISTE ; EMPIRES COLONIAUX ; ORGANISATIONS INTERNATIONALES (1918-1939) ; EUROPE MÉRIDIONALE ; EUROPE CENTRALE ET ORIENTALE (1920-1939).

Relations internationales

(1945-1962)

L'après-guerre consacre le partage du monde entre les États-Unis et l'URSS, seuls possesseurs de l'arme atomique (en 1945 et 1949), au détriment des anciennes puissances européennes. Alliés contre l'Allemagne, les deux Grands deviennent des adversaires, qui constituent deux blocs hostiles. Une troisième guerre mondiale apparaît imminente, mais le risque d'une conflagration nucléaire dissuade les deux Grands de s'affronter directement. Cette opposition indirecte, qui ne débouche pas sur un conflit généralisé, est baptisée « guerre froide. » Apparue en 1947, elle va dominer les relations internationales tout au long des années 50.

LE MONDE COUPÉ EN DEUX
(1947-1949)

À partir de 1947, l'URSS et les États-Unis se partagent le monde.

La rupture de 1947

L'année 1947 est décisive. Truman, président des États-Unis depuis avril 1945, veut aider les « peuples libres » contre la menace communiste : c'est la doctrine de l'endiguement. Le 5 juin 1947, son secrétaire d'État George Marshall propose un plan d'aide financière à l'Europe afin d'« endiguer » l'essor du communisme, qu'il estime lié aux problèmes économiques. Staline refuse évidemment le plan Marshall, et oblige les pays occupés par l'Armée rouge (Tchécoslovaquie, Pologne, Hongrie, Bulgarie) à le suivre. Mais le reste de l'Europe (soit 16 pays, dont la France, la Grande-Bretagne, l'Italie et la partie occidentale de l'Allemagne) accepte les dollars américains. L'Organisation européenne de coopération économique (OECE), créée en avril 1948 pour répartir cette aide entre les 16 pays concernés, marque la naissance de l'Europe de l'Ouest.

La riposte soviétique ne se fait pas attendre. Du 22 au 27 septembre 1947, les délégués de neuf partis communistes européens, réunis à Szklarska Poreba (Pologne), créent le Kominform (Bureau d'information communiste), qui sera chargé de coordonner leur action. Le délégué soviétique, Andrei Jdanov, énonce une doctrine qui répond à celle de Truman : il s'agit de mobiliser derrière l'URSS tous les pays dits « anti-impérialistes ».

L'organisation des blocs

Les États-Unis structurent leurs zones d'influences :

– Sur le continent américain, ils signent le traité de Rio, un pacte de « légitime défense collective » avec 21 nations d'Amérique latine (2 septembre 1947).

– En Europe, ils suscitent en mars 1948 la signature du traité de Bruxelles, traité d'assistance militaire entre la France, la Grande-Bretagne et le Bénélux, et qui deviendra l'Union de l'Europe occidentale (UEO) en 1954. Puis ils signent le traité de l'Atlantique Nord (ou Pacte Atlantique), le 4 avril 1949, avec le Canada et dix pays d'Europe occidentale, dont la France et le Royaume-Uni. Afin d'assurer la défense collective des pays signataires, l'Organisation du traité de l'Atlantique Nord (OTAN) est mise en place en 1950, et le général Eisenhower devient commandant suprême en Europe des forces de l'OTAN.

– En Asie, ils signent différents traités d'alliance avec les Philippines (30 août 1951), l'Australie et la Nouvelle-Zélande (1er septembre 1951), créant l'ANZUS, et un traité de paix avec le Japon (traité de San Francisco du 8 septembre 1951).

De son côté, l'URSS renforce le bloc communiste :

– Le Conseil d'assistance économique mutuelle (CAEM), plus connu sous le nom de Comecon, a pour but de renforcer la cohésion économique de l'Europe de l'Est (25 janvier 1949).

– Les Soviétiques signent une série de pactes militaires bilatéraux avec leurs voisins d'Europe de l'Est (1948-1949) puis avec la République populaire de Chine, le 14 février 1950.

Les deux blocs sont face à face, mais ils refusent le conflit direct armé, qui les pousserait à utiliser l'arme nucléaire. C'est pourquoi leur affrontement sera appelé « guerre froide ».

LES CONFLITS DE LA GUERRE FROIDE (1949-1953)

L'affrontement idéologique

Dans chacun des deux camps, la peur de l'autre développe une véritable psychose. En URSS, les « purges » frappent aussi bien le parti que l'armée. Les camps se remplissent de plusieurs millions de détenus. La Yougoslavie de Tito, accusée de faire le jeu de l'impérialisme américain, est mise au ban du camp socialiste en juin 1948.

> En Europe comme en Asie, les deux Grands s'affrontent par peuples interposés.

Aux États-Unis, la « chasse aux sorcières » est engagée dès 1947 contre les communistes, puis amplifiée par le maccarthysme. En Europe occidentale, les partis communistes français et italiens, écartés du pouvoir en 1947, organisent de vastes campagnes contre l'impérialisme américain. En avril 1949, communistes et « compagnons de route » créent le Mouvement de la paix, dont l'Appel de Stockholm (18 mars 1950) contre les armes atomiques, recueille 273 millions de signatures dans le monde entier.

La partition allemande

L'Allemagne est le premier théâtre de la guerre froide, comme en témoigne le blocus de Berlin-Ouest par les Soviétiques (24 juin 1948). Grâce au pont aérien organisé par les États-Unis pour ravitailler les Berlinois, le blocus est levé le 12 mai 1949.

La partition du pays est inévitable. Elle se concrétise à l'Ouest par la naissance de la République fédérale d'Allemagne (RFA), le 23 mai 1949, et à l'Est par la République démocratique allemande (RDA), le 7 octobre 1949. Ces deux États, issus de la guerre froide, en resteront l'enjeu et le symbole jusqu'en 1989.

La guerre de Corée

La création de la République populaire de Chine, le 1er octobre 1949, ouvre un deuxième front de la guerre froide en Asie. L'URSS soutient ce régime communiste, tandis que les États-Unis appuient l'opposant « nationaliste » Tchang Kaï-chek, réfugié dans l'île de Formose (Taïwan).

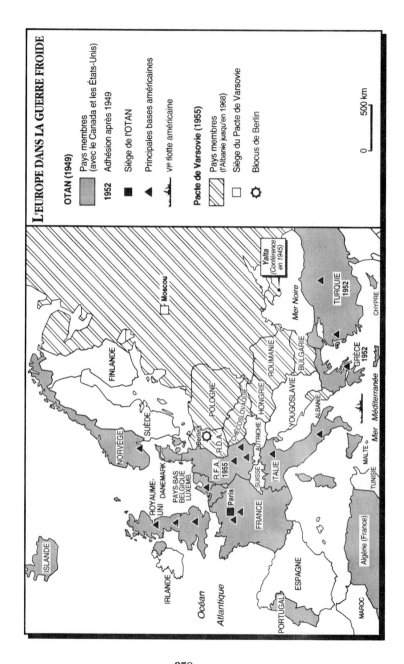

L'EUROPE DANS LA GUERRE FROIDE

OTAN (1949)

Pays membres
(avec le Canada et les États-Unis)

1952 Adhésion après 1949

■ Siège de l'OTAN

▲ Principales bases américaines

⚓ VIe flotte américaine

Pacte de Varsovie (1955)

Pays membres
(l'Albanie jusqu'en 1968)

□ Siège du Pacte de Varsovie

✲ Blocus de Berlin

0   500 km

ISLANDE

IRLANDE

ROYAUME-UNI

NORVÈGE

SUÈDE

FINLANDE

Océan
Atlantique

PORTUGAL

ESPAGNE

PAYS-BAS
BELGIQUE
LUXEMB

Paris

FRANCE

SUISSE

R.F.A.
1955

Berlin

R.D.A.

TCHÉCOSLOVAQUIE

POLOGNE

AUTRICHE

HONGRIE

Moscou

ROUMANIE

Yalta
(Conférence
en 1945)

Mer Noire

ITALIE

YOUGOSLAVIE

BULGARIE

ALBANIE

GRÈCE
1952

TURQUIE
1952

MALTE

TUNISIE

Mer Méditerranée

CHYPRE

MAROC

Algérie (France)

Grâce à l'appui américain, le régime de Taïwan obtient de représenter la Chine au Conseil de sécurité de l'ONU, au détriment du régime communiste. En signe de protestation, l'URSS va boycotter le Conseil de sécurité pendant plusieurs mois.

De même, l'URSS soutient la Corée du Nord communiste, tandis que les États-Unis soutiennent la Corée du Sud capitaliste. Le conflit éclate le 25 juin 1950, lorsque la Corée du Nord envahit la Corée du Sud. Profitant de l'absence soviétique, les États-Unis obtiennent du conseil de sécurité l'envoi en Corée d'une force unifiée de l'ONU commandée par le général MacArthur (7 juillet) : en septembre-octobre, ses troupes refoulent les Nord-Coréens jusqu'aux frontières de la Chine, qui engage alors 800 000 « volontaires » dans la bataille. Après la contre-offensive chinoise, le front est stabilisé en janvier 1951. MacArthur, qui réclamait l'utilisation de l'arme atomique, est remplacé par Ridgway en avril 1951. L'armistice, signé le 27 juillet 1953, consacre le retour aux frontières d'avant le conflit qui a fait plus d'1,5 million de morts.

VERS L'ÉQUILIBRE DES DEUX BLOCS (1953-1962)

> **La mort de Staline favorise la coexistence pacifique entre les deux Grands.**

Les deux Grands et le tiers monde

Afin de s'implanter dans le tiers monde, les deux Grands accélèrent la chute des grands empires coloniaux. En Asie, leur pression conjointe aboutit aux accords de Genève, qui consacrent l'indépendance du Laos, du Cambodge et des deux Viêtnams, en juillet 1954. En Afrique du Nord, ils interviennent dans la décolonisation de l'Algérie française, et surtout dans la crise du canal de Suez : en riposte à la nationalisation du canal par le colonel Nasser, chef de l'État égyptien, la France, la Grande-Bretagne et Israël occupent le désert du Sinaï, le 29 octobre 1956 ; mais les États-Unis et l'URSS les obligent à quitter l'Égypte, une semaine plus tard.

En revanche, les décolonisations de l'Inde (août 1947) ainsi que de l'Afrique noire française et britannique, échappent à l'influence des deux Grands. En outre, les pays du tiers monde tentent de refuser la division du monde en deux Blocs, lors de la conférence de Bandoung (avril 1955), et surtout lors de la conférence de Belgrade (septembre 1961), qui crée le mouvement des pays « non-alignés ». Mais il est bien difficile d'échapper à la logique des Blocs.

« Coexistence pacifique » et course aux armements

La mort de Staline (mars 1953) permet un incontestable assouplissement des positions soviétiques, sous l'impulsion de Nikita Khrouchtchev. En témoignent la signature du traité de Genève (juillet 1954), son voyage à Belgrade pour réhabiliter Tito (mai 1955), ainsi que le traité signé à Vienne avec les puissances occupantes de l'Ouest et consacrant la souveraineté de l'Autriche (15 mai 1955), puis la dissolution du Kominform en 1956. Cette nouvelle diplomatie soviétique repose sur la notion de « coexistence pacifique », élaborée au XXe Congrès du PCUS (février 1956).

Cela se traduit par le respect mutuel des positions acquises. Ainsi, les États-Unis peuvent-ils signer plusieurs pactes militaires avec leurs alliés : pacte de Manille en Asie du Sud-Est (septembre 1954) ; pacte de Bagdad au Moyen-Orient (février 1955). Côté soviétique, le Pacte de Varsovie regroupe les forces des pays d'Europe de l'Est (mai 1955).

De même, chacun des deux Grands peut-il se livrer à des opérations de « police » à l'intérieur de son camp, sans que l'autre intervienne. C'est ainsi que l'URSS laisse les États-Unis renverser les gouvernements nationalistes de Mossadegh en Iran (août 1953) et du colonel Arbenz au Guatemala (juin 1954). En contrepartie, les Américains n'interviennent pas lorsque Moscou réprime les soulèvements populaires allemands (juin 1953) et hongrois (novembre 1956).

Cette volonté d'entente aboutit notamment à la visite historique de Khrouchtchev, premier dirigeant soviétique reçu aux États-Unis (septembre 1959).

Mais ce rapprochement symbolique repose en fait sur l'équilibre de la terreur, c'est-à-dire sur la course aux armements que se livrent les deux Grands. Jusqu'au milieu des années 50, les États-Unis bénéficient d'une incontestable supériorité dans ce domaine. La stratégie américaine est alors fondée sur la « dissuasion », c'est-à-dire la menace de

« représailles massives » nucléaires en cas d'agression sovié-tique. Mais le lancement du premier missile intercontinental (août 1957) puis le premier vol du satellite Spoutnik (octobre 1957) démontrent que l'URSS a repris un avantage technologique sur les États-Unis. C'est au tour des Américains de combler leur retard, baptisé *missile gap*. Au début des années 60, les deux Grands semblent parvenus à un équilibre nucléaire.

De la crise à la détente

De 1960 à 1962, la tension redevient très forte entre les deux Grands, qui frôlent à plusieurs reprises l'affrontement nucléaire.

Le 1er mai 1960, deux avions américains U2 sont abat-tus alors qu'ils survolaient le territoire soviétique. Heureu-sement, l'URSS choisit de ne pas réagir. Dans la nuit du 12 au 13 août 1961, la RDA édifie le mur de Berlin. Mais la réaction américaine est très modérée, car le mur ne com-promet pas la liberté d'accès des Occidentaux à Berlin-Ouest.

La situation est plus tendue lors des crises de Cuba. L'évolution collectiviste du régime de Fidel Castro, installé en janvier 1959, et son rapprochement avec l'URSS, pous-sent Kennedy à intervenir. Le 17 avril 1961, le débarquement de 1 500 Cubains anticastristes, soutenus par les Américains, dans la Baie des Cochons, se solde par un échec. Au mois d'août 1962, les avions américains photogra-phient des rampes de fusées soviétiques à moyenne portée installées sur l'île, donc menaçant le territoire américain. Le 22 octobre, Kennedy exige le retrait de ces fusées et orga-nise le blocus de Cuba. Cet ultimatum fait craindre une guerre nucléaire. Mais les deux Grands trouvent rapidement une solution négociée : en échange du retrait des fusées, Kennedy promet de ne pas renverser le régime castriste et de retirer les fusées américaines installées en Turquie depuis 1958.

La guerre froide entre les États-Unis et l'URSS a divisé le monde en deux blocs opposés, ce qui peut conduire au conflit nucléaire. La coexistence pacifique qui s'instaure entre les deux Grands repose sur l'équilibre de la terreur. La crise de Cuba a fait comprendre aux grandes puissances la nécessité d'une véritable détente.

1945 : bombes atomiques américaines sur Hiroshima et Nagasaki.

1947 : doctrine Truman : l'endiguement du communisme ; plan Marshall ; pacte de Rio entre les États-Unis et 21 pays d'Amérique latine ; conférence des partis communistes européens à Szklarska Poreba et création du Kominform.

1948 : traité de Bruxelles entre la France, le Royaume-Uni et le Bénélux. ; création de l'OECE ; début du blocus de Berlin-Ouest.

1949 : création du Comecon ; Pacte Atlantique créant l'OTAN ; bombe atomique soviétique.

1950 : traité d'alliance entre l'URSS et la Chine populaire ; appel de Stockholm contre l'arme atomique ; début de la guerre de Corée.

1951 : traités d'alliance entre États-Unis, Philippines, Australie et Nouvelle-Zélande, créant l'ANZUS ; traité de paix de San Francisco entre États-Unis et Japon.

1953 : armistice de Pan Mun Jon mettant fin à la guerre de Corée ; coup d'État pro-américain en Iran.

1954 : accords de Genève mettant fin à la guerre d'Indochine ; pacte de Manille créant l'OTASE ; la RFA entre dans l'OTAN.

1955 : pacte de Bagdad entre la Turquie et l'Iran ; conférence afro-asiatique de Bandoung ; Pacte de Varsovie ; traité reconnaissant la souveraineté autrichienne.

1956 : intervention soviétique en Hongrie ; expédition franco-britannique sur le canal de Suez.

1957 : l'URSS lance les premiers missiles intercontinentaux.

1958 : missiles américains à moyenne portée installés en Europe occidentale.

1959 : visite de Khrouchtchev aux États-Unis.

1961 : édification du mur de Berlin ; conférence des non-alignés à Belgrade.

1962 : crise des missiles à Cuba.

LIRE AUSSI DÉCOLONISATION ; ÉTATS-UNIS (1945-1964) ; EUROPE DE L'EST (1945-1980) ; DEUXIÈME GUERRE MONDIALE (BILAN) ; RELATIONS INTERNATIONALES (1962-1985) ; URSS (1928-1939 ; 1953-85).

RELATIONS INTERNATIONALES

(1962-1985)

La crise des missiles de Cuba (1962) a convaincu les deux Grands de la nécessité d'une détente, fondée sur l'équilibre des deux blocs. Mais l'affirmation de la puissance européenne, l'émergence du tiers monde, et surtout les conséquences politiques de la crise de 1973 vont singulièrement perturber ce fragile équilibre. Profitant d'une phase de doute et de repli dans la politique extérieure des États-Unis, l'URSS lance plusieurs offensives diplomatiques et militaires dans les années 1975-1980. La riposte américaine est ferme à partir de 1980 : ce regain des tensions entre les deux Grands sera baptisé « guerre fraîche ».

LES DEUX BLOCS REMIS EN CAUSE (1962-1968)

Les deux blocs affaiblis doivent faire face aux ambitions européennes et à l'émergence du tiers monde.

Des fissures dans les blocs

À partir des années 60, l'URSS est contestée par ses alliés communistes.

La Yougoslavie de Tito, à la tête du mouvement des non-alignés, et la Roumanie de Ceaucescu, qui prône un « communisme national », se rapprochent de la RFA et des États-Unis.

La Chine populaire de Mao n'accepte pas la déstalinisation lancée par Khrouchtchev, qu'elle accuse de « révisionnisme » en 1958. Après le retrait de l'aide technique et financière soviétique (1960), la Chine rompt en 1963 avec l'URSS. Détentrice de l'arme atomique à partir de 1964, la Chine devient une puissance autonome dans les relations internationales. Elle est soutenue par l'Albanie, qui se retire du Pacte de Varsovie en 1968.

À partir de janvier 1968, le premier secrétaire du Parti communiste Alexandre Dubcek tente d'instaurer en

Tchécoslovaquie un régime différent du modèle soviétique : c'est le « socialisme à visage humain », qui restaure les libertés individuelles et s'ouvre au commerce occidental. Mais l'intervention des troupes du Pacte de Varsovie (août 1968) met un point final à cette expérience. La Yougoslavie et la Roumanie, ainsi que les partis communistes français et italiens condamnent cette intervention.

Dans le camp occidental, les États-Unis sont eux aussi très contestés, notamment pour leur engagement dans la guerre du Viêtnam, à partir de 1964. Les manifestations pour la paix au Viêtnam se multiplient à Washington, à Berlin et à Paris, et le général de Gaulle critique sévèrement la politique américaine.

L'affirmation de l'Europe

Dans le cadre du Marché commun, l'Europe occidentale est devenue une zone de forte croissance économique. De plus, le Royaume-Uni et la France, qui disposent de l'arme atomique (1952 et 1960), peuvent désormais revendiquer un plus grand rôle international.

Le général de Gaulle exige que Français et Britanniques participent à la direction de l'OTAN, aux côtés des Américains. Le président américain Eisenhower refuse, mais son successeur Kennedy propose un nouveau « partenariat » (*partnership*) atlantique à ses alliés. L'Europe serait désormais associée sur un pied d'égalité aux États-Unis, dans le domaine commercial comme dans le domaine militaire. Ce nouveau partenariat atlantique aboutit à une réduction réciproque des tarifs douaniers, grâce aux négociations du Kennedy Round (1963-1967). En revanche, il y a désaccord entre Kennedy, qui revendique la direction d'une force nucléaire atlantique et multinationale, et de Gaulle, qui veut préserver l'autonomie nucléaire de la France, titulaire de la bombe atomique depuis 1960. Dénonçant l'« atlantisme » des Britanniques, qui viennent d'accepter le projet Kennedy lors de la conférence de Nassau (décembre 1962), il oppose son veto à l'entrée du Royaume-Uni dans le Marché commun et refuse la force nucléaire multinationale (14 janvier 1963). Avec le soutien du chancelier allemand Adenauer, il préfère consolider l'Europe des Six, par le traité franco-allemand de 1963. L'axe Paris-Bonn est désormais la garantie de l'indépendance européenne. Enfin, en mars 1966, la France se retire de l'organisation militaire de l'OTAN.

La difficile émergence du tiers monde

À la suite de la conférence de Belgrade (1961), le mouvement des pays non-alignés s'étoffe peu à peu, mais il perd son inspiration initiale. Il ne parvient ni à se positionner en-dehors des blocs ni à créer une force autonome de paix.

De nombreux pays du tiers monde situent le combat sur le terrain économique : en 1964, ils organisent la Conférence des Nations unies pour le commerce et le développement (CNUCED). Pour les pays de la Conférence tricontinentale, qui réunit l'URSS, la Chine et de nombreux mouvements révolutionnaires, il s'agit essentiellement de lutter contre l'impérialisme américain (Cuba, janvier 1966). Mais seules les nations disposant de l'arme pétrolière, réunies depuis 1960 dans l'Organisation des pays exportateurs de pétrole (OPEP), sont vraiment en mesure d'influer sur les relations internationales.

LA DÉTENTE (1968-1975)

> Le tournant des années 70 est marqué par la détente entre l'Est et l'Ouest.

La détente en Asie

Affaiblie par la rupture avec la Chine populaire (incidents frontaliers de 1969), par la contestation du communisme en Europe de l'Est (« printemps de Prague » en 1968, émeutes polonaises de 1970) et surtout par l'essoufflement de sa croissance économique, l'URSS est prête à se rapprocher des Américains, afin de réduire ses dépenses militaires et de restaurer son prestige international.

Ces derniers cherchent de leur côté à mettre fin à la guerre du Viêtnam, ruineuse et très contestée à l'intérieur comme à l'extérieur des États-Unis. C'est pourquoi le nouveau président américain Nixon inaugure une politique de concessions réciproques (*linkage*) et de « diplomatie triangulaire », jouant sur la rivalité entre Pékin et Moscou. Les États-Unis favorisent donc l'admission de la Chine communiste au Conseil de sécurité de l'ONU en octobre 1971, à la place de Taïwan ; puis Nixon vient à Pékin en février 1972.

Inquiète de ce rapprochement, l'URSS accepte la signature des accords de Paris, qui mettent fin à la guerre du Viêtnam, le 27 janvier 1973.

● *La détente en Europe*

Le principal artisan de la détente est le chancelier ouest-allemand Willy Brandt qui amorce à partir de 1969 le rapprochement avec le bloc communiste : c'est l'*Ostpolitik* (politique vers l'Est). Elle se concrétise par des traités entre la RFA et l'URSS (août 1970) et entre la RFA et la Pologne (décembre 1970), reconnaissant les frontières allemandes, mais surtout par la reconnaissance de la RDA en 1972 et par l'entrée des deux Allemagnes à l'ONU en 1973.

La deuxième grande manifestation de la détente en Europe est la signature, après deux ans de négociations, de l'acte final de la Conférence d'Helsinki pour la sécurité et la coopération en Europe (1er août 1975). Trente-trois États européens (dont l'URSS), ainsi que les États-Unis et le Canada, reconnaissent enfin la division de l'Europe en deux blocs. Mais la nouveauté de ces accords d'Helsinki, c'est l'article 7 par lequel l'URSS s'engage à respecter les « droits de l'homme et les libertés fondamentales ».

● *Les accords entre les deux Grands*

Le début des années 70 est marqué par une volonté de détente tous azimuts entre les deux Grands. Par le traité SALT 1 sur la limitation des armements stratégiques (*strategic arms limitation talks*), signé le 26 mai 1972, ils s'engagent à ne pas fabriquer d'armes « stratégiques » (missiles nucléaires) pendant cinq ans, à limiter le nombre des missiles anti-missiles ABM (Antibalistic missile) et à ne plus construire de rampes de lancement terrestres.

Les États-Unis lèvent l'embargo instauré en 1949 sur l'URSS, et les deux pays signent un accord commercial en octobre 1972. La visite de Brejnev à Washington, du 18 au 25 juin 1973, est marquée par la signature d'un traité sur « la prévention de la guerre nucléaire ». Un troisième sommet aura lieu en juin-juillet 1974 à Moscou et en Crimée, mais dans un climat déjà obscurci par les conséquences de la guerre du Kippour.

LE REGAIN DES TENSIONS
(1975-1985)

Le repli américain

La guerre du Kippour entre Israël et les pays arabes (octobre 1973), et le choc pétrolier qu'elle engendre, affaiblissent considérablement les pays occidentaux, et notamment les États-Unis. Marqués par leur échec au Viêtnam et par le scandale du Watergate, les Américains traversent à partir de 1974 une phase de doute et de repli. Pour retrouver la fierté de l'Amérique, le président Jimmy Carter choisit de privilégier la défense des droits de l'homme. Son rôle est décisif dans les accords de Camp David (septembre 1978), qui conduisent à la signature du traité de paix israélo-égyptien, le 26 mars 1979. Mais le rejet de cet accord par les autres pays arabes et l'aggravation du conflit libanais, commencé depuis septembre 1975, marquent les limites de « l'effet Carter ».

> La crise économique détruit l'équilibre de la détente et engendre la « guerre fraîche ».

L'influence américaine recule sur plusieurs fronts.

Au Nicaragua, le « front sandiniste », soutenu par l'URSS, renverse en juin 1979 le régime pro-américain du dictateur Somoza, lâché par Carter.

En Iran, les États-Unis perdent un allié précieux : le shah est renversé en janvier 1979 par la révolution islamique de l'ayatollah Khomeiny, chef des musulmans chiites, qui engage contre l'Irak une guerre sanglante, en septembre 1980. La prise en otage du personnel de l'ambassade des États-Unis à Téhéran, en novembre 1979, et l'échec du raid lancé en avril 1980 pour les récupérer, sont ressentis dans le monde entier comme le symbole de la faiblesse américaine.

L'offensive soviétique

Profitant de l'affaiblissement des États-Unis, les Soviétiques renforcent leur influence sur plusieurs fronts.

En Asie, ils appuient la création de la République socialiste du Viêtnam (avril 1976), et de la République populaire du Laos (décembre 1975). Et si le Cambodge tombe en 1976 aux mains des Khmers rouges pro-chinois, ceux-ci sont chassés dès 1978 par les Viêtnamiens pro-soviétiques. L'influence de l'URSS s'étend à toute la péninsule indochinoise.

En Afrique, ils profitent de l'émancipation des anciennes colonies portugaises, la Guinée-Bissau, l'Angola et le Mozambique pour s'y implanter, par l'intermédiaire des troupes cubaines, en 1975. Présents par ailleurs en Éthiopie et au Sud-Yemen, ils contrôlent la mer Rouge, c'est-à-dire la route du pétrole.

C'est surtout leur intervention en Afghanistan qui va frapper le monde occidental, le 27 décembre 1979. La résistance islamique, armée par le Pakistan, allié des États-Unis, refuse de lâcher prise et entraîne les dirigeants du Kremlin dans une guerre interminable. Cette intervention est sévèrement condamnée par les pays musulmans comme par le monde occidental.

L'INVASION DE L'AFGHANISTAN

À partir de 1978, les réformes brutales du communiste Taraqi puis du communiste extrémiste Amin heurtent les religieux et les propriétaires afghans, parmi lesquels certains entrent dans l'opposition armée au pouvoir. Les Soviétiques interviennent militairement en Afghanistan le 24 décembre 1979. Ils remplacent Amin par un modéré, B. Karmal, susceptible d'être mieux accepté par les populations, et cherchent à écraser la guérilla, qui se retourne contre eux et le nouveau pouvoir.

L'intervention russe suscite la réprobation de nombreuses puissances, notamment des États-Unis, qui prennent des sanctions contre l'URSS. Alors que des centaines de milliers d'Afghans se réfugient en Iran et au Pakistan, les résistants armés par les États-Unis, parviennent à tenir tête dans ce pays montagneux à plus de 100 000 soldats russes.

Le 14 avril 1988, par les accords de Genève, Gorbatchev décide de retirer ses troupes d'Afghanistan. Il laisse à la tête de l'État afghan un communiste modéré, Najib Ulla, partisan d'une politique de « réconciliation nationale ». Mais ce dernier est renversé par la guérilla en 1992 et le pays est dès lors déchiré par les rivalités ethniques.

La réaction américaine

L'invasion de l'Afghanistan incite Carter à durcir brutalement sa politique face à l'URSS, à partir de janvier 1980.

Il appelle au boycott des Jeux Olympiques de Moscou et décrète l'embargo des ventes de céréales à l'URSS.

Les accords SALT 2, signés à Vienne le 18 juin 1979, prolongeant les accords SALT I sur la limitation des rampes de lancement des missiles nucléaires, ne sont pas soumis à la ratification du Congrès américain. Les négociations SALT 3, qui prennent en compte les missiles nucléaires installés en Europe, sont ajournées.

Pour répliquer à l'installation des fusées SS 20 soviétiques de moyenne portée braquées vers l'Europe occidentale, les Américains décident en décembre 1979 d'y implanter en dix ans 108 fusées Pershing et 464 Cruise. Après le refus soviétique de l'« option zéro » (aucune fusée en Europe), proposée en 1981 par les États-Unis, les fusées Pershing seront installées en novembre 1983, malgré les protestations des pacifistes allemands, britanniques et néerlandais. Ronald Reagan, élu en novembre 1980, est encore plus ferme envers ce qu'il appelle « l'Empire du mal » :

Le budget de la Défense augmente de 25 % en trois ans et Reagan annonce une Initiative de défense stratégique (IDS), qui vise à organiser un bouclier spatial protégeant les États-Unis contre toute attaque nucléaire : c'est la « guerre des étoiles » (mars 1983).

Les États-Unis financent les opposants (« contras ») au régime sandiniste du Nicaragua ; ils soutiennent les Britanniques dans la guerre des Malouines contre l'Argentine (avril 1982) ; ils interviennent sur l'île de la Grenade, « relais de la subversion soviéto-cubaine » (octobre 1983). Cette intervention symbolique, la première depuis le Viêtnam, marque le redressement international des États-Unis.

La détente n'a pas résisté à la crise de 1973, et aux déséquilibres internationaux qu'elle a engendrés. Les efforts entrepris au début de la décennie 70 sont désormais abandonnés, et la course aux armements reprend de plus belle. C'est l'escalade de la « guerre fraîche », jusqu'à l'arrivée au pouvoir de Mikhaïl Gorbatchev, en mars 1985.

1962 : crise des missiles de Cuba ; accords de Nassau ; le Royaume-Uni accepte les missiles américains.

1963 : veto du général de Gaulle à l'entrée du Royaume-Uni dans le Marché commun ; rupture entre la Chine populaire et l'URSS.

1964 : bombe atomique chinoise.

1966 : Conférence tricontinentale réunie à Cuba ; retrait des troupes françaises de l'OTAN.

1968 : intervention des troupes du Pacte de Varsovie en Tchécoslovaquie.

1970 : traités RFA-URSS et RFA-Pologne.

1971 : la Chine populaire remplace Taïwan à l'ONU.

1972 : Nixon en Chine ; accords SALT 1 ; traité fondamental entre les deux Allemagnes.

1973 : accords de Paris; fin de la guerre du Viêtnam ; traité de Washington sur la prévention de la guerre nucléaire ; les deux Allemagnes admises à l'ONU ; guerre du Kippour; début de la crise du pétrole.

1975 : installation de régimes pro-soviétiques en Angola et Mozambique ; acte final de la Conférence d'Helsinki.

1978 : accords de Camp David entre l'Égypte et Israël.

1979 : renversement du shah d'Iran et révolution islamique ; accords SALT 2 ; intervention soviétique en Afghanistan.

1980 : début de la guerre Iran-Irak.

1982 : guerre des Malouines entre Britanniques et Argentins.

1983 : Reagan annonce l'IDS ; intervention américaine à la Grenade ; installation des fusées Pershing en Europe occidentale.

1985 : Gorbatchev au pouvoir en URSS.

LIRE AUSSI
ÉCONOMIE (DEPUIS 1973) ;
ÉTATS-UNIS (DEPUIS 1964) ; RELATIONS
INTERNATIONALES (1945-1962 ;
DEPUIS 1985) ; URSS (1953-1985).

RELATIONS INTERNATIONALES

(DEPUIS 1985)

La « guerre fraîche » des années 1980-1984 a plongé les rapports Est-Ouest et Nord-Sud dans l'impasse. Mais les dissensions à l'intérieur des Blocs, l'imbrication croissante des problèmes économiques et stratégiques, et la multiplication des « conflits régionaux » obligent les deux Grands à se rapprocher. À l'initiative de Mikhaïl Gorbatchev, arrivé au pouvoir en mars 1985, la détente entre les deux Grands permet d'aboutir au désarmement et à la résolution de plusieurs conflits. Mais de nouveaux foyers de tension apparaissent, menaçant gravement le nouvel ordre mondial.

VERS LA FIN DE L'AFFRONTEMENT EST-OUEST

> *À partir de 1985, les deux Grands renoncent peu à peu à s'affronter.*

Les nécessités de la détente

Dès 1984, les deux Grands recherchent la détente, comme en témoignent les rencontres de Washington (septembre 1984) et de Genève (janvier 1985). Mais c'est surtout l'arrivée au pouvoir de Mikhaïl Gorbatchev en mars 1985 qui modifie profondément les relations Est-Ouest. Dans le cadre de la restructuration (perestroïka), la relance économique exige en effet une réduction sensible des dépenses militaires soviétiques. C'est pourquoi Gorbatchev prône avant tout le désarmement, auquel il associe sa « nouvelle pensée » en matière de politique extérieure. Ce faisant, il rejoint les préoccupations du président Reagan, soucieux lui aussi réduire le poids des dépenses stratégiques dans le budget américain.

Le désarmement

Le sommet Reagan-Gorbatchev organisé à Genève, du 19 au 21 novembre 1985, n'est qu'une reprise de contact entre les deux Grands. Les États-Unis ne veulent pas répondre à la proposition d'élimination complète des armes atomiques avant l'an 2000, formulée le 16 janvier 1986 par Gorbatchev. Mais la pression internationale pousse vers le désarmement : 35 pays signent les accords de Stockholm, qui instaurent le contrôle réciproque des équipements et activités militaires (21 septembre 1986).

C'est à Washington, le 7 décembre 1987 que les deux Grands aboutissent pour la première fois à un accord sur la destruction de tous les missiles nucléaires de courte ou moyenne portée (type Pershing ou SS 20) installés en Europe. Cet accord décisif est ensuite complété par le sommet de Moscou (mai 1988), qui prévoit une réduction de 50 % des missiles à longue portée (plus de 5 000 km), puis par la réduction unilatérale de 500 000 hommes des forces du Pacte de Varsovie (décembre 1988). Les sommets Bush-Gorbatchev de 1989 conduisent à l'adoption du traité « CFE » (*Conventional forces equality*), qui établit l'égalité des armements conventionnels (non nucléaires) entre les deux blocs (19 novembre 1990), puis au traité START (*strategic arms reduction talks*), signé à Moscou le 31 juillet 1991, qui réduit d'un tiers les missiles stratégiques (nucléaires) des deux Grands. Après la disparition de l'URSS, les quatre États de la CEI détenant des armements nucléaires (Russie, Ukraine, Kazakhstan, Belarus) adhèrent en mai 1992 au traité START. Enfin, en juin 1992, lors du sommet de Washington, George Bush et Boris Eltsine décident d'aller plus loin que ce traité, chaque partie promettant de réduire à 3 000 le nombre de ses missiles nucléaires d'ici dix ans.

● ***La résolution des conflits « régionaux »***

La détente se traduit non seulement par le rapprochement des deux Grands (Jeux Olympiques de Séoul en 1988) mais aussi par l'apaisement de plusieurs conflits périphériques. À cet égard, l'année 1988 est l'année de la paix, comme le prouvent les quatre traités signés à Genève : l'accord entre l'Afghanistan et le Pakistan (14 avril) fixe le calendrier du retrait des troupes soviétiques, annoncé par Gorbatchev en décembre 1987 ; le traité entre Cuba, l'Angola et l'Afrique du Sud (5 août) annonce le départ des troupes cubaines ; le cessez-le-feu entre Irak et Iran (8 août) met fin à huit ans de guerre ; enfin, le Maroc et le Front

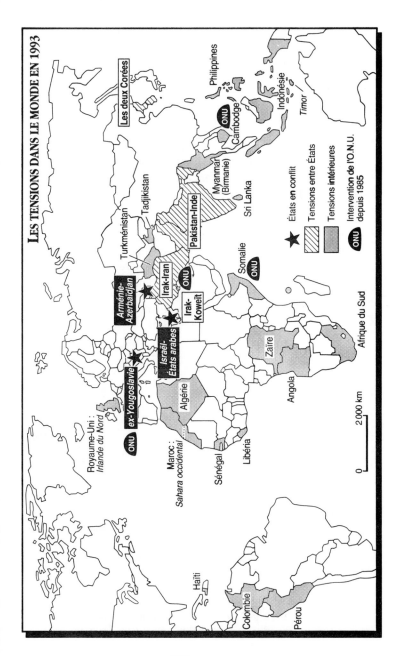

LES TENSIONS DANS LE MONDE EN 1993

Royaume-Uni : *Irlande du Nord*

ex-Yougoslavie

Maroc : *Sahara occidental*

Algérie

Sénégal

Libéria

Colombie

Haïti

Pérou

Israël-États arabes

Arménie-Azerbaïdjan

Irak-Iran

Irak-Koweït

Turkménistan

Tadjikistan

Pakistan-Inde

Myanmar (Birmanie)

Sri Lanka

Somalie

Zaïre

Angola

Afrique du Sud

Les deux Corées

Philippines

Cambodge

Indonésie

Timor

États en conflit

Tensions entre États

Tensions intérieures

ONU Intervention de l'O.N.U. depuis 1985

0   2 000 km

373

Polisario acceptent un référendum d'autodétermination sur le Sahara occidental (30 août).

Des accords sont aussi trouvés sur d'autres points chauds du globe, notamment grâce aux pressions de Moscou. C'est ainsi que la paix est signée entre l'Éthiopie et la Somalie, en avril 1988, tandis que le Tchad et la Libye acceptent le cessez-le-feu en octobre 1988. Vivement encouragé par Gorbatchev, le retrait des forces viêtnamiennes du Kampuchea (ex-Cambodge) est annoncé en mai 1988 ; la visite du numéro un soviétique à Pékin (mai 1989), puis l'organisation d'une conférence internationale sur le Cambodge (juillet 1989) marquent des étapes importantes pour la pacification de l'Asie du Sud-Est.

Il subsiste néanmoins de nombreux points de friction : en Amérique centrale, où les États-Unis financent la Contra hostile au gouvernement sandiniste du Nicaragua ; et au Proche-Orient, où les Palestiniens des territoires occupés lancent l'Intifada ou « guerre des pierres » contre les troupes israéliennes, à partir de décembre 1987. Mais Yasser Arafat, chef de l'OLP, accepte de reconnaître l'existence d'Israël et de renoncer au terrorisme (novembre 1988).

LE NOUVEAU « DÉSORDRE » MONDIAL

> L'effondrement du bloc communiste place les États-Unis en position de force dans un monde très instable.

La guerre du Golfe : le leadership américain

L'implosion du bloc communiste d'Europe de l'Est et les difficultés de l'URSS placent les États-Unis dans une position de leadership international.

Dans leur « domaine réservé » d'Amérique centrale, ils se désengagent du Nicaragua après l'échec électoral des sandinistes (février 1990), mais ils interviennent militairement au Panama, le 20 décembre 1990 : l'opération « Juste cause », élimine le général Noriega, au prix de 2 000 morts.

Mais c'est surtout la guerre du Golfe, consécutive à l'invasion du Koweït par l'Irak de Saddam Hussein (2 août 1990), qui va concrétiser ce leadership américain. Dans un premier temps, les États-Unis obtiennent le vote par l'ONU de la résolution 661 instaurant l'embargo international de l'Irak (6 août 1990). Puis ils s'assurent du soutien soviétique lors du sommet Bush-Gorbatchev d'Helsinki (9 septembre 1990). En vertu de la résolution 678 votée par l'ONU le 29 novembre 1990, les forces alliées, aux deux tiers américaines et commandées par le général américain Schwartzkopf, déclenchent contre l'Irak l'opération « Tempête du désert », du 17 janvier au 27 février 1991. Hormis la restauration de la souveraineté koweïtienne, la guerre du Golfe n'a pas réglé les problèmes du Moyen-Orient. Elle a surtout confirmé les États-Unis dans leur rôle de « gendarme du monde », face à une Europe divisée et à un bloc communiste en pleine déliquescence.

Des foyers de tension multiples

La disparition de l'antagonisme Est-Ouest n'est pas synonyme de paix, bien au contraire. Sur tous les continents, les foyers de tension se multiplient.

Le Moyen-Orient reste une zone d'affrontements. En dépit des efforts réalisés par la conférence internationale, ouverte à Madrid le 30 octobre 1991, le conflit israélo-palestinien est loin d'être résolu. La satellisation forcée du Liban par la Syrie (octobre 1990) attise la méfiance des puissances rivales du Moyen-Orient. Saddam Hussein n'a pas renoncé à son influence, et les Occidentaux ont dû recourir aux raids aériens pour lui imposer les résolutions de l'ONU (janvier 1993). L'Iran, qui aspire au leadership moyen-oriental, prévoit d'expérimenter sa première bombe atomique en 1997. En outre, le pouvoir iranien encourage la poussée de l'intégrisme musulman dans les pays d'Afrique du Nord, réunis dans une Union économique du Maghreb arabe en 1989.

L'Afrique noire, enfoncée dans le sous-développement, est le théâtre de plusieurs guerres civiles (Liberia, Burundi) qui nécessitent des interventions extérieures. La pression économique internationale pousse le gouvernement sud-africain à libérer le leader noir Nelson Mandela (février 1990), puis à abroger la ségrégation raciale dans les lieux publics (juin 1990). Afin de ravitailler le peuple somalien, affamé et divisé par des luttes claniques, l'ONU instaure le droit d'ingérence humanitaire, concrétisé par l'opération « Restore Hope ».

C'est surtout dans l'ancien bloc communiste que se trouvent les foyers de tension les plus graves. Sur le territoire de l'ex-URSS, la rivalité entre les divers États indépendants, notamment la Russie et l'Ukraine, et les nombreuses tensions interethniques (Azéris et Arméniens, Ossètes et Géorgiens) ont déclenché des conflits meurtriers. La prolifération des armes de destruction massive sur ces territoires est une menace pour l'équilibre international. La résurgence des nationalismes est commune à toute l'Europe de l'Est. L'exemple du conflit entre Serbes et Musulmans de Bosnie-Herzégovine (mars 1992) illustre l'impuissance de l'ONU, des États-Unis et de la Communauté Européenne face aux dangers potentiels d'un enchaînement fatal. Ces tensions, anciennes ou nouvelles, sont très dangereuses pour l'équilibre des relations internationales.

CHRONOLOGIE

1985 : Gorbatchev au pouvoir en URSS ; sommet Reagan-Gorbatchev à Genève.

1986 : proposition Gorbatchev d'élimination totale des armes nucléaires ; accords de Stockholm sur le contrôle des armements.

1987 : Gorbatchev annonce le retrait des troupes soviétiques d'Afghanistan ; accords de Washington sur la destruction des missiles de moyenne portée.

1988 : accords de Moscou sur la réduction des missiles de longue portée ; annonce du retrait des troupes viêtnamiennes du Cambodge ; fin de la guerre Iran-Irak ; retrait des troupes cubaines d'Angola ; l'OLP reconnaît l'État d'Israël ; réduction de 500 000 hommes des troupes du Pacte de Varsovie.

1989 : Gorbatchev à Pékin ; conférence internationale sur le Cambodge.

1990 : l'Irak envahit le Koweït ; traité établissant l'égalité des forces conventionnelles des deux blocs (CFE) ; intervention américaine au Nicaragua.

1991 : opération « Tempête du désert » contre l'Irak ; traité START réduisant d'un tiers les forces nucléaires ; conférence internationale de Madrid sur le Proche-Orient.

1992 : guerre civile en Bosnie-Herzégovine.

1993 : raids aériens américains sur l'Irak ; les Serbes de Bosnie refusent le plan de paix Vance-Owen.

 LIRE AUSSI ÉTATS-UNIS (DEPUIS 1964) ; EUROPE DE L'EST (DEPUIS 1980) ; INDOCHINE (DEPUIS 1945) ; MOYEN-ORIENT (DEPUIS 1945) ; RELATIONS INTERNATIONALES (1962-1985) ; URSS (1985-1991).

RELIGIONS

(DEPUIS 1945)

À partir de 1945, on assiste d'abord à un recul de la religion que l'on peut rapporter à l'influence croissante d'une culture occidentale laïcisée ; puis, à partir des années 70, on observe à un « retour au religieux », le plus souvent au profit des tendances les plus sectaires des religions.

LES RELIGIONS DANS LE MONDE (en millions)

	1900	1970	1986	prévisions an 2000
Chrétiens :				
– catholiques	226	672	887	1 133
– protestants	143	354	450	589
– orthodoxes	116	143	171	200
Juifs	12	15	18	20
Musulmans	200	550	837	1 201
Hindouistes	203	466	661	859
Bouddhistes	127	232	300	359
Sikhs	3	11	16	23
Animistes	106	88	91	101
Nouvelles religions	6	76	109	138

LES RELIGIONS CHRÉTIENNES

Le christianisme en crise

Né en Palestine, le christianisme a trouvé son terrain d'élection en Europe. Il s'est ensuite répandu sur les terres de colonisation européenne,

La crise du christianisme pousse l'Église catholique à s'adapter au monde moderne.

notamment en Amérique. Il est partagé en plusieurs branches : catholique, protestante et orthodoxe. La division entre catholiques et orthodoxes remonte au XIᵉ siècle (1054), entre catholiques et protestants au XVIᵉ siècle.

Après 1945, le christianisme connaît de graves difficultés. En Europe de l'Ouest et dans une moindre mesure en Amérique du Nord, on assiste à une baisse de la pratique religieuse, à des difficultés de recrutement des prêtres et des pasteurs, et à une diminution de l'influence de l'Église dans la société. Il en est de même en Europe de l'Est et en URSS, où les régimes communistes et athées sont hostiles à la religion, alors qu'en Afrique noire, le christianisme, trop lié à la colonisation, perd de l'influence au profit de l'Islam. Par contre, l'Amérique latine résiste à la déchristianisation.

● ***Vatican II et ses répercussions***

Pour certains responsables catholiques, la crise est due avant tout au décalage entre le traditionalisme de l'Église et l'évolution rapide de la société et des mœurs. Au début des années 60, le nouveau Pape Jean XXIII (1958-1963) essaie d'adapter son Église au monde moderne. Il réunit un concile (rassemblant tous les évêques catholiques) chargé de poser les bases du renouveau. Clôturé par le pape Paul VI (1963-1978) en 1965, ce concile, appelé Vatican II, aboutit à quelques changements majeurs : sans remettre en cause l'infaillibilité pontificale, il étend les pouvoirs et la responsabilité des évêques ; il souligne les devoirs des chrétiens à l'égard des grands problèmes du monde moderne (question sociale, paix internationale, armes atomiques) ; il met l'accent sur le respect dû à la conscience des non-catholiques et sur la nécessité du rapprochement entre chrétiens ; il modernise la liturgie (rites et chants accompagnant la cérémonie religieuse) en y introduisant par exemple l'usage des langues nationales à la place du latin...

À la suite du Concile, l'Église catholique établit des liens étroits avec le Conseil œcuménique. Fondé en 1948, le Conseil œcuménique est un forum, réunissant depuis 1961 la plupart des Églises protestantes et l'Église orthodoxe Russe, où la discussion théologique tente de réaliser l'union des chrétiens. De façon générale, les Églises chrétiennes se rapprochent : en 1966, le Dr Ramsey, archevêque anglican de Canterbury, est reçu par Paul VI... Mais contrairement aux espérances du Pape, Vatican II ne rend pas à la religion catholique son ancienne gloire. En Europe de l'Ouest, on assiste certes à un rejet partiel du matérialisme, mais au profit de sectes inspirées des religions orientales, comme « l'Association internationale de la conscience de Krishna », fondée en 1966 aux États-Unis. Surtout, l'Église catholique doit faire face à de nouvelles forces centrifuges. Certains refusent les innovations : c'est le cas de Monseigneur Lefebvre, ancien archevêque de Dakar, qui entend donner dans son séminaire d'Écône un enseignement conforme à la tradition. D'autres, au contraire, trouvent que les décisions du concile ne vont pas assez de l'avant : des catholiques européens revendiquent une reconnaissance du mariage des prêtres, l'acceptation du contrôle des naissances ; des prêtres latino-américains veulent un engagement effectif de l'Église aux côtés des pauvres contre les riches (Théologie de la Libération, apparue dans les années 60).

● *Les religions chrétiennes au présent*

Depuis le début des années 80, certains changements sont perceptibles.

Après la mort de Paul VI et le court pontificat de Jean-Paul I (août à septembre 1978), le nouveau Pape polonais Jean-Paul II multiplie les voyages dans le monde entier, cherche à rétablir l'ordre dans son Église (condamnation de la Théologie de la Libération, excommunication de Monseigneur Lefebvre en 1988) et fait du combat pour les droits de l'homme une priorité. Ce combat est aussi celui de l'Église orthodoxe en URSS, de l'Église anglicane (une des Églises protestantes) en Afrique du Sud, où l'archevêque Desmond Tutu lutte contre l'Apartheid...

La pratique religieuse connaît un certain renouveau. En Europe de l'Est, les progrès sont confirmés après l'effondrement du communisme et le rétablissement des libertés religieuses, la religion venant combler le nouveau vide idéologique. Dans le tiers monde chrétien, ce sont les tendances chrétiennes sectaires et rassurantes en même temps qui progressent (protestantisme intégriste dans les bidonvilles latino-américains). En Occident, un frémissement se fait sentir en faveur des Églises chrétiennes : mais en refusant d'aller au-delà de Vatican II dans le domaine des mœurs et de la sexualité, Jean Paul II se coupe d'une certaine jeunesse.

LES AUTRES GRANDES RELIGIONS

L'Islam gagne de nouveaux espaces et se durcit. Depuis le milieu des années 60, la communauté juive perd son unité. L'intégrisme hindou progresse rapidement...

Le réveil de l'Islam

L'Islam s'est étendu jusqu'en Inde et au Maroc au Moyen-Âge, à partir de la péninsule arabique. La religion islamique se divise en deux branches principales : le chiisme (environ 15 % des musulmans aujourd'hui) et le sunnisme. Depuis 1945, deux évolutions majeures sont perceptibles :

– L'Islam gagne de nouveaux espaces géographiques. En Afrique noire, il s'étend aux dépens de la religion chrétienne, non seulement parce qu'il n'apparaît pas comme la religion du colonisateur, mais aussi parce qu'il a su s'adapter aux traditions locales. L'Islam s'implante en Europe, du fait de l'immigration turque ou maghrébine. Il fait aussi des progrès dans les anciennes républiques musulmanes de l'URSS.

– Ensuite et surtout, l'islamisme se développe. Depuis le début du XXe siècle, il existe dans le monde musulman des minorités qui refusent la laïcisation et l'occidentalisation des mœurs et qui entendent faire de la Tradition islamique (la Charia) le fondement de la législation. Ces minorités se regroupent dans des mouvements dits islamistes comme « l'Association des Frères musulmans », fondée en Égypte en 1928.

En 1979, les islamistes chiites prennent le pouvoir en Iran à la suite d'une révolution. Au cours des années 80 et 90, l'islamisme fait de gros progrès dans tout le monde musulman. Il faut dire qu'en proposant de revenir aux principes traditionnels de l'Islam, il rassure ; en exigeant la solidarité à l'égard de la communauté musulmane, il attire à lui les déshérités ; en fustigeant l'Occident, il joue sur le nationalisme et le sentiment de haine de populations longtemps humiliées par la colonisation.

Les États qui sont devenus islamistes appliquent une partie ou la totalité de la Charia, et parfois les châtiments corporels qu'elle prévoit comme l'amputation, la flagellation ou la lapidation. Mais l'État chiite iranien se veut résolument anti-occidental et révolutionnaire (appels à la guerre sainte), alors qu'au Pakistan, au Soudan et en Mauritanie où les islamistes jouissent d'une grande audience quand ils ne sont pas au pouvoir, les liens avec l'Occident ne sont pas vraiment remis en cause. Dans la péninsule arabique, les États ont fait depuis longtemps le choix de la modernité technique et de la tradition islamique.

La question juive

Les Juifs commencent à quitter la Palestine vers le IXe siècle avant notre ère. Les juifs de la diaspora (mot grec qui signifie dispersion et qui désigne les Juifs situés en dehors de la Palestine) sont dans un premier temps localisés en Allemagne (ils suivent le rituel allemand et sont appelés Ashkénazes) et dans la péninsule ibérique (ils suivent le rituel espagnol et sont appelés Séfarades). À la suite des persécutions du XIVe siècle, nombre d'Ashkénazes quittent l'Allemagne pour se disperser dans toute l'Europe de l'Est, alors que les séfarades, expulsés d'Espagne en 1492 et du Portugal quelques années plus tard, vont peupler dans le bassin méditerranéen et sur le littoral de l'Europe du Nord.

Les conflits contemporains entraînent une nouvelle répartition spatiale. Avec le génocide (1942-45), près de 6 millions de juifs sont exterminés et en Europe centrale et orientale, des communautés entières sont rayées de la carte. Peu après, la formation de l'État d'Israël (1948) et la première guerre israélo-arabe (1948-49), puis la décolonisation du Maghreb (1956-62) vident de leurs Juifs les pays arabo-musulmans. Au contraire, d'anciennes régions de peuplement se densifient : en Israël et en Amérique.

Les juifs de la diaspora, de plus en plus souvent installés dans des pays développés, recherchent depuis 1945 une intégration économique et une assimilation culturelle qui se traduit par la multiplication des mariages mixtes, une baisse sensible de la pratique religieuse, l'abandon progressif des particularismes culturels, linguistiques, professionnels et l'adoption des valeurs de la société moderne. Parallèlement, la quasi-totalité d'entre eux apporte de 1948 à 1967 un soutien inconditionnel à Israël. Mais après la guerre des six jours (1967), de nouvelles tendances apparaissent. Le problème palestinien les divise et l'idéologie sioniste unitaire tend à céder sous la pression d'autres adhésions ; certains s'adonnent à un important travail de revitalisation des cultures juives traditionnelles.

- En Israël, on assiste aussi, depuis 1948, à un assoupissement de la pratique. Mais ces dernières années, un mouvement intégriste et nationaliste, minoritaire, se développe au côté des courants traditionalistes classiques. Il s'appuie sur la Bible pour légitimer l'expansion israélienne.

● ***Les religions orientales***

Le bouddhisme, né en Inde, est surtout présent en Asie du Sud-Est. Au nord de l'Inde (Ladakh), il cède à la poussée musulmane. En Chine, le régime communiste a, depuis 1949, cherché à le réduire : mais la religion reste très ancrée dans les mentalités, surtout au Tibet.

L'hindouisme est la principale religion de l'Inde. On assiste depuis quelques années à un puissant regain du mouvement hindouiste (intégrisme hindou) qui est né avec la RSS (Association des volontaires nationaux), en 1925, en réaction à l'islam, deuxième religion de l'Inde. La RSS compte en 1993 2,5 millions de membres, auxquels il faut ajouter des syndicats et le BJP (Bharatiya Janata Party), expression politique du mouvement. Cette nébuleuse extrémiste, bien implantée dans tous les secteurs de la société, revendique la création d'une nation indienne purement hindoue et s'emploie à saper durablement l'entente qui règne entre les communautés.

Le mouvement hindouiste se nourrit d'un sentiment d'infériorité face aux musulmans, perçus comme formant une vraie communauté alors que la société hindoue est traditionnellement divisée en castes. Depuis le début des années 80, ce sentiment de vulnérabilité s'est aggravé parce que les musulmans du pays se sont enrichis dans le golfe persique et ont pu faire construire de nouvelles mosquées, ouvrir des écoles coraniques, et même favoriser un mouvement de conversion ponctuel dans la caste méprisée des Intouchables au sud de l'Inde. Depuis, les intégristes hindous, qui se sentent menacés, ont mobilisé l'opinion sur le thème symbolique de la reconquête du lieu de naissance du dieu Ram à Ayodhya, où les musulmans ont, au XVIᵉ siècle, construit une mosquée. C'est cette mosquée qui a été détruite le 6 décembre 1992...

ROYAUME-UNI

(1918-1939)

Le Royaume-Uni (Angleterre, Écosse, Pays de Galles et
Irlande du Nord) sort affaibli de la Première Guerre
mondiale. Ses pertes humaines sont importantes. De
créancier en 1914, il est devenu débiteur des États-Unis
en 1919. Son industrie a perdu de nombreux clients en
Amérique latine et en Extrême-Orient. Malgré de sérieux
atouts – c'est toujours la première puissance impériale
et son influence est déterminante à la Société des
Nations... – il entre dans une longue période de difficultés.

LES TROUBLES
DE L'APRÈS-GUERRE (1918-1929)

Au contraire de la plupart des États industrialisés, le Royaume-Uni entre au cours des années 20 dans une période de difficultés politiques, économiques et sociales.

L'instabilité gouvernementale

En décembre 1918, la Chambre des Communes, qui possède la quasi-totalité du pouvoir législatif, et devant laquelle le Premier ministre, détenteur du pouvoir exécutif, est responsable, doit être renouvelée.

Les élections qui ont lieu au scrutin uninominal à un tour et pour la première fois au suffrage universel (les hommes de plus de 21 ans et les femmes de plus de 30 ans ont le droit de vote), donnent la victoire aux conservateurs (les tories) alors que les libéraux (les whigs) essuient un échec relatif et que le tout récent parti travailliste (le Labour), de tendance socialiste, fait une percée significative. Le libéral Lloyd George, « organisateur de la victoire militaire », soutenu par une majorité qui regroupe conservateurs et libéraux, est alors Premier ministre. Il négocie le traité de Versailles et réussit à signer un traité avec les dirigeants nationalistes irlandais, mais le développement de la crise économique et ses échecs au Moyen-Orient lui font perdre le soutien des conservateurs.

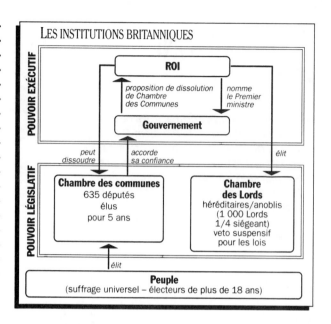

LES INSTITUTIONS BRITANNIQUES

POUVOIR EXÉCUTIF

ROI

proposition de dissolution de Chambre des Communes

nomme le Premier ministre

Gouvernement

POUVOIR LÉGISLATIF

peut dissoudre   *accorde sa confiance*   *élit*

Chambre des communes
635 députés
élus
pour 5 ans

Chambre des Lords
héréditaires/anoblis
(1 000 Lords
1/4 siégeant)
veto suspensif
pour les lois

élit

Peuple
(suffrage universel – électeurs de plus de 18 ans)

De nouvelles élections ont donc lieu en novembre 1922. Elles donnent une large victoire aux conservateurs qui peuvent gouverner seuls. Le Premier ministre Bonar Law ne parvient pas à résoudre la crise économique qui s'avère structurelle. Baldwin, qui lui succède à partir du 25 mai 1923, propose alors de protéger les produits anglais par un tarif douanier et en appelle aux électeurs en décembre 1923, qui votent en majorité pour les candidats favorables au libre-échange, travaillistes et libéraux.

Le travailliste Mac Donald, à la tête d'une coalition de travaillistes et de libéraux, devient Premier ministre. Mais critiqué pour sa modération par l'aile gauche du Labour (il a renoncé au prélèvement sur le capital et à toute nationalisation) et par les libéraux (qui ont mal accepté la reconnaissance de l'URSS par le Royaume-Uni le 8 janvier 1924), il est renversé au bout de 9 mois.

Aux élections d'octobre 1924, les tories obtiennent de nouveau la majorité absolue aux Communes, et appuient le gouvernement conservateur de Baldwin, qui parvient à rétablir la convertibilité-or de la livre en mai 1925, s'oppose avec fermeté à la grève de 1926 et rompt les relations diplomatiques avec l'URSS. Mais en 1929, la victoire relative des travaillistes aux législatives permet à Mac Donald de constituer, avec l'appui libéral, un gouvernement travailliste.

ROYAUME-UNI (1918-1939)

● *Les problèmes économiques et sociaux*

Après une période de forte croissance et d'inflation (1919-1920), brisée par la crise de 1921, l'économie britannique est atteinte d'anémie. Contrairement à celle des autres pays industrialisés, la production moyenne n'augmente guère dans les années 20. Alors que les secteurs en pointe commencent à peine à se développer dans le Sud-Est, l'exploitation charbonnière et les industries traditionnelles (métallurgie, textile, constructions navales) qui ont fait la prospérité du pays au XIXe siècle, concentrées dans les « pays noirs » (Nord de l'Angleterre, Pays de Galles, Écosse), subissent une grave crise : elles sont confrontées à la faible augmentation de la demande mondiale, à l'essor de la production charbonnière, métallurgique ou textile dans les pays neufs, et surtout aux coûts de fabrication désormais trop élevés (dus au vieillissement de l'appareil productif, à la faible concentration des entreprises, au niveau élevé des salaires, aux mentalités du patronat...) par rapport à ceux pratiqués aux États-Unis, en Allemagne ou au Japon.

Les choix économiques des gouvernements successifs ne font qu'aggraver les problèmes. La politique déflationniste (diminution des dépenses de l'État et augmentation des impôts) menée dans toute sa rigueur par le ministre de l'Échiquier (équivalent du ministre de l'Économie) Churchill, de 1924 à 1929, réduit la consommation intérieure nécessaire à la croissance. Le rétablissement en 1925 de la convertibilité-or de la livre à sa parité d'avant 1914, refait de la City une place financière très recherchée, mais aboutit à une surévaluation de la livre par rapport aux autres devises, ce qui conduit au renchérissement des produits britanniques sur les marchés extérieurs. Enfin, en s'accrochant au credo du libre-échange, après la tentative avortée de Baldwin d'établir en 1923 des droits protectionnistes, les gouvernements livrent les entreprises britanniques à la concurrence étrangère sur le marché intérieur.

La crise économique a de graves répercussions sociales : l'inflation rogne les salaires en 1919 et 1920 ; le chômage atteint 2,5 millions de personnes en 1921 et ne

385

tombe jamais en dessous de 1 million par la suite, avec un pic de 1,5 million en 1926. L'agitation est à son comble de 1919 à 1921 (le nombre des journées de grève passe de 10 millions en 1913, 35 millions en 1919 et 86 millions en 1921) surtout dans les « pays noirs », et reste forte par la suite : en mai 1926, la réduction des salaires et l'augmentation de la durée de la journée de travail dans les mines de charbon, pour abaisser les coûts de production, est à l'origine d'une grève des mineurs de sept mois (ils sont finalement vaincus et Baldwin profite de cette défaite pour limiter le droit de grève en 1927).

Malgré ces difficultés, les Britanniques ne restent pas à l'écart de l'ambiance des « années folles » : la mode des cheveux courts et des robes au dessus du genou pour les femmes, la vogue du cinéma, de la radio (la BBC est fondée en 1922) et du jazz illustrent la nouvelle influence américaine, alors que le football passionne de plus en plus les foules.

● **La création de l'État irlandais**

Aux élections de décembre 1918, le Sinn Fein, parti indépendantiste irlandais, obtient 75 % des sièges pour la totalité de l'Irlande. Les députés élus, au lieu de se rendre à Westminster, constituent à Dublin, en juillet 1919, un parlement national, le Dail qui proclame la République. L'Irish Republican Army (l'organisation armée des indépendantistes) est chargée de mener la lutte contre l'occupation anglaise : pendant deux ans, en 1920-21, une guérilla impitoyable oppose l'IRA à près de 100 000 soldats britanniques et aux protestants irlandais de l'Ulster (région du Nord du pays), favorables au maintien de l'union avec la Grande-Bretagne.

Pendant que la guerre s'étend, des négociations s'engagent. Lloyd George parvient à faire accepter aux principaux chefs nationalistes (Griffith, Colins...) le traité du 6 décembre 1921, divisant l'île en deux parties : l'Ulster, qui reste rattaché à la Grande-Bretagne, et l'État libre d'Irlande, qui prend le statut de dominion. Le nouvel État, qui dispose d'une très large autonomie, doit néanmoins faire allégeance à la Couronne d'Angleterre (représentée à Dublin par un gouverneur) et accepter les quelques autres contraintes qui pèsent de façon toute théorique sur les dominions (contrôle du Royaume-Uni sur la politique extérieure, droit du parlement britannique d'abroger certaines lois adoptées par le parlement irlandais...).

L'accord, ratifié par le Dail, est refusé par un chef indépendantiste, De Valera. Partisan de l'indépendance totale de toute l'île, il engage une guerre sanglante contre le tout nouveau gouvernement irlandais de Cosgrave (en 1922-23). S'il finit par déposer les armes en 1923, c'est pour fonder, en 1926, son propre parti, le Fianna Fail.

VERS LE REDRESSEMENT

Deux années de crises (1929-1931)

La crise de 1929 heurte de plein fouet l'économie britannique, très dépendante de l'extérieur (importance des exportations par rapport à la production, rôle des capitaux étrangers dans l'économie). De 1929 à 1932, les exportations diminuent de 70 % alors que la production baisse de 30 %. En 1932, 3 millions de personnes sont au chômage. Les industries les plus touchées sont les industries traditionnelles et les pays noirs deviennent des zones sinistrées. La diminution de l'activité, mais aussi la hausse spectaculaire des dépenses pour l'allocation-chômage, créent un fort déficit budgétaire .

> *À partir de 1931, les gouvernements concentrent avec succès leurs efforts sur la lutte contre la crise. D'où leur stabilité.*

Le gouvernement Mac Donald en place depuis 1929 met en œuvre une politique orthodoxe d'équilibre budgétaire. En août 1931, le Labour décide de rentrer dans l'opposition et Mac Donald constitue alors un gouvernement d'« Union nationale », soutenu aux Communes par les conservateurs, les libéraux et quelques dissidents travaillistes. Ce dernier diminue l'allocation chômage, les traitements des fonctionnaires et les soldes des militaires et des marins pour restaurer les finances publiques. Il en résulte de violentes manifestations de chômeurs à Glasgow et, le 15 septembre, une mutinerie dans la flotte britannique.

Un certain redressement économique

Le gouvernement infléchit alors sa politique. Le 22 septembre 1931, il suspend la convertibilité-or de la livre sterling. La monnaie anglaise se déprécie de 30 % en quelques jours. Les prix redeviennent compétitifs sur les marchés extérieurs, ce qui permet une légère reprise des exportations, vite annulée cependant par une vague de dévaluations dans le monde.

Après la très large victoire des conservateurs aux élections de 1931, il abandonne le libre-échange. À l'abri de tarifs douaniers, les entreprises britanniques peuvent écouler une plus grande part de leurs marchandises sur le marché intérieur. En même temps, par la conférence d'Ottawa de l'été 1932, le Royaume-Uni signe des accords douaniers préférentiels avec les anciens dominions (membres depuis 1931 du nouveau Commonwealth), espérant ainsi favoriser les exportations des produits manufacturés britanniques.

Enfin, il met en place une politique interventionniste. L'État encourage financièrement la construction de logements, aide les pays noirs à opérer leur reconversion – ébauchant ainsi pour la première fois une politique d'aménagement du territoire –, subventionne l'agriculture et favorise la concentration industrielle. À partir de 1935, il donne une impulsion à l'industrie en réarmant le pays.

L'indice de production de 1929 est dépassé dès 1935. Le nombre des chômeurs tombe à 1,5 million en 1937. La consommation de masse fait des progrès grâce à l'augmentation des salaires réels alors que la loi de 1938 promulgue des congés payés d'une semaine dont 11 millions de travailleurs bénéficient en 1939. Mais de nombreux déséquilibres persistent. Si les secteurs modernes du Sud-Est (chimie, construction électrique et surtout automobile) connaissent un boom, les industries des pays noirs continuent leur déclin ; surtout, les inégalités sociales restent criantes (en 1937, 96 % de la richesse nationale appartient à un tiers des familles).

● **Stabilité politique et repli britannique**

Le redressement économique et social explique en partie la stabilité politique des années 30.

Le Royaume-Uni ne connaît pas de véritable poussée extrémiste, contrairement à d'autres pays européens. Le parti fasciste d'Oswald Mosley (la British Union of Fascists) ne rencontre qu'une audience limitée, au même titre que le petit parti communiste.

Les conservateurs jouissent pendant toute la période de la majorité aboslue aux Communes. Ils sont les principaux soutiens des gouvernements Mac Donald (d'octobre 1931 à juin 1935), Baldwin (jusqu'en 1937), enfin Chamberlain (jusqu'en 1940), s'appuient sur des coalitions formées des conservateurs et des libéraux, où les conservateurs jouent un rôle largement prépondérant, puisqu'ils jouissent pendant toute la période de la majorité absolue aux Communes. Le parti travailliste, constamment dans l'opposition, est désormais le second parti du pays, loin devant les libéraux, qui continuent leur irrémédiable déclin.

On craint un moment qu'Edouard VIII, qui succède sur le trône à son père George V, décédé en juin 1936, cherche à restaurer les prérogatives royales et remette en cause le système démocratique. Peut-on faire confiance à un roi qui souhaite épouser une américaine divorcée, Miss Simpson, et qui montre des sympathies pour les régimes autoritaires d'Europe ? Mais sans soutien parlementaire, celui-ci abdique en décembre 1936 en faveur de son frère cadet le duc d'York, qui prend le nom de George VI et garde un rôle de représentation.

Pourtant le redressement est insuffisant pour permettre au Royaume-Uni de maintenir une politique extérieure ambitieuse.

Le pays se résigne à perdre une part de sa puissance. Par le statut de Westminster de 1931, il supprime toutes les restrictions limitant encore la souveraineté des dominions, qui forment désormais avec le Royaume Uni un Commonwealth de nations sœurs et égales, liées les unes aux autres par une commune et symbolique allégeance à la Couronne britannique. L'Irlandais De Valera, dont le parti gagne les élections de 1932, finit de son côté par obtenir pour l'État libre d'Irlande (qui prend le nom d'Eire) une indépendance encore plus complète par les accords d'avril 1938. Mais l'Ulster reste rattaché au Royaume-Uni.

Sur la scène européenne, les gouvernements successifs optent pour la conciliation à l'égard de Hitler et, en 1938, à la conférence de Munich, Chamberlain pousse la France à accepter le premier dépècement de la Tchécoslovaquie. Le réveil du gouvernement et de l'opinion n'a lieu qu'en 1939 : la lutte sans merci contre les nazis est dès lors unanimement acceptée.

Dans les années 20, le déclin économique du Royaume-Uni, qui avait commencé avant la guerre de 1914-1918, se confirme. Ce déclin n'est pas étranger à l'instabilité politique et la création de l'État irlandais. Dans les années 30, les gouvernements réussissent à endiguer la crise de 29. Mais cette victoire, qui contribue à la stabilité du pays, se fait au prix d'un abandon de la souveraineté dans les dominions et d'un certain « isolationnisme » sur la scène européenne. En 1939, le Royaume-Uni réagit enfin aux agressions allemandes. Sans le « redressement » des années 30, aurait-il pu tenir longtemps face à l'Allemagne nazie ?

CHRONOLOGIE

1918 : victoire des conservateurs à la Chambre des Communes ; le libéral Lloyd George Premier ministre.

1921 : traité donnant naissance à l'État libre d'Irlande.

1922 : fondation de la BBC ; Bonar Law (conservateur) Premier ministre.

1924 : reconnaisance de l'URSS ; Baldwin (conservateur) Premier ministre.

1924-1929 : politique de strict équilibre budgétaire menée par Churchill.

1925 : rétablissement de la convertibilité-or de la livre sterling.

1931 : suspension de la convertibilité-or de la livre sterling et dévaluation de 30 % ; large victoire des conservateurs aux Communes qui garderont le pouvoir tout au long des années 30 ; abandon du libre-échange ; statut de Westminster donnant l'indépendance aux dominions et fondant le Commonwealth.

1932 : conférence d'Ottawa établissant des accords douaniers préférentiels avec les membres du Commonwealth.

1936 : Edouard VIII succède à George V, puis abdique en faveur de son frère George VI.

1938 : Chamberlain signe les accords de Munich.

LIRE AUSSI PREMIÈRE GUERRE MONDIALE (BILAN) ; RELATIONS INTERNATIONALES (ANNÉES 20 ; ANNÉES 30) ; ÉCONOMIE (ANNÉES 20 ; ANNÉES 30).

ROYAUME-UNI

(DEPUIS 1945)

Le Royaume-Uni est en 1945 un pays victorieux, mais
très affaibli. Ayant perdu les deux tiers de ses réserves
d'or et de ses marchés dans le monde, l'économie
britannique est reléguée au second plan. La société a
besoin de se moderniser pour affronter la reconstruction.
Les Anglais ont besoin de renouvellement. C'est
pourquoi, en dépit du prestige personnel de leur chef
Winston Churchill, les conservateurs (tories) sont
nettement battus par les travaillistes (Labour Party) aux
élections de juillet 1945.

L'EXPÉRIENCE TRAVAILLISTE
(1945-1951)

> *Les travaillistes*
> *amorcent la*
> *décolonisation*
> *et instaurent*
> *l'État-*
> *providence.*

La décolonisation de l'Empire britannique

Au nom du droit des peuples, affirmé dans la
charte de l'Atlantique (août 1941), le gouvernement travailliste dirigé par Clement Attlee met en
œuvre la décolonisation d'une bonne partie de l'empire britannique. L'ex-Royaume des Indes, joyau de la couronne, est
ainsi partagé en deux États indépendants, l'Inde hindouiste
et le Pakistan musulman (juillet 1947), ce qui provoque des
transferts massifs de population et des conflits sanglants
entre les deux États. La Birmanie et Ceylan sont reconnus
indépendantes en octobre 1947 et février 1948. De plus, le
Royaume-Uni abandonne le protectorat qu'il exerçait, au
nom de la Société des Nations, sur le Tanganika, le Togo, le
Cameroun (1946) et surtout sur la Palestine (août 1948), où
le départ précipité des Britanniques déclenche la première
guerre israélo-arabe.

Cette politique de décolonisation sera néanmoins poursuivie en Afrique de 1957 à 1965. La quasi-totalité des États indépendants resteront dans le Commonwealth, dépendant de la Couronne britannique et conservant des liens privilégiés avec le Royaume-Uni.

Dirigisme économique et État-providence

En dépit de graves difficultés économiques (pénurie de charbon en janvier 1947) et financières (crise de la livre sterling en juillet 1947), le gouvernement Attlee met en œuvre un vaste plan de réformes, dans un double souci de relance économique et de justice sociale.

– Les nationalisations touchent l'ensemble des ressources énergétiques (charbon, nucléaire, gaz, électricité) et des transports, ainsi que la Banque d'Angleterre.

– L'État-providence (*Welfare State*) se concrétise : la loi sur l'assurance nationale (1946) et celle sur l'assistance nationale (1948), inspirées par le plan Beveridge (1942), organisent le système de Sécurité sociale, complété par l'instauration du Service national de santé, qui regroupe tous les hôpitaux et offre la gratuité des soins (1948); sont aussi votées plusieurs lois sur le logement, la démocratisation du système scolaire, la création des villes nouvelles.

Mais les nationalisations et les réformes sociales coûtent cher, le déficit du budget de l'État se creuse, et la monnaie s'affaiblit avec l'accroissement de l'inflation. En septembre 1949, la livre est dévaluée de 30 %. Ces difficultés financières ternissent l'image du cabinet Attlee. C'est pourquoi les travaillistes, vainqueurs de justesse aux élections de février 1950, sont battus lors des élections anticipées d'octobre 1951. Churchill, chef des tories, redevient Premier ministre.

LA PROSPÉRITÉ CONSERVATRICE (1951-1963)

Les années 50 sont une ère de prospérité marquée par la gestion conservatrice.

Churchill, redresseur de l'économie

Churchill conserve l'essentiel des réformes travaillistes, mais revient à une politique plus libérale (dénationalisation de la sidérurgie et des transports routiers 1951-1952) et plus rigoureuse, qui permet une amélioration de la situation économique à partir de 1952. Anthony Eden, qui lui succède en avril 1955, peut ainsi s'appuyer sur une majorité conservatrice renforcée par les élections anticipées de mai 1955. Le départ de Churchill reflète néanmoins la fin d'une époque glorieuse de l'histoire britannique, marquée aussi par la mort du roi George VI (février 1952), et par l'accession au trône de sa fille, couronnée sous le nom d'Elizabeth II (juin 1953).

La société d'abondance

La malheureuse expédition franco-britannique de Suez (novembre 1956) est fatale à Eden, qui démissionne en janvier 1957. Il est remplacé par son ministre des Finances, Harold Macmillan, surnommé « Super Mac », et qui va incarner l'ère de l'abondance.

Appuyé sur sa puissance financière, sur ses liens privilégiés avec les États-Unis et avec ses partenaires de l'Association européenne de libre-échange (AELE), créée en 1959, le Royaume-Uni connaît dans les années 50 une forte croissance (autour de 5 % par an). Le pouvoir d'achat est en hausse constante (+ 30 % entre 1951 et 1958), et la consommation augmente sensiblement, notamment dans l'automobile, l'électro-ménager et le secteur du logement. En dépit des crises cycliques (1951,1955,1960) et du nombre des laissés-pour-compte (7 millions de pauvres sur 52 millions d'habitants en 1960), on a le sentiment de vivre dans une société d'abondance. Macmillan et le parti conservateur recueillent les bénéfices de cette prospérité lors des élections d'octobre 1959.

L'ANGLETERRE EN CRISE (1963-1979)

Des échecs conservateurs à la modernisation travailliste

La prospérité britannique se détériore au début des années 60 : la crise des vieilles zones

> **Conservateurs et travaillistes se heurtent aux grands problèmes de la société britannique.**

industrielles du Nord-Est (« pays noirs »), la baisse du pouvoir d'achat, l'abandon du Commonwealth par l'Afrique du Sud raciste (mai 1961), le veto français à l'entrée du Royaume-Uni dans le Marché commun (janvier 1963) sont autant d'échecs pour le gouvernement. Un scandale mettant en cause John Profumo, secrétaire d'État à la Guerre, pousse Macmillan à démissionner (octobre 1963) et son successeur, Sir Alec Douglas Home, ne réussit pas à redorer l'image du parti conservateur, battu aux élections d'octobre 1964 par les travaillistes.

Le travailliste Harold Wilson devient Premier ministre et s'attache à moderniser la société : lois contre la discrimination raciale (1965), libéralisation du Code pénal (1967) et des conditions du divorce (1968), abolition de la peine de mort et majorité électorale fixée à 18 ans (1969), égalité salariale entre hommes et femmes (1970). Toutes ces réformes expliquent en partie que le Royaume-Uni ait échappé à la grande vague de contestation étudiante de 1968. Celle-ci, exprimée par les canaux de la contre-culture (pop-music, mode Carnaby Street), n'a pas débouché sur l'action politique.

LE CASSE-TÊTE IRLANDAIS

La question irlandaise va empoisonner la vie politique britannique pendant plusieurs décennies. En Ulster (Irlande du Nord), la coexistence difficile des protestants (deux tiers) et des catholiques (un tiers) prend un tour violent, en octobre 1968, lorsque les deux communautés s'affrontent à Londonderry. L'envoi des troupes britanniques en août 1969 ne fait qu'aggraver les tensions. Les catholiques de l'IRA (Irish Republican Army), qui exigent l'indépendance de l'Ulster, entament en 1971 une véritable guérilla urbaine. Le gouvernement britannique propose en mars 1973 un référendum sur une nouvelle Constitution d'Irlande du Nord. Mais le scrutin est boycotté par les catholiques, et les affrontements reprennent en 1974, marqués par la grève générale insurrectionnelle des protestants et par l'extension du terrorisme de l'IRA au territoire britannique.

L'alternance politique face à la crise

Après quelques années d'une gestion économique assez confuse, la dévaluation de la livre de 14 % (novembre

1967) et les mesures d'austérité qui ont suivi ont permis à Wilson de redresser la situation économique à partir de 1969. Mais c'est trop tard pour les travaillistes, qui sont quand même battus par les conservateurs aux élections de juin 1970.

Le Premier ministre conservateur Edward Heath est aussi confronté à de graves difficultés économiques et financières (inflation, déficit, chômage). Dans ce contexte, le vote d'une loi très conservatrice sur les « relations industrielles », restreignant le droit de grève (août 1971), puis le blocage des salaires poussent les syndicats à lancer un vaste mouvement de grèves (1972) qui débouche sur la grève générale des mineurs (février 1974). Seule réussite du gouvernement Heath : l'entrée du Royaume-Uni dans le Marché commun, en janvier 1973.

Revenu au pouvoir grâce aux élections de février 1974, le travailliste Harold Wilson règle le conflit des mineurs en abolissant la législation antisyndicale de 1971. Mais il est confronté à la crise économique mondiale, qui porte le chômage à 5 % de la population active et l'inflation à 15 % en 1975. Incapable de maîtriser ces problèmes, Wilson démissionne en mars 1976, laissant une succession difficile à son ministre des Affaires étrangères, James Callaghan. Celui-ci fait voter la nationalisation des constructions aéronautiques et navales (juillet 1976), ainsi qu'une loi sur la protection de l'emploi. Son projet de cogestion des entreprises par les travailleurs (1978) est bien reçu par les syndicats, qui acceptent de signer un « contrat social » limitant la hausse des salaires à 5 % en 1979. Mais la masse des ouvriers refuse cet accord et multiplie les grèves sauvages, plongeant le pays dans la paralysie économique (janvier 1979). À l'aube des années 80, le Royaume-Uni est nettement en retard sur la France, dont le produit intérieur brut (PIB) est supérieur d'un tiers au PIB britannique.

L'Écosse et le Pays de Galles, deux pays noirs particulièrement touchés par la crise, réclament de plus en plus leur autonomie. Afin de ménager les députés nationalistes écossais et gallois, Callaghan organise alors un référendum visant à doter l'Écosse et le Pays de Galles de parlements autonomes. Mais l'échec de ce référendum conduit les nationalistes à s'allier aux conservateurs et aux libéraux pour renverser le gouvernement travailliste, en mars 1979.

395

L'ANGLETERRE THATCHÉRIENNE (1979-1990)

L'ère Thatcher est marquée par le retour du libéralisme économique, au prix d'un désastre social.

Le néo-conservatisme de Margaret Thatcher

Les conservateurs gagnent largement les élections de mai 1979. Margaret Thatcher, première femme placée à la tête d'un gouvernement européen, rompt avec toute les politiques menées depuis 1945. Elle met en place une politique néo-libérale, rejetant l'État-providence et les syndicats, et prônant l'initiative individuelle et le profit : stricte réglementation du droit de grève (août 1980) ; allégement les impôts sur les hauts revenus et limitation des dépenses publiques ; à partir de 1983 ; privatisations touchant un quart du secteur public (aéronautique, pétrole, informatique).

Cette politique permet de ralentir l'inflation et de relancer la croissance, mais son coût social est désastreux : le taux de chômage passe de 6,4 % en 1980 à 13,3 % en 1986, et les inégalités sociales s'accroissent. La grève des mineurs (mars 1984-mars 1985), les émeutes raciales de juillet 1981 et septembre 1985 reflètent la colère des couches défavorisées. Les pays noirs, l'Écosse, le Pays de Galles, les Midlands, deviennent des régions sinistrées, contrastant avec l'essor de l'Angleterre verte, c'est-à-dire le Sud-Est du pays. On va vers un Royaume-Uni à deux vitesses, sur le plan social, comme sur le plan géographique.

Fermeté et excès de la « Dame de fer »

En mars 1981, la droite travailliste, emmenée par Roy Jenkins, fonde le Parti social démocrate (PSD), qui s'allie avec le Parti libéral pour casser l'alternance entre conservateurs et travaillistes. Sociaux-démocrates et libéraux fusionneront en 1988. Mais l'émergence de cette troisième force affaiblit surtout le Labour Party, ce qui renforce les conservateurs, larges vainqueurs des élections de juin 1983 et juin 1987. Ces derniers profitent aussi du prestige de la « Dame de fer », qui rassure les classes moyennes par sa fermeté lors de la guerre des Malouines (Falklands) gagnée contre l'Argentine (avril-juin 1982) ; contre l'IRA, qui multiplie les attentats sur le sol britannique (assassinat de Lord Mountbatten, en août 1979; attentat manqué contre Margaret Thatcher, en octobre 1984) ; enfin, lorsqu'elle défend avec intransigeance les positions britanniques au sein du Marché commun.

Mais la dégradation du climat social et l'injustice flagrante de son projet d'impôt local par tête (*poll tax*), présenté en avril 1990, suscitent le mécontentement général. Elle doit démissionner en novembre 1990, après onze ans de « thatchérisme ».

Une succession difficile

Successeur désigné de la « Dame de fer », le conservateur John Major tente d'adoucir le thatchérisme, notamment par la réforme de la poll tax et l'aide aux plus défavorisés. Mais le fond néo-libéral reste le même, comme en témoigne l'amorce d'une privatisation du Service national de santé.

Le Premier ministre conduit le parti conservateur à la victoire lors des élections d'avril 1992, en profitant de la faiblesse doctrinale et des divisions au sein du Labour Party. Mais le Royaume-Uni traverse une grave période de récession (– 2 % de croissance et 10,4 % de chômeurs en 1991), qui aggrave le problème social (émeutes de septembre 1991) et provoque un durcissement britannique au sein de la CEE (politique agricole commune, harmonisation des politiques sociales...).

Affaibli par la Deuxième Guerre mondiale puis par la perte de son empire colonial, le Royaume-Uni n'a pas su compenser ses handicaps par la voie économique et financière. Le déficit chronique de sa balance des paiements, le vieillissement de son appareil productif, les nombreuses crises sociales qui l'ont secoué, ont accentué son retard économique sur la France et la RFA. Le thatchérisme a réussi à combler une partie de ce retard, mais au prix d'une politique ultra-libérale, qui a eu pour effet de détruire le tissu social britannique. John Major est confronté à ce défi intérieur et à celui du Marché unique européen.

- *1945 :* début de l'ère travailliste (cabinet Attlee).
- *1947 :* début de la décolonisation et indépendance de l'Inde.
- *1948 :* Welfare State.
- *1951 :* Retour des conservateurs (cabinet Churchill)
- *1953 :* couronnement d'Elizabeth II.
- *1955 :* cabinet Eden.
- *1956 :* expédition de Suez.
- *1957 :* cabinet Macmillan.
- *1963 :* veto français à l'entrée dans le Marché commun ; cabinet Douglas Home.
- *1964 :* cabinet Wilson (travailliste).
- *1968 :* émeutes de Londonderry et début des affrontements en Ulster.
- *1970 :* cabinet Heath (conservateur).
- *1973 :* entrée dans le Marché commun.
- *1974 :* grève générale des mineurs.
- *1976 :* cabinet Callaghan (travailliste).
- *1979 :* cabinet Thatcher (conservateur).
- *1981 :* création du Parti social démocrate.
- *1982 :* guerre des Malouines.
- *1983 :* campagne de privatisations.
- *1990 :* poll tax ; cabinet Major (conservateur).

LIRE AUSSI
CONSTRUCTION EUROPÉENNE ; DÉCOLONISATION ; ÉCONOMIE (1945-1973) ; INDE (DEPUIS 1945) ; MOYEN-ORIENT (DEPUIS 1945) ; ROYAUME-UNI (1918-1939).

RUSSIE : RÉVOLUTIONS DE 1917

La Russie, en retard économiquement par rapport à l'Europe occidentale, est surprise par la guerre de 1914-1918 alors que son développement est loin d'être achevé. Le tsarisme, déjà contesté, ne résiste pas aux conditions difficiles que crée le conflit.

LA RUSSIE EN 1917

> La Russie est un empire économiquement fragile, mal préparé à soutenir une guerre.

Un développement économique inégal

Quand éclate la guerre, la modernisation de la Russie n'est que partiellement réalisée : avec ses 170 millions d'habitants, elle ne représente que 5 % de la puissance industrielle mondiale.

L'industrialisation n'a commencé que dans les années 1880 ; en dépit d'un rythme de croissance élevé, elle touche surtout l'Ouest du pays : industrie lourde de l'Ukraine, de l'Oural (charbon, fer), industries de transformation autour de Moscou et de Saint-Petersbourg où se sont développées des usines géantes (l'armurerie Poutilov à Saint-Petersbourg compte 12 000 ouvriers). Cette industrialisation s'est surtout grâce à des capitaux étrangers, pour moitié européens, sous forme d'investissements privés et d'emprunts publics, notamment français. La plus grande partie du territoire, malgré l'achèvement du Transsibérien en 1903, reste inexploitée. Les ouvriers, peu nombreux (2 % de la population) mais concentrés dans quelques villes, travaillent dans des conditions difficiles.

Le monde paysan, très largement majoritaire (environ 80 % de la population), souffre du manque de terres. La plus grande partie d'entre elles appartient encore à une noblesse absentéiste et peu intéressée par la modernisation agraire.

L'abolition du servage, en 1861, a multiplié les paysans sans terres ou très pauvres : les *moujiks*, le quart de la paysanne-rie. En 1906, les réformes entreprises par le Premier ministre Stolypine ont favorisé l'apparition de quelques paysans enri-chis, les *koulaks*, plus ouverts à la modernisation. Mais les méthodes de travail sont dans l'ensemble très archaïques, sauf dans les plaines à blé de l'Ouest, qui font du pays le premier producteur mondial de céréales.

● *Un régime politique autocratique et contesté*

Le système politique russe reste l'un des plus archaïques d'Europe, en dépit d'une contestation croissante.

L'empire russe est gouverné autocratiquement par le tsar Nicolas II. En janvier 1905, à Saint-Petersbourg, une manifesta-tion réclamant des droits politiques et réprimée dans le sang (le « Dimanche rouge »), provoque la formation spontanée, dans les grandes villes, de conseils ou de petites assemblées d'ouvriers, les *soviets*, qui organisent des grèves de grande ampleur (5 millions de grévistes). Cette expérience révolution-naire aboutit à la création en 1906 d'une assemblée représenta-tive, la Douma, et à l'effritement de la popularité du tsar, déjà compromise par la défaite dans la guerre contre le Japon en 1905 et par le scandale causé par la présence de l'aventurier Raspoutine dans l'entourage de la tsarine. Dès sa mise en place la Douma ne joue toutefois qu'un rôle politique très restreint : ses sessions sont rares et sa représentativité très limitée en rai-son d'un mode de scrutin favorisant bourgeois et propriétaires.

Face au régime autocratique, l'opposition est divisée :

– les réformistes, autour du Parti constitutionnel démo-crate, souhaitent établir un régime constitutionnel. Ils repré-sentent à la Douma les intérêts des industriels et de la noblesse occidentaliste.

– l'opposition clandestine regroupe des groupuscules révo-lutionnaires : les socialistes révolutionnaires (SR) veulent établir un socialisme fondé sur l'économie rurale ; le Parti socialiste-démocrate (SD), plus fidèle au marxisme et mieux implanté chez les ouvriers, s'est scindé en 1903 en deux tendances : les menche-viques souhaitent un parti de masse alors que les bolcheviques, menés par Lénine, veulent un parti centralisé et discipliné.

Des mouvements autonomistes se développent parallè-lement contre la politique de russification chez les peuples allogènes en Pologne, en Caucase, en Ukraine.

La Première Guerre mondiale,
« cadeau fait à la Révolution » (Lénine)

Les conditions politiques et économiques créées par la guerre accélèrent la chute du tsarisme.

Les premiers échecs militaires des Russes (défaites de Tannenberg et du lac Mazure en août et septembre 1914) révèlent vite l'état d'impréparation des troupes et le manque de matériel. Le mécontentement grandit sur le front, entraînant la résurgence de soviets chez les soldats et de nombreuses désertions, tandis que chez les peuples allogènes occupés par les Allemands, les revendications d'indépendance s'enhardissent ; l'autorité de l'État vacille.

Toute l'économie est désorganisée. La situation est très difficile notamment dans les villes, en raison des problèmes de ravitaillement. L'inertie et l'incompétence du pouvoir conduisent les Russes à s'organiser eux-mêmes et à anticiper, de fait, la révolution.

LA RÉVOLUTION DE FÉVRIER

La chute du tsarisme

La révolution de février commence comme une simple émeute de la faim.

Le 22 février 1917, les femmes manifestent dans les rues de Petrograd (ex-Saint Petersbourg) pour protester contre la pénurie. Le 23, les ouvriers se mettent en grève et envahissent à leur tour le centre de la ville. Les jours suivants, le mouvement se politise : les manifestants réclament la fin de la guerre et l'abdication du tsar. Celui-ci, pensant couper court à l'émeute, dissout préventivement la Douma, et donne l'ordre aux troupes de tirer ; mais, le 27 février, une partie de l'armée fraternise avec les manifestants, et leur fournit des armes. Petrograd est alors aux mains des insurgés. Impuissant, le tsar abdique le 2 mars au profit de son frère, qui refuse le trône : c'est la fin du tsarisme.

La révolution gagne tout le pays : les paysans se partagent les grands domaines, des soviets ouvriers prennent le

> **La révolution de février, spontanée et populaire, provoque la chute du régime tsariste.**

- contrôle des usines et lancent des mouvements de grève, des
- soviets de soldats incitent à la mutinerie et réclament la paix.
- La désorganisation s'aggrave du fait de la vacuité du pouvoir.

● **Deux pouvoirs en lutte**

Dès le début de la révolution, deux pouvoirs parallèles tentent de s'imposer.

D'un côté, les libéraux de la Douma (Milioukov, Lvov), rejoints par quelques SR (Kerenski) forment, le 27 février, un gouvernement provisoire. Il accorde les libertés fondamentales d'opinion, d'expression et de réunion et promet l'élection démocratique d'une assemblée constituante. Mais, formé en majorité de bourgeois, il déçoit le peuple russe en évitant de se prononcer sur le partage des terres, en condamnant les occupations d'usines et en relançant même la guerre (offensive Kerenski en juin) dans l'espoir de négocier avec l'Allemagne en position de force. Malgré une radicalisation dont témoigne la place croissante prise par Kerenski (chef du gouvernement en juillet), il apparaît de plus en plus incapable de restaurer l'ordre dans le pays.

D'un autre côté, le soviet de Petrograd, formé d'ouvriers et de soldats et soutenu par l'ensemble des soviets qui se sont constitués localement, constitue un contre-pouvoir de fait, qui critique en permanence l'inertie du gouvernement provisoire et cristallise les déceptions.

● **L'entrée en scène des bolcheviques**

Les bolcheviques ont assisté en spectateurs à la révolution de février. Lénine, en exil en Suisse, comme de nombreux opposants au tsarisme, rentre en Russie avec l'aide des Allemands, qui voient en lui un pacifiste. Dès son retour, il énonce dans les *Thèses d'avril* (1917) ses positions : condamnation du gouvernement provisoire, paix immédiate sans conditions, nationalisation des terres, contrôle ouvrier sur les usines. En même temps, il encourage les militants à s'infiltrer dans les soviets pour les noyauter. Après une manifestation qui dégénère, en juillet, il est contraint à nouveau de s'exiler en Finlande. Mais la popularité des bolcheviques augmente. Plus nombreux (10 000 en février, 200 000 en octobre), ils sont aussi de mieux en mieux organisés : en septembre, le gouvernement provisoire est obligé de s'appuyer sur leurs milices pour faire échouer une tentative

de putsch du général Kornilov, soutenue par la droite. Leur
influence au sein des soviets ne cesse de croître : Trotski,
ancien menchevique qui a rejoint le parti de Lénine, devient
président du soviet de Petrograd comme en 1905.

TABLEAU COMPARATIF DES DEUX RÉVOLUTIONS

	Février	Octobre
Quand ?	– du 22 février au 2 mars	– nuit du 24 au 25 octobre
Où ?	– Petrograd	– Petrograd
Qui ?	– le peuple	– les bolcheviques
Comment ?	– manifestation spontanée	– plan préparé
Pourquoi ?	– mécontentement,	– prendre le pouvoir
	– émeute de la faim	
Résultat ?	– chute du tsarisme :	– renversement du
	instauration d'un	gouvernement
	gouvernement	provisoire : instauration
	provisoire	d'un gouvernement
		bolchevique

LA RÉVOLUTION D'OCTOBRE

Le « deuxième stade de la révolution » (Lénine)

Les bolcheviques prennent le pouvoir et instaurent un gouvernement socialiste.

Contrairement à celle de février, la révolution
d'octobre est une révolution très préparée.

En octobre, malgré la réticence des autres
chefs du parti bolchevique Zinoviev et Kamenev,
Lénine juge la situation mûre pour passer au deuxième stade
de la révolution, c'est-à-dire à la prise du pouvoir par les bolcheviques. Trotski, responsable de la défense militaire de
Petrograd, est chargé de l'organisation des opérations. Dans
la nuit du 24 au 25 octobre, les Gardes rouges bolcheviques
s'emparent des points stratégiques : gares, ponts, centrales
électriques, etc. Le Palais d'Hiver, siège du gouvernement
provisoire, menacé par le croiseur Aurore, est pris sans violence et le gouvernement provisoire est dispersé.

La date choisie par Lénine pour lancer le deuxième stade de la révolution n'a pas été décidée au hasard : le Congrès panrusse des Soviets, qui réunit des représentants des soviets élus après février dans toute la Russie et qui doit désigner un nouveau gouvernement, s'ouvre le 25 : il est placé devant le fait accompli. De majorité bolchevique, il avalise la deuxième révolution et confie le pouvoir à un Conseil des commissaires du peuple, tous bolcheviques, présidé par Lénine (Trotski, Zinoviev, Kamenev, Staline).

Les grands décrets

Arrivé au pouvoir sans être porté par un mouvement populaire, le gouvernement bolchevique doit prendre rapidement des mesures répondant aux aspirations du peuple russe. C'est l'objectif des grands décrets d'octobre-novembre, qui entérinent une situation déjà effective : la grande propriété foncière est abolie sans indemnité et les terres confisquées sont remises entre les mains des soviets ; la petite propriété n'est pas, en revanche, contestée. Le contrôle ouvrier est instauré dans les usines. L'égalité et la souveraineté des nationalités des peuples de Russie est reconnue dans le principe. Dans la lignée des Thèses d'avril, un armistice est signé avec l'Allemagne en décembre.

Les bolcheviques, menés par Lénine, ont su tirer parti de la désorganisation économique et de l'inertie des hommes qui ont succédé au tsarisme pour s'allier la population et prendre le pouvoir. Mais leur position est fragile : ils ne sont qu'une minorité dans le pays.

CHRONOLOGIE

(dates du calendrier julien, en avance 13 jours sur notre calendrier.)

23-27 février 1917 : révolution de février, spontanée et populaire.

2 mars 1917 : abdication du tsar.

17 avril 1917 : retour de Lénine, exilé, en Russie.

24-25 octobre 1917 : révolution d'octobre et prise du pouvoir par les bolcheviques.

26 octobre-2 novembre 1917 : grands décrets sur la terre, les usines, la paix et les nationalités.

LIRE AUSSI RUSSIE-URSS (1918-1928) ; PREMIÈRE GUERRE MONDIALE (ÉTAPES).

RUSSIE-URSS

(1918-1928)

En octobre 1917, les bolcheviques ont pris le pouvoir
dans une Russie désorganisée par la guerre. Si la plupart
des Russes y sont indifférents, une minorité bientôt
soutenue par des puissances étrangères refuse le
nouveau régime et l'oblige à prendre des mesures
draconiennes pour sa survie.

LA RÉVOLUTION EN PÉRIL : LA GUERRE CIVILE 1918-1921

> *Après avoir signé la paix avec l'Allemagne, les bolcheviques sont confrontés à la guerre civile.*

La paix de Brest-Litovsk

En décembre 1917, les bolcheviques ont signé un armistice avec l'Allemagne.

Mais les conditions très dures proposées par celle-ci divisent les chefs du parti bolchevique. Trotski, Boukharine les jugent inacceptables et souhaitent poursuivre les combats, espérant une extension de la révolution en Allemagne ; mais le grand organisateur de la révolution d'octobre, Lénine, juge cette tactique irréaliste et veut avant tout sauver la révolution en Russie, quel qu'en soit le prix. En février, les Allemands lancent une offensive qui les mène aux portes de Petrograd. Les Russes signent alors la paix à Brest-Litovsk le 3 mars 1918. Les conditions sont désastreuses : la Russie perd la Finlande, la Pologne, les pays baltes, une grande partie de l'Ukraine : 800 000 km^2, un quart de sa population, un tiers de la production de blé, un quart de la production industrielle, 75 % du charbon et du fer.

L'opposition contre-révolutionnaire

Alors qu'aux élections à l'Assemblée constituante de janvier 1918, les bolcheviques n'obtiennent que 25 % des

voix, la contre-révolution s'organise autour d'anciens officiers tsaristes démobilisés, soutenus par les grands propriétaires et les patrons mécontents des décrets. Une armée de
« Russes blancs » (500 000 hommes) est mise sur pied, dispersée à la périphérie du territoire restreint que les bolcheviques contrôlent autour de Moscou et Petrograd. À la fin de
1918, ces troupes sont renforcées par l'arrivée de soldats
français, anglais et japonais. Les Anglais et les Français, en
effet, ne pardonnent pas aux bolcheviques d'avoir signé une
paix séparée et d'avoir refusé d'endosser les dettes de la
Russie impériale, et craignent une extension révolutionnaire
en Europe occidentale. De leur côté, les Japonais cherchent
à se créer un empire sur le continent. Les troupes menées
par Ioudenitch assiègent Petrograd alors que Koltchak à
l'Est, Wrangel et Denikine en Ukraine encerclent les bolcheviques. La guerre civile achève de désorganiser complètement l'économie ruinée par trois ans de guerre : la paralysie
des voies de communication, les destructions et les pillages
menés par les Blancs aggravent les difficultés de ravitaillement et mettent 70 % des ouvriers au chômage.

LA RÉPONSE DES BOLCHEVIQUES :
LE COMMUNISME DE GUERRE

Grâce à un
régime de
terreur, les
bolcheviques
réussissent à
sauver la
Révolution,
mais la Russie
est ruinée.

La terreur politique et économique

Pour faire face à l'opposition, les bolcheviques
renforcent leur propre pouvoir. L'Assemblée
constituante est immédiatement dissoute ; une
Constitution, adoptée en juillet 1918 par le Congrès
des soviets à surreprésentation ouvrière remet
l'exécutif entre les mains du Conseil des commissaires du peuple, qui se confond avec le Bureau politique du
Parti bolchevique, devenu Parti communiste. L'opposition est
interdite, la chasse aux traîtres blancs, aux ennemis du
peuple, aux contre-révolutionnaires est menée par la Tcheka,
une police politique dirigée par Djerzinski.

Les entreprises industrielles de plus de cinq ouvriers
sont nationalisées en juin ; des directeurs sont nommés à

leur tête et non élus comme le stipulait le décret de
novembre. Dans l'urgence de la guerre, des efforts considérables sont demandés aux ouvriers : journée de travail allon-
gée, salaires diminués, discipline de fer.

Dans les campagnes, les paysans riches refusent de
livrer du blé et spéculent à la hausse : Lénine invite les
ouvriers et les paysans pauvres à faire « la guerre aux koulaks ». Débutent alors les réquisitions forcées, et les peines
pour les récalcitrants, auxquels les paysans répondent en
laissant les terres en friche. Peu à peu, le ravitaillement
s'améliore dans les villes, mais les rations, allouées en fonction de la force de travail, restent encore très faibles.

La défense de la Révolution :
la création de l'Armée rouge et du Komintern

Dès le début de la guerre civile, des volontaires s'enrô-
lent pour défendre la Révolution sous le drapeau de l'Armée
rouge, dont l'organisation a été confiée à Trotski. Mais ils ne
sont pas assez nombreux : celui-ci déclare le service militaire obligatoire, et parvient à rassembler jusqu'à 5 millions
d'hommes. Bien encadrée, menée avec une discipline rigoureuse par des tacticiens remarquables comme Toukhatchevski, l'Armée rouge prend l'avantage sur les Blancs dès
la fin de 1919.

Pour riposter à l'intervention européenne dans la
guerre civile, Lénine fonde en mars 1919 la IIIᵉ Internationale
ou Komintern, pour remplacer la IIᵉ Internationale qui
n'avait pas su s'opposer à la Première Guerre mondiale. Il
invite tous les partis socialistes dans le monde à abandonner la voie réformiste et, en adhérant aux 21 conditions du
Komintern, à s'engager dans la révolution mondiale. Les
insurrections spartakistes en Allemagne en 1919, les mouvements de grève et d'occupation des terres en Italie semblent
réaliser ses vœux. Mais de nombreux partis socialistes restent réticents ou se scindent, comme en France en 1920.

La victoire et le bilan

En 1921, la paix de Riga met fin à la guerre civile. Les
communistes ont gagné, mais le pays est dans un état
lamentable. Plus de 12 millions de Russes sont morts depuis
1914, à cause de la guerre contre l'Allemagne, de la guerre
civile, des épidémies ou de la famine. L'économie est

détruite : l'industrie produit 7 fois moins qu'en 1913, l'agriculture 2 fois moins ; avec l'inflation, le troc a remplacé l'usage de la monnaie. La pauvreté est insupportable : en février 1921, des paysans se révoltent contre les collecteurs envoyés des villes pour réquisitionner le blé, suivis par les marins de Kronstadt qui avaient pourtant participé à la révolution d'octobre, mais qui réclament maintenant « les soviets sans le communisme ».

LA NEP (1921-1927)

Une pause dans la marche vers le socialisme

Pour permettre le relèvement de l'économie et rallier les paysans au régime, Lénine annonce en mars 1921 une nouvelle politique économique (NEP), qui consiste en un retour partiel à l'économie de marché.

Pour redresser la Russie, Lénine opère un retour partiel au capitalisme, tout en construisant l'URSS.

Dans l'industrie, les entreprises de moins de 21 ouvriers (environ 10 000) sont dénationalisées. Dans les grandes entreprises, on revient à des méthodes de production et de commercialisation empruntées au capitalisme : primes à la production, hiérarchisation des salaires, publicité. Des techniciens et des ingénieurs étrangers sont invités pour remplacer les cadres qui ont fui la Révolution, des accords commerciaux sont signés avec le Royaume-Uni et l'Allemagne. Dans l'agriculture, les réquisitions sont supprimées et remplacées par un impôt proportionnel aux revenus. Le surplus de production peut être vendu par le paysan. La nationalisation des terres est ajournée. La monnaie, stabilisée en 1922, permet le retour à une économie de marché.

L'État garde toutefois le contrôle des secteurs clefs : grandes entreprises de l'industrie lourde, énergie (un vaste programme d'électrification est lancé), banque, commerce extérieur.

Le bilan économique et social est nuancé. L'économie a été redressée : les niveaux de production de 1913 sont rattrapés, voire dépassés pour les productions agricoles. La production industrielle plafonne toutefois faute de main-d'œuvre ; les prix des produits industriels restent élevés. De nouveaux fossés se sont creusés dans la société : la NEP a favorisé la réapparition d'une bourgeoisie formée de paysans riches (koulaks) et de commerçants, d'intermédiaires, de petits industriels (nepmen). La condition féminine est à l'avant-garde de l'Europe : égalité juridique, droit de vote, congés de maternité.

La construction de l'URSS

Pour Lénine, la libéralisation économique n'est qu'un moyen temporaire de remettre sur pied l'économie soviétique ; elle ne doit en aucun cas s'étendre au système politique. Pour prévenir tout risque, Lénine durcit la ligne politique du régime.

Les autres opposants au tsarisme, les mencheviques et les SR, sont pourchassés, les révoltes du début 1921 sont très durement réprimées. Le Parti communiste, seul autorisé, est lui-même épuré lors du Xe Congrès : toute tendance organisée opposée à sa politique est considérée comme déviationniste et interdite. Les militants qui subsistent, soigneusement triés, forment une sorte de bureaucratie parallèle puissante et dévouée, les *apparatchiks*.

En juillet 1918, la Russie devient la République Socialiste Fédérative des Soviets de Russie (RSFSR) ; en 1922, les républiques soviétiques d'Ukraine, de Biélorussie, de Transcaucasie avec lesquelles des accords commerciaux et militaires avaient déjà été signés pendant la guerre civile acceptent de former avec la RSFSR l'Union des Républiques Socialistes Soviétiques (URSS), organisée sur un modèle fédéral. Une constitution commune est donc adoptée en 1924 ; dans chaque République, les soviets locaux élisent des représentants au Congrès des soviets de l'Union, sorte de parlement fédéral. En réalité, le pouvoir demeure concentré entre les mains des commissaires du peuple, qui constituent l'exécutif. De 1924 à 1929, le Turkménistan, l'Ouzbékistan et le Tadjikistan rejoignent à leur tour l'Union.

Dès 1922, l'Allemagne reconnaît l'existence de l'URSS par le traité de Rapallo, suivie en 1924 de l'Italie, de l'Angleterre et de la France ; cette reconnaissance a été facilitée par la reprise des échanges commerciaux et par la modération des positions du Komintern, qui met provisoirement en sourdine ses appels à la révolution mondiale.

La mort de Lénine et la guerre de succession

En mai 1922, Lénine, âgé de 52 ans, subit une congestion cérébrale qui l'oblige à quitter la direction du Parti. En mars 1923, une deuxième attaque le prive de la parole ; il meurt le 20 janvier 1924.

S'ouvre alors au sein du Parti le débat autour de sa succession. Deux hommes peuvent y prétendre : Trotski, déjà héros de la révolution de 1905, intellectuel et organisateur brillant, mais jugé « orgueilleux » par Lénine ; Staline, d'origine modeste, est plutôt un homme d'appareil, jugé par Lénine « trop brutal ». Dans un premier temps, Staline orchestre habilement le culte de Lénine, se posant ainsi comme son héritier le plus fidèle ; il s'allie à deux autres chefs du Parti, Kamenev et Zinoviev, pour isoler Trotski. À partir de 1925, Kamenev et Zinoviev se rapprochent de Trotski et créent dans le Parti, l'opposition unifiée, minoritaire. En novembre 1927, Trotski et Zinoviev sont exclus du Parti ; Trotski est expulsé en 1929. En 1928, Staline se retrouve donc maître de l'URSS.

Confrontés à la guerre civile, les communistes ont dû adapter leur politique pour sauver la Révolution ; au communisme de guerre a succédé une période d'assouplissement sur le plan économique, qui a permis à l'URSS de se redresser et de se construire politiquement.

CHRONOLOGIE

1918 : les bolcheviques signent la paix de Brest-Litovsk avec l'Allemagne.

1918-1921 : guerre civile entre Russes blancs et Armée rouge bolchevique.

1919 : Lénine crée le Komintern, IIIᵉ Internationale.

1921-1927 : Lénine lance la NEP pour reconstruire l'économie russe.

1922 : l'URSS regroupe quatre républiques.

1924 : mort de Lénine.

LIRE AUSSI RUSSIE : RÉVOLUTIONS DE 1917 ; URSS (1928-1939).

SCIENCES ET TECHNIQUES

(DEPUIS 1945)

Les progrès de la recherche-développement, c'est-à-dire de la recherche associant scientifiques et techniciens se sont accélérés depuis 1945. La science permet une amélioration de la vie quotidienne et constitue un instrument de pouvoir et de domination pour ceux qui la maîtrisent, d'où la place prise par la recherche dans la production scientifique, notamment financée par les États. Mais ses applications, mal maîtrisées, posent des problèmes d'ordre éthique.

LES PRINCIPAUX PROGRÈS SCIENTIFIQUES ET TECHNIQUES

> Depuis 1945, le monde est entré dans l'âge de l'atome, de la conquête spatiale, de l'informatique et des bio-technologies.

L'essor du nucléaire civil et militaire

L'énergie nucléaire, issue de la fission du noyau de l'uranium est découverte en 1938 ; elle donne lieu à deux exploitations parallèles.

La première est d'ordre militaire avec la mise au point de la première bombe atomique (bombe A), lancée par les États-Unis sur le Japon en 1945. La puissance formidablement destructrice de ce nouvel explosif donne alors lieu à des recherches qui aboutissent à l'élaboration de la bombe H (1952), puis de la bombe à neutrons (1980) : les « armes de dissuasion », par opposition aux « armes conventionnelles » font ainsi leur apparition et modifient les conditions d'une éventuelle troisième guerre mondiale.

À partir de 1951, l'énergie atomique est aussi utilisée à des fins civiles : les premières centrales nucléaires sont construites au début des années 60 ; c'est toutefois à partir de 1973, devant la forte hausse du prix des hydrocarbures, que les pays industrialisés lancent des politiques d'équipement nucléaire.

411

- ### *La conquête de l'espace*

Si les distances terrestres continuent à se rétrécir grâce aux progrès des moyens de transport (avions à réaction en 1945, supersonique Concorde en 1972, TGV en 1981), c'est vers l'espace qu'ont porté les efforts les plus spectaculaires.

La conquête de l'espace débute à la fin des années 50 ; la première étape consiste à envoyer des satellites artificiels en gravitation autour de la Terre ou sur la Lune : le premier satellite est soviétique (Spoutnik 1, 1957). Les années 60 sont celles des premiers vols habités (le premier cosmonaute, également soviétique, est Youri Gagarine, en 1961), l'apogée en est le vol Apollo, en 1969 : l'Américain Armstrong est le premier homme à marcher sur la Lune. Dans les années 70, les objectifs se diversifient : créations de stations orbitales, permettant d'établir des records de durée dans l'espace, envois de sondes d'observation vers des destinations de plus en plus éloignées (Jupiter, Vénus, Mars, Saturne). Dans les années 80, ces mêmes objectifs sont poursuivis. Les envois de satellites de télédiffusion et de télécommunication se multiplient. En outre, les premières navettes spatiales, capables d'effectuer des allers et retours sont lancées dès 1985.

- ### *L'électronique et l'informatique : l'intelligence artificielle*

Les premiers ordinateurs sont en fait de gigantesques calculateurs formés de 15 000 tubes électroniques, inventés par les Américains à la fin de la Deuxième Guerre mondiale pour les besoins de la balistique. La mise au point du transistor (1947), nouveau composant qui réalise les mêmes performances que les tubes pour une taille réduite, puis des circuits intégrés (1959) qui permettent le stockage des informations grâce au silicium, ouvrent la voie à l'informatique. Les progrès se font alors dans quatre directions : augmentation de la vitesse de traitement des données, augmentation du nombre de données stockées et gérées, miniaturisation des appareils avec la mise au point des microprocesseurs (1971), enfin, diminution des coûts. L'informatique envahit alors les bureaux (bureautique), la télématique crée des réseaux qui permettent de faire circuler des informations (« minitel », banques de données). Les retombées de cette miniaturisation des supports de l'information sont multiples : introduction de la robotisation dans le travail industriel, utilisation des « puces » dans la vie quotidienne (cartes à mémoire, appareils électroménagers).

Les progrès réalisés dans l'électronique ont également profité à la télévision, inventée avant la Deuxième Guerre mondiale, mais distribuée dans le public dans les années 50 ; la télévision couleur apparaît en 1953 ; grâce à la conquête spatiale et aux satellites, la télévision permet de voir des images du monde entier dès 1969 (mondovision).

La biologie et la médecine bouleversent la démographie

Dans les domaines de la biologie et de la médecine, les progrès ont été aussi frappants. La découverte de nouveaux moyens d'investigation (microscope électronique en 1965, scanner en 1968, images par résonance magnétique en 1972, échographie en 1979) ont permis de faire progresser la connaissance de la matière vivante et d'affiner les diagnostics. La découverte de nouveaux médicaments (antibiotiques dans les années 40, cortisone en 1943, psychotropes en 1952, Rimifon contre la tuberculose en 1954), la mise au point de nouvelles techniques chirurgicales (chirurgie à cœur ouvert en 1955, laser en 1960, transplantation cardiaque en 1967) font reculer la mortalité. La connaissance accrue des mécanismes de l'hérédité (découverte de l'ADN en 1953, isolation du gène en 1972), les nouvelles techniques de contraception (pilule contraceptive en 1960) ou de génération (« bébé-éprouvette » en 1978) permettent une véritable maîtrise de la fécondité.

LES NOUVEAUX ENJEUX DE LA SCIENCE

Les acteurs du progrès : États et industries

Depuis 1945, la science ne progresse presque plus grâce à des découvertes isolées, mais surtout grâce à l'action d'équipes de recherche. Les

La recherche-développement met en jeu des intérêts dont le poids économique et politique est croissant.

membres du *Manhattan project*, qui a élaboré la première bombe atomique, en constituent le prototype : le progrès scientifique devient le fruit d'une politique.

L'État joue donc un rôle prépondérant dans le financement de la recherche, notamment dans les secteurs qui touchent à l'armement, l'aérospatiale, l'énergie. La NASA américaine *(National Aeronautics and Space Administration)*, le CEA (Commissariat à l'énergie atomique) français, le MITI japonais (ministère de l'Industrie et du commerce), et *a fortiori* les Instituts gouvernementaux de recherche de l'URSS sont quelques-uns de ces centres de prospection scientifique : on a pu même parler de « complexe militaro-industriel » pour désigner ces commanditaires de la recherche.

Dans un objectif de productivité accrue et dans le cadre de la guerre commerciale internationale, les grandes entreprises (chimie, pharmacie, automobile) financent également pour une part importante les programmes de recherche publics ou entretiennent elles-mêmes leurs propres équipes de chercheurs.

LES DÉPENSES DE RECHERCHE-DÉVELOPPEMENT

	Allemagne	France	États-Unis	Japon
Montant total	164	113	870	289
Part de l'État	37 %	53 %	53 %	26 %
Part consacrée à la RD dans les crédits de l'État	12 %	31 %	70 %	3 %

chiffres de 1988, en milliards de francs.

La science, source d'inégalités et de conflits

La science, depuis 1945, est devenue plus internationale par la multiplication des colloques et des publications en anglais ; mais cette internationalisation doit être nuancée.

Souvent liée à des enjeux militaires, la science a fait l'objet, avec la guerre froide, d'une véritable compétition entre les deux Grands, dont l'illustration la plus claire est la conquête de l'espace. Si les Soviétiques sont dans un premier temps les plus performants, les Américains l'emportent ensuite. La priorité accordée par les Soviétiques à la conquête de l'espace leur a par ailleurs fait négliger la recherche dans le domaine de l'informatique, où les Américains ont conquis une véritable suprématie que seul le Japon leur conteste depuis une dizaine d'années. Intérêts stratégiques et commerciaux ont un effet identique : la protection des secrets militaires et industriels bloque en fait la libre circulation de l'information.

La recherche scientifique traduit et accentue les inégalités dans le monde. Coûteuse, elle ne peut se réaliser que dans des pays où l'État est prêt à y consacrer une part importante d'un PNB déjà élevé. De ce fait les États-Unis, qui y consacrent 2 à 3 % du leur depuis 1960 sont les mieux placés (programme Apollo : 24 milliards de dollars). Pour pouvoir rivaliser avec ces programmes de recherche, les autres pays sont obligés de mettre leurs ressources en commun – c'est le cas pour l'Agence spatiale européenne qui lance le projet Ariane en 1975 – ou de procéder à des choix. Les pays du tiers monde, qui n'ont que de faibles crédits à consacrer à la recherche, en sont réduits à voir leurs cerveaux émigrer vers les États-Unis ou l'Europe.

● ***Les progrès de la science : bienfait ou danger ?***

Contrairement au XIXe siècle, où le scientisme était triomphant, les progrès scientifiques et techniques sont parfois présentés comme des menaces. Le problème vient du fait que toute découverte est désormais automatiquement appliquée, sans réflexion préalable sur ses conséquences, surtout quand des intérêts commerciaux sont en jeu.

Les progrès de la robotisation, qui ont permis des gains de productivité, contribuent aussi, depuis la crise, à aggraver le chômage.

Le progrès des biotechnologies, les possibilités de clonage et de manipulations génétiques, la banalisation des FIV (fécondations in vitro) remettent en cause des notions aussi fondamentales que celles de l'identité, ou de la paternité ; les généticiens semblent parfois prêcher pour l'eugénisme. En 1978, le biologiste français J. Testart, pionnier de la FIV fait scandale en annonçant l'arrêt volontaire de ses recherches ; en 1983 est créé un Comité national d'éthique.

415

SCIENCE ET IDÉOLOGIE : L'AFFAIRE LYSSENKO

Pendant la période stalinienne, le biologiste soviétique Lyssenko propose une théorie de l'hérédité qui postule la transmission des caractères acquis, et entre de ce fait en contradiction avec la génétique classique. Mais l'importance que cette théorie accorde au milieu dans la détermination de l'être va dans le sens du socialisme, et lui vaut les honneurs du régime : elle devient la seule théorie autorisée. Il faut attendre 1966 pour que l'impasse scientifique du lyssenkisme soit officiellement abandonnée.

Le développement de l'informatique et son utilisation croissante dans la vie quotidienne, dans les rapports du citoyen à l'État ont conduit la plupart des pays démocratiques à mettre en place des lois protégeant les libertés et la vie privée de l'individu (en France, loi « informatique et liberté » en 1978).

L'essor du nucléaire civil et militaire suscite des interrogations. L'utilisation de la bombe atomique en 1945 a déjà créé un choc moral. Les savants dont les découvertes ont permis son élaboration, tant Oppenheimer qu'Einstein, ont ensuite désavoué l'usage qui en était fait. La constitution d'un arsenal par les deux Grands, puis par d'autres pays, mettant en péril la vie à l'échelle de la planète, a suscité un mouvement de pacifisme. Dans le cas du nucléaire civil, les incertitudes pesant sur l'avenir des déchets, sur la sécurité des installations (catastrophes de Three Miles Island en 1979, de Tchernobyl en 1986) ont contribué à faire de l'écologie, science fondée sur l'étude des équilibres entre les êtres vivants et leurs milieux, un véritable mouvement politique

La science est donc de plus en plus une « production », monopolisée par les pays riches, mise en œuvre par l'État, et orientée vers un surcroît de puissance économique ou militaire. Les progrès enregistrés sont distribués inégalement et sont parfois contestés par ceux qui reprochent à la science d'avoir perdu sa conscience...

LIRE AUSSI CULTURE (DEPUIS 1945).

TIERS MONDE

Le tiers monde – expression lancée par l'économiste français A. Sauvy dans les années 50 pour désigner un ensemble de pays pauvres et dénués de pouvoir – naît à la suite du mouvement de décolonisation de l'après-guerre. Il forme un vaste anneau au sud des grands pays industrialisés, qui englobe la plupart des pays d'Asie, d'Afrique et d'Amérique latine.

LES CARACTÈRES DU TIERS MONDE

> Le tiers monde se caractérise par des économies sous-développées, des sociétés désarticulées et une fragilité politique.

Des faiblesses économiques

Les économies des pays du tiers monde se caractérisent par plusieurs traits.

– Une suprématie du secteur primaire (surtout agricole), une exiguïté du secteur secondaire et une hypertrophie relative du secteur tertiaire.

– Un dualisme entre une économie moderne, mais qui ne concerne que quelques activités réduites (des plantations consacrées aux cultures d'exportation, des industries extractives et de rares industries manufacturières, le grand commerce) et une économie peu productive et prédominante (artisanat, petit commerce, agriculture traditionnelle).

– Une faiblesse générale de la production. Si sa croissance économique est forte dans les années 60 et 70 (+ 5,8 % en moyenne de 1950 à 1960 ; + 4,6 % de 1973 à 1980), le tiers monde, qui concentre les trois quarts de la population de la Terre, ne fournit toujours que le cinquième de la production mondiale en 1980.

Nombreux sont les obstacles au développement. Les pays sous-développés disposent d'une main-d'œuvre bon marché, et parfois d'abondantes ressources naturelles. Mais ils manquent de capitaux, de techniciens et de cadres, et

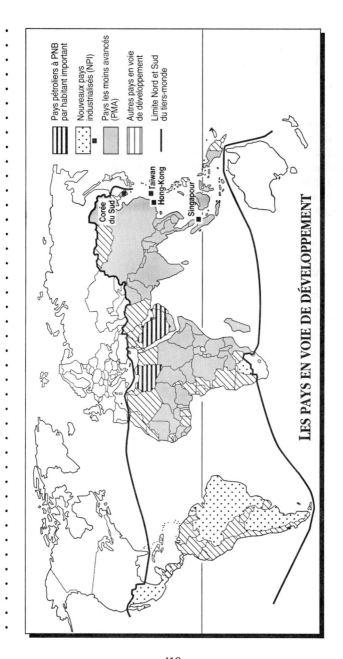

LES PAYS EN VOIE DE DÉVELOPPEMENT

Pays pétroliers à PNB
par habitant important

Nouveaux pays
industrialisés (NPI)

Pays les moins
avancés (PMA)

Autres pays en voie
de développement

Limite Nord et Sud
du tiers-monde

Corée
du Sud

Taïwan
Hong-Kong

Singapour

418

souffrent de l'étroitesse de leur marché intérieur. Leurs exportations dépendent encore parfois d'une ou de deux matières premières dont les prix, très fluctuants d'une année sur l'autre, augmentent moins vite que ceux des produits manufacturés qu'ils achètent aux pays industrialisés (détérioration des termes de l'échange).

Des sociétés en crise

Le produit national brut par habitant, qui permet de mesurer le niveau de vie moyen des populations, est très faible. La malnutrition et la sous-nutrition, le mauvais état sanitaire et la forte mortalité infantile, l'analphabétisme et le travail des enfants sont des maux endémiques.

Les inégalités sont criantes. Inégalités sociales d'abord. À côté des catégories pauvres, qui forment la majorité de la population et qui regroupent les populations des bidonvilles et les paysans (sans terre, locataires ou petits propriétaires), vit une minorité de puissants dont la richesse repose sur la propriété foncière, les liens avec l'étranger (import-export surtout) ou la proximité du pouvoir politique ; les classes moyennes se renforcent, mais restent étroites. Inégalités régionales ensuite. Les activités modernes se polarisent sur les littoraux, souvent dans quelques grandes villes, alors que le milieu rural intérieur est progressivement délaissé.

L'essor démographique est considérable. La croissance de la population atteignait 2,5 % par an en moyenne dans les années 60 et 70 (contre 1 % dans les pays développés). Liée à la diminution de la mortalité (que permettent la vaccination, les antibiotiques, les règles d'hygiène) et au maintien d'un taux de natalité élevé (les comportements natalistes étant favorisés par la faiblesse du niveau de vie, l'imprégnation religieuse des populations...), elle rend plus aigus les problèmes d'emploi, de scolarisation et de logement, et explique en partie l'importance de l'exode rural.

Violence et dépendance politiques

Les États du tiers monde ont généralement hérité leurs frontières de la colonisation et les États englobent souvent de multiples nationalités. Il en résulte de fréquents conflits interethniques, surtout en Afrique. Dans certains pays d'Amérique latine, les tensions restent vives entre les descendants des colons européens et les Indiens.

419

Faut-il y voir la conséquence du manque de cohésion nationale, de l'analphabétisme et de l'étroitesse des classes moyennes, ou de la faiblesse des traditions démocratiques ? Toujours est-il que les démocraties sont peu nombreuses dans le tiers monde. Jusqu'à la fin des années 70, la dictature est la forme politique la plus courante.

Faibles, les pays du tiers monde sont une proie facile pour les grandes puissances, principalement les États-Unis et l'URSS. Il est vrai qu'ils représentent un enjeu stratégique (leurs territoires bordent souvent les grandes routes maritimes et aériennes), et économique (ils possèdent des ressources minières, agricoles, et forment un marché appréciable pour les industries des pays développés).

LES EFFORTS DE REDRESSEMENT DU TIERS MONDE

➤

> Dès les années 50, les pays du tiers monde engagent la lutte pour leur émancipation et leur développement. ➤

De Bandoung au « non-alignement »

Les nouveaux États d'Asie et d'Afrique luttent avant tout pour leur émancipation politique.

En avril 1955 se tient à Bandoung (en Indonésie) une conférence qui rassemble 23 États d'Asie et 6 d'Afrique. Les participants apportent leur appui aux revendications d'indépendance des pays du Maghreb, à la lutte des Arabes contre Israël et condamnent l'apartheid. L'Indien Nehru y fait aussi accepter cinq principes appelés Pan Shila : respect de la souveraineté de tous les États ; égalité des nations ; non-agression ; non-ingérence dans les affaires intérieures ; coexistence pacifique.

Six ans plus tard, à Belgrade, en septembre 1961, a lieu la première conférence des « pays non-alignés ». Au cours de celle-ci – qui n'est plus seulement afro-asiatique puisque la Yougoslavie et Cuba y sont représentées – les États participants manifestent leur refus de s'aligner sur un des deux blocs (refus d'adhérer à une alliance militaire collective, de conclure une alliance bilatérale avec une des deux superpuissances, d'accepter l'établissement de bases étrangères militaires sur son territoire).

Le mouvement des non-alignés s'élargit au fil des années avec l'entrée de nouveaux États africains et des pays latino-américains. Mais de graves divergences apparaissent entre les membres : certains se rapprochent du bloc soviétique, d'autres se lient avec l'Occident ; rares sont désormais ceux qui, comme le Yougoslave Tito, défendent un strict non-alignement. Le thème qui unifie les pays du tiers monde n'est plus tant l'émancipation à l'égard des blocs que la revendication d'un partage plus juste des richesses avec les pays développés.

Pour un « nouvel ordre économique international »

Les pays du tiers monde obtiennent de l'ONU la réunion de la première Conférence des Nations Unies sur le commerce et le développement (CNUCED) en 1964. Mais les négociations, dans la lancée de celle-ci, n'aboutissent qu'à de maigres résultats.

En 1973, les pays de l'OPEP décident une augmentation unilatérale du prix du pétrole. Alors que cette situation accroît les difficultés de nombreux pays du tiers monde, elle fait prendre conscience aux pays riches des risques encourus par le refus d'une discussion constructive avec les pays producteurs de matières premières. En 1974, une assemblée extraordinaire des Nations Unies, à New York, est clôturée par la Déclaration du 1er mai sur le « nouvel ordre économique international » ; on y souligne le droit pour les États du tiers monde de nationaliser les ressources naturelles et les activités économiques situées sur leur territoire, celui d'obtenir une revalorisation des prix des matières premières, et le devoir pour les pays riches d'offrir un traitement préférentiel aux exportations des pays pauvres.

Ces principes débouchent sur la création de deux nouvelles institutions internationales : le Fonds international de développement agricole (FIDA), institution spécialisée de l'ONU créée en 1978, qui finance à très bas taux d'intérêt le développement agricole et rural des pays les plus pauvres et le Fonds commun de stabilisation des cours des produits de base, décidé par la CNUCED de 1976 (actif depuis 1989), pour soutenir le cours des principaux produits de base. Des accords de coopération – accords de Lomé – ont en outre été signés entre la CEE et les pays Afrique Caraïbes Pacifique (ACP) les plus pauvres.

● Des stratégies de développement

La lutte contre la pauvreté n'est pas seulement collective. Chaque pays du tiers monde essaie de se développer par lui-même.

Les stratégies d'industrialisation peuvent se ramener à trois types :

– La substitution aux importations, qui consiste à substituer des productions nationales aux importations, en se fermant aux produits importés.

– La valorisation des exportations, dont le but est de créer des industries exportatrices en attirant les capitaux, généralement étrangers, par le faible coût de la main-d'œuvre, des avantages fiscaux, la diminution des taxes à l'importation, ou par l'abondance des matières premières.

– La création d'industries industrialisantes, c'est-à-dire d'industries de base censées entraîner un développement industriel à l'aval ; mais la rentabilité de celles-ci étant trop faible, elles sont prises en charge par l'État, qui doit donc disposer de capitaux importants.

L'agriculture n'est pas toujours négligée :

– Avec la réforme agraire, l'État partage les grandes propriétés sous-exploitées entre les paysans sans terre, puis il aide ces nouveaux propriétaires à s'équiper (parfois, la terre est collectivisée). La réforme doit supprimer les injustices sociales, accroître la production agricole et développer le marché intérieur.

– En Amérique latine et en Asie, l'État diffuse de nouvelles variétés de céréales à hauts rendements (riz, blé, maïs) tout en favorisant l'extension des réseaux d'irrigation, l'emploi d'engrais, de pesticides et d'équipements modernes : c'est la Révolution verte.

LE TIERS MONDE AUJOURD'HUI

◄━━━

L'éclatement du tiers monde

Certains États du tiers monde se détachent du bloc des pays pauvres. Les Nouveaux pays industrialisés (NPI) sont l'Argentine, le Brésil, le Mexique, et surtout les quatre « dragons » (Corée du Sud,

La plupart des pays doivent régler le problème de leur dette.
◄━━━

Taïwan, Singapour, Hong Kong). De 1970 à 1980, le PNB de la Corée du Sud s'est ainsi accru de 14,4 % par an, et depuis 1980, il augmente de 8 %. Ici comme à Taïwan, la prospérité des industries manufacturières d'exportation a permis l'enrichissement de l'État, la mise en place d'infrastructures et d'une industrie de base, l'élévation du niveau de vie (et une baisse corrélative de la natalité), le marché intérieur devenant un moteur pour le développement. Les pays de la péninsule arabique ont aussi connu un enrichissement très rapide, grâce à la rente pétrolière, considérable depuis 1973.

À l'opposé, apparaît le quart monde, qui regroupe une trentaine de pays d'Asie et d'Afrique (appelés Pays moins avancés ou PMA), souvent enclavés, dont le PNB est inférieur à 400 dollars par habitant et dont les taux d'accroissement naturel sont parmi les plus élevés du monde.

Le problème de la dette

Au cours des années 70, certains États du tiers monde ont emprunté aux banques ou aux organismes publics des pays riches, qui, les uns comme les autres, pratiquaient de faibles taux d'intérêt ; les prêts ont surtout été octroyés à ceux qui étaient apparemment solvables (qui avaient une bonne image, comme les grands pays latino-américains ou qui disposaient de ressources pétrolières...).

Dans les années 80, les États emprunteurs sont confrontés à la crise mondiale et à une diminution de leurs ressources budgétaires, alors qu'ils doivent rembourser leurs dettes, ce qui entraîne des déficits créateurs d'inflation (près de 5 000 % d'inflation en 1989 en Argentine !).

Certains d'entre deux obtiennent un rééchelonnement, parfois même une réduction de la dette, ainsi que des prêts de la part du Fonds monétaire international. Mais il leur faut alors accepter de mettre en œuvre une « politique d'ajustement structurel », qui consiste à réduire les dépenses de l'État et à libéraliser l'économie, ce qui a de graves conséquences à court terme : augmentation du chômage à cause de la restructuration des entreprises publiques et de la diminution du nombre de fonctionnaires ; hausse du prix des produits de première nécessité due à la réduction des subventions ; coupes dans les dépenses sociales... alors que la population est déjà misérable.

423

● *Démocratisation, nationalisme et intégrisme*

Dans les années 80 et 90, les dictatures du tiers monde laissent souvent place aux démocraties. Les difficultés sociales, dont les régimes autoritaires sont portés responsables, et la décision des grandes puissances (les États-Unis depuis Carter, l'URSS de Gorbatchev...) de ne plus soutenir les régimes violant trop ouvertement les droits de l'homme, expliquent en partie ce changement politique.

La tentation est grande pour nombre de dirigeants de détourner la colère de leurs populations appauvries contre un ennemi extérieur : les guerres se multiplient dans le tiers monde. L'incapacité des systèmes en place à résoudre les problèmes économiques et sociaux nourrit par ailleurs l'intégrisme religieux (musulman au Moyen-Orient et au Maghreb ; hindouiste en Inde ; protestant dans les bidonvilles d'Amérique latine...).

CHRONOLOGIE

1955 : (avril) première conférence afro-asiatique de Bandoung.

1961 : (septembre) première conférence des pays non-alignés à Belgrade.

1964 : première Conférence des Nations unies sur le commerce et le développement (CNUCED).

LIRE AUSSI
DÉCOLONISATION ; EMPIRES COLONIAUX ; RELATIONS INTERNATIONALES (1945-1962 ; 1962-1985) ; ÉCONOMIE (1945-1973 ; DEPUIS 1973).

URSS

(1928-1939)

En 1928, Staline est maître de l'URSS. Après avoir plaidé
contre Trotski pour le maintien de la Nouvelle politique
économique mise en place par Lénine, il décide de revenir
à une économie socialiste pour faire de l'URSS une
grande puissance capable de rivaliser avec les grands
pays capitalistes. Parallèlement, il fait du Parti
communiste un instrument de dictature personnelle.

LE RETOUR
À L'ÉCONOMIE SOCIALISTE

> *Dès son arrivée au pouvoir, Staline abandonne la NEP et revient au socialisme.*

La planification industrielle

Pour Staline, le développement industriel, qui doit faire de l'URSS une grande puissance, est une priorité. Pour organiser ce développement, Staline réactive une structure créée en 1921, le Gosplan, organisme gouvernemental chargé de la planification. Le Gosplan, à partir des directives du Parti, lance le 1er octobre 1928 un Plan quinquennal qui fixe, à l'échelle de l'Union, les branches à développer en priorité, les objectifs de production à atteindre, les moyens à employer. Il sera suivi de deux autres plans, en 1933 et 1938.

L'industrie lourde, l'énergie puis, à partir de 1938, l'armement reçoivent 80 % des investissements. De gigantesques complexes industriels associant sidérurgie et charbon, les combinats, sont créés en particulier vers l'Est du pays ; des grands travaux d'aménagement, notamment hydroélectrique, sont réalisés. En 1940, l'URSS est la troisième puissance industrielle mondiale, mais l'agriculture et les biens de consommation sont sacrifiés. Parties d'un indice 100 en 1928, les productions de céréales, d'acier, de charbon et d'électricité atteignent respectivement 130, 411, 461 et 960 en 1940.

- ## La collectivisation des terres

- Staline se méfie des paysans, qu'il juge peu favorables
- au socialisme, et qui, dès l'hiver 1927, stockent le blé pour
- spéculer à la hausse. Il souhaite d'autre part moderniser
- l'agriculture afin de libérer des bras pour l'industrie. Dans
- ce but, il décide de passer à la collectivisation massive des
- terres, que les paysans se sont partagées dès la chute du
- tsarisme. Depuis 1917 existaient des coopératives de pro-
- duction, les kolkhozes, où s'était rassemblée une minorité
- de paysans très pauvres (2 %).
- Pendant l'hiver 1929-1930, Staline s'efforce, par la pro-
- pagande, de convaincre l'ensemble des paysans d'y adhé-
- rer, mais seuls les paysans pauvres, attirés par les pro-
- messes de matériel, y entrent spontanément : 50 % des
- paysans, et notamment la frange aisée des koulaks refusent
- d'y rentrer.
- Face à cet échec, la « dékoulakisation » et la collectivisa-
- tion immédiate et totale sont décrétées en janvier 1930 :
- toutes les propriétés paysannes, (terres, bétail, matériel, etc.)
- sont déclarées propriété de l'État. Les paysans ont le choix
- entre les kolkhozes, gérés collectivement, ou les sovkhozes,
- fermes d'État dirigées par un fonctionnaire nommé et où ils
- sont simples salariés. Les réactions sont extrêmement hos-
- tiles : 14 millions de têtes de bétail sont ainsi abattues en
- quelques semaines plutôt que d'être mises en commun.
- L'État est obligé de recourir en masse aux déportations
- pour vaincre la résistance des paysans. Malgré les aides
- importantes dont bénéficient les sovkhozes, jugés plus
- conformes au socialisme, malgré la concession aux paysans,
- en 1932, de la jouissance domestique d'un lopin individuel,
- les résultats restent médiocres et reflètent la mauvaise
- volonté des paysans : en 1938, la production de céréales n'a
- progressé que faiblement (+ 10 % au cours de l'année), l'éle-
- vage reste en dessous du niveau de la NEP, les lopins qui
- représentent 3 % de la surface agricole fournissent 25 % de
- la production, alors que la productivité des sovkhozes et
- des kolkhozes stagne.
-
-
-

LE SYSTÈME POLITIQUE ET SOCIAL

Un régime totalitaire

Contrairement à ce que prévoyait le marxisme, l'État, loin de disparaître, voit ses pouvoirs encore renforcés pendant le stalinisme, pour résister à la menace de « l'encerclement capitaliste ». En 1936 une nouvelle constitution est donnée à l'URSS, qui regroupe désormais onze républiques. D'apparence démocratique, elle consacre en fait la

Seul maître de l'URSS, Staline impose au pays sa vision du socialisme.

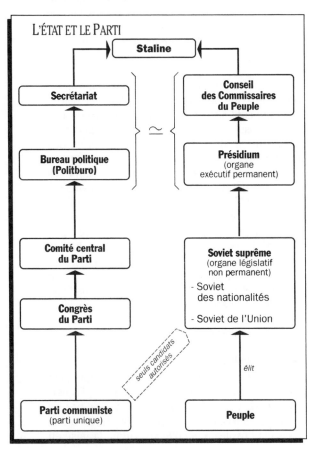

L'ÉTAT ET LE PARTI

Staline

Secrétariat

Conseil des Commissaires du Peuple

Bureau politique (Politburo)

$\simeq$

Présidium
(organe exécutif permanent)

Comité central du Parti

Soviet suprême
(organe législatif non permanent)
- Soviet des nationalités
- Soviet de l'Union

Congrès du Parti

Parti communiste
(parti unique)

seuls candidats autorisés

élit

Peuple

politique du Parti), il renforce au sein du Parti le centralisme qui fait de lui, en définitive, l'autorité suprême ; la confusion croissante entre le Parti et l'État fait de lui le chef de l'exécutif. Enfin, au-delà de l'URSS, c'est lui qui détermine les grandes orientations du Komintern s'imposant à tous les partis qui y ont adhéré : abandon de la tactique « classe contre classe » qui rejetait toute alliance avec un parti bourgeois, encouragement de celle des « Fronts populaires » contre le fascisme.

Cette dictature s'exprime notamment dans le culte de la personnalité qui s'orchestre autour de Staline : proprement sanctifié de son vivant par des poèmes, des portraits, Staline s'impose, dans une population encore largement analphabète, comme « le petit père du peuple », à l'image des tsars du passé. La presse est censurée, l'éducation surveillée, l'histoire réécrite, l'Église durement combattue.

La terreur

La dictature stalinienne ne supporte aucune opposition : la police politique – GPU puis NKVD – a pour mission d'arrêter tous ceux qui sont suspectés d'activités contre-révolutionnaires, mais aussi ceux qui s'abstiennent de les dénoncer : la délation est ainsi fortement encouragée. Les opposants sont exécutés ou envoyés dans les camps du Goulag. À partir de 1933, une série de purges frappe les membres du Parti qui ne sont pas entièrement dévoués à Staline. En 1936-1938, elles touchent les anciens compagnons de Lénine, les vieux bolcheviques comme Zinoviev, Kamenev ou Boukharine : accusés de complots ou de tentatives de meurtre, ils sont jugés et condamnés à mort lors de procès mis en scène par le procureur Vichinski. Leurs aveux, leurs autocritiques sont largement diffusés par la presse et la radio et confortent les Soviétiques dans l'opinion que Staline est le seul défenseur du socialisme. 90 % des généraux de l'Armée rouge, et notamment le héros Toukhatchevski sont ainsi exécutés.

La société stalinienne

Plus urbaine, plus jeune, plus ouvrière, la population soviétique a retrouvé en 1939 son niveau de 1917 (170 millions).

La paysannerie est profondément bouleversée par les réformes : la dékoulakisation, la déportation de 4 à 5 millions de paysans hostiles à la collectivisation, la mise en place des nouvelles structures collectives d'exploitation, l'exode rural et la mise en valeur de régions pionnières d'Asie centrale et de Sibérie ont transformé la société paysanne et fait éclater les anciennes hiérarchies.

Le monde ouvrier est l'objet de tous les soins de la part du pouvoir. Soumis à un contrôle de plus en plus étroit qui limite au maximum la mobilité de la main-d'œuvre, il est tenu de produire ce que le Plan a fixé, et si possible de faire mieux. Pour développer l'émulation, des encouragements matériels (primes) et des récompenses honorifiques (tableaux d'honneur) sont distribués. Une propagande active est faite autour des travailleurs modèles comme le mineur Stakhanov. À l'inverse, les tièdes sont suspectés de sabotage. Le cinéma, le roman, l'art officiel voué au réalisme socialiste exaltent le travail manuel et font de l'ouvrier et du kolkhozien les héros du socialisme. Les conditions de vie des ouvriers restent cependant médiocres : l'afflux de main-d'œuvre dans des villes mal préparées à les accueillir entraîne une crise du logement que de vastes programmes de cités ou de dortoirs ne parviennent pas à régler. La pénurie de biens de consommation, conséquence de la priorité accordée à l'industrie lourde, aggrave ce manque de confort.

LE STAKHANOVISME

Ce mouvement de propagande officielle, né à la fin des années 30, propose au peuple le modèle du mineur Stakhanov, qui aurait accompli en une journée 14 fois la norme fixée par le Plan. Des tournées ont lieu dans tout le pays pour susciter une véritable course aux records de productivité, qui aboutissent insidieusement à faire accepter comme normales des cadences de travail exceptionnelles. En 1987, on a reconnu officiellement en URSS que les exploits de Stakhanov étaient truqués.

En fait, les véritables privilégiés du régime sont les permanents du Parti, les *apparatchiks*. De plus en plus nombreux (7 millions en 1939), ils sont, depuis les purges, formés en majorité de jeunes qui n'ont pas connu la Révolution et qui sont très dévoués à Staline. Cette nouvelle génération de militants est surtout composée de fonctionnaires : les ouvriers, encore majoritaires dans le Parti en 1929, cèdent le pas aux bureaucrates. Ces derniers disposent de nombreux avantages : salaires élevés, avantages en nature, prestige social, qui font d'eux une véritable bourgeoisie.

L'URSS de Staline a partiellement rempli son contrat : épargnée par la crise des années 30, elle est devenue la première grande puissance d'économie socialiste en 1939. Mais cette victoire est payée par le peuple soviétique au prix d'une dictature personnelle, d'un régime totalitaire et de nouvelles inégalités sociales.

1928 : Staline à la tête de l'URSS, après avoir évincé Trotski ; premier plan quinquennal.

CHRONOLOGIE

1930 : collectivisation des terres.
1936 : deuxième Constitution de l'URSS.
1936-1938 : purges dans le Parti et grands procès de Moscou.

LIRE AUSSI RUSSIE : RÉVOLUTIONS DE 1917 ; RUSSIE-URSS (1918-1928) ; URSS (1945-1985).

URSS

 **(1945-1985)**

En 1945, l'URSS figure au premier rang des vainqueurs
de la Deuxième Guerre mondiale, de par son rôle majeur
dans la victoire contre l'Allemagne et le sacrifice de
20 millions de Soviétiques. En outre, la guerre a permis à
Staline de ressouder la cohésion du pays, d'annexer les
pays baltes, la Bessarabie, l'Est de la Prusse orientale, et
d'occuper toute l'Europe de l'Est, jusqu'à Berlin. C'est sur
ce prestige et cette unité retrouvée que « le petit père
des peuples » va bâtir le redressement spectaculaire de
l'URSS.

L'APOGÉE DU STALINISME (1945-1953)

> *Staline, plus puissant que jamais, lance la reconstruction politique.*

L'URSS à la tête du bloc communiste

L'URSS tire un large profit territorial de sa victoire. Elle confirme l'annexion faite en 1940 des
pays baltes (Estonie, Lettonie, Lituanie) et de la Bessarabie ;
elle reprend les parties de l'Ukraine et de la Biélorussie
cédées à la Pologne en 1921, annexant même l'Est de la
Prusse orientale, notamment Königsberg. En outre, l'Armée
rouge ayant libéré la Pologne, la Bulgarie, la Roumanie, la
Hongrie, la Tchécoslovaquie, ainsi que la partie orientale de
l'Allemagne, l'influence soviétique est déterminante sur
l'évolution politique de l'Europe orientale et centrale. De
1945 à 1949, tous ces pays se dotent de régimes similaires
au régime soviétique, alignés sur la politique de Staline : à
l'exception de la Yougoslavie et de l'Albanie, toutes les
« démocraties populaires » d'Europe de l'Est deviennent des
satellites de l'URSS. L'importance des partis communistes
français et italiens dans les années d'après-guerre, puis la
création de la République populaire de Chine en 1949,

confirment le rayonnement exceptionnel du modèle soviétique en Europe et dans le monde.

● *Une reconstruction planifiée*

Grâce à une mobilisation sans précédent de la main-d'œuvre (notamment dans les camps de travail) et aux prélèvements opérés dans les pays vaincus ou occupés, le plan quinquennal de 1946-1950 permet à l'URSS de rattraper en quatre ans son niveau économique d'avant-guerre : en 1953, l'économie soviétique atteint même le deuxième rang mondial. Mais ce redressement continue à privilégier les industries de base au détriment des biens de consommation. Quant à l'agriculture, c'est un échec total, marqué par la famine de 1947 et par de nombreuses révoltes paysannes, dans les pays baltes ou en Ukraine. Si le rationnement alimentaire est levé en 1948, les villes continuent à souffrir de la pénurie, et le niveau de vie moyen est inférieur à celui des années 30.

● *La dictature renforcée*

Auréolé par la victoire, le « maréchal » Staline, à la fois chef de l'État et chef du Parti communiste, renforce son pouvoir absolu sur la société soviétique. La police politique, dirigée par Beria, épure massivement les cadres du parti, de l'administration et de l'armée. Le maréchal Joukov, héros de la bataille de Stalingrad, est ainsi mis à l'écart. Les camps de travail, administrés par le Goulag, se peuplent de déportés : nationalistes baltes ou ukrainiens, Tatars de Crimée, ainsi que deux millions de prisonniers soviétiques revenus d'Allemagne et considérés comme porteurs d'idées subversives.

Andrei Jdanov, idéologue du régime, conduit la lutte contre le « cosmopolitisme » dans tous les domaines de la pensée (sciences, histoire, arts, littérature). Le conformisme idéologique, défini comme « réalisme socialiste », est la règle intangible. Staline la fait respecter par la terreur et par le « culte de la personnalité », comme en témoignent les fastes de son 70e anniversaire en décembre 1949. Le Parti communiste n'est pas réuni en congrès avant 1952, le Comité central est quasiment ignoré, et le Bureau politique (Politburo) ne se réunit que pour recueillir les ordres du « génial guide ». Même Beria, vice-président du Conseil, est écarté en 1952.

Staline termine son règne en véritable dictateur. À sa mort, le 5 mars 1953, l'URSS se sent orpheline.

URSS
(1945-1985)

LA LIBÉRALISATION AVORTÉE (1953-1964)

Khrouchtchev tente de libéraliser l'économie soviétique.

La déstalinisation

Après une sévère lutte de succession, s'ouvre une période de direction collégiale, d'où émerge la personnalité de Nikita Khrouchtchev. Secrétaire général du Parti à partir de septembre 1953, ce dernier s'engage dans la libéralisation du régime, comme en témoignent l'élimination du stalinien Beria et la réconciliation avec Tito en 1955. À l'occasion du XXe Congrès du PCUS (14-25 février 1956), Khrouchtchev présente un rapport secret condamnant les erreurs et les crimes de Staline. C'est le début de la déstalinisation, marquée par l'ouverture des camps, la réhabilitation des victimes de l'ancien dictateur et par l'assouplissement de la censure. Après le XXIIe Congrès (octobre 1961), la dépouille de Staline est même retirée de son mausolée, Stalingrad est débaptisée, la réforme de la Constitution donne plus de pouvoirs aux soviets locaux, et les nouveaux statuts du Parti organisent le renouvellement de ses cadres.

L'échec de la réforme économique

La déstalinisation s'étend au domaine économique : la révision du Plan annonce le développement prioritaire de l'agriculture et des biens de consommation. Dans le domaine agricole, les investissements augmentent de façon spectaculaire, les livraisons obligatoires sont supprimées et, en février 1954, un vaste plan de conquête des « terres vierges » de Sibérie et d'Asie centrale est lancé. Afin de stimuler la demande de biens de consommation, les salaires sont relevés. Pour accroître l'efficacité des entreprises, les responsabilités économiques sont décentralisées au niveau de 104 conseils régionaux (sovnarkhozes), chargés d'orienter la production locale. À partir de 1960, le Gosplan perd son rôle de décision et n'a plus qu'un rôle de coordination.

LA DÉGRADATION DE L'ÉCONOMIE SOVIÉTIQUE

	1970	1980	1991
Population (en millions d'habitants)	243	266	291
Croissance du produit matériel	+ 6,5 %	+ 3,9 %	– 15 %
Dette extérieure (en milliards de dollars)	1,6	25,2	80
Taux d'inflation	–	0,7 %	150 %
Balance commerciale (en milliards de dollars)	+ 1,1	+ 8	– 116,7

L'ambition de Khrouchtchev est de rattraper le niveau économique des États-Unis en 1970 et de créer une société d'abondance. Mais, en dépit d'une croissance industrielle soutenue et de réussites spectaculaires comme le lancement du satellite Spoutnik (1957) et le premier vol spatial de Youri Gagarine (1961), le bilan économique des années Khrouchtchev est très décevant, comme l'illustre la récolte de blé désastreuse de 1962. Ces difficultés de ravitaillement et les mécontentements qu'elles engendrent dans la population urbaine vont peser lourd dans le discrédit du premier secrétaire. Très critiqué au sein même du Parti pour son « aventurisme », il est mis en minorité par ses collègues du Présidium et doit démissionner de toutes ses fonctions, le 14 octobre 1964. La déstalinisation prend fin.

L'EMPIRE IMMOBILE (1964-1985)

L'immobilisme de l'ère Brejnev conduit l'URSS au naufrage économique.

Le système Brejnev (1964-1982)

Après la démission forcée de Khrouchtchev, le pouvoir revient à une troïka : Nicolaï Podgorny à la tête du Présidium, Alexeï Kossyguine aux affaires économiques et surtout Leonid Brejnev, premier secrétaire du Parti. Cette direction collégiale s'emploie à supprimer la plus

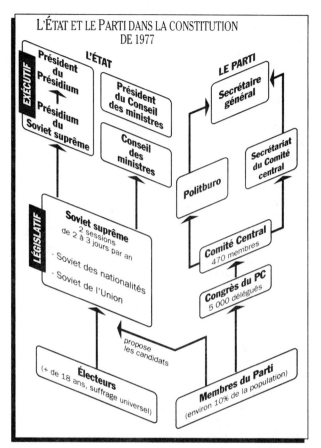

L'ÉTAT ET LE PARTI DANS LA CONSTITUTION DE 1977

L'ÉTAT

EXÉCUTIF

Président du Présidium

Présidium du Soviet suprême

Président du Conseil des ministres

Conseil des ministres

LE PARTI

Secrétaire général

Politburo

Secrétariat du Comité central

LÉGISLATIF

Soviet suprême
2 sessions de 2 à 3 jours par an
- Soviet des nationalités
- Soviet de l'Union

Comité Central
470 membres

Congrès du PC
5 000 délégués

Électeurs
(+ de 18 ans, suffrage universel)

propose les candidats

Membres du Parti
(environ 10% de la population)

part des réformes de Khrouchtchev, notamment celles qui concernent le Parti. À l'extérieur comme à l'intérieur, la « normalisation » est de rigueur dans le système Brejnev :

– À l'extérieur, l'intervention des troupes du Pacte de Varsovie contre le « printemps de Prague », en août 1968, reflète le raidissement de la diplomatie soviétique, qui reprend en main l'ensemble du bloc communiste. Le traité SALT signé avec les États-Unis en 1972, puis le traité européen d'Helsinki (1975) entérinent cette « normalisation » de l'Europe de l'Est.

– À l'intérieur, les procès des écrivains Siniavski et Guinzbourg, en 1966 et 1967, mettent un terme brutal à l'ouverture intellectuelle. Le XXIIIe Congrès du PCUS (mars-avril 1966) rétablit le Politburo et supprime la rotation des cadres, établie par Khrouchtchev : l'élite (nomenklatura) et les hommes de l'appareil du Parti prennent ainsi leur revanche sur les réformateurs. Le pouvoir se montre très ferme avec les dissidents qui contestent ouvertement le régime : l'écrivain Soljenitsyne, prix Nobel de littérature en 1970, est expulsé d'URSS en 1973, et le physicien Sakharov, prix Nobel de la paix en 1975, est exilé dans la ville de Gorki en 1980. Brejnev exerce un pouvoir de plus en plus personnel et restaure le culte de la personnalité.

La nouvelle Constitution du 7 octobre 1977 entérine ce système brejnévien.

L'Union des Républiques Socialistes Soviétiques est un État fédéral comprenant 15 républiques fédérées (dont 5 englobent 20 républiques autonomes), 8 régions autonomes et 10 arrondissements nationaux. Mais cet État fédéral est centralisé à Moscou, où se prennent toutes les décisions importantes.

Il n'y a pas de séparation de pouvoirs. Tout découle du pouvoir législatif, c'est-à-dire du Soviet suprême, constitué de deux assemblées de 750 membres chacune, élues au suffrage universel : le Soviet de l'Union et le Soviet des Nationalités. Le Conseil des ministres, élu par le Soviet suprême, n'est qu'un organe d'administration et de gestion. L'exécutif appartient en fait au Présidium de 37 membres, élu par le Soviet suprême, et présidé par le chef de l'État.

À côté de ce dispositif officiel, le véritable pouvoir est exercé par le Parti communiste, qui est, selon la Constitution, « la force qui dirige et oriente la société soviétique ». Au sommet du Parti, organisé de façon très hiérarchique, le Comité central se réunit deux fois par an et élit un Bureau politique (Politburo) d'une vingtaine de membres, dirigé par le Secrétaire général, et qui détient le pouvoir suprême. En cumulant cette fonction et celle de chef de l'État, à partir de 1977, Brejnev renforce la main mise absolue du Parti communiste sur la société soviétique. Il conduit l'URSS à la faillite économique.

Le naufrage économique

À partir de 1965, le pouvoir soviétique tente d'appliquer les théories de rentabilité exposées par l'économiste réformateur Liberman : une autonomie de gestion plus importante est accordée aux entreprises, un gros effort est fait en faveur des kolkhozes à partir de 1969 (autorisation des lopins de terre individuels, relèvement des prix, mécanisation) et une véritable mobilisation sociale est lancée dans l'industrie en 1979, afin d'améliorer la productivité. Mais, à cette date, il est déjà trop tard : l'économie soviétique, handicapée par le poids considérable des dépenses militaires, sombre en outre dans la bureaucratie et le laisser-aller. La croissance industrielle est tombée à 2 %, l'autosuffisance alimentaire est loin d'être assurée, 25 millions de tonnes de blé sont importées, la viande est rationnée et l'endettement extérieur (envers les pays occidentaux) atteint 20 milliards de dollars. Engagé dans la guerre en Afghanistan depuis décembre 1979, éclaboussé par un scandale financier impliquant son propre gendre, Brejnev connaît une fin de règne difficile, qui s'achève par sa mort, le 10 novembre 1982.

La transition (1982-1985)

La période qui suit le brejnévisme n'est qu'une phase de transition, car les deux hommes qui se succèdent au pouvoir sont issus de la gérontocratie « historique » du PCUS. Youri Andropov, apparatchik modèle, chef du KGB, tente notamment de lutter contre la corruption et l'absentéisme dans les entreprises, mais il disparaît dès le 11 février 1984. Son successeur, Constantin Tchernenko, incarne les derniers soubresauts de la vieille garde brejnévienne, face aux générations montantes du Politburo. Emporté par la maladie, ce dernier est remplacé, dès le 11 mars 1985, par Mikhaïl Gorbatchev, qui accède à 54 ans au Secrétariat général du PCUS. Ce dernier, issu d'une génération nouvelle de dirigeants communistes, comprend que des réformes sont indispensables.

437

1945 : l'Armée rouge occupe l'Europe centrale et orientale.

1946 : quatrième plan quinquennal.

1947 : famine et révoltes paysannes en Ukraine et dans les Pays baltes ; doctrine Jdanov et création du Kominform.

1948 : début du blocus de Berlin-Ouest.

1949 : fondation du Comecon.

1950 : traité d'amitié avec la Chine populaire.

1951 : cinquième plan quinquennal.

1953 : mort de Staline ; Khrouchtchev devient premier secrétaire du PCUS.

1955 : Pacte de Varsovie.

1956 : le XXᵉ Congrès du PCUS amorce la déstalinisation ; intervention soviétique en Hongrie.

1961 : Gagarine premier homme à voler dans l'espace ; rupture avec la Chine populaire.

1964 : Khrouchtchev démissionne ; Brejnev premier secrétaire du PCUS.

1966 : le XXIIIᵉ Congrès du PCUS met fin à la déstalinisation.

1968 : intervention des troupes du Pacte de Varsovie contre le « printemps de Prague ».

1975 : l'URSS signe les accords d'Helsinki.

1977 : Brejnev élu à la présidence du Soviet suprême ; nouvelle Constitution soviétique.

1979 : les troupes soviétiques envahissent l'Afghanistan.

1982 : mort de Brejnev.

1985 : Gorbatchev secrétaire général du PCUS.

LIRE AUSSI

ÉCONOMIE (1945-1973 ; DEPUIS 1973) ; EUROPE DE L'EST (1945-1980 ; DEPUIS 1980) ; DEUXIÈME GUERRE MONDIALE (BILAN) ; RELATIONS INTERNATIONALES (1945-1962 ; 1962-1985) ; URSS (1928-1939 ; DEPUIS 1985).

URSS-CEI

(DEPUIS 1985)

Le 11 mars 1985, Mikhaïl Gorbatchev devient Premier secrétaire du PCUS. Contrairement à ses prédécesseurs, c'est un homme encore jeune, âgé de 54 ans, et qui n'est pas associé à l'ère stalinienne. Convaincu de la nécessité des réformes, tant politiques qu'économiques, il veut profondément modifier l'État et la société soviétiques, sans rompre toutefois avec ce qu'il appelle le « socialisme réel ».

L'ÉCHEC DE L'EXPÉRIENCE GORBATCHEV (1985-1991)

> Gorbatchev tente de réformer l'URSS sans rompre avec le socialisme.

« Glasnost » et « Perestroïka »

Quelques mois après son arrivée au pouvoir, Gorbatchev lance un programme réformiste, dont les maîtres-mots sont la restructuration (perestroïka) et la transparence (glasnost).

Apparue dès le mois de juin 1985, la perestroïka s'attache à la modernisation des structures économiques et au développement de la libre entreprise. Elle se concrétise notamment par le développement des liens commerciaux avec l'Occident, par l'autorisation de l'entreprise privée (novembre 1986), par une plus grande autonomie de gestion accordée aux entreprises d'État, et par la location de terres d'État aux paysans. Mais Gorbatchev n'ose pas s'attaquer aux réformes de fond (privatisations, décentralisation, flexibilité de l'emploi) et il se heurte à l'inertie du système économique.

Les résultats de la glasnost sont plus probants : libération de plusieurs centaines de dissidents (fin de l'exil forcé de Sakharov en décembre 1986), réhabilitation des victimes de procès staliniens (février 1988), facilités accordées aux

439

Juifs soviétiques désirant émigrer en Israël , et surtout éclosion de la vie intellectuelle, des arts et de toutes les formes
d'expression. Les révisions constitutionnelles de décembre
1988 et mars 1990, démocratisant le fonctionnement du
Parti communiste et diminuant son rôle au profit des
soviets, ouvrent la voie au multipartisme.

Des difficultés insurmontables

Afin de promouvoir sa politique de réformes,
Gorbatchev a commencé par se débarrasser des anciens
dirigeants du Parti communiste, tel Andreï Gromyko, qui
doit abandonner les Affaires étrangères à Édouard
Chevardnadze (juillet 1985). Mais les conservateurs restent
influents dans l'appareil, tel Egor Ligatchev, numéro deux
du régime jusqu'en septembre 1988. C'est pourquoi
Gorbatchev ne va cesser de renforcer son pouvoir, cumulant la direction du Parti et celle de l'État, puis se faisant
élire président de l'URSS par le Congrès des députés du
peuple, afin de se donner une légitimité populaire, le
15 mars 1990.

D'autres critiques émanent des réformateurs radicaux,
partisans d'une libéralisation massive de l'économie, tel
Boris Eltsine. Celui-ci est évincé de ses fonctions de chef du
Parti à Moscou en novembre 1987. Mais l'échec économique
de Gorbatchev, le mécontentement social dû à la pénurie,
ainsi que l'explosion des tensions nationalistes (Lituanie,
Azerbaïdjan, Géorgie), font le jeu de Eltsine. Gorbatchev est
donc contraint à durcir son attitude au début de 1991, réha-
bilitant le Parti et le KGB, ce qui le rend très impopulaire. En
janvier 1991, l'intervention de l'Armée rouge en Lituanie, qui
a proclamé son indépendance en mars 1990, provoque des
affrontements sanglants à Vilnius. En mars 1991, les trois
États baltes boycottent le référendum sur le maintien de
l'URSS organisé par Moscou. Le 3 juin 1991, seules 8 républiques sur 14 (Ukraine, Biélorussie et les six républiques
d'Asie centrale) acceptent de signer avec la Russie un
accord pour une Union des républiques soviétiques souveraines, ultime tentative de Gorbatchev pour préserver la
cohésion du bloc soviétique.

L'ÈRE DES INCERTITUDES
(DEPUIS 1991)

La fin de l'URSS

C'est paradoxalement une tentative de coup d'État menée par les conservateurs communistes qui va amener l'avènement du réformateur Boris Eltsine et la fin de l'URSS. Le 19 août 1991, un « Comité d'État » dirigé par le vice-président Ianaiev s'empare du pouvoir, retenant Gorbatchev prisonnier dans sa résidence de vacances en Crimée. Mais Boris Eltsine, premier président de la Russie, principale république d'URSS, élu au suffrage universel (15 juin 1991), soulève la population moscovite contre le putsch, qui échoue au soir du 21 août. Ce coup d'État manqué sonne le glas des réactionnaires du Parti, de l'armée et du KGB (dissous en octobre 1991), mais il entraîne aussi la chute de Gorbatchev, qui dissout le comité central du Parti communiste, dont il démissionne.

Du 20 au 31 août, huit républiques de l'ex-URSS se proclament indépendantes : l'Estonie, la Lettonie, l'Ukraine, la Biélorussie (devenue Belarus), la Moldavie, l'Azerbaïdjan, le Kirghizstan et l'Ouzbékistan. Suivent l'Arménie en septembre, la Tchétchénie et le Tatarstan (ex-républiques autonomes de Russie) en novembre. Le 8 décembre 1991, la Russie, l'Ukraine et la Belarus proclament la fin de l'URSS et se déclarent Communauté des États indépendants (CEI). Elles sont rejointes le 21 décembre par onze des quinze autres républiques de l'ex-URSS (en sont absents les trois États baltes et la Géorgie). Enfin, le 25 décembre 1991, Gorbatchev démissionne de la présidence de l'URSS, qui n'existe plus.

> *Le putsch conservateur d'août 1991 précipite la fin de l'URSS et annonce de nouvelles incertitudes.*

La mise en place des nouveaux États

Les nouveaux États indépendants connaissent des débuts plus ou moins agités. En Russie, le président Eltsine se heurte aux résistances des apparatchiks de l'ex-Parti communiste et de tous ceux qui contestent sa politique économique. Le président du Parlement russe, Rouslan Khasboulatov, est le chef de file de ses oppositions. Mais Eltsine a remporté une victoire lors du référendum du

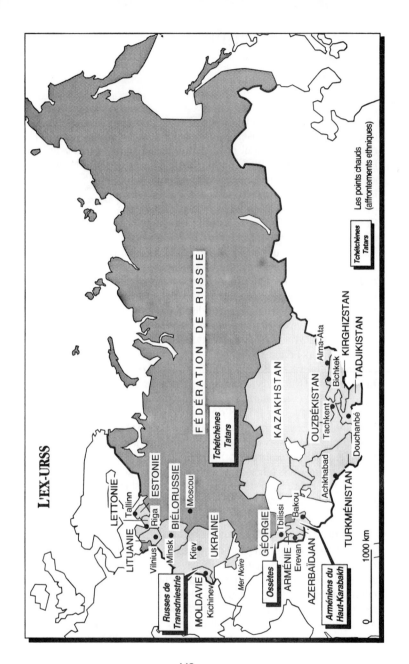

L'EX-URSS

FÉDÉRATION DE RUSSIE

Tchétchènes
Tatars

LETTONIE
LITUANIE
ESTONIE
Tallinn
Riga
Vilnius
BIÉLORUSSIE
Minsk
Moscou
Kiev
UKRAINE
Russes de
Transdniestrie
MOLDAVIE
Kichinev
Mer Noire
GÉORGIE
Ossètes
Tbilissi
ARMÉNIE
Erevan
AZERBAÏDJAN
Bakou
Arméniens du
Haut-Karabakh

KAZAKHSTAN
OUZBÉKISTAN
Tachkent
TURKMÉNISTAN
Achkhabad
Douchanbé
TADJIKISTAN
Alma-Ata
Bichkek
KIRGHIZSTAN

Tchétchènes
Tatars

Les points chauds
(affrontements ethniques)

0   1000 km

442

- 25 avril 1993, par lequel une majorité de citoyens russes se
- sont prononcés en faveur de sa politique et pour une
- réforme de la Constitution.
- Dans la plupart des autres républiques, à l'exception
- des républiques baltes, de l'Arménie et de l'Azerbaïdjan,
- l'ancienne nomenklatura communiste a réussi à conserver
- le pouvoir, en s'adaptant au nouveau régime. C'est le cas en
- Ukraine, où le président de la République, Leonid
- Kravtchouk, ancien dirigeant du Parti communiste, s'est
- converti très rapidement à l'économie de marché et reven-
- dique l'identité nationale ukrainienne face à l'hégémonie
- russe. C'est aussi le cas en Géorgie, où Édouard
- Chevardnadze, ancien ministre des Affaires étrangères de
- Gorbatchev, est revenu au pouvoir en mars 1992, après une
- année de guerre civile entre les forces démocratiques et le
- dictateur Zviad Gamsakhourdia. Enfin, dans toutes les répu-
- bliques d'Asie centrale, le Parti communiste garde le
- contrôle de la vie politique et sociale, en organisant une
- transition lente vers l'économie de marché.

Les difficultés économiques

- La transition d'une économie socialiste vers l'économie
- de marché s'avère très difficile.
- En Russie, le programme de réformes brutales (« choc
- chirurgical ») mis en œuvre par le ministre de l'Économie
- Egor Gaïdar (janvier 1992) est loin d'avoir atteint les objec-
- tifs recherchés :
- – Le mouvement des privatisations, limité aux grandes
- entreprises, est insuffisant pour fonder un véritable capita-
- lisme privé en Russie.
- – Les indicateurs économiques sont désastreux : en
- 1992, le PNB a chuté de 20 %, les investissements de 45 %,
- les exportations de 22 %...
- – La libération des prix provoque une inflation specta-
- culaire (prix multipliés par 16 en 1992), tandis que les
- salaires augmentent 4 fois moins vite.
- Les autres républiques connaissent les mêmes pro-
- blèmes économiques et financiers, liés à la transition du
- communisme vers l'économie de marché. La récession
- frappe même les plus riches, telles la Belarus, l'Ukraine et la
- Moldavie, dont les produits nationaux ont respectivement
- régressé de 3 %, 9,5 % et 12 % en 1991, avec des taux d'infla-

tion respectifs de 80 %, 84 % et 97 %. Les républiques baltes, qui ont rompu brutalement avec le socialisme, traversent une grave crise économique, marquée par la récession (– 13 % en Lituanie en 1991, – 11 % en Estonie, – 8 % en Lettonie), par l'inflation (245 %, 212 % et 172 %) et par le rationnement. La situation économique de l'Arménie, engagé dans un conflit avec l'Azerbaïdjan, est catastrophique. La récession est encore plus forte en Géorgie (– 23 % en 1991), à cause de l'instabilité politique. En revanche, les républiques d'Asie centrale, souvent dirigées par d'anciens apparatchiks du régime communiste, n'ont pas connu de graves bouleversements économiques et résistent mieux à la récession (– 1 % seulement en Ouzbékistan en 1991).

Des sociétés déstabilisées

Dans la plupart des ex-républiques soviétiques, la misère, la pénurie, le désordre engendrent une perte de confiance envers le pouvoir politique et un fort malaise social, qui menacent de désagréger totalement la société. En Russie par exemple, 90 % de la population se retrouve au niveau ou en dessous du minimum vital, ne survivant que grâce à la débrouille, au troc ou au travail au noir. En revanche, une minorité de commerçants et de « maffiosi », parfois associés aux anciens cadres du Parti communiste, ont bâti en quelques mois des fortunes fabuleuses.

L'austérité budgétaire frappe durement les dépenses d'éducation, de santé, de sécurité sociale, tout un ensemble de services qui « protégeaient » la société soviétique. La désagrégation des structures de pouvoir héritées du communisme, tels le parti, l'administration, l'Armée rouge, laisse la place à l'individualisme forcené, voire même à l'anarchie.

Certains forces politiques semblent bénéficier de cette situation : les anciens communistes, qui incarnent l'ordre et la stabilité perdue; les fondamentalistes orthodoxes en Russie ou musulmans dans les républiques d'Asie centrale ; et surtout les partis nationalistes (Panslavistes en Russie), qui fondent leur discours sur l'exclusion des autres ethnies et sur la nécessité d'un pouvoir fort. Ce renouveau nationaliste est une menace constante pour l'équilibre de l'ancienne URSS.

• Le renouveau des nationalismes

URSS-CEI
(depuis 1985)

Dans l'ex-empire soviétique, dont les frontières ont été arbitrairement tracées sous le régime communiste, la résurgence des nationalismes est bien difficile à gérer. Dans cette mosaïque de peuples et de cultures, les tensions sont nombreuses, que ce soit entre les républiques ou à l'intérieur des républiques.

L'hégémonie russe est contestée. Seuls le Kazakhstan, le Tadjikistan, l'Ouzbékistan et le Turkménistan ont accepté de signer avec la Russie un « pacte de sécurité collective » en mai 1992.

Plus de 250 000 réfugiés russes ont dû quitter les régions troublées du Caucase et des Pays Baltes, où ils étaient privés de droits civiques et politiques.

La presqu'île de Crimée est l'objet d'un contentieux entre la Russie et l'Ukraine. Intégrée depuis 1954 à l'Ukraine, mais peuplée majoritairement de Russes (65 %), la Crimée est un enjeu militaire majeur, car ses ports abritent la flotte militaire de la mer Noire. En août 1992, les deux républiques ont accepté le partage de cette flotte, mais le statut de la Crimée reste sujet à négociations.

À l'intérieur même de chaque nouvel État, les revendications d'autonomie sont très fortes : en Russie, les Tchéchènes se sont déclarés indépendants, et les Tatars souhaitent les imiter. En Géorgie, les Ossètes luttent pour leur autonomie, de même que les Arméniens du Haut-Karabakh en Azerbaïdjan, ou les Russes de Transdniestrie en Moldavie. Enfin, dans les républiques baltes, les minorités russophones installées après 1945 (38 % de la population en Estonie et 48 % en Lettonie) sont victimes des lois très restrictives sur la citoyenneté.

En quelques années, l'ex-URSS a connu des transformations spectaculaires : une nouvelle « révolution ». La réforme de la société communiste, lancée par Gorbatchev, a débouché sur l'effondrement d'un système rongé par la faillite économique et les tensions nationalistes. Ce « printemps des peuples » a permis de restaurer l'économie de marché et les libertés démocratiques. Mais la transition brutale d'une fédération socialiste et homogène vers des États libéraux et indépendants pose une série de problèmes graves, porteurs de risques qui inquiètent les autres puissances.

445

1985 : Gorbatchev Premier secrétaire du PCUS ; mise en place de la perestroïka ; Chevardnadze remplace Gromyko aux Affaires étrangères.

1986 : autorisation de l'entreprise privée.

1988 : réhabilitation de victimes de Staline ; Gorbatchev président du Soviet suprême d'URSS ; la révision de la Constitution renforce les pouvoirs de Gorbatchev.

1990 : la Lituanie se proclame indépendante ; Gorbatchev élu président de l'URSS.

1991 : l'Armée rouge intervient en Lituanie, massacres de Vilnius ; Eltsine élu président de Russie au suffrage universel ; putsch manqué des conservateurs; Gorbatchev dissout le comité central du PCUS ; huit républiques soviétiques se proclament indépendantes ; indépendance de l'Arménie ; dissolution du KGB ; formation de la CEI ; démission de Gorbatchev.

1992 : la Russie remplace l'URSS au Conseil de sécurité de l'ONU ; Gaïdar lance son plan de réformes économiques en Russie ; Chevardnadze au pouvoir en Géorgie ; pacte de sécurité collective entre la Russie, le Kazakhstan, le Tadjikistan, l'Ouzbékistan et le Turkménistan ; la Russie et l'URSS se partagent la flotte de la mer Noire.

1993 : référendum favorable à la politique d'Eltsine.

LIRE AUSSI ÉCONOMIE (DEPUIS 1973) ; EUROPE DE L'EST (DEPUIS 1980) ; RELATIONS INTERNATIONALES (DEPUIS 1985) ; URSS (1945-1985).

BIOGRAPHIES

- **ADENAUER Konrad** (1876-1967)

Fils d'un fonctionnaire catholique de Rhénanie, Adenauer entre dans la carrière politique en 1906 après des études de droit. Membre influent du Centre catholique, maire de Cologne à partir de 1917, il est destitué de sa charge par les nazis en 1933. Après la guerre, il est un des fondateurs du parti chrétien-démocrate, la CDU, dont il est élu président en 1949. En septembre 1949, il devient le premier Chancelier de la RFA qui vient de naître. Il conservera cette fonction jusqu'en 1963. Très anticommuniste, il ancre son pays dans le camp occidental en privilégiant l'alliance avec les États-Unis (la RFA devient membre de l'OTAN en 1955). Favorable à la construction européenne, il fait participer la RFA à la CECA (1951) et à la CEE (1957). Promoteur de la réconciliation franco-allemande, il instaure des rencontres régulières avec de Gaulle. Critiqué au sein de la CDU, il démissionne en octobre 1963 pour céder la place à Ludwig Erhard.

- **ALLENDE Salvador** (1908-1973)

Homme politique chilien. Issu d'une famille bourgeoise, médecin, il fonde le Parti socialiste chilien. Il est ministre dans le gouvernement de Pedro Cerda de 1938 à 1940. En 1970, il est à la tête d'une coalition de Front populaire (communistes, radicaux, socialistes) qui obtient une courte victoire aux élections législatives. Élu président de la République par le parlement le 24 octobre 1970, il entreprend une politique socialiste. Mais aux prises avec de graves difficultés économiques, confronté à l'hostilité des États-Unis, qui craignent un second Cuba, il est renversé par un putsch de l'armée en 1973. Le général Pinochet s'empare du pouvoir.

447

● **ANDREOTTI Giulio** (né en 1919)

Homme politique italien. Journaliste à Rome, député de la Démocratie chrétienne en 1946, il devient un proche collaborateur d'Alcide de Gasperi. De 1946 à 1953, il siège dans tous les gouvernements dirigés par ce dernier. Plusieurs fois ministre (à l'Intérieur en 1954, aux Finances en 1955), président du Conseil (en 1972-1973, 1976-1979 et 1989-1992), il est, avec son rival Aldo Moro, l'incarnation même du « système » démocrate-chrétien. Politicien habile et pragmatique, il n'a pas hésité à s'allier avec les partis du centre (1972) et même avec les communistes (1978) quand il le fallait. Mais il est aujourd'hui soupçonné d'avoir entretenu des relations privilégiées avec la mafia.

● **ARAFAT Yasser** (né en 1929)

Homme politique palestinien. Il est né à Jerusalem, dans une famille aisée. Lors de la guerre israélo-arabe de 1948, il se réfugie en Jordanie, puis fait ses études de droit au Caire. En 1965, il fonde le Fatah, qui devient un des mouvements palestiniens de lutte contre Israël, et en 1969, il devient président de l'Organisation de libération de la Palestine (OLP). En octobre 1974, Arafat est reconnu par le sommet arabe de Rabat comme le seul représentant légitime du peuple palestinien. Le mois suivant, il est reçu pour la première fois à l'Assemblée générale de l'ONU. Il obtient un surcroît de légitimité dans le monde après avoir reconnu le droit à l'existence d'Israël et renoncé à toute forme de terrorisme à Genève en novembre 1988. Mais sa récente modération entraîne la formation d'une forte opposition au sein de l'OLP qui perd de son audience dans les territoires occupés ; le soutien qu'Arafat apporte à l'Irak lors de la guerre du Golfe (1990) affaiblit sa position internationale.

● **ATTLEE Clement** (1883-1967)

Élève d'Oxford, avocat, il entre au Parti travailliste en 1907. Maire de Stepney en 1919, il devient député de Limehouse en 1922 et participe aux gouvernements travaillistes de 1924 et 1930-1931. Porté à la tête du Parti travailliste en 1935, il occupe plusieurs postes successifs dans le gouvernement de coalition formé par Churchill de 1940 à 1945. Il devient Premier ministre après la victoire des travaillistes aux élections de juillet 1945. Sa politique extérieure est marquée par l'alliance avec les États-Unis et par le début de la décolonisation, avec l'octroi de l'indépendance aux Indes en 1947. À l'intérieur, il conduit les nationalisations de l'énergie et des transports, et instaure un grand système de Sécurité sociale, inspiré par le plan Beveridge. Après le retour des conservateurs au pouvoir, en 1951, il se retire de la vie politique nationale.

● **AURIOL Vincent** (1884-1966)

Fils de boulanger, étudiant socialiste, il devient avocat et se fait élire député de Muret en 1914. Réélu en 1918, devenu l'expert financier de la SFIO, il est plusieurs fois ministre sous le Front populaire : aux Finances dans le premier cabinet Blum (1936-1937), à la Justice dans le cabinet Chautemps (1937-1938) et ministre d'État dans le second cabinet Blum (1938). Le 10 juillet 1940, il fait partie des 80 parlementaires qui refusent les pleins pouvoirs à Pétain. Emprisonné par Vichy en 1941, il entre ensuite dans la Résistance et rejoint de Gaulle en 1943. Après avoir présidé les deux assemblées constituantes d'octobre 1945 à octobre 1946, il est élu au premier tour président de la IVe République, le 16 janvier 1947. Sa simplicité et sa bonhommie méridionale le rendent très populaire. Sans pouvoirs importants, il exerce néanmoins une forte influence sur l'orientation du régime vers la troisième force et fait appel à Antoine Pinay pour redresser la situation financière. Il ne se représente pas en 1953. Membre de droit du Conseil constitutionnel créé en 1958, il refusera d'y siéger à partir de 1960 pour protester contre la dérive personnelle du régime gaulliste.

● **BEGIN Menahem** (1913-1992)

Homme politique israélien. Né à Brest-Litovsk, en Pologne, il est confronté très tôt à l'antisémitisme et prend la direction d'un mouvement sioniste, le Betar. Mais il s'enfuit devant la persécution nazie. Sa famille, restée en Pologne, sera massacrée par les Allemands. Réfugié en URSS, Menahem est condamné au Goulag pour sionisme militant. Libéré en 1941, il gagne la Palestine alors aux mains des Anglais. Begin crée l'Irgoun en décembre 1943 et se lance dans la lutte armée pour libérer la « Terre promise ». En 1947, Begin refuse le plan de partage de la Palestine britannique en deux États. Pendant trente ans, il va réclamer l'instauration d'un « Grand Israël » correspondant à l'ensemble de l'ancienne Palestine britannique. En 1977, il mène à la victoire une coalition de droite, le Likoud. Devenu Premier ministre, il signe avec le chef d'État égyptien, Anouar el Sadate, l'accord de Camp David (1978), qui rend à l'Égypte le Sinaï occupé depuis 1967. Mais il ne trahit pas ses idéaux. Le Sinaï n'est pas la Terre promise, il peut le restituer. En revanche, il n'est pas question pour lui de céder les autres « territoires occupés », où il continue de favoriser la colonisation juive. En juin 1982, poussé par son ministre de la Défense Ariel Sharon, il accepte d'engager une guerre offensive contre le Liban où s'est réfugiée l'OLP. Mais l'armée israélienne laisse les phalanges chrétiennes massacrer les civils palestiniens des camps de Sabra et Chatila. Begin est porté responsable de ces morts. Il démissionne en 1983.

● **BEN BELLA Ahmed** (né en 1916)

Homme politique algérien. Fils de paysan, il rejoint après la guerre un mouvement indépendantiste fondé par Messali Hadj, le MTLD, et participe à des coups de main qui lui valent d'être arrêté et condamné à sept ans de prison en 1950. Mais il s'évade en 1952 et devient l'un des neuf chefs qui fondent le FLN et décident l'insurrection algérienne en octobre 1954. En 1956, alors qu'il se rend à Tunis, son avion est intercepté par les autorités françaises ; il sera interné en France jusqu'aux accords d'Évian (mars 1962). Rentré en Algérie en juillet 1962, il obtient l'appui de militaires tels que le colonel Boumediene, et devient le chef du gouvernement. Il nationalise les terres des colons et engage son pays dans la voie du socialisme. En politique étrangère, il établit de bonnes relations avec l'URSS, la Chine, les pays du tiers monde mais aussi avec les États-Unis. L'évolution autoritaire de son régime, accentuée après son élection à la présidence de la République (septembre 1963), dresse contre lui de nombreux dirigeants du FLN ; un coup d'État l'écarte du pouvoir en juin 1965. Longtemps détenu dans un lieu secret, il est libéré en

1980 ; il gagne la France puis la Suisse et devient un propagateur de l'intégrisme musulman.

● **BEN GOURION David** (1886-1973)
● Homme politique israélien. Né à Plonsk, en Pologne russe, dans un milieu profondément croyant, il est très tôt sensible aux idées sionistes et, en 1906, émigre en Palestine et fait ses études de droit à Istanbul. Rentré en Palestine en 1917 après un exil aux États-Unis, il est cofondateur du Mapaï (Parti sioniste socialiste israélien) en 1930. Président de l'exécutif de l'Agence juive de 1935 à 1948, il favorise l'immigration des juifs allemands, malgré la décision anglaise (la Palestine est alors sous mandat britannique) de limiter celle-ci. Il accepte le plan de partage de la Palestine de 1947 et, en mai 1948, proclame l'établissement de l'État d'Israël. Premier ministre de 1948 à 1953, puis de 1955 à 1963, il doit finalement abandonner le pouvoir en juin 1963 face à l'opposition de ses propres amis qui critiquent son autoritarisme.

● **BLUM Léon** (1872-1950)
● Né à Paris dans une famille de commerçants juifs aisés, étudiant brillant, il est reçu à l'École normale supérieure. À la suite de l'affaire Dreyfus, il s'oriente vers la vie politique. Fasciné par Jaurès, il adhère en 1902 à la SFIO et collabore désormais au journal *L'Humanité*. En 1919, il est élu député. Au congrès de Tours, en 1920, il prend la tête des socialistes hostiles à l'adhésion à la IIIᵉ Internationale et devient alors le dirigeant de la SFIO. En 1936, il devient le premier chef de gouvernement socialiste de l'histoire de France. Sous la pression d'une opinion enfiévrée, Blum fait voter d'importantes réformes sociales. Il subit alors les violentes attaques verbales de l'extrême-droite, qui critique aussi bien sa vision socialiste du monde que ses ascendances juives. Dès 1937, les difficultés intérieures et extérieures l'obligent à proclamer la « pause » dans les réformes, puis à démissionner de la présidence du Conseil en 1938. Arrêté en 1940 par le gouvernement de Vichy, Blum est emprisonné ; accusé d'être responsable de la guerre et de la défaite, il est jugé au procès de Riom (1942). Par la suite, il est déporté en Allemagne, au camp de Buchenwald. Éditorialiste au *Populaire*, il marque, après la guerre, son attachement au régime parlementaire et critique les conceptions du général de Gaulle.

● **BOURGUIBA Habib Ibn Ali**
● (né en 1903)
Chef d'État tunisien. Né à Monastir, fils d'un officier, il fait ses études supérieures à Paris, de droit et de sciences politiques. Inscrit au barreau de Tunis en 1927, il entre dans le mouvement nationaliste Destour et rédige les éditoriaux du journal *La voix du Tunisien*. En 1934, il fonde le parti Néo-Destour. Emprisonné par les autorités françaises en septembre 1934, il est relâché sept mois plus tard et à nouveau arrêté en avril 1938. Libéré par les Allemands en 1942, il rentre en Tunisie et reprend la lutte dans la clandestinité. En janvier 1952, il est assigné à résidence deux ans. Interlocuteur privilégié du gouvernement de Mendès France, il participe aux négociations qui aboutissent au traité d'indépendance du 20 mars 1956. Devenu président du Conseil dans son pays, il fait voter l'abolition de la monarchie par l'Assemblée constituante et devient président de la Répu-

blique. Nommé président à vie, il engage de nombreuses réformes économiques et sociales et notamment, laïcise l'État. Mais, dans les années 80, il est confronté à la montée de l'islamisme. Il sera finalement déposé par son Premier ministre, le général Ben Ali, en 1987.

BRANDT Willy (1913-1992)

Fils naturel d'une employée, il milite très jeune au Parti social-démocrate (SPD) en Allemagne et doit émigrer en Norvège en 1933, pour fuir les nazis. Il ne revient en Allemagne qu'en 1945. Ayant repris la vie politique, il est élu président du parlement de Berlin-Ouest en 1955 et président du SPD en 1964. Il devient en 1966 ministre des Affaires étrangères dans un cabinet de « grande coalition » dirigé par le chrétien-démocrate Kiesinger. En 1969, il devient lui-même Chancelier, à la tête d'un gouvernement comprenant les sociaux-démocrates et les libéraux du FDP. Il conduit une politique d'ouverture vers l'Est *(Ostpolitik)*, concrétisée notamment par le « traité fondamental » entre les deux Allemagnes (1972). Ses visites symboliques au ghetto de Varsovie et à Jérusalem lui valent les attaques virulentes de la CDU. Il obtient le prix Nobel de la paix en 1971. Mais il doit démissionner en mai 1974, l'un de ses proches collaborateurs ayant été démasqué comme un espion est-allemand. Président du SPD jusqu'en 1987 et président de l'Internationale socialiste, il meurt en 1992, après avoir soutenu la réunification.

BREJNEV Leonid (1906-1982)

Ingénieur métallurgiste ukrainien, entré au Parti communiste en 1931, il connaît l'ascension régulière d'un parfait apparatchik. Premier secrétaire du Parti au Kazakhstan en 1954, membre du présidium du Comité central en 1956, il devient en 1960 président du Soviet suprême, c'est-à-dire chef de l'État soviétique. Ayant largement contribué au renversement de Khrouchtchev, il lui succède comme premier secrétaire du Parti communiste en octobre 1964. Dirigeant numéro un de l'URSS, il prône la doctrine de la « souveraineté limitée » des pays frères, qui justifie l'intervention des troupes du Pacte de Varsovie en 1968. Tout en s'engageant dans une politique de « cœxistence pacifique », Brejnev conduit la course aux armements, l'expansion soviétique dans le tiers monde et l'intervention en Afghanistan (1979). À l'intérieur, il durcit le contrôle de l'État sur les intellectuels dissidents, et sur les minorités ethniques et religieuses. En juin 1977, il cumule les fonctions de chef de l'État et de chef du Parti. Il est l'objet d'un véritable culte de la personnalité. Mais la fin de son « ère » est marquée par d'énormes difficultés économiques et par un scandale de corruption impliquant son propre gendre.

BRIAND Aristide (1862-1932)

Né à Nantes, dans une famille modeste, devient avocat. Député socialiste de la Loire en 1902, il quitte la SFIO en 1905 et devient socialiste indépendant. En 1909, il prend la direction du gouvernement ; il réprime fermement, en 1910, une grève des cheminots et opte par ailleurs pour une attitude conciliante avec l'Église (en 1905, il avait pourtant été rapporteur de la loi sur la séparation de l'Église et de l'État). Dix fois président du Conseil par la suite, il dirige le gouvernement pendant la Grande guerre, du 29 octobre 1915 au 17 mars 1917. Ministre des Affaires étrangères de 1925 à 1932, il est le défenseur d'un rapprochement franco-allemand (il signe les accords de Locarno en octobre 1925), le promoteur de la paix mondiale (il reçoit le prix Nobel de la paix en 1926 et signe en août 1928 le pacte Briand-Kellogg qui met la guerre hors la loi) et le précurseur de la construction européenne (en 1930, il publie un memorandum sur l'organisation d'une union fédérale européenne).

● **CARTER Jimmy** (né en 1924)

Fils de fermiers aisés de Géorgie, il commence une carrière d'officier sous-marinier. Mais, à la mort de son père, en 1953, il reprend en main l'exploitation familiale. Élu sénateur démocrate de Géorgie en 1962, puis gouverneur en 1970, il se présente aux élections présidentielles de 1976 comme un homme nouveau, incarnant les valeurs morales dans le climat troublé du Watergate. Élu président contre Gerald Ford, Carter hérite d'une situation économique difficile, qu'il n'arrive pas à redresser. Malgré la réussite des accords de Camp David, en septembre 1978, sa politique internationale hésitante est très critiquée. Il condamne fermement l'invasion soviétique en Afghanistan ce qui lui vaut un regain de popularité. Mais l'affaire des otages américains détenus en Iran lui est fatale (avril 1980). Lors des élections présidentielles de 1980, il est largement battu par Reagan.

● **CASTRO Fidel** (né en 1926)

Homme politique cubain. Fils d'un planteur aisé, il est né à Mayari dans l'Oriente. Après des études de droit, il engage la lutte contre le régime du dictateur Batista. Condamné en 1953 après avoir attaqué une caserne à Santiago de Cuba, il est libéré en 1954, et se réfugie au Mexique. Débarquant à Cuba le 2 décembre 1956, il prend le maquis dans la Sierra Maestra et, parvient à étendre le mouvement de révolte à toute l'île. Après la fuite de Baptista, Castro devient Premier ministre le 16 février 1959. Il engage de profondes réformes économiques et, face à l'opposition des États-Unis, il recherche à partir de 1961 le soutien du monde communiste. Le régime devient une dictature, très liée à l'URSS. L'aide soviétique permet au pays de rester à flot. Alors principal dirigeant communiste du tiers monde, Castro pousse le groupe des pays non alignés, auquel il appartient, à s'engager aux côtés de l'URSS (à partir des années 70). Par ailleurs, il apporte son soutien aux guérillas anti-impérialistes en Amérique latine et intervient en Afrique. Après l'effondrement du communisme en Russie en 1991, Castro, qui refuse une évolution du système politique et économique cubain, est de plus en plus isolé sur la scène internationale. La Russie rompt les liens économiques privilégiés qui la reliait à Cuba. La pénurie et le rationnement deviennent dramatiques.

● **CEAUCESCU Nicolaï** (1918-1989)

Chef de l'État roumain. Entré au Parti communiste à quinze ans, Ceaucescu accède au Comité central du Parti en 1945 puis au Bureau politique en 1955. Secrétaire général en 1965, il cumule cette fonction avec celle de chef de l'État à partir de 1967. Soucieux de préserver son indépendance face à l'URSS, il noue des relations diplomatiques avec Israël et la RFA, deuxième partenaire commercial de la Roumanie, et accueille le président américain Nixon en 1969. À l'intérieur, il maintient néanmoins un régime stalinien despotique. Il installe sa femme et ses fils aux plus hautes fonctions. Appuyé sur sa police politique (Securitate), il gouverne par la terreur, la censure et la répression des révoltes ouvrières (Brasov 1987). Depuis le début des années 80, sa politique de remboursement accéléré de la dette extérieure asphyxie complètement l'économie roumaine, conduisant au rationnement alimentaire et à la pénurie énergétique. Son plan de « systématisation rurale », lancé en 1985, est très mal supporté par les minorités hongroises du pays, qui se révoltent à partir de 1988. Malgré la répression des grèves à Timisoara (novembre 1989), la révolte s'étend à toute la Roumanie à la mi-décembre 1989. Après quatre jours de guerre civile, Ceaucescu et sa femme son arrêtés et exécutés, le 25 décembre 1989.

● **CHABAN-DELMAS Jacques**
● (né en 1915)

Inspecteur des Finances, il s'engage dans la Résistance, où il parvient au grade de général. Délégué national du CFLN en 1943, il est élu député de la Gironde en 1946 et maire de Bordeaux en 1947. Bien qu'appartenant au RPF gaulliste, il participe à plusieurs gouvernements de la IVᵉ République, notamment aux Travaux publics dans le cabinet Mendès France (1954) et à la Défense nationale dans le cabinet Félix Gaillard (1957-1958). Président de l'Assemblée nationale à partir de 1958, il devient l'un des « barons » du gaullisme mais reste un homme d'ouverture vers le centre. Le président Pompidou l'ayant appelé à la tête du gouvernement en juin 1969, il tente de mettre en place son programme de « grande société », fondée sur une évolution profonde des rapports entre l'État et les individus.

Confronté à l'hostilité d'une partie des gaullistes et de Pompidou lui-même, il doit laisser son poste à Pierre Messmer en juillet 1972. Candidat de l'UDR aux élections présidentielles de 1974, il est « trahi » par 43 députés gaullistes, emmenés par Chirac, et qui favorisent la victoire de Giscard d'Estaing. Redevenu président de l'Assemblée nationale de 1978 à 1981, il est toujours maire de Bordeaux.

● **CHIRAC Jacques** (né en 1932)

Issu de l'École nationale d'administration, il est nommé en 1962 chargé de mission au cabinet du Premier ministre Georges Pompidou, dont il devient le protégé. Élu député gaulliste de Corrèze en 1967, il est nommé secrétaire d'État à l'Emploi, puis à l'Économie et aux Finances (1968-71). Il est plusieurs fois ministre sous la présidence Pompidou, notamment à l'Agriculture (1972-74), où il se montre très combattif dans la défense des intérêts français. Ayant rallié une partie des gaullistes à la candidature de Giscard lors des présidentielles de 1974, il est nommé Premier ministre par ce dernier. En désaccord sur la politique économique du Président, il démissionne avec éclat en août 1976 et se fait porter, en décembre, à la présidence du RPR. Élu maire de Paris en mars 1977 contre Michel d'Ornano, candidat soutenu par Giscard, il se présente aux élections présidentielles de 1981 mais ne recueille que 18 % des voix. Après la victoire de la droite aux élections législatives de mars 1986, il est nommé Premier ministre. La « cohabitation » avec le président Mitterrand profite à ce dernier, qui est réélu en mai 1988, Chirac ne recueillant au second tour des présidentielles que 46 % des voix. Mais, après la victoire écrasante de la droite aux législatives de 1993, Chirac se pose désormais en favori pour les présidentielles de 1995.

● **CHURCHILL Winston** (1874-1965)
● Homme politique anglais. Fils de Lord Randolph Churchill, Winston fait des études médiocres au collège de Harrow puis entre à l'école militaire de Sandhurst. Correspondant de guerre pour le *Morning Post* durant la guerre des Boers en Afrique du Sud, il est fait prisonnier, mais réussit à s'évader et rentre en Angleterre. Il commence alors une carrière politique. Député conservateur de Oldham en 1900, il change de parti en 1904 et est député libéral de Manchester de 1906 à 1908 puis de Dundee de 1908 à 1922. Il est plusieurs fois ministre de 1905 à 1922. De 1919 à 1921, il est secrétaire à la Guerre et à l'air. À ce poste, il apporte une aide alliée aux Russes blancs, puis aux Polonais dans la guerre polono-soviétique de 1920-21. Son obsession anticommuniste entraîne sa rupture avec les libéraux et en 1922, il perd son siège de député libéral. Mais il revient comme député conservateur. Chancelier de l'Échiquier du gouvernement Baldwin (1924-29), il décide le retour à l'étalon-or en 1925. Dans les années 30, il prend la tête des députés conservateurs hostiles à tout compromis à l'égard de Hitler, condamnant vivement les accords de Munich. En mai 1940, il devient Premier ministre. Pendant ces années sombres, il met toute sa volonté au service de la victoire, essaie de se rapprocher des États-Unis et signe avec Roosevelt, en août 1941, la Charte de l'Atlantique. Anticommuniste, il accepte pourtant de s'allier à Staline pour combattre Hitler et apporte son soutien à Tito, résistant communiste de Yougoslavie.

Churchill, qui ne se fait cependant aucune illusion sur les objectifs de Staline, essaie en vain, à la fin de la guerre, de créer un bloc diplomatique uni avec Roosevelt contre Staline. À nouveau dans l'opposition en 1945, il dénonce « le rideau de fer » et lance l'idée d'une alliance Atlantique ; il patronne aussi le Conseil de l'Europe et demande en 1950 la formation d'une armée européenne intégrant la RFA. De nouveau Premier ministre de 1951 à 1955, il essaie de renforcer les liens du Royaume-Uni avec les États-Unis. Il démissionne en 1955 et s'adonne à sa passion, l'écriture (tout en restant député) après avoir obtenu le Prix Nobel de littérature en 1953.

● **CLEMENCEAU Georges** (1841-1929)
● Né en Vendée à Mouilleron-en-Pareds, fils d'un médecin, il est lui-même médecin, puis entre dans la carrière politique en 1870. Député de Paris en 1876, il devient rapidement le chef des républicains « radicaux » qui siègent à cette époque à l'extrême-gauche de l'Assemblée. Compromis dans le scandale de Panama, il est battu aux élections de 1893 et semble alors un homme fini. Mais il rebondit grâce à l'affaire Dreyfus : il publie dans son journal *L'Aurore*, en 1898, le fameux « J'accuse » de Zola. Élu sénateur du Var en 1902, il devient président du Conseil de 1906 à 1909, menant à terme la loi de séparation de l'Église et de l'État et brisant sans vergogne les grèves qui se multiplient à l'époque, ce qui conduit à la rupture avec les socialistes. Redevenu très populaire pendant la guerre, il est appelé à la tête du gouvernement par le président de la République Poincaré en 1917. Il instaure alors une dictature de salut public, n'hésitant pas à arrêter les partisans de la paix. En mars

1918, il obtient pour le général Foch le commandement en chef de toutes les armées alliées. Il joue un grand rôle pendant la conférence de la paix et reste à la tête du gouvernement jusqu'en janvier 1920. Battu aux élections présidentielles de 1920, il passe la fin de sa vie à voyager et à écrire.

● **COTY René** (1882-1962)

Avocat spécialisé en droit maritime, il est élu député conservateur du Havre de 1923 à 1935, puis sénateur de Seine inférieure de 1935 à 1940. En juillet 1940, il vote les pleins pouvoirs à Pétain. Ministre de la Reconstruction en 1947-48, il est élu au Conseil de la République, dans le groupe des indépendants. Le 23 octobre 1953, il n'est élu président de la République qu'au treizième tour de scrutin, faute de mieux. Sa personnalité discrète ne lui donne pas le rayonnement de son prédéceseur. Toutefois, lors de la crise de mai 1958, il menace de démissionner si le général de Gaulle n'obtient pas la présidence du Conseil. Après l'instauration de la Ve République, il se retire de la vie politique.

● **DALADIER Édouard** (1884-1970)

Né à Carpentras, professeur agrégé d'histoire et de géographie, ancien combattant de la guerre de 1914-1918, Daladier entre à la Chambre des députés en 1919. Son énergie lui vaut rapidement le surnom de « taureau du Vaucluse ». Membre du Parti radical, il en devient un des dirigeants, rival d'Herriot. Après avoir été plusieurs fois ministre, il est président du Conseil de janvier à octobre 1933, puis de nouveau au début de 1934. Mais l'émeute du 6 février 1934 l'oblige à se retirer. Il devient alors un des promoteurs du Front populaire. Nommé ministre de la Défense nationale après la victoire de 1936, il donne une sérieuse impulsion à la politique du réarmement. Pourtant, président du Conseil en 1938, il se résigne à signer les accords de Munich. Il préside le gouvernement qui déclare la guerre à l'Allemagne, le 3 septembre 1939, mais, critiqué pour sa passivité pendant les premiers mois du conflit, il quitte la présidence le 20 mars 1940. Demeuré ministre du gouvernement Reynaud, il est complètement écarté le 6 juin. Le gouvernement de Vichy, qui l'accuse d'être un des responsables de la guerre et de la défaite, le fait arrêter et tente de le juger (procès de Riom, février 1942). Déporté en Allemagne (mars 1943) puis libéré en 1945, il est de nouveau député sous la IVe République et abandonne la politique active en 1958.

● **DE GASPERI Alcide** (1881-1954)

Homme politique italien. Né dans la province du Trentin, encore autrichienne en 1881, il est élu en 1911 député au Reichsrat, où il défend les droits de la minorité italienne. Devenu citoyen italien grâce à la défaite autrichienne de 1918, il participe à la fondation du parti populaire, dont il devient secrétaire général en 1924. Emprisonné en 1926 par Mussolini, il est relâché sur intervention du pape Pie XI, qui lui confie un poste à la bibliothèque du Vatican. Représentant de la Démocratie chrétienne (DC) au sein du Comité de libération nationale, il devient ministre des Affaires étrangères en décembre 1944 puis président du Conseil en décembre 1945. Il restera au pouvoir pendant sept ans, écartant les ministres communistes en 1947, puis gouvernant avec les sociaux-démocrates et les républicains. Avec l'aide du plan Marshall, il entreprend avec succès le redressement de l'économie italienne. Très attaché à l'Alliance atlantique, il est aussi l'un des artisans de la construction européenne, avec Jean Monnet, Robert Schuman et Konrad Adenauer. En désaccord avec ses alliés, il démissionne en 1953.

● **DE GAULLE Charles** (1890-1970)

● Charles de Gaulle naît à Lille (Nord) dans une famille modeste. Sorti de l'école militaire de Saint-Cyr en 1912, le capitaine de Gaulle est plusieurs fois blessé en 1914-1915, puis fait prisonnier. En 1925, Pétain, devenu vice-président du Conseil supérieur de la guerre, l'appelle à son cabinet. Passionné de théorie militaire, de Gaulle publie plusieurs ouvrages, dont *La France et son armée* (1938), dans lequel il prône la guerre de mouvement. Promu général en mai 1940, il est ensuite nommé sous-secrétaire d'État à la Défense nationale, le 6 juin. Refusant l'armistice proposé par Pétain, il se réfugie à Londres, d'où il lance, le 18 juin, un appel à la Résistance. Il devient président du Comité français de libération nationale (CFLN), installé à Alger en juin 1943, puis transformé en Gouvernement provisoire de la République française (GPRF) en juin 1944. Entré en triomphateur dans Paris libéré, en août 1944, il reste à la tête du GPRF, qui pose les bases de la reconstruction nationale. Mais il démissionne en janvier 1946 et s'oppose à la Constitution de la IVe République. En avril 1947, il fonde le Rassemblement du peuple français (RPF), qui réclame une réforme des institutions. Constatant en 1953 l'échec du RPF, il se retire de la vie politique et commence sa « traversée du désert ». Il revient en mai 1958, appelé à la présidence du Conseil dans le contexte troublé des

événements d'Algérie et se fait attribuer les pleins pouvoirs pour préparer une nouvelle Constitution. Élu président de la Ve République en décembre 1958, puis réélu en 1965, il va exercer le pouvoir jusqu'en 1969. Après quatre ans d'efforts, il règle la guerre d'Algérie par les accords d'Évian de mars 1962. Puis il obtient un référendum favorable à l'élection du président de la République au suffrage universel, en octobre 1962. Par la suite, il se consacre essentiellement à la politique étrangère, son « domaine réservé », défendant « une certaine idée de la France », souveraine et indépendante face aux superpuissances. Mis en ballottage lors de l'élection présidentielle de 1965 et pris de court par la crise de 1968, il démissionne en avril 1969 après l'échec du référendum visant à réformer le rôle des régions et du Sénat.

● **DENG XIAO PING** (né en 1904)

● Originaire d'une famille paysanne, Deng Xiao Ping participe à toutes les étapes de la révolution chinoise. Il adhère au Parti communiste chinois en 1924. De retour en Chine, il participe à la Longue marche, puis exerce diverses responsabilités avant d'entrer au Bureau politique en 1954. Écarté par la Révolution culturelle en 1969, il est rappelé au pouvoir en 1973 par Zhou Enlai. Après s'être imposé contre la « bande des quatre », il obtient un changement décisif dans la ligne du Parti, dans le sens des réformes libérales. De 1981 à 1989, à la tête de la Commission des affaires militaires du comité central, il orchestre la réforme de l'économie chinoise. Retiré volontairement du pouvoir, il continue néanmoins à exercer une influence déterminante sur la politique des dirigeants chinois.

DE VALERA Eamon (1882-1975)

Homme politique irlandais. Fils d'un artiste espagnol et d'une Irlandaise de Dublin, né à New York, élevé en Irlande, il rejoint rapidement les rangs du parti indépendantiste Sinn Fein. Déporté en Angleterre en mai 1918, il est en prison lorsque la Dail (le parlement irlandais) le nomme président de la République qu'il a unilatéralement proclamée. Il s'évade alors de la prison de Lincoln (février 1919). Peu après de Valera récuse le traité de 1921 que son propre parlement a approuvé et qui fait de l'Irlande un dominion amputé de ses provinces Nord. Il se prononce pour l'indépendance totale et l'unité nationale et engage la guerre civile contre le nouveau gouvernement irlandais. En 1926, il décide d'abandonner la lutte armée et fonde un nouveau parti, le Fianna Fail, qui l'emporte aux élections de 1932. De 1932 à 1948, il est président du Conseil irlandais ; il parvient à supprimer tous les liens subsistant encore entre le Royaume-Uni et l'Irlande. En 1949, l'Irlande quitte le Commonwealth et se constitue en République et de Valera en devient le président en 1959. Il se retire de la vie politique irlandaise en 1973.

DUBCEK Alexandre (1921-1992)

Fils d'un tapissier slovaque, Dubcek passe une grande partie de sa jeunesse en URSS, où son père a dû émigrer en 1925 à cause de ses activités communistes. Rentré au pays en 1938, il prend part à la résistance contre le régime fasciste de Monseigneur Tiso. Après 1945, il fait des études de droit et reçoit une formation politique à Moscou en 1955-1958. Il est porté à la tête du Parti communiste tchécoslovaque en janvier 1968. Il préconise un « socialisme à visage humain » et laisse se développer le mouvement de libéralisation du « printemps de Prague », qui inquiète les Soviétiques. Malgré ses tentatives d'explication, Dubcek ne peut empêcher l'invasion de la Tchécoslovaquie par les troupes du Pacte de Varsovie, en août 1968. Arrêté et emmené en URSS, il est libéré grâce à l'intervention du président de la République Svoboda, mais doit quitter son poste de premier secrétaire du Parti en avril 1969. Il ne réapparaît sur la scène politique qu'en novembre 1989, lors de la « révolution de velours. » Élu président de l'assemblée tchécoslovaque en décembre 1989, il meurt brutalement dans un mystérieux accident de voiture en 1992.

EDEN Anthony (1897-1977)

Ancien élève d'Oxford, élu député conservateur en 1923, il est conseiller du ministre des Affaires étrangères en 1926-1929. Secrétaire d'État au Foreign Office en 1931-1933, il accède au ministère des Affaires étrangères en 1935. Adversaire de la politique « munichoise » de Chamberlain, il est nommé ministre de la Guerre par Churchill en mai 1940, puis ministre des Affaires étrangères jusqu'en 1945. Il revient à ce poste dans le nouveau cabinet Churchill, de 1951 à 1955. Nommé Premier ministre, en avril 1955, il engage les troupes britanniques dans l'expédition de Suez, en octobre 1956. Déçu par l'échec de cette opération, il démissionne en janvier 1957, prétextant des raisons de santé. Il se retire ensuite de la vie politique.

EISENHOWER Dwight David (1890-1969)

Issu d'une famille pauvre du Texas, il entre en 1911 à l'académie militaire de West Point. Après avoir été chef d'état-major de Mac Arthur en 1933-35, il parvient au grade de général en 1941 et dirige le débarquement américain en Afrique du Nord, puis en Italie, en 1942-43. Nommé commandant en chef des forces alliées en Europe, il coordonne le débarquement de juin 1944. Il est nommé commandant suprême des forces de l'OTAN en décembre 1950, mais il quitte ce poste en 1952 pour représenter le Parti républicain aux élections présidentielles. Son prestige de vainqueur de la guerre lui assure une élection facile (55 % des voix) contre le démocrate Adlai Stevenson, et il sera réélu en 1956. Décidé à pratiquer le refoulement (« roll back ») du communisme et à recourir aux « représailles massives », il évolue vers une politique de détente. Sa politique intérieure, imprégnée du même pragmatisme, sera appelée « middle of the road » (milieu de la route) entre le libéralisme de ses conseillers et l'interventionnisme du Congrès en majorité démocrate. Malade du cœur, il se retire de la politique en 1960.

● **ELTSINE Boris** (né en 1931)

Né à Sverdlovsk, il devient ingénieur en bâtiment puis directeur d'un grand combinat de construction. En 1976, il est premier secrétaire du Parti communiste de la région de Sverdlovsk. En avril 1985, il prend la direction du département construction au comité central et en décembre, il devient premier secrétaire de la ville de Moscou. Il apparaît alors comme le chef de file des réformateurs radicaux. Gorbatchev l'évince de ses fonctions en novembre 1987, mais il revient en mars 1989, lors des élections au Congrès des députés du peuple, recueillant à Moscou plus de 85 % des voix. Élu président du parlement russe

en mai 1990, il proclame la souveraineté de la Russie. Élu président de la République de Russie au suffrage universel, en juin 1991, sa résistance au putsch conservateur du mois d'août lui permet d'apparaître comme le successeur de Gorbatchev, politiquement éliminé. Après la disparition de l'URSS, en décembre 1991, il devient l'interlocuteur privilégié des États-Unis.

● **FRANCO Francisco Bahamonde** (1892-1975)

D'une famille de marins galiciens, formé à l'école militaire de Tolède, il sert de 1912 à 1927 au Maroc. Sa brillante conduite dans la guerre du Rif lui vaut d'être promu général à 33 ans. Nommé chef d'état-major de l'armée, il est écarté par le gouvernement de Frente Popular en 1936, qui craint ses idées réactionnaires. Ayant pris la tête de l'insurrection au Maroc espagnol et dans le Sud de l'Espagne, il se fait nommer chef de l'État par les insurgés. Tout en dirigeant les opérations militaires contre les républicains, il obtient, avant même la fin de la guerre civile, la reconnaissance diplomatique des puissances occidentales. Maître de l'Espagne en 1939, le « caudillo » entreprend de construire un État autoritaire, catholique et corporatiste. Bien que soutenu par les Allemands et les Italiens pendant la guerre civile, il choisit la neutralité pendant la guerre 1939-1945, ce qui permet à l'Espagne de bénéficier du plan Marshall en 1948 et d'être admise à l'ONU en 1955. Par la loi de succession de 1947, le prince Juan Carlos est désigné comme futur roi d'Espagne, mais Franco exercera une sorte de régence jusqu'à sa mort. À partir de 1955, tandis que l'Espagne entre dans une phase de modernisation et de croissance, il a un peu libéralisé le régime, remplaçant ses conseillers militaires par des technocrates. Mais ses derniers mois ont été marqués par une répression accrue contre l'extrême-gauche et les autonomistes basques.

● **GANDHI Indira** (1917-1984)

● Née à Allahabad, elle est la fille unique de Nehru. Elle fait ses études en Angleterre. Elle épouse en 1942 l'avocat Gandhi (qui n'a pas de lien de parenté avec le Mahatma) dont elle a deux fils. Présidente du Parti du Congrès en 1959, elle devient Premier ministre en janvier 1966. Elle réaffirme l'orientation socialiste de son parti, signe avec l'URSS le traité d'amitié du 9 août 1971, puis déclenche contre le Pakistan, en décembre 1971, une guerre victorieuse qui aboutit à l'indépendance du Bangladesh. Elle doit faire face par la suite aux graves difficultés économiques et financières que traverse le pays. Condamnée pour fraude électorale par la Haute cour de justice d'Allahabad, en juin 1975, elle aurait dû mettre fin à sa vie politique si elle n'avait pas décrété l'état d'urgence et suspendu la plupart des libertés fondamentales. Battue aux élections de 1977 par les partis conservateurs coalisés, son parti se scinde en deux, mais le « Congrès Indira » (qui regroupe les membres du Congrès qui lui sont acquis) emporte une écrasante victoire en 1980, et elle redevient Premier ministre. En 1984, elle fait réprimer avec brutalité la révolte des sikhs. Elle est assassinée par deux d'entre eux en octobre.

● **GANDHI Mohandas** (1869-1948)

● Le Mahatma (la « grande âme ») naît au nord-ouest de Bombay, dans une famille de riches marchands. À 18 ans, il se rend en Angleterre pour étu-dier le droit. Il devient finalement avocat en Afrique du Sud, où il défend les droits de la communauté indienne immigrée. De retour en Inde en 1914, il plaide en faveur de l'autonomie du pays. En 1920, désappointé par le refus britannique d'accorder l'autonomie et scandalisé par le massacre d'Amritsar, il lance le mouvement non violent de désobéissance civile : il s'agit de refuser toute collaboration avec les Anglais ; mais Gandhi met fin à ce mouvement en 1922 lorsqu'il débouche sur des violences. Arrêté peu après par les Anglais, il est emprisonné, ce qui le fait apparaître comme un saint injustement persécuté. Libéré en 1924, Gandhi reprend la lutte politique en mars 1930 en lançant une campagne contre la taxe sur le sel. Arrêté en 1931, puis en 1932, il entame des grèves de la faim. En 1934, en désaccord avec le Congrès, il se retire de l'organisation, mais garde toute sa popularité. Quand la Deuxième Guerre mondiale éclate, Gandhi offre de soutenir l'effort de guerre britannique, à la condition que l'indépendance soit accordée à l'Inde. Celle-ci refusée, il lance un nouveau mouvement de désobéissance civile, qui atteint son apogée en 1942, quand il est de nouveau arrêté. Après la guerre, Gandhi s'efforce d'empêcher la partition de l'Inde britannique en deux États, mais échoue. Après la proclamation d'indépendance (15 août 1947), il assiste avec douleur aux déchaînements de violence entre les deux communautés hindoue et musulmane. Il est finalement tué par un extrémiste hindou.

● **GISCARD D'ESTAING Valéry** (né en 1926)

Né à Coblence (Allemagne), d'une famille de la riche bourgeoisie, il est nommé en 1954 directeur adjoint du cabinet d'Edgar Faure. Élu député indépendant du Puy-de-Dôme en 1956, il devient secrétaire d'État aux Finances dans le gouvernement Debré en 1959. Ministre des Finances du gouvernement Pompidou en 1962, il lance en 1963 un plan de « stabilisation » qui enraye l'inflation mais ralentit la croissance économique. Après avoir quitté le gouvernement en 1966, il critique la politique menée par de Gaulle et préconise le non au référendum d'avril 1969. Ministre des Finances des gouvernements Chaban-Delmas et Messmer, il est élu président de la République en 1974, avec seulement 400 000 voix d'avance sur François Mitterrand. Il fait appliquer une série de réformes, conformes à son projet de « société libérale avancée » : majorité à 18 ans, libéralisation de l'avortement. Mais son septennat est surtout marqué par la crise économique. Après la démission de son Premier ministre gaulliste Jacques Chirac, il appelle l'économiste Raymond Barre à la tête du gouvernement. Mais ce dernier ne réussit pas à vaincre l'inflation et le chômage. Giscard est largement battu par Mitterrand lors des élections présidentielles de 1981.

● **GORBATCHEV Mikhaël** (né en 1931)

Né à Stavropol, dans le Caucase, Gorbatchev fait ses études de droit à Moscou puis devient responsable régional du Parti communiste. Poussé par Andropov, le chef du KGB, il entre au Comité central du Parti en 1972, puis accède au secrétariat en 1978 et au Bureau politique en 1980. Le 18 mars 1985, après la mort de Tchernenko, il devient secrétaire général du parti, c'est-à-dire qu'il prend la tête de l'URSS. Homme nouveau, n'ayant exercé aucune responsabilité sous l'ère stalinienne, il affirme d'emblée sa volonté de réformisme, axée sur la restructuration (perestroïka) et sur la transparence (glasnost). Si la libéralisation politique est réelle, la restructuration économique est beaucoup plus difficile à mettre en œuvre. Très apprécié à l'étranger, où il mène une politique de détente et de désarmement avec le président américain Reagan, Gorbatchev est confronté à la dissidence des Pays baltes, à une grave crise économique et à de nombreuses oppositions intérieures. Afin de renforcer son pouvoir face aux conservateurs, il se fait élire président de l'URSS en mars 1990. Face aux réformistes, emmenés par Boris Eltsine, il durcit sa politique au début 1991, en s'appuyant sur le Parti et sur le KGB. Le 19 août 1991, il est victime d'un coup d'État conservateur qui aboutit finalement à la prise du pouvoir par Eltsine. Gorbatchev abandonne aussitôt son poste de secrétaire général du Parti, puis démissionne de la présidence de l'URSS en décembre 1991.

● **HASSAN II** (né en 1929)

Né à Rabat, il est le fils du sultan Mohammed V qui, s'opposant à l'occupant français, a pu rester sur le trône au moment de l'indépendance. Hassan II devient roi en 1961 et promulgue en 1962 une Constitution qui établit un Parlement mais réserve le pouvoir executif au roi. Hassan II accepte mal les critiques des partis qui lui sont opposés. En octobre 1965, le chef de l'opposition Mehdi Ben Barka, réfugié à Paris, est assassiné sur ordre du ministre de l'Intérieur Oufkir, semble-t-il. Le roi impose l'état de siège de 1965 à 1970 (le Parlement est suspendu) et en 1970 fait approuver par référendum une Constitution qui étend ses pouvoirs. Il échappe à deux attentats en 1971 et 1972. Hassan II ne parvient à refaire l'unité politique derrière lui qu'à la suite de la « marche verte » (novembre 1975) à l'issue de laquelle une partie de l'ancien Sahara espagnol est annexée par le Maroc. Il peut rétablir alors les droits élémentaires et engager une diplomatie active. Mais les dépenses occasionnées par le conflit contre le Front Polisario qui revendique l'indépendance de l'ancien Sahara espagnol, les effets de la crise mondiale et de la baisse des cours du phosphate, entraînent de graves difficultés. Après les émeutes de 1981, qui font des centaines de morts, le « front intérieur » qui soutenait Hassan II depuis 1975 se disloque, alors que les critiques venant de l'étranger se multiplient. Hassan II doit composer avec le Front Polisario, reconnu par l'ONU depuis plusieurs années.

HERRIOT Édouard (1872-1957)

Né à Troyes, dans une famille modeste, il entre à l'École normale supérieure, puis obtient l'agrégation de lettres. Militant du Parti radical à partir de 1901, il en est le président de 1919 à sa mort. Il devient maire de Lyon en 1905 et le reste pendant un demi-siècle : c'est lui qui crée la Foire de Lyon. Sénateur (1912-1919), puis député du Rhône (de 1919 à 1957), il se révèle un excellent orateur. Chef de l'opposition au Bloc national, Herriot devient chef du gouvernement après la victoire du Cartel des gauches en 1924. À une politique de rigueur nationaliste à l'égard de l'Allemagne, il substitue une volonté de réconciliation et de paix (évacuation de la Ruhr) ; mais il ne réussit pas à résoudre le problème monétaire et budgétaire et doit démissionner en avril 1925. Herriot

est ministre de l'Instruction publique de 1926 à 1928 dans le cabinet d'Union nationale formé par Poincaré, puis de nouveau chef de gouvernement de juin à décembre 1932, après la victoire électorale de la gauche. Ce gouvernement est marqué par la conférence de Lausanne qui consacre la fin des Réparations (juin 1932). En 1936, après la victoire du Front populaire, Herriot devient président de l'Assemblée. En juillet 1940, il conseille le ralliement à Pétain, mais émet par la suite de nombreuses réserves à l'égard du régime de Vichy, ce qui provoque sa mise en résidence surveillée (1942-1944), puis sa déportation en Allemagne. En 1947, il est de nouveau président de l'Assemblée jusqu'en 1954.

HINDENBURG Paul (1847-1934)

Né à Poznan, il appartient à une vieille famille militaire prussienne. En 1914, il prend le commandement de l'armée de Prusse orientale qui doit faire face à l'invasion de la Russie. Ses deux éclatantes victoires de Tannenberg et des lacs Mazures retournent la situation militaire à l'Est et font de lui le plus populaire des chefs militaires allemands. En août 1916, il devient chef d'état-major général de l'armée, véritable maître du pays, faisant et défaisant les gouvernements à partir de 1917. Après la guerre, il laisse accréditer l'idée que l'armée a été invaincue et que la défaite n'est due qu'à une trahison des civils ayant accepté de signer l'armistice. Monarchiste convaincu, il condamne la République de Weimar et se tient à l'écart de la vie publique quelques années. Mais il accepte en 1925 de se porter candidat à la présidence de la République, après avoir consulté l'empereur déchu. Réélu président de la République le 10 avril 1932, il se

461

laisse bientôt convaincre par von Papen d'appeler Hitler à la chancellerie le 30 janvier 1933. Sans la moindre protestation, il laisse ouvrir les premiers camps de concentration, dissoudre les partis politiques et félicite même Hitler lorsque celui-ci fait massacrer les chefs des Sections d'assaut lors de la « Nuit des longs couteaux ».

● **HITLER Adolf** (1889-1945)

Né en 1889, à Braunau (Autriche) d'un père douanier, il fait des études secondaires assez médiocres. Après la mort de ses parents, il tente en vain le concours d'entrée à l'Académie de peinture de Vienne. À Vienne, il mène alors une vie difficile tout en se cultivant grâce à la lecture de livres de vulgarisation. C'est à cette époque qu'il devient antisémite et se convertit aux idées pangermaniques. Installé à Munich à partir de février 1912, il accueille avec enthousiasme la guerre pendant laquelle il est blessé et décoré. Après la défaite, qu'il considère comme une des pires humiliations que l'Allemagne ait jamais connue, il reste quelques temps dans l'armée où il est nommé « officier politique » chargé de dépister les communistes et de donner des cours de civisme aux troupes démoralisées. À l'automne 1919, il entre en contact avec un petit parti d'extrême-droite munichois, le Parti ouvrier allemand, dont il devient le dirigeant. Le 24 février 1920, Hitler organise à la Hofbräu de Munich une réunion de masse au cours de laquelle il fait peuve de ses dons d'orateur et expose le programme en 25 points de son parti nouvellement baptisé NSDAP. Avec les Sections d'assaut, il se dote en 1921 d'une milice armée chargée de lutter contre les communistes et les socialistes et avec laquelle il tente de

s'emparer du pouvoir en Bavière en 1923 : c'est le putsch de la brasserie qui échoue et conduit Hitler en prison au mois d'avril 1924 ; c'est là qu'il élabore *Mein Kampf*, ouvrage dans lequel il expose sa doctrine. Quand il est libéré, en décembre 1924, Hitler semble un homme fini. Mais avec la crise économique de 1929, son parti connaît un essor très rapide au Reichstag. En 1932, Hitler, candidat à la présidence de la République contre Hindenburg, est certes battu, mais il obtient 13 millions de voix. Le chef du parti nazi se rapproche alors des conservateurs et des industriels qui, par peur du communisme, lui accordent des subsides. Le 30 janvier 1933, Hindenburg nomme Hitler Chancelier du Reich. À la mort d'Hindenburg, le 2 août 1934, Hitler parvient à cumuler les fonctions de chef de l'État et de Chancelier. Il est désormais le Reichsführer, bientôt seul maître en Allemagne, et son histoire se confond avec celle de l'Allemagne nazie.

● **HO CHI MINH** (1890-1969)

Homme politique viêtnamien. Ho Chi Minh, de son vrai nom Nguyen Tat Thanh, est le fils d'un petit magistrat annamite. Après des études au lycée de Huê, il s'installe à Londres puis à Paris. Membre de la SFIO à partir de 1917, il assiste au congrès de Tours et suit la tendance communiste. Il achève sa formation politique à Moscou de 1923 à 1925. Avant tout nationaliste, il pense que l'indépendance politique des États doit s'accompagner de l'émancipation sociale des peuples. En 1930, il crée en Thaïlande les premières cellules du Parti communiste indochinois. En mai 1941, il fonde la Ligue révolutionnaire pour l'indépendance du Viêtnam (Viêtminh), organisation de résistance contre les Japonais qui occupent le pays. Sous le nom de Ho chi Minh (celui qui éclaire), il profite du retrait japonais pour s'emparer du pouvoir à Hanoï le 29 août 1945 et proclame la République démocratique du Viêtnam. Mais il préfère traiter avec la France et le 6 mars 1946, signe un accord qui reconnaît la nouvelle république comme un État libre au sein de l'Union française. Cet accord est rendu caduc par la politique du Haut-commissaire français Thierry d'Argenlieu, qui s'efforce de séparer la Cochinchine du Viêtnam, puis par la nomination par la France de Bao-Daï à la tête du pays. Hô Chi Minh organise et dirige la guerre d'indépendance jusqu'à la défaite des troupes françaises à Diên Biên Phu et les accords de Genève (20 juillet 1954). Président de la République du Nord Viêtnam, il entame la lutte contre la présence américaine dans le Sud Viêtnam afin d'obtenir la réunification du pays. Recevant de l'aide à la fois des Soviétiques et des Chinois, il adopte la neutralité dans le conflit idéologique opposant Moscou et Pékin. Vieilli, il s'efface cependant peu à peu devant des hommes plus jeunes, comme Giap.

● **HODJA Enver** (1908-1985)

Homme politique albanais. Fils d'un riche marchand musulman, il fait ses études de droit en France puis enseigne le français à l'Université de Tirana. Communiste, il s'oppose au régime du roi Zog Iᵉʳ, qui le fait placer en résidence surveillée. Après l'entrée en guerre de l'URSS, en juin 1941, il constitue un mouvement de libération nationale contre les Italiens et les Allemands. Porté à la tête du gouvernement en novembre 1944, il élimine les forces non communistes et proclame la République populaire d'Albanie en janvier 1946. Secrétaire général du Parti communiste à partir de 1948, chef du gouvernement jusqu'en 1954, il mène une politique dictatoriale et stalinienne. Opposé à la libéralisation menée par Khrouchtchev, il rompt toute relation avec l'URSS en 1961 et aligne l'Albanie sur les positions de la Chine populaire. Complètement isolée en Europe, l'économie albanaise s'enfonce dans le sous-développement. La rupture de 1978 avec la Chine de l'après-Mao, accusée de « révisionnisme » par Hodja, prive l'Albanie de son principal appui financier. Misant alors sur l'autarcie, il met l'accent sur l'essor de l'agriculture et durcit le régime politique.

● **HONECKER Erich** (né en 1912)

Fils d'un mineur de la Sarre, entré à 14 ans aux jeunesses communistes, il est arrêté par les nazis en 1935, et reste en prison jusqu'en 1945. Libéré par l'armée soviétique, il fonde dès 1946 le mouvement des jeunes communistes dans la zone orientale. Après avoir dirigé ce mouvement jusqu'en 1955, il entre au Comité central du Parti communiste est-allemand (SED) en 1956. Deux ans plus tard, il accède au Bureau politique du SED, en charge de l'armée, de la police et de la formation des cadres. En 1971, il devient secrétaire du SED, c'est-à-dire dirigeant effectif de la RDA, puis renforce son pouvoir en 1975, en devenant président du Conseil d'État, c'est-à-dire chef de l'État est-allemand. Tout en durcissant le régime politique, il mène une politique d'ouverture vers la RFA. Mais son hostilité farouche aux réformes exigées lors des manifestations populaires de septembre-octobre 1989 lui vaut un sévère rappel à l'ordre de Gorbatchev, en visite à Berlin-Ouest pour le 40ᵉ anniversaire de la RDA. Peu après, il démissionne du secrétariat du SED, cédant sa place au communiste réformateur Egon Krentz, après 18 ans de pouvoir incontesté. Bien que malade, il devra comparaître devant les tribunaux allemands pour sa responsabilité dans les crimes politiques commis par le régime politique.

HOUPHOUËT-BOIGNY Félix
(né en 1905)

Chef d'État ivoirien. Né à Yamoussoukro, en Côte-d'Ivoire, en 1905, il est le fils d'un médecin. Après la guerre, il est élu député de la Côte-d'Ivoire dans les deux premières assemblées constituantes puis dans les différentes assemblées nationales françaises. Il conduit la Côte-d'Ivoire à l'autonomie au sein de la Communauté française (décembre 1958) puis à l'indépendance (août 1960). En décembre 1960, il devient président de la République. Dans le domaine intérieur, il instaure un système présidentiel à parti unique (le Parti démocratique de la Côte-d'Ivoire). Dans le domaine extérieur, il maintient des relations étroites avec la France. Grâce à la stabilité intérieure, à l'ouverture du pays aux capitaux étrangers, aux revenus tirés de la vente du café et du cacao, Houphouët-Boigny parvient à engager le pays dans la voie d'un développement rapide. Mais la crise économique à partir de 1973, l'explosion démographique, la chute des cours des produits agricoles, la corruption, l'autoritarisme et les fastes présidentiels provoquent un grand mécontentement et fragilisent le pouvoir du vieux président.

JEAN-PAUL II, Karol Wojtyla
(né en 1920)

Pape. Né à Wadowice en Pologne, très tôt orphelin, il doit abandonner ses études supérieures après l'invasion allemande de 1939 ; il travaille alors à l'usine, puis entre au principal séminaire de Cracovie. Il est ordonné en 1946, devient professeur à l'université catholique de Cracovie, évêque (en 1958) puis archevêque (en 1964) de Cracovie, enfin Cardinal (en 1967). Il est élu Pape le 16 octobre 1978, au huitième tour de scrutin. C'est le premier Pape à ne pas être Italien depuis 455 ans. Jean-Paul II fait de très nombreux voyages dans le monde entier. Il cherche à répandre les enseignements de Vatican II (1962-1965) tout en condamnant fermement certains « excès » que le concile a pu pro-voquer (il condamne ainsi la « Théologie de la libération » en Amérique latine, la libéralisation des mœurs) ; il défend par ailleurs les droits de l'homme ainsi que la paix et la détente mondiales.

JEAN XXIII, Angelo Giuseppe Roncalli (1881-1963)

Pape. Né à Sotto il Monte, en Italie, il est issu d'une humble famille de paysans, il reçoit la prêtrise en 1904. Appelé à Rome au service de la Propagande de la foi (1921-24), il est sacré évêque en 1925 et envoyé comme représentant du Saint-siège en Bulgarie (1925-1934) puis en Turquie et en Grèce (1934-1944). De 1945 à 1953, il est nonce à Paris et devient cardinal en 1953. En novembre 1958, il est élu Pape, succédant à Pie XII, après onze tours de scrutin. Agé alors de 77 ans, il semble être un Pape de transition. Mais c'est lui qui engage l'Église catholique dans une des plus profondes mutations qu'elle ait jamais connue. En 1959, il annonce la convocation du concile de Vatican II (qui s'ouvre en 1962) dont l'objectif est d'adapter l'Église au monde moderne. Par ailleurs, il promulgue deux encycliques. Dans la dernière d'entre elles (*Pacem in Terris*, 1963), il appelle les croyants à collaborer avec tous les hommes de bonne volonté pour le bien commun du monde. Le message de Jean XXIII est avant tout celui de la tolérance.

● KEMAL Moustafa, dit Atatürk
● (1881-1938)

Homme politique turc. Né à Salonique, il est le fils d'un fonctionnaire des douanes. À l'Académie de guerre d'Istanbul, c'est un brillant élève (on l'appelle « Kemal », c'est-à-dire « le Parfait »). Jeune officier d'état-major, il se fait remarquer dans la guerre entreprise par la Turquie contre l'Italie en Afrique du Nord (1911) puis pendant la Seconde Guerre mondiale. Après la guerre, il est nommé par le sultan inspecteur général des armées du Nord et du Nord-Est. Il apprend le débarquement des troupes grecques à Smyrne, qui viennent s'emparer d'une partie de l'Anatolie occidentale avec l'accord des Alliés. Au lieu de démobiliser l'armée, comme le Sultan lui en a donné l'ordre, il rassemble les forces armées pour résister aux Grecs. À la suite des élections qu'il organise, une grande Assemblée nationale turque se réunit à Ankara, le 23 avril 1920. Elle s'attribue les pouvoirs législatif et exécutif, qu'elle délègue à un Conseil des ministres dont il est le président. Il y a ainsi deux gouvernements turcs : celui dirigé par le Sultan, à Istanbul, et le gouvernement de Moustapha Kémal, à Ankara. L'acceptation par le Sultan du traité de Sèvres qui dépèce le Turquie et donne des privilèges économiques aux puissances étrangères, donne une légitimité au gouvernement de résistance dirigé par Moustapha Kémal. Kémal, au cours d'une guerre de deux ans, libère tout le territoire turc et signe l'armistice victorieux de Moudanya (11 octobre 1922). Peu après, il obtient des Alliés l'abrogation du traité de Sèvres. Le traité de Lausanne donne à la Turquie la totalité de l'Anatolie, l'Arménie et le Kurdistan, mais aussi la Thrace orientale et les détroits de la mer Noire. Héros national, Kémal fait abolir le sultanat et proclamer la République dont il devient le président le 29 octobre 1923. Dès lors, dictateur réprimant dans le sang les révoltes de la minorité kurde (entre 1925 et 1929) et les soulèvements religieux, il se charge de faire de son pays un État moderne, laïque, débarrassé de toute tutelle étrangère. Appelé Atatürk (« Père de tous les Turcs ») par ses concitoyens, Kemal est le fondateur de la Turquie moderne

● KENNEDY John Fitzgerald
● (1917-1963)

Fils de Joseph Kennedy, milliardaire catholique et ambassadeur à Londres, il est diplômé de Harvard en 1940. Officier de marine pendant la guerre 1939-1945, il est blessé dans le Pacifique. Devenu journaliste, il est élu représentant démocrate du Massachusetts en 1946, puis sénateur en 1952. Candidat démocrate aux élections présidentielles de 1960, il fait campagne sur le thème d'une « nouvelle frontière » à conquérir, notamment dans le domaine social et est élu contre le républicain Nixon. À l'intérieur, il tente d'appliquer son programme de réformes sociales et d'intégration raciale mais le Congrès lui refuse les moyens financiers nécessaires. À l'extérieur, il essaie d'améliorer les relations avec l'URSS, rencontrant Khrouchtchev en juin 1961, mais il fait preuve de fermeté dans la crise des missiles de Cuba, en octobre 1962. Pour freiner l'expansion du communisme en Asie du Sud-Est, il envoie plus de 15 000 conseillers militaires au Sud-Viêtnam. En tournée pour sa réélection à Dallas (Texas), il est assassiné par Lee Harvey Oswald, le 22 novembre 1963.

KHOMEINY Ruholah (1900-1989)

Il naît dans une famille comprenant plusieurs religieux favorables à l'intégrisme musulman. Dans les années 30, il enseigne la théologie à Qom, ville sainte de l'Islam chiite. Il s'oppose dès 1963 aux réformes du Shah Reza Pahlavi, notamment à sa politique d'occidentalisation des mœurs et de modernisation économique. Exilé, il se réfugie finalement en 1978 en France, à Neauphle-le-Château. C'est sur son nom que se rassemblent les manifestants qui contraignent le Shah au départ en janvier 1979. Rentré triomphalement à Téhéran, Khomeiny institue une République islamique fondée sur la Loi coranique (avril 1979). La nouvelle Constitution est adoptée avec 99 % de oui mais 50 % d'abstentions. Le clergé de mollahs assistés des 40 000 « gardiens de la Révolution » éliminent ensuite tous les opposants. Guide suprême de la Révolution, Khomeiny dénonce le Grand satan américain, l'Occident aux mœurs corrompues. Il en appelle à tuer tous les adversaires de l'Islam, dont Salman Rushdie, auteur des *Versets sataniques* (1989). Il rétablit aussi de vieux châtiments barbares ou impose le port du tchador aux femmes... Il laisse à sa mort un pays très affaibli par la guerre avec l'Irak (septembre 1980-juillet 1988).

KING Martin Luther (1929-1968)

D'une famille de pasteurs baptistes, il est lui-même nommé pasteur en 1947 dans une paroisse noire de Montgomery (Alabama). En 1956, il organise le boycott des autobus de la ville, pour protester contre la ségrégation dans les transports. Son action atteint son apogée le 25 août 1963, lorsqu'il rassemble 250 000 personnes à Washington, où il prononce un discours devenu célèbre sur son « rêve » d'intégration raciale. Prix Nobel de la paix en 1964, il est pourtant remis en cause par les mouvements noirs plus radicaux. Les actions non violentes qu'il lance en 1965 en Californie et à Chicago n'aboutissent qu'à des échecs ou à des heurts sanglants avec la police. Il est assassiné à Memphis, le 4 avril 1968. Ce jour sera décrété fête nationale aux États-Unis.

KOHL Helmut (né en 1930)

Avocat en Rhénanie, il adhère très jeune au Parti chrétien-démocrate (CDU). Devenu ministre-président du Land de Rhénanie-Palatinat en 1969, il est porté à la présidence de la CDU en 1973. En 1982 il devient Chancelier, grâce au renversement d'alliance des libéraux, qui ont abandonné le social-démocrate Helmut Schmidt. Les victoires de la CDU aux élections de 1983 et 1987 permettent à Kohl de conserver le pouvoir. Très contesté lors de son entrée en fonction, il s'affirme pourtant comme un politicien habile et déterminé obtenant l'installation des fusées américaines Pershing en RFA (1983), luttant avec succès contre les terroristes de la Fraction armée rouge (1984-1985), et menant une politique de rigueur budgétaire. Le 28 novembre 1989, juste après la chute du mur de Berlin, il n'hésite pas à proposer un plan de réunification des deux Allemagnes, malgré les réticences des puissances occidentales. Après avoir obtenu l'accord de Gorbatchev pour l'intégration du futur État dans l'OTAN (juillet 1990), il mène la CDU à la victoire lors des premières élections de l'Allemagne réunifiée, en décembre 1990. Mais on lui reproche d'avoir conduit la réunification trop rapidement

● **LAVAL Pierre** (1883-1945)

Né à Chateldon, dans le Puy-de-dôme, d'une famille de paysans, fils d'un cafetier, il devient avocat en 1907. À ses débuts, élu député socialiste d'Aubervilliers en 1914, il commence son évolution vers la droite après la guerre. Battu aux élections législatives de 1919, il quitte la SFIO. Député de 1924 à 1929, puis sénateur de 1927 à 1940, plusieurs fois ministre de 1925 à 1930, il est président du Conseil de janvier 1931 à février 1932, puis ministre des Affaires étrangères d'octobre 1934 à mai 1935. À ce poste, persuadé de la supériorité de l'Allemagne, il s'efforce d'assurer à la France l'alliance de l'Italie et de l'URSS. De nouveau président du Conseil de juin 1935 à janvier 1936, il accentue la politique de déflation. En 1939, il est un des seuls à se prononcer contre la déclaration de guerre à l'Allemagne et il revient donc au premier plan de la vie politique après la défaite de juin 1940. Ministre d'État de Pétain, il obtient du Parlement les pleins pouvoirs constitutionnels pour le maréchal puis il devient vice-président du Conseil. Partisan d'une collaboration active, il est finalement renvoyé par Pétain le 13 décembre 1940

et même arrêté (mais rapidement relâché sur l'injonction des Allemands). Pétain doit finalement le rappeler au pouvoir le 17 avril 1942. Il devient en fait à cette époque le maître absolu. Le 22 juin 1942, il déclare souhaiter la victoire de l'Allemagne. Les Allemands réclamant des travailleurs français, il institue la Relève (un prisonnier libéré contre trois volontaires en Allemagne) puis le Service du travail obligatoire. Obligé par les Allemands de quitter la France, il parvient à gagner l'Espagne, mais Franco le livre aux Alliés ; il est ensuite jugé en France, condamné à mort (octobre 1945) et fusillé.

● **LÉNINE Vladimir Illitch** (1870-1924)

Homme politique soviétique. Né à Simbirsk, sur la Volga, dans une famille de la bourgeoisie. Son frère aîné, accusé de complot contre le tsar, est exécuté en 1887 ; lui-même, suspecté, doit quitter Kazan pour finir ses études de droit à Saint-Petersbourg. Propagandiste du marxisme, il est à son tour arrêté en 1897 et envoyé en Sibérie jusqu'en 1900. Après sa libération, il vit en exil en Suisse, en Allemagne, en Angleterre, en France, où il rencontre d'autres révolutionnaires comme Plékhanov, avec lequel il fonde le journal l'*Iskra*, (l'Étincelle). Dans *Que faire ?* (1902), il développe sa théorie d'une révolution menée par des militants organisés plutôt que confiée à la spontanéité populaire. Il devient d'ailleurs le chef des bolcheviques (majoritaires) qui s'opposent sur ce point aux mencheviques (minoritaires) dans le Parti socialiste-démocrate russe. Absent de Russie, il ne prend toutefois aucune part à la révolution de 1905. Pendant la Première Guerre mondiale, il refuse de suivre Plékhanov dans la voie de l'Union

Sacrée et mène une active propagande pacifiste. Dans les *Thèses d'avril* (1917), il prend position dans la révolution de février 1917 contre le gouvernement provisoire et réclame la paix, la nationalisation des terres et des usines. Obligé de quitter la Russie en juillet, il revient clandestinement en octobre et convainc les bolcheviques de prendre le pouvoir (deuxième révolution). Président du Conseil des commissaires du peuple, Lénine dirige alors la Russie, puis l'URSS jusqu'à sa mort. Après sa mort, Staline organise le culte de sa personnalité : son corps embaumé, est exposé sous un cercueil de cristal sur la Place rouge à Moscou.

● **LLOYD GEORGE David** (1863-1945)
Né à Manchester dans une humble famille galloise, il devient clerc d'avoué puis avocat. Député en 1890 aux Communes sous l'étiquette libérale, il est anti-impérialiste. Il attire l'attention du pays par son opposition à la guerre contre les Boers en Afrique du Sud (1889-1902). À la suite de la victoire libérale de 1905, il est nommé ministre du Commerce (1905-1908) puis chancelier de l'Échiquier (1908-1915). À ce dernier poste, il réalise d'importantes réformes sociales et face à l'opposition de la Chambre des Lords, il décide de supprimer le veto suspensif qu'elle possédait (1911) Pendant la guerre, il est ministre de l'Armement (1915-1916), de la Guerre (1916) et enfin Premier ministre, à la tête d'une coalition de conservateurs et de libéraux (1916). Sa confiance et son énergie conduisent le Royaume-Uni à la victoire. Mais après la guerre, toujours Premier ministre, il perd l'appui des conservateurs en reconnaissant l'État libre d'Irlande et, en 1922, l'échec de sa politique antiturque le contraint à abandonner le pouvoir (octobre 1922). Chef du mouvement libéral aux Communes, il assiste impuissant à l'effondrement électoral de son parti et devra renoncer à tout jamais à obtenir un nouveau portefeuille.

● **MAC CARTHY Joseph** (1908-1957)
Il apparaît au grand public en février 1950, dénonçant, sans aucune preuve, la mainmise des communistes sur le département d'État. À partir de 1950, il dirige un comité d'enquête sénatorial qui traque les responsables communistes ou supposés tels dans l'Administration fédérale. Devant les caméras de la télévision, il est le grand inquisiteur de la « chasse aux sorcières », accusant même le général Marshall d'avoir laissé triompher les communistes en Chine. Le «maccarthysme », entretenu par les républicains pour affaiblir Truman, répand un climat de suspicion paranoïaque sur toute la classe politique américaine. Jusqu'au jour où McCarthy, grisé par son pouvoir, s'en prend à l'armée toute entière, ce qui suscite l'indignation du nouveau président Eisenhower. En décembre 1954, le Sénat le blâme publiquement, mettant fin à sa carrière publique.

● **MAC DONALD Ramsay** (1886-1937)
Né en Ecosse, à Lossiemouth, fils d'une servante, il vit une jeunesse très difficile, parvient à devenir journaliste, après des études en autodidacte, et devient un des fondateurs du parti travailliste, dont il est le chef en 1911. Député aux Communes à partir de 1906, il devient en 1924, le premier chef de gouvernement travailliste. Il s'avère alors un chaud partisan de la détente entre les anciens ennemis de la Première Guerre mondiale et établit des relations diplomatiques avec

l'URSS. Mais il doit quitter le pouvoir en octobre 1924. De nouveau Premier ministre en 1929, confronté à la crise mondiale, il engage une politique déflationniste mal perçue par nombre de ses amis politiques et, en août 1931, il prend la tête d'un gouvernement conservateur et libéral, auquel la plupart des travaillistes refusent leur soutien. En 1935, il laisse la tête du gouvernement à Baldwin.

● **MAO ZEDONG** (1898-1976)

Fils d'un paysan aisé du Hunan, Mao Zedong devient aide-bibliothécaire à l'Université de Pékin. En juillet 1921, à Shanghai, il participe à la fondation du parti communiste chinois. Membre du Comité central à partir de 1923, il dirige en 1927 un soulèvement contre le Kuomintang de Tchang Kaï-chek. En 1931, il devient Président de la République soviétique chinoise, qui ne couvre que certaines provinces méridionales contrôlées par les communistes. En 1934-1935, il conduit ses camarades, menacés par le régime de Tchang Kai-chek, dans une « Longue marche » du Sud au Nord de la Chine. En 1937, il s'allie avec Tchang Kaï-chek contre l'invasion japonaise. Mais, à la fin de la guerre, les deux hommes n'arrivent pas à se mettre d'accord sur un gouvernement de coalition. Président du parti depuis 1945, Mao déclenche en juin 1947 l'offensive communiste qui aboutit à la fuite de Tchang Kaï-chek à Taïwan et à la proclamation de la République populaire de Chine, dont il devient président, en octobre 1949. Il abandonnera cette dernière fonction en 1959 mais restera à la tête du parti. Concevant l'édification du socialisme comme une suite de révolutions, « le grand timonier » lance successivement plusieurs campagnes de mobilisation populaire, dont la « Révolution culturelle » de 1966 (alimen-

tée par le « Petit livre rouge », recueil de ses citations) qui lui permet d'éliminer les technocrates du parti, conduits par Liu Shaoqui. Mais, sous l'influence de Zhou En-lai, il évolue ensuite vers plus de réalisme, recevant le Président Nixon en 1972 et laissant la Chine ouvrir son économie vers l'Occident.

● **MARCHAIS Georges** (né en 1920)

Ouvrier métallurgiste, militant syndical à la CGT, il adhère au PCF en 1947. Entré au Bureau politique en 1959, puis secrétaire général adjoint en 1970, il succède à Waldeck-Rochet au secrétariat général en 1972. Signataire du Programme commun avec les socialistes et les radicaux de gauche, il se prononce pour l'abandon de la « dictature du prolétariat », lors du 22e congrès du parti, en 1976. Mais il revient à une ligne plus dure en 1977, rompant l'union de la gauche avec les socialistes. Député du Val-de-Marne depuis 1973, il se présente aux élections présidentielles de mai 1981 mais ne recueille que 15 % des voix au premier tour. S'étant désisté en faveur de François Mitterrand, il obtient la participation de quatre ministres communistes dans le gouvernement Mauroy. Mais les élections de juin 1981 marquent un recul très net du PC, qui perd la moitié de ses sièges. Accusé d'autoritarisme, désorienté par l'effondrement du bloc soviétique, Marchais est considéré par les « rénovateurs » communistes comme le principal responsable du déclin électoral de son parti. Mais, s'il a renoncé à se présenter aux élections présidentielles de 1988, il reste toujours à la tête du parti.

● **MENDÈS FRANCE Pierre**
● (1907-1982)

Élu député de l'Eure en 1932, Pierre Mendès France prend la tête

des « Jeunes Turcs » qui veulent rénover le parti radical-socialiste. Sous-
secrétaire d'État au Trésor dans le
second cabinet Blum du Front populaire (1938), il s'oppose en 1940 au
gouvernement de Vichy. Après avoir
tenté de gagner le Maroc à bord du
Massilia, il est arrêté mais réussit à
s'évader et à gagner Londres en 1942.
À la Libération, il devient ministre de
l'Économie dans le gouvernement de
Gaulle, mais démissionne en avril
1945. Il bénéficie néanmoins d'un fort
courant de sympathie populaire
appelé « mendésisme ». Après le
désastre français de Diên Biên Phû, il
devient président du Conseil, le
17 juin 1954. Comme il s'y était engagé,
il conclut en un mois les accords de
Genève, qui mettent fin à la guerre
d'Indochine (21 juillet). Dans son discours de Carthage, il annonce l'autonomie interne de la Tunisie (1er août).
Mais la droite lui reproche d'être un
« bradeur d'empire » et le MRP
l'accuse d'avoir provoqué l'échec du
projet de CED (30 août). Confronté au
déclenchement de l'insurrection algérienne (1er novembre), victime des
attaques antisémites de l'extrême-
droite, mis en minorité à l'Assemblée,
il doit démissionner le 6 février 1955.
Opposé aux institutions de la Ve République, il perd son siège de député de
l'Eure en 1958 et adhère au PSU. Élu à
Grenoble en 1967, il soutient le mouvement de mai 1968, ce qui lui vaut
d'être battu aux élections de juin.

● **MITTERRAND François**
● (né en 1916)
Fils d'un chef de gare berrichon,
diplômé de l'École des sciences politiques, il est fait prisonnier par les Allemands en 1940, mais s'évade et participe à l'administration de Vichy. Entré
dans la Résistance en 1942, il devient

président du Mouvement national des
prisonniers de guerre. En 1946, il est élu
député de la Nièvre sous l'étiquette de
l'Union démocratique et socialiste de la
Résistance (UDSR), qu'il présidera en
1953. Réélu député en 1951 et 1956, il est
six fois ministre entre 1947 et 1957,
notamment à l'Intérieur dans le cabinet
Mendès-France et à la Justice dans le
cabinet Guy Mollet. Hostile au général
de Gaulle, et à la Ve République, il est
battu aux élections de 1958 mais
retrouve son siège en 1962. À la tête de
la Convention des institutions républicaines, il forme avec la SFIO une Fédération de la gauche démocratique et socialiste et se présente aux élections
présidentielles de 1965. Candidat unique
de l'opposition contre de Gaulle au
second tour, il recueille 45 % des suffrages. En juin 1971, il prend la tête du
nouveau Parti socialiste lors du congrès
d'Épinay. Il signe avec les communistes
un « Programme commun de gouvernement » en juin 1972 et n'est battu que de
justesse par Giscard d'Estaing aux élections présidentielles de 1974. Il prend sa
revanche aux élections de mai 1981, bat-
tant Giscard avec 51,7 % des voix. Premier président socialiste de la Ve République, il encourage un grande politique
de réformes sociales et de nationalisations en 1981-1982. Converti par la suite
à la rigueur budgétaire, il est confronté
de 1986 à 1988 à la « cohabitation » avec
un gouvernement de droite, mais il est
facilement réélu en 1988 face à Chirac.
Sa deuxième présidence est essentiellement consacrée à la construction européenne. Mais sa popularité est en
baisse, et le Parti socialiste s'effondre. À
partir de 1993, il doit affronter une
deuxième cohabitation.

● **MONNET Jean** (1888-1979)
Économiste français. Fils d'un
négociant en eau-de-vie de Cognac,

470

il s'intéresse très tôt à l'économie et aux relations internationales. Pendant la Première Guerre mondiale, il représente la France à la Commission maritime interalliée. En 1919, il prend part à la conférence de la paix de Paris, puis il est nommé secrétaire général adjoint de la SDN de 1919 à 1923. Revenu à des activités privées, il participe à la création d'une banque d'investissement à New York et devient le conseiller financier de plusieurs petits pays d'Europe centrale (Pologne, Roumanie). Pendant la Seconde Guerre mondiale, il travaille dans les services diplomatiques britanniques, puis entre dans le Comité français de libération nationale d'Alger (CFLN). À la Libération, il est ministre du gouvernement provisoire du général de Gaulle. Il préside ensuite le comité qui élabore le premier plan de modernisation et d'équipement de la France, dit plan Monnet (1947-1953). Conseiller de Robert Schuman, Jean Monnet participe à l'élaboration du plan Schuman qui est à l'origine de la création de la Communauté européenne du charbon et de l'acier, en 1950. Il préside la Haute autorité de la CECA de 1952 à 1955, puis devient en 1956 président du Comité d'action pour les États-Unis d'Europe. Ses efforts pour l'unification européenne sont récompensés par l'attribution du premier prix Robert Schuman. En 1976, il écrit ses *Mémoires*. Ses cendres sont transférées au Panthéon en 1988.

● **MOULIN Jean** (1899-1943)

Né à Béziers dans une famille aisée, il entre dans la Haute administration. Sous le Front populaire, il fait partie du cabinet de Jean-Pierre Cot, ministre de la Guerre. Lorsque la guerre éclate, il est à Chartres préfet d'Eure-et-Loir. En juin 1940, il mène ce qu'il appelle son « premier combat » : il refuse de signer une déclaration imposée par un officier allemand qui accusait d'atrocité les troupes françaises de couleur. Révoqué par le gouvernement de Vichy, il noue des contacts avec divers mouvements de résistance. Il se rallie au général de Gaulle et gagne Londres à l'automne 1941. De Gaulle le charge de réunir les divers mouvements de résistance sous son autorité. Dans la nuit du 31 décembre 1941, il est parachuté dans la région de Salon-de-Provence. Ses efforts aboutissent finalement à la création, en mai 1943, du Conseil national de la résistance (CNR), qu'il préside. Mais sans doute trahi, il est arrêté peu après dans la banlieue lyonnaise, à Caluire, par la Gestapo. Torturé à mort, peut-être des mains de Klaus Barbie, il meurt le 8 juillet 1943, au cours de son transfert en Allemagne.

● **MUSSOLINI Benito** (1883-1945)

Né en Romagne, à Dovia di Predappio, il est le fils d'un pauvre forgeron socialiste et d'une institutrice de campagne. Il passe son diplôme d'instituteur mais rêvant d'évasion et d'action, il part en Suisse en 1902. Il y rencontre les révolutionnaires russes, lit Marx, Proudhon et Nietzsche. Expulsé pur avoir fomenté une grève, il revient en Italie et accomplit son service militaire (1905-1907). De 1912 à 1914, il dirige l'*Avanti!*, le quotidien officiel du parti socialiste, à Milan. Mais en 1914, favorable à l'entrée en guerre de l'Italie, il rompt avec les socialistes (qui y étaient hostiles) et crée son propre journal, *Il Popolo d'Italia*. Mobilisé après la déclaration de guerre (1915), il part pour le front où il est grièvement blessé. Le 23 mars 1919, il fonde les premiers *Fasci di Combattimento*. Au congrès de Rome (novembre 1919), il transforme les faisceaux en un véritable parti politique, le parti fasciste, qui compte plus de 700 000 membres au printemps 1922. Au congrès de Naples (octobre 1922), il se sent assez fort pour réclamer le pouvoir. Du 27 au 29 octobre 1922, il organise la marche sur Rome et le 30, le roi Victor-Emmanuel III demande au *Duce* de former le nouveau ministère. Les fascistes remportent largement les élections en avril 1924 et le 3 janvier 1925, au Parlement, il inaugure une série de mesures qui, en deux années (1925-27), établissent sa dictature personnelle. En 1940, Mussolini décide d'engager le pays dans la guerre aux côtés de l'Allemagne. Arrêté par ordre de Victor-Emmanuel III, le 25 juillet 1943, Mussolini est libéré par les Allemands en septembre et crée, sous l'impulsion du Führer, la « République sociale italienne », appelée aussi « République de Salo », dans le Nord de l'Italie. Surpris par l'avancée rapide des Alliés, il cherche à fuir vers la Suisse déguisé en soldat de la Wehrmacht, mais il est arrêté le 26 avril 1945 par les partisans, et fusillé sans procès.

● **NASSER Gamal Abdel** (1918-1970)
● Homme politique égyptien. Fils d'un petit fonctionnaire des postes, Nasser entre à l'Académie militaire du Caire en 1937 et embrasse la carrière militaire. Pendant la Seconde Guerre mondiale, il assiste avec colère à la mainmise de l'Angleterre sur la politique égyptienne. Lors du premier conflit israélo-arabe, il s'indigne de l'incompétence du gouvernement égyptien. Il pense alors à la révolution qui permettrait de mettre en place un régime capable de relever l'Égypte et

d'unifier le monde arabe face à ses ennemis. Peu après la défaite de 1948, Nasser fonde le mouvement des « Officiers libres », qui force le roi Farouk à démissionner (juillet 1952). Nasser prend tout de suite une influence dominante dans le nouveau régime. Après la proclamation de la République (18 juin 1953), il devient Premier ministre adjoint aux côtés du général Néguib ; en novembre 1954, il force Néguib à se retirer et exerce désormais le pouvoir absolu. Dès avril 1955, en participant à la conférence de Bandoung, il marque sa volonté de lutter contre la domination coloniale dans le monde. Pour assurer la construction d'un barrage en haute-Égypte et après le refus américain d'en financer les travaux, il nationalise le canal de Suez. Cette mesure déclenche une guerre avec Israël, la France et le Royaume-Uni (1956). La défaite militaire de l'Égypte se transforme en succès politique quand l'ONU, sous la pression de l'URSS et des États-Unis, impose le retrait franco-britannique. Il devient alors un des héros du tiers monde. Appuyé désormais par l'URSS, il nationalise les biens occidentaux et se lance dans la réalisation de l'unité arabe. En 1958, il fonde la République arabe unie avec la Syrie : mais cette construction est éphémère. En 1967, il engage une nouvelle guerre contre Israël, mais la riposte israélienne est pour lui un échec cuisant. En septembre 1970, les Palestiniens arabes de Yasser Arafat sont chassés de Jordanie, par d'autres Arabes : le rêve de la puissance et de l'unité arabes s'écroule.

● **NEHRU Jawaharlal** (1889-1964)
● Homme politique indien. Né à Allahabad, membre de la caste des brahmanes, fils d'un avocat réputé, il

reçoit une éducation occidentale et exerce le métier d'avocat à Allahabad. Après le massacre d'Amritsar (400 indiens sont tués par les troupes britanniques en 1919), il se voue entièrement à la lutte pour l'indépendance et devient très vite un des leaders du Congrès national indien. Il en est le président en 1929-1930 et en 1936-1937. Ses prises de position en faveur d'une industrialisation et d'une socialisation de l'Inde soulignent ses divergences avec Gandhi, qui reste attaché à une économie rurale et artisanale. Très hostile au fascisme, il s'oppose encore à Gandhi pendant la guerre : il pense en effet que la politique de non-coopération avec les Anglais favorise l'impérialisme japonais. Mais comme Gandhi, Nehru est plusieurs fois emprisonné par les Anglais. En septembre 1946, il forme le gouvernement intérimaire ; le 15 août 1947, il devient le Premier ministre. Après la mort de Gandhi, son influence est sans rivale. Il lutte pour établir la démocratie et intégrer les minorités religieuses. Socialiste modéré, il met en place une économie mixte. Sur la scène internationale, il s'oppose à toute forme de colonialisme et tente d'imposer le principe de la neutralité à l'égard des blocs. Mais ses dernières années sont obscurcies par la tension grandissante entre l'Inde et plusieurs de ses voisins, dont la Chine.

● **NIXON Richard** (né en 1913)

Fils d'un épicier de Los Angeles, Richard Nixon devient avocat d'affaires en 1937 et sert dans la marine durant la Seconde Guerre mondiale. Élu représentant républicain de la Californie en 1946, puis sénateur en 1950, il se distingue dans la « chasse aux sorcières » contre les communistes. Élu comme vice-président républicain aux côtés d'Eisenho-

wer en 1952, puis réélu dans cette fonction en 1956, il dirige en fait la politique américaine car le Président est malade. Candidat à la présidence en 1960, il est battu d'extrême justesse par le démocrate Kennedy. Après quelques années de retraite politique, il est à nouveau désigné comme candidat républicain aux élections présidentielles de 1968. Élu Président contre le démocrate Humphrey, il parvient en 1973 à sortir les États-Unis de la « sale guerre » du Viêtnam, en menant une politique de détente avec l'URSS (accords SALT de 1972) et avec la Chine (voyage à Pékin en 1972). En opérant la première dévaluation du dollar depuis 1933 et en instaurant le contrôle des prix et des salaires, il réussit à redresser la balance commerciale et à juguler l'inflation. Ce bilan positif lui permet d'être triomphalement réélu en 1972, avec 60 % des suffrages, face au démocrate MacGovern. Mais ses maladresses et ses mensonges dans l'enquête sur le Watergate lui valent d'être violemment attaqué par la presse et menacé d'« empeachment » (destitution) par le Congrès. Il est contraint à démissionner, le 8 août 1974.

● **NKRUMAH Francis Nwia Kofi**
● (1909-1972)

Homme politique ghanéen. Après une éducation catholique, il devient instituteur en 1931. En 1935, il va poursuivre ses études aux États-Unis, où il devient président de l'Association des étudiants africains des États-Unis. En 1945, il s'installe en Angleterre où, tout en continuant ses études, il travaille au Secrétariat national ouest-africain. En 1947, il rentre au Ghana avec une certaine connaissance du marxisme et la certitude que les futurs États indépendants d'Afrique devront chercher à se fondre dans une union panafricaine. En juin 1949, il fonde son partis, le Convention Peoples Party, qui réclame l'autonomie du pays, et obtient une grande victoire électorale en 1951. Nommé Premier ministre de la Côte-de-l'Or en 1952, il réclame l'indépendance totale en 1953, octroyée en 1957. Son pays prend le nom de Ghana. De 1960 à 1963, Nkrumah impose son pouvoir absolu. et élimine tous ses rivaux. Il installe un régime dit « socialiste » (mais non communiste) et tente de développer son pays : il cherche à rendre l'économie moins dépendante de la monoculture du cacao et engage l'industrialisation et fait financer de grands travaux par les États-Unis. Il se fait surtout le défenseur acharné du panafricanisme. Mais son régime est renversé par un coup d'État militaire en 1966.

● **PERON Juan Domingo** (1895-1974)
Homme politique argentin. Né à Buenos Aires, militaire de carrière, il revient d'un voyage en Europe séduit par les régimes fascistes. Colonel, il est un des paticipants au coup d'État militaire de juin 1943 et devient ministre du Travail. En février 1944, il cumule cette fonction avec celle de ministre de la Guerre, puis, en juin, celles de vice-président. Il devient président de la République en février 1946. Son régime pourtant policier et dictatorial connaît à ses débuts une énorme popularité. Les mesures sociales (hausse des salaires, assurances sociales, retraites, tribunaux du travail...), la politique nationaliste et nettement dirigée contre les États-Unis, la grande popularité de sa femme Eva Duarte Peron, le choix d'une économie mixte désarment l'opposition. Mais à partir des années

50, confronté à la crise économique, obligé de renier ses principes de nationalisme économique, privé du soutien de sa femme, décédée en 1952, et fortement critiqué par l'Église, son régime est de plus en plus fragile. En 1954, il s'engage dans une politique de laïcisation (légalisation du divorce, séparation de l'Église et de l'État...) qui lui vaut d'être excommunié par Pie XII (juin 1955). L'opposition de la marine dont les chefs, très conservateurs, sont les alliés de l'Église, se renforce. Il est renversé par un coup d'État militaire en septembre 1955. Réfugié à l'étranger, il bénéficie toujours d'une grande popularité en Argentine et son parti triomphe aux élections de mars 1973. Peron, rentré dans son pays, est réélu peu après président de la République avec 62 % des voix ; sa troisième femme, Isabel, est vice-présidente. Elle prend les rennes du pays après la mort de son mari mais est renversée par le coup d'Etat militaire du général Videla en mars 1976.

● **PÉTAIN Philippe** (1856-1951)
Né à Cauchy-la-Tour, dans le Pas-de-Calais, issu d'une famille paysanne, il est envoyé chez les Dominicains ; il est ensuite élève à Saint-Cyr avant d'enseigner à l'École de guerre. Colonel au 33e régiment d'infanterie à Arras, il allait être mis à la retraite quand la guerre est déclarée. Promu général, Pétain a une brillante conduite lors de la bataille de la Marne, puis en Artois, en mai 1915. À partir de février 1916, il organise la défense de Verdun. Il se distingue toujours par sa prudence et son souci de préserver la vie de ses hommes. Le 15 mai 1917, il remplace Nivelle comme commandant en chef et il lui incombe alors de réprimer les mutineries qui

éclatent de toutes parts parmi les soldats. Il réduit les sanctions et améliore leurs conditions de vie, ce qui lui permet de rétablir l'ordre. « Vainqueur de Verdun », véritable héros populaire, Pétain est nommé maréchal de France le 19 novembre 1918. À la suite de l'émeute du 6 février 1934, il devient ministre de la Guerre dans le cabinet Doumergue. En 1939, il est nommé ambassadeur en Espagne. Au printemps 1940, Paul Reynaud le prend comme vice-président du Conseil. Nommé président du Conseil le 16 juin, il signe aussitôt l'armistice en acceptant les conditions de l'Allemagne. Le 10 juillet, il se fait confier les pleins pouvoirs constitutionnels et institue aussitôt un régime autoritaire, où il a le titre de chef de l'État. Il inaugure la « Révolution nationale » résumée dans la nouvelle devise de l'État français « Travail, famille, patrie ». Par ailleurs, il s'engage dans une politique de collaboration avec l'Allemagne (entrevue de Montoire avec Hitler, le 24 octobre 1940), pensant conserver la souveraineté de la France et obtenir des concessions des Allemands. Il renvoie Laval qui veut entrer dans une collaboration ouverte avec l'Allemagne mais se trouve finalement dans l'obligation de le rappeler, sur injonction des Allemands, (avril 1942). Par la suite, Pétain semble de toute évidence du côté des Allemands : il félicite l'armée allemande qui repousse le raid allié de Dieppe (19 août 1942), ordonne aux troupes françaises d'Afrique du Nord de résister au débarquement allié (8 novembre 1942), accepte la création de la Milice, avant tout dirigée contre la Résistance (30 janvier 1943), ne proteste pas contre les déportations de juifs en Allemagne... Le 20 août 1944, Pétain est enlevé par les Allemands, refusant de constituer un gouvernement fantôme, il passe en Suisse en avril 1945 et se rend à la justice française. Son procès (23 juillet-15 août 1945) se termine par sa condamnation à mort. Mais de Gaulle signe sa grâce et il est interné à l'île d'Yeu.

PINAY Antoine (né en 1891)

Petit industriel, maire de Saint-Chamond dès 1929, il est élu député de la Loire en 1936 comme redical indépendant, puis sénateur en 1938. En juillet 1940, il vote les pleins pouvoirs à Pétain, qui le nomme au Conseil national en 1941. Néanmoins, grâce à sa participation tardive à la Résistance, il échappe à l'épuration parlementaire en 1945. Réélu député de la Loire en 1946, il devient l'un des chefs du groupe des indépendants (droite libérale). Secrétaire d'État aux Affaires économiques dans le cabinet Queuille (1948-49), il détient le ministère des Travaux publics dans plusieurs gouvernements, de 1950 à fébrier 1952. Nommé président du Conseil, le 6 mars 1952, il choisit comme priorités la défense du franc et la lutte conte l'inflation. Soutenu par les milieux financiers, il pratique une politique de rigueur budgétaire et de contrôle des prix. Fort de son image de Français moyen, qui inspire confiance aux petits épargnants, il lance un emprunt 3,5 %, qui remporte un grand succès. Sa politique extérieure est marquée par la signature du traité instituant la CED (mai 1952). Mis en minorité sur ses sujets de réforme de l'impôt foncier et de la Sécurité sociale, il démissionne en décembre 1952. Ministre des Affaires étrangères dans le cabinet Edgar Faure (1955-56), il met fin à la crise marocaine. Sa visite à de Gaulle, pendant la crise de mai 1958, lui vaut le portefeuille des Finances de juin 1958 à janvier 1959. Grâce au succès de son plan de redressement financier (plan « Pinay-Rueff »), il conserve les Finances dans le cabinet Debré, mais démissionne en janvier 1960, en désaccord avec la politique européenne du général. Il refuse en 1969 de représenter la droite giscardienne aux élections présidentielles, mais accepte la fonction de « médiateur » en 1973-76. Abandonnant la mairie de Saint-Chamond en 1977, il se retire de la vie politique. Centenaire, il est resté une référence pour de nombreux dirigeants français.

POINCARÉ Raymond (1860-1934)

Né à Bar-le-Duc, il est le fils d'un ingénieur des Ponts et Chaussées. Avocat au barreau de Paris, il est élu député de la Meuse sous la bannière de l'Union des gauches en 1887. Ministre des Finances en 1893, de l'Instruction publique en 1894, il reste prudent et modéré lors de l'affaire Dreyfus (1898-1900) et au moment des lois anticléricales de Combes (1902-1905) ce qui lui permettra de se présenter plus tard en réconciliateur des Français. Sénateur de la Meuse de 1903 à 1913, il obtient le portefeuille de ministre des Finances en 1906. En 1909, il accède à l'Académie française. Président du Conseil chargé en outre des Affaires étrangères, de janvier 1912 à janvier 1913, il opte pour une politique de fermeté à l'égard de l'Allemagne. Élu président de la République le 17 janvier 1913, il continue à ce poste à faire une politique étrangère orientée vers la préparation active de la « revanche ». Dès août 1914, il se fait champion de l'Union sacrée. Bien qu'il n'aimât pas Clemenceau, il fait appel à lui pour constituer le gouvernement en novembre 1917, pensant qu'il est le plus à même de conduire le pays vers la victoire. Mais il n'hésite pas à s'opposer à lui lorsqu'il pense que les intérêts de la France sont menacés. En octobre 1918, il proteste contre un armistice qu'il pense prématuré et réclame l'occupation définitive de la rive gauche du Rhin à laquelle Clemenceau a renoncé. Refusant de briguer un second mandat, redevenu sénateur de la Meuse en 1920, Poincaré est encore président du Conseil et ministre des Affaires étrangères en 1922. « L'homme de l'exécution intégrale du traité de Versailles » fait envahir la Ruhr par les troupes françaises en janvier 1923, mais, l'année suivante, le succès aux élections du Cartel des gauches entraîne sa démission. Il est rappelé à la tête du gouvernement lors de la catastrophe financière de 1926, constitue un cabinet d'union nationale (sans les socialistes) et parvient à rétablir le cours du franc.

POMPIDOU Georges (1911-1974)

Fils d'un instituteur du Cantal, Georges Pompidou commence une carrière de professeur de lettres. Entré au cabinet du général de Gaulle en 1944, il reste son conseiller pendant toute la IVe République, tout en dirigeant la banque Rothschild. Directeur de cabinet du général en 1958-1959, il retourne ensuite à ses activités privées. Nommé Premier ministre en avril 1962, il est encore inconnu du grand public. Il s'affirme notamment en mai 1968, en organisant les négociations de Grenelle entre patrons et syndicats. Remplacé par Maurice Couve de Murville en juillet 1968, il est élu président de la République en juin 1969, après la démission du général, avec 58,2 % des voix. Tout en maintenant les grandes orientations de son prédécesseur, il accepte l'entrée du Royaume-Uni dans

476

le Marché commun et concentre ses efforts sur le développement économique de la France. En désaccord avec la politique de réformes de son Premier ministre Jacques Chaban-Delmas, il le remplace par Pierre Messmer, en juillet 1972. Malade, il meurt le 2 avril 1974.

● **REAGAN Ronald** (né en 1911)

Issu d'une famille modeste de l'Illinois, Ronald Reagan entame en 1937 une carrière d'acteur à Hollywood. Devenu président du syndicat des acteurs en 1947, il se distingue dans la lutte contre les communistes. En 1964, il soutient le sénateur Barry Goldwater, qui représente l'aile droite du Parti républicain. Deux ans plus tard, il est élu gouverneur républicain de la Californie, poste qu'il conservera dix ans. Il échoue contre Gerald Ford lors de la convention républicaine de 1976, mais il obtient finalement l'investiture de son parti en 1980. Grand communicateur, jouant sur son image de cow-boy éternel, Reagan promet de restaurer la dignité de l'Amérique. Facilement élu contre l'ex-président Carter, il bénéficie d'une majorité républicaine au Sénat, pour la première fois depuis trente ans. Sa politique économique ultra-libérale, qui lui permet de relancer la production et de diminuer le chômage, et sa fermeté en politique extérieure semblent redonner confiance aux Américains. Réélu en 1984, il voit néanmoins sa cote de popularité s'effondrer en 1986, à cause du scandale de l'Irangate. La fin de sa deuxième présidence est marquée par la politique de détente avec l'URSS de Gorbatchev.

● **ROCARD Michel** (né en 1930)

Diplômé de l'ENA, inspecteur des finances, il s'engage très jeune dans le militantisme socialiste, à la SFIO. Admirateur de Mendès France, il participe à la fondation du Parti socialiste unifié (PSU), en 1960. Secrétaire général du PSU depuis 1967, il se présente aux élections présidentielles de 1969 mais ne recueille que 3,6 % des voix. Élu député des Yvelines en 1969, il quitte le PSU en 1973 pour rejoindre le Parti socialiste (PS) de François Mitterrand. Maire de Conflans-Sainte-Honorine à partir de 1977, réélu député en 1978, il prend la tête d'un « courant » autogestionnaire et décentralisateur dans le PS. Il ne se retire de la course aux présidentielles de 1981 qu'après la candidature de Mitterrand. Après l'élection de ce dernier, Rocard sera ministre du Plan et de l'aménagement du territoire (1981-83) puis de l'Agriculture (1983-85). En avril 1985, il démissionne du gouvernement Fabius pour manifester son opposition au système de scrutin proportionnel instauré pour les élections de 1986. Favorable à une évolution du PS vers la social-démocratie, il prend ses distances vis-à-vis de Mitterrand, qui le nomme néanmoins Premier ministre en juin 1988. À la tête d'un gouvernement d' « ouverture » au centre, il règle la crise de Nouvelle-Calédonie. Mais Mitterrand le remplace en mai 1991 par Édith Cresson. Malgré sa défaite aux législatives de mars 1993, il prend aussitôt la direction provisoire du PS afin de reconstruire le mouvement socialiste.

● **ROOSEVELT Franklin Delano**
● (1882-1945)

Né à New York, il est le fils d'un riche homme d'affaires. Diplômé de Harvard en 1904, il étudie ensuite le droit à l'université de Columbia et est admis au barreau en 1907. Élu sénateur démocrate de l'État de New York en

1910, il travaille énormément pour l'élection de Wilson en 1912 et en est récompensé par le poste de secrétaire adjoint à la Marine, qu'il occupe jusqu'en 1920. Paralysé dans les membres inférieurs par une attaque de polyomélite en 1921, il recouvre par la suite un usage partiel des ses jambes et continue d'être actif ; il est gouverneur de New York de 1929 à fin 1932. Son élection à la présidence, en novembre 1932, est un raz-de-marée. Entouré d'une petite équipe de jeunes intellectuels et de spécialistes, appelée bientôt Brain Trust, il prend sous l'emprise de l'urgence une série de mesures appelées New Deal (« Nouvelle donne »). Il établit des relations directes avec la population en tenant régulièrement des conférences de presse et en expliquant sa politique à la radio. Massivement réélu en 1936, sa deuxième présidence est dominée par la politique étrangère. Dans les deux années qui précèdent la guerre, Roosevelt manifeste son hostilité aux dictatures mais l'isolationnisme des Américains réduit considérablement sa liberté d'action. En novembre 1940, il est réélu avec les voix des partisans de la lutte contre Hitler. Il engage alors les États-Unis dans une politique de pré-belligérance ; le 14 août 1941, il signe avec Churchill la Charte de l'Atlantique. Après Pearl Harbor (7 décembre 1941), la nation s'unit derrière le président américain et se lance dans la guerre sur le Pacifique d'abord, en Europe ensuite. Se posant en champion de la démocratie, Roosevelt n'a qu'antipathie pour de Gaulle alors que, très impressionné par Staline, il est persuadé que le régime soviétique peut se démocratiser. Peu après sa quatrième réélection (novembre 1944), il consent à donner d'énormes avantages à l'URSS en Europe, persuadé que Staline respectera le prin-cipe du droit des peuples à disposer d'eux-mêmes. Il meurt d'une hémorragie cérébrale.

SALAZAR Antonio de Oliveira (1889-1970)

Président du Conseil portugais. Fils d'un petit paysan, il fait ses études au séminaire puis s'oriente ensuite vers le droit. Professeur d'économie politique à l'université de Coïmbra, il est élu député en 1921. À la suite du putsch militaire du général Gomez da Costa (1926), il est appelé au ministère des Finances en 1928. Ayant réussi à équilibrer le budget, pour la première fois depuis 1854, il devient président du Conseil en 1932. Il inspire la Constitution de 1933, qui fonde l'État nouveau (Estado Novo) sur la base d'un régime autoritaire, catholique, corporatif, avec un parti unique, l'Union nationale, créée en 1934. Conservant des relations privilégiées avec le Royaume-Uni, il met l'archipel des Açores à la disposition des troupes alliées en 1943 et intègre le Portugal à l'OTAN en 1949. Habile technicien de l'économie, il réussit à lancer son pays sur les rails de la croissance. Mais il engage un énorme effort militaire dans la lutte contre les mouvements nationalistes des colonies portugaises d'Afrique. Frappé d'une hémorragie cérébrale en septembre 1968, il doit abandonner le pouvoir.

SCHMIDT Helmut (né en 1918)

Fils d'un professeur de Hambourg, économiste de formation, il adhère au SPD en 1949. Député au Bundestag à partir de 1953, il devient ministre de l'Intérieur du Land de Hambourg en 1961. Revenu au Bundestag en 1965, il prend la tête du groupe parlementaire social-démocrate en 1967. Ministre de la Défense dans le gouvernement Brandt, de 1969 à 1972, il se montre un partisan résolu de l'Alliance Atlantique. Ministre des Finances à partir de 1972, il succède à Willy Brandt lorsque celui-ci démissionne de la chancellerie en 1974. Sa politique d'austérité budgétaire permet de freiner l'inflation et de maintenir la RFA au premier rang des économies européennes. Sa fermeté face aux terroristes d'extrême-gauche et d'extrême-droite lui vaut une grande popularité. Grâce à son alliance avec les libéraux du FDP, il se maintient à la chancellerie malgré le recul du SPD aux élections de 1976 et 1980. Mais il est renversé en octobre 1982 à la suite du changement d'alliance des libéraux, désormais associés aux chrétiens-démocrates.

● **SCHUMAN Robert** (1886-1953)

● Robert Schuman est un Lorrain. Député de la Moselle de 1919 à 1940, emprisonné par les autorités hitlériennes pour résistance, il est déporté mais s'évade en 1942. À la Libération, il s'inscrit au MRP et devient ministre des Finances dans le gouvernement Bidault (juin-novembre 1946) ; puis il devient président du Conseil de novembre 1947 à juillet 1948. C'est lui qui fait adopter le plan Marshall (avril 1948). De juillet 1948 à janvier 1953, il est ministre des Affaires étrangères. Robert Schuman est avec Jean Monnet, l'artisan principal du rapprochement avec l'Allemagne et de la construction européenne. En mai 1950, il lance l'idée de placer les productions de charbon et d'acier des pays d'Europe sous une Haute autorité commune. Les pays acceptant le plan Schuman constituent la Communauté européenne du charbon et de l'acier (CECA) et forment le noyau de la future Communauté économique

européenne. Le 27 mai 1952, il signe à Paris un traité prévoyant la formation d'une armée européenne intégrée. Mais il se heurte à une vive opposition de la part des communistes et du parti de de Gaulle, le RPF, et cette armée ne voit pas le jour. Par la suite, il se consacre surtout à l'unité européenne, comme président du Mouvement européen et de l'Assemblée européenne de Strasbourg (1958-1960).

● **SENGHOR Léopold** (né en 1906)

● Chef d'État sénégalais. Né au Sénégal, élevé dans la religion catholique, Senghor poursuit ses études à Dakar, puis à Paris, et il devient professeur agrégé de grammaire. Dans ses poèmes, notamment *Chants d'ombre* (1945) et *Hosties noires* (1948), il célèbre la grandeur de la culture noire, la « négritude » et l'espoir d'une réconciliation des civilisations. Imprégné de la pensée occidentale, francophile, Senghor ne souhaite pas une rupture brutale avec la France. Député à l'Assemblée constituante française (1945) puis à l'Assemblée nationale (1946 à 1958), il fonde avec Mamadou Dia l'Union progressiste sénégalaise (UPS). En septembre 1960, il est élu président du nouvel État sénégalais. En décembre 1962, il élimine Mamadou Dia et concentre désormais tous les pouvoirs. Après la modification de la Constitution en 1976, l'UPS prend le nom de parti socialiste et un multipartisme limité à trois partis est instauré. En 1978, Senghor gracie Mamadou Dia et en 1980, il démissionne volontairement au profit de son Premier ministre Abdou Diouf.

● **SOEKARNO Ahmed** (1901-1970)

● Homme politique indonésien. Fils d'un instituteur, né à Blitar

479

(Java), il milite dans sa jeunesse contre l'occupation de l'Indonésie par les Pays-Bas. En 1927, il fonde un parti indépendantiste, le Parti national indonésien ; il est plusieurs fois emprisonné par les autorités coloniales et, en 1942, il est en prison quand les Japonais envahissent le pays. Libéré, il essaie de répandre ses idées nationalistes. Le 17 août 1945, il proclame avec Mohammed Hatta l'indépendance de l'Indonésie, et devient le premier président de la République (l'indépendance sera reconnue par les Néerlandais le 27 décembre 1949). Par la Constitution du 2 novembre 1949, Soekarno instaure d'abord un système fédéral. Mais dès le mois d'août 1950, confonté à de nombreux mouvements sécessionistes, il met en place une Constitution unitaire et centralisatrice. En juillet 1959, il rétablit la Constitution de 1945 qui donne au Président un pouvoir quasi-illimité.

Sur le plan de la politique extérieure, Soekarno revendique la Nouvelle-Guinée néerlandaise qui revient finalement à l'Indonésie en 1963. Peu après, il engage une nouvelle lutte contre le projet de Grande Malaisie mais, malgré ses efforts, celle-ci est constituée en 1963 et admise à l'ONU en 1965 ; l'Indonésie quitte alors l'ONU. Soekarno, qui était un des participants les plus influents à la conférence afro-asiatique de Bandoung, en 1955, et qui avait opté pour l'indépendance à l'égard des Blocs, se rapproche progressivement des grandes puissances communistes au cours des années 60, de l'URSS d'abord, de la Chine ensuite. Le 30 septembre 1965, un putsch des communistes maoïstes éclate ; celui-ci est écrasé par l'armée qui prend les rênes du pays le 2 octobre. Soekarno se retire de la vie politique en 1967.

STALINE, Joseph Djougachvili
(1879-1953)

Né à Gori, petit village du Caucase dans un milieu modeste (son père est paysan et cordonnier), il est destiné très jeune à la prêtrise par sa mère, qui l'inscrit au séminaire de Tiflis en 1894. Suspect de sympathies socialistes, il en est exclu en 1899. Il devient alors militant du Parti socialiste-démocrate, pour lequel il organise des grèves et des coups de mains. Plusieurs fois arrêté et emprisonné, il réussit à s'évader. En 1905, il fait la connaissance de Lénine et se rallie aux bolcheviques. Lénine le nomme, en 1912, membre du Comité central et lui confie la direction de la *Pravda*. À nouveau arrêté en 1913, il est déporté en Sibérie. Libéré par la révolution de février, il rentre à Petrograd et se rallie aux *Thèses d'avril* de Lénine ; il ne joue toutefois qu'un rôle secondaire dans la révolution d'octobre et dans la guerre civile, à la différence de Trotski. Dans le gouvernement des commissaires du peuple, Lénine lui confie le dossier des nationalités ; mais à partir de 1922, il est aussi secrétaire du Parti communiste, poste dont il se sert pour asseoir une autorité croissante, surtout avec la maladie de Lénine. Staline réussit après la mort de Lénine à éliminer Trotski de la succession, d'abord en s'alliant avec Kamenev et Zinoviev, puis en les isolant à l'intérieur du Parti. En 1928, Staline est donc le seul maître de l'URSS et le reste jusqu'à sa mort. Organisant une véritable dictature, il épure le Parti. C'est lui qui décide des grandes orientations de la politique économique (collectivisation des terres en 1930) ou de la politique étrangère (pacte germano-soviétique en 1939). Le culte du « petit père du peuple » culmine après la

- Deuxième Guerre mondiale. Il faut
- attendre sa mort et le rapport
- Krouchtchev en 1956 pour que le sta-
- linisme commence à être critiqué.

● STRESEMANN Gustav (1878-1929)

Fils d'un petit marchand berlinois, il étudie l'histoire et le droit à
Berlin et à Leipzig et fonde plus tard
l'Union des industriels saxons. En
1906, il est élu député au Reichstag,
où il défend des idées pangerma-
nistes. Après la guerre, il fonde le
nouveau parti populiste allemand
(entre démocrates et nationaux-allemands) de tendance nationaliste et
monarchiste. Ayant finalement
renoncé à la restauration de la
monarchie, il est nommé Chancelier
par Ebert à la tête d'une grande coalition allant des sociaux-démocrates
aux populistes, le 13 août 1923. Le 24
septembre, il annonce la fin de la
résistance passive dans la Ruhr,
réprime les troubles (notamment le
putsh d'Hitler) et stabilise la monnaie. Il est renversé par les sociaux-
démocrates en novembre 1923, mais
il reste ministre des Affaires étrangères dans les gouvernements successifs jusqu'à sa mort. Il mène une
politique extérieure de réconciliation
et de paix et fait adopter le plan
Dawes, obtient l'évacuation de la
Ruhr par les troupes françaises (été
1925), accepte le traité de Locarno,
par lequel l'Allemagne reconnaît ses
frontières occidentales, fait entrer
son pays à la SDN (septembre 1926)
et le fait adhérer au pacte Briand-Kellog de renonciation solennelle à la
guerre, le 27 août 1928. Resté au fond
nationaliste, Stresemann pensait que
la grandeur de l'Allemagne serait
obtenue par le relèvement économique et la conciliation avec les ennemis d'hier ; et non par une politique

de force. En 1926, il partage avec
Briand le prix Nobel de la paix.

● SUN YAT-SEN (1866-1925)

Homme politique chinois. Fils
de paysan, il est né près de Canton.
Émigré à Honolulu à l'âge de 12 ans,
rentré à Hong Kong, il devient protestant et étudie la médecine, qu'il pratique ensuite à Macao. Il est très tôt
attiré par la civilisation occidentale et
conscient de la faiblesse de la Chine.
À partir de 1894, il consacre son énergie à préparer une révolution pour
libérer le pays de la dynastie mandchoue. Il parcourt le monde pour
trouver des subsides, s'assurer
l'appui des Chinois émigrés et étudier
les techniques révolutionnaires. En
1905, il crée le Kuomintang, dont le
programme s'inspire des trois principes nationalisme, démocratie,
socialisme. Surpris en Amérique par
la révolution de 1911, Sun rentre en
Chine. Il est nommé président provisoire de la République mais doit se
retirer deux mois plus tard devant
l'homme des révolutionnaires du
Nord, Yuan Che Kaï. En 1913, il est de
nouveau réduit à la lutte clandestine.
Il finit par se tourner vers l'URSS qui
lui apporte, à partir de 1923, un
important soutien. Les communistes
rallient le Kuomin-tang dont l'armée
dirigée par Tchang Kaï-chek, est
entraînée par des conseillers militaires soviétiques. Celle-ci remporte
des succès décisifs dans le Sud de la
Chine. Sun Yat-sen, malade depuis
longtemps, meurt après avoir réunifié la Chine du Sud sous son autorité.

● TCHANG KAI-CHEK (1887-1975)

Homme d'État chinois. Né dans la
province du Tche-Kiang, il appartient à
une famille de petits commerçants et
d'agriculteurs. Il étudie à l'académie

militaire de Tokyo. À l'annonce de la révolution de 1911, il rentre en Chine et s'engage aux côtés de Sun Yat-sen. En 1923, il est envoyé à Moscou où il étudie l'organisation militaire soviétique. Après la mort de Sun Yat-sen, le jeune général devient le principal dirigeant du Kuomintang. Il a deux objectifs : éliminer les « seigneurs de la guerre » qui tiennent encore le Nord du pays puis restaurer l'indépendance complète de la Chine par la suppression des privilèges économiques dont disposent les étrangers. Il parvient à refaire l'unité de la Chine et peu après rompt avec ses conseillers soviétiques et avec les communistes qu'il écrase impitoyablement à Canton (décembre 1927). Élu président de la République en octobre 1928, il met en œuvre quelques réformes mais fait passer avant tout la lutte contre les communistes, alors que les Japonais investissent peu à peu le pays. Tchang Kaï-chek doit cependant passer un pacte avec les communistes contre l'envahisseur. Il se réfugie ensuite à Chongking, d'où il anime la résistance à l'envahisseur jusqu'en 1945. Tout au long des hostilités, il laisse se développer autour de lui une immense corruption alors que son autoritarisme se renforce et qu'il s'engage modérément contre les Japonais, en vue d'un affrontement futur avec les communistes, ses alliés du moment. La guerre civile entre le Kuomintang et le Parti communiste chinois recommence en juin 1947. Mais les communistes ont su profiter de la guerre pour étendre leur popularité et aguerrir leurs troupes. Au cours de l'année 1948, ils se rendent maîtres de toute la Chine du Nord et du Centre et en 1949, Tchang Kaï-chek se retire dans l'île de Taïwan (Formose) avec 2 millions de Chinois ; il y instaure un gouvernement nationaliste qui sera reconnu comme seul gouvernement légitime de la Chine pendant vingt ans. Jusqu'à sa mort, Tchang Kaï-chek est régulièrement réélu président de son pays, mais à partir de 1970, il délègue la réalité du pouvoir à son fils.

● **THATCHER Margaret** (née en 1925)
Fille d'un épicier méthodiste devenu maire de Grantham, dans le Lincolnshire, elle fait des études de chimie à Oxford, grâce à une bourse d'une institution charitable. Profondément religieuse et anticommuniste, elle devient présidente de l'Association conservatrice étudiante d'Oxford en 1946. Plus jeune candidate conservatrice aux élections de 1950 et 1951, elle n'est élue qu'en 1959 dans la banlieue de Londres. Entrée au gouvernement en 1961, comme secrétaire parlementaire au ministère des Pensions et assurances sociales, elle devient ministre de l'Éducation en 1970. Représentant l'aile droite du parti conservateur, elle en prend la présidence en février 1975. Après le triomphe conservateur aux élections de mai 1979, elle devient la première femme chef de gouvernement en Europe. Rompant avec toutes les politiques menées depuis 1945, elle mène une politique néo-libérale qui permet de relancer la croissance mais provoque une forte poussée du chômage et un vif mécontentement social. Surnommé « la Dame de fer », elle gagne la guerre des Malouines contre l'Argentine (juin 1982), et ne cède ni aux terroristes irlandais de l'IRA, qui tentent de l'assassiner à Brighton (octobre 1984), ni aux mineurs, malgré une année de grève (1984-85). Reconduite deux fois à la tête du gouvernement, après les victoires conservatrices de 1982 et 1987, elle se rend très impopulaire avec son nouvel impôt (poll tax),

présenté en avril 1990, et démissionne en novembre 1990.

● THOREZ Maurice (1900-1964)

Né dans le Pas-de-Calais, dans une famille de mineurs, il est mineur à son tour. En 1919, il devient socialiste puis communiste après le Congrès de Tours de 1920. En 1924, il est membre du comité central puis secrétaire général du Parti en 1930. Il est élu député de la Seine en 1932. Suivant la stratégie du Komintern qui fait de la lutte contre le fascisme la priorité, il rompt avec la politique « classe contre classe » après son retour d'un voyage à Moscou (1934), ce qui permet le rapprochement de toutes les forces de gauche (communistes, socialistes et radicaux) dans un Front populaire qui accède au pouvoir en 1936. Thorez, mobilisé en septembre 1939, déserte l'armée en octobre, son parti refusant de faire la guerre à Hitler, allié de Staline depuis la signature du pacte germano-soviétique. Il est condamné à six ans de prison en France, mais il s'établit à Moscou. Il ne rentre à Paris qu'après avoir été amnistié par de Gaulle en octobre 1944 et contribue alors au retour de l'ordre. Il siège dans le gouvernement de de Gaulle comme ministre d'État chargé de la Fonction publique de novembre 1945 à janvier 1946. Il est plusieurs fois vice-président du Conseil en 1946 et 1947. Mais comme les autres ministres communistes, il quitte le gouvernement en mai 1947, et entre alors avec son parti dans une opposition sans nuance aux gouvernements successifs.

● TITO Josip BROZ, dit (1892-1980)

Fils d'un pauvre paysan croate, Josip Broz travaille comme ouvrier agricole dès l'âge de 12 ans. Mobilisé dans l'armée austro-hongroise en 1914, il est fait prisonnier par les Russes mais libéré par les bolchéviques en 1917. Après avoir combattu à leurs côtés pendant la guerre civile russe, il rentre en Croatie comme agent communiste, en 1923. Emprisonné pour ses activités militantes de 1928 à 1934, il prend le nom de Tito à sa libération et part travailler à Moscou (1934-1936), puis à Paris, où il recrute les volontaires pour les brigades internationales (1936). Secrétaire général du parti communiste yougoslave à partir de 1937, il organise la résistance contre les Allemands à partir de 1941. L'attitude ambiguë des chetniks, résistants monarchistes du colonel Mihaïlovitch, à l'égard des Allemands, permet à Tito de rallier beaucoup de résistants non-communistes. Proclamé maréchal de l'armée populaire et président du gouvernement provisoire en novembre 1943, il obtient le soutien de Churchill et se fait nommer chef de la Résistance par le roi de Yougoslavie. Mais, à la fin de la guerre, il élimine les ministres royalistes, abolit la monarchie et proclame la République populaire de Yougoslavie en novembre 1945. Ayant libéré seul la majeure partie du territoire, il affirme son indépendance face à Moscou et finit par rompre avec Staline en juin 1948. Bien qu'ayant renoué avec l'URSS en 1955, il apparaît comme l'un des chefs du mouvement des pays non-alignés, réunis lors de la Conférence de Belgrade en 1961. Président du Conseil jusqu'en 1953, puis président de la République, et « président à vie » à partir de 1974, il tente d'édifier un modèle socialiste original, fondé sur l'autogestion des entreprises. Il réussit à préserver l'unité de la Yougoslavie en s'entourant de collaborateurs issus de toutes les républiques de la Fédération. Mais après sa mort, en mai 1980, l'unité yougoslave volera en éclats.

● TROTSKI, Lev Davidovitch
● Bronstein (1879-1940)

Né en Ukraine, dans un milieu juif aisé, il étudie à Odessa et milite dans divers mouvements révolutionnaires avant d'être arrêté en 1898 et déporté en Sibérie où il adhère au Parti socialiste-démocrate. Après son évasion, il rejoint Lénine en 1902 à Londres, et collabore à l'*Iskra*, bien qu'il soit plutôt favorable aux mencheviques. En 1905, il participe activement à la révolution et dirige le soviet de Saint-Petersbourg. Condamné à la déportation à vie, il s'évade et s'exile à Vienne, où il développe dans son journal la *Pravda* (la *Vérité*) la nécessité d'une révolution prolétarienne et européenne, en France d'où il est expulsé en 1916 (propagande pacifiste), puis aux États-Unis. De retour en Russie en mai 1917, il adhère au parti bolchevique et retrouve la direction du Soviet de Petrograd ; il y organise la révolution d'octobre. Commissaire du peuple chargé des Affaires étrangères, il finit par se rallier, non sans réticences, à la position de Lénine sur la paix sans conditions avec l'Allemagne. Lénine le charge alors de l'organisation de l'Armée rouge dans la guerre civile. À la mort de Lénine, il s'oppose à Staline dans la guerre de succession ; démis de ses fonctions en 1925, exclu du Parti en 1927, il est contraint à l'exil en 1929, et fonde alors une quatrième internationale qui regroupe les opposants au stalinisme. Il est assassiné par un agent stalinien au Mexique.

● TRUMAN Harry S. (1884-1972)

Fils d'un fermier du Missouri, Harry Truman doit renoncer à la carrière militaire à cause de sa mauvaise vue. Après avoir exercé de nombreux emplois et participé comme volontaire à la guerre de 1914-1918, il ouvre à Kansas City une chemiserie, qui fait rapidement faillite. Il entre alors en 1922 dans l'organisation du parti démocrate et devient juge, puis sénateur du Missouri en 1935. Placé à la tête du comité de recherches pour la défense nationale pendant la guerre 1939-1945, il est choisi comme vice-président par Roosevelt en 1944. Après la mort de ce dernier, le 12 avril 1945, Truman devient président des États-Unis. Chargé de finir la guerre, il prend la responsabilité du lancement des bombes atomiques sur Hiroshima et Nagasaki. Face à l'expansion soviétique en Europe centrale, il définit en mars 1947 la doctrine Truman, c'est-à-dire l'endiguement du communisme, dont le plan Marshall sera l'axe majeur. À l'intérieur, il tente de poursuivre la politique sociale de Roosevelt avec son programme de Fair Deal. Il est réélu en 1948. Ferme dans la guerre froide contre le communisme, il organise le pont aérien sur Berlin-Ouest en 1948, met sur pied l'alliance Atlantique en 1949 et engage les forces américaines dans la guerre de Corée en 1950. Débordé par le macccarthysme, il renonce à se présenter aux élections de 1952.

● WALESA Lech (né en 1943)

Ouvrier électricien aux chantiers navals de Gdansk, il anime le mouvement de grèves qui éclate en juillet 1980. À la tête du comité de grèves inter-entreprises (MKS), il obtient du pouvoir polonais la signature des accords de Gdansk, qui reconnaissent le droit de grève et les premiers syndicats libres du monde communiste (31 août 1980). Il prend ensuite la direction du syndicat Solidarité, fondé le 24 septembre, et qui rassemble 10 millions d'adhérents en quelques mois. Placé en résidence surveillée lors de la « normalisation » menée par le général Jaruselski à partir de décembre 1981, Walesa parvient néanmoins à reconstituer une direction clandestine de Solidarité. Grâce au soutien des Occidentaux et du pape Jean-Paul II, il obtient en 1983 le prix Nobel de la paix. À partir de 1988, il obtient l'organisation d'élections partiellement libres en 1989. En juin 1990, il est élu Président de la République au suffrage universel. Mais il est aujourd'hui l'objet de vives critiques au sein même de Solidarité, accusé de tendances autocratiques.

● **WILSON Harold** (né en 1916)
● Premier ministre britannique. Ancien élève d'Oxford, professeur d'économie politique, il collabore, durant la Seconde Guerre mondiale, à l'élaboration du plan Beveridge de Sécurité sociale. Élu député travailliste du Lancashire en 1945, puis nommé au ministère du Commerce dans le cabinet Attlee à partir de 1947, il démissionne de son poste en avril 1951. Porté à la tête du parti travailliste en 1963, il devient Premier ministre en 1964. Reconduit après le triomphe de son parti aux élections de 1966, il est aux prises avec la plus grave crise économique et financière de l'après-guerre. Il doit dévaluer la livre en 1967 et recourir à une politique d'austérité salariale, qui le rend impopulaire. Son parti ayant été battu lors des élections anticipées de 1970, il doit quitter la tête du gouvernement. Revenu au pouvoir en 1974, il obtient la ratification du traité d'adhésion du Royaume-Uni au Marché commun, en juin 1975. Mais, face à la dégradation de la situation économique, il démissionne en avril 1976.

● **WILSON Thomas, Woodrow**
● (1856-1924)
Né à Staunton, en Virginie, d'une famille d'origine irlandaise, il est le fils d'un pasteur-professeur. Il fait ses études à Princeton et devient professeur puis président de cette université. Élu gouverneur démocrate du New Jersey en 1911, il mène avec succès des réformes progressistes qui lui donnent une envergure nationale. Il l'emporte aux élections présidentielle de 1912 contre le républicain Théodore Roosevelt. En 1916, il est réélu et il reste à la Maison Blanche jusqu'en 1921. En politique intérieure, Wilson entreprend de nombreuses réformes sous le slogan de « la Nouvelle liberté ». Il autorise en 1913 le Congrès à établir un impôt fédéral sur le revenu, renforce la législation antitrust, ou étend, en 1920, le droit de vote aux femmes. En politique extérieure, il maintient en Amérique latine la politique d'intervention militaire. Lors du déclenchement de la Première Guerre mondiale, il annonce la neutralité de son pays : c'est sur ce programme de paix qu'il est réélu en 1916 ; en 1917, pourtant, il demande au Congrès de déclarer la guerre à l'Allemagne. Il s'agit, selon lui, d'une « guerre de la liberté et du droit » au service de la démocratie et de la paix. Le 8 janvier 1918, il définit les buts de guerre dans ses « Quatorze points », qui sont aussi bien la liberté des mers, l'abolition des barrières économiques ou la réduction des armements, que le droit des peuples européens à avoir un État ou la création d'une Société des Nations chargée de maintenir la paix dans le monde. Son principal succès est l'institution de la SDN dans laquelle les États-Unis n'entreront finalement pas.

486

INDEX CHRONOLOGIQUE

INDEX DES ARTICLES

498

Maquette : Cédric Berruyer
Mise en page : Graphismes
Cartographie : Agraph
Graphiques : Philippe Boutet

Illustration de couverture :
Pierre-Olivier Leclercq

*Achevé d'imprimer en août 1993
sur presse CAMERON,
dans les ateliers de la S.E.P.C.
à Saint-Amand-Montrond (Cher)*